oba

WISSELCOLLECTIE

J. MARIO SIMMEL

7 Nisan 1924'te Viyana'da doğdu. Avusturya ve İngiltere'de büyüdü. Kimya mühendisliği eğitimi aldıktan sonra, 1943'ten II. Dünya Savaşı'nın sonuna kadar araştırma görevlerinde bulundu. Savaştan sonra, Amerikan askeri hükümeti için çevirmen olarak çalıştı ve Viyana'da yayımlanan *Welt am Abend* gazetesinde yazılar ve öyküler yayımladı. 1950'den sonra resimli *Quick* dergisinde muhabir olarak çalıştı. Pek çok roman ve senaryo kaleme aldı. Romanlarının çoğu, 60'larda ve 70'lerde başarıyla sinemaya uyarlandı. Aralarında BM Yazarlar Derneği'nin "Award of Excellence" ödülü de dahil olmak üzere pek çok ödül kazandı. 1 Ocak 2009'da yaşamakta olduğu İsviçre'nin Zug kentinde öldü.

AHMET ARPAD

5 Mart 1942'de İstanbul'da doğdu. Gazeteci-yazar Burhan Arpad'ın oğludur. Orta ve lise öğrenimini Alman ve Avusturya okullarında tamamladı. İstanbul Üniversitesi'ndeki Alman Dili Edebiyatı Bölümü'nde yükseköğrenimi bitirdi. 1968 yılından bu yana Almanya'da serbest gazeteci (*Cumhuriyet* gazetesi), fotoğraf sanatçısı ve çevirmen olarak yaşamaktadır. Özellikle Heinrich Böll, Gerhard Hauptmann, Hermann Hesse, Stefan Zweig, Anna Seghers, Pablo Neruda, Johannes Mario Simmel, Thomas Bernhard ve Harry Mulisch'in çevirileri yaptı. 1994-1995 Abdi İpekçi Gezi Yazısı yarışması ikincilik ödülünü aldı. PEN Türkiye Merkezi ve Enternasyonal Stefan Zweig Cemiyeti üyesidir.

J. MARIO SIMMEL

Ve Palyaçolarla
Gözyaşları

Türkçesi: Ahmet Arpad

§

Gerilim **20**

Ve Palyaçolarla Gözyaşları
J. Mario Simmel

Kitabın Özgün Adı:
Doch Mit Den Clowns Kamen Die Tränen

Almancadan çeviren: Ahmet Arpad
Kapak tasarım: Utku Lomlu
Mizanpaj: Bahar Kuru

1. Basım: 1987, Altın Kitaplar
2. Basım: Haziran 2009, Everest Yayınları
ISBN: 978 - 975 - 289 - 606 - 2
Sertifika No: 10905

Baskı ve Cilt: Melisa Matbaacılık
Tel: (212) 674 97 23
Fax: (212) 674 97 29

EVEREST YAYINLARI
Ticarethane Sokak No: 53 Cağaloğlu/İSTANBUL
Tel: (212) 513 34 20-21 Faks: (212) 512 33 76
Genel Dağıtım: Alfa, Tel: (212) 511 53 03 Faks: (212) 519 33 00
e-posta: everest@alfakitap.com
www.everestyayinlari.com

Everest, Alfa Yayınları'nın tescilli markasıdır.

*Bireyin tek başına çılgınlık yaptığı pek
enderdir. Ama çılgınlık, gruplarda,
uluslarda ve her çağda kuraldır.*

FRIEDRICH NIETZCHE
"İyi ve Kötünün Öbür Yüzü"

*Bir oyunu kazanmanın tek yolu onu
hiç oynamamaktır.*

SAVAŞ OYUNLARI
adlı Amerikan filminden

TEŞEKKÜR
※

Bu romanın yazılması ancak birçok ülkedeki birçok kişinin dostça yakınlığı sonucu mümkün olmuştur. Bu kişiler arasında doğa bilimcileri, tarihçiler, politikacılar, askerler, devletlerarası hukuk ve anlaşmazlıkları araştırma uzmanları, gazeteciler ve güvenlik uzmanları vardı. Bütün bu kişilerin adlarını burada sıralamam mümkün değil. Onlar gizli kalmaları koşuluyla bilgi vermeyi kabul etmişti. Bu büyük yardımcılarıma şimdi teker teker candan teşekkürü bir borç bilmekteyim.

Eserlerinden alıntılar yapmama izin veren yazarlara ve yayınevlerine de teşekkür etmek istiyorum. Bu yazarların adları aşağıdadır:

Horst Afheldt, Rita Arditti, Renate Duelli Klein, Shelley Minden, Erwin Chargaff, Hans Günter Gassen, Andrea Martin, Gabriele Sachse, Joel de Rosnay, Jost Herbig, Vance Packard.

Romanımda sözü edilen bilimsel ya da politik olaylar -bunları birbirinden ayırmak mümkün mü?- üzerine bilgi edinmek isteyen okurlarıma, yukarıdaki yazarların eserlerine göz atmalarını öğütlerim.

İsviçre,
Zug, 1987 ilkyazında.

Johannes Mario Simmel

※

   Bu romanda sözü edilen kişilerin, olayların, kuruluşların yalnızca bir bölümü hayal ürünüdür. Fransız televizyon istasyonu Première Chaine Tele 2, Alman Haberler Merkezi ve hazırladığı "Canlı Yayın" programı ve "özel timler" gerçekte yoktur.

   Buna karşılık pek çok kişi, olay ve kuruluş gerçekte vardır. Özellikle dış görünüşlerini tümüyle değiştirdiğim üç kişi, beni etkilemiş ve herkesten çok yönlendirmiş, değer verdiğim insanlardır. Bu üç kişiden birinin varlığı, yaşamları "sakatlanmış" bir erkekle bir kadın arasında bir aşkın doğmasına neden olmuştur.

   Bu romanda sözünü ettiğim inanılmaz deneyler, uluslararası çapta tanınmış bilim adamlarınca defalarca başarıyla yapılmıştır. Tüyler ürpertici olan sonuncusu dışında. Korkunç ya da yadırgatıcı gelen tüm olaylar gerçeklere uygundur. İçinde yaşadığımız yılların önemli, aynı zamanda alınyazımızla oynayan güçlü ve acımasız kişilerinin sözlü ve yazılı açıklamalarını, görüşlerini, kararlarını ve planlarını, televizyon yayınlarından parçaları, bilimsel ya da politik yazılardan, konuşmalardan, makalelerden ve gazete haberlerinden bölümleri romanıma olduğu gibi aldım. Hukuki kurallar nedeniyle bazı bölümlerde kişi adlarını, yer ve zamanı değiştirmem gerekti.

Bu nedenlerle gerçek yaşamdaki kişiler ve olaylarla olan benzerlikler rastlantı değildir. Bilinçlidir. Dolayısıyla kaçınılmazdır.

J. M. S.

VE PALYAÇOLARLA
GÖZYAŞLARI

GİRİŞ
※

Ve şimdi sıra palyaçolarda.

Sendeleye tökezleye gösteri alanına girerlerken yüzlerce çocuk hep bir ağızdan sevinç çığlıkları atıyor. Giysisi sarı-siyah karolarla dolu palyaço iriyarı ve uzun boylu. Giysisi kırmızı-beyaz karolarla dolu palyaço ise ufak tefek ve sıska. Suratlarını bir tuhaf boyamışlar. Maske gibi. Ayakkabıları şekilsiz, bol pantolonları torba gibi. Başlarında da küçücük şapkalar.

Ah, ne güzel bir sirk gösterisi bu!

Kızlı erkekli küçük çocuklar anne ve babalarıyla kocaman çadırın altında ne mutlu. Siyah midilli atları dans ederken sevinçle alkışladılar, aslanlar kükrerken ürperdiler, gümüş rengi giysileri içinde güzel kadınlar çadırın yüksek kubbesinde trapez gösterisi yaparken çok heyecanlandılar.

Ve şimdi palyaçolar!

1

"Haydi gel Wilhelm Tell oynayalım!" diye seslendi sarı-siyah giysili olanı.

"Kimi oynayalım dedin?" diye bağırdı kırmızı-beyaz giysili arkadaşı. Birbirleriyle yüksek sesle konuşurlarken hafifçe seyircilere doğru dönmüşlerdi.

"Wilhelm Tell! Okuyla oğlunun başındaki elmayı vuran adamı! Yüz adım öteden!"

"Ah, evet. Biliyorum!" diye ufak tefek olanı bağırdı. "Yüz adım öteden vurmuştu! Wilhelm Tell okuyla oğlunun başındaki elmayı vurmuştu. Ben şimdi senin oğlunum. Olur mu? Lütfen n'olur!"

"Sen benim oğlumsun!"

"Oğlanın adı neydi?"

"Walterli'ydi oğlanın adı!"

"Benim adım Walterli şimdi! Küçük Walterli!" Ufak tefek ve sıska palyaço elini ağzına götürüp seyircilere sesleniyor. "Moruk başımdaki elmayı vuramayacak!"

Çocuklar gülüyor.

En öndeki localardan birinde orta yaşlı bir kadın oturuyor. Yanında oğlu var. Kadın sarı ceket ve pantolon giymiş. Oğlunun üzerinde de kalın kumaştan pantolon, beyaz gömlek ve renkli bir kravat, yedi yaşlarında olmalı. Arada sırada annesine bakıp gülümsüyor. Mutlu.

"Elma nerede?" diye sıska palyaço soruyor.

"İşte burada!" İri yarı, şişman palyaço pantolon cebinden kocaman, kırmızı bir elma çıkarıyor. Sonra sıska palyaçonun şapkasını atıp elmayı başına oturtuyor. Fakat elma hemen yere düşüyor. Şişman palyaço eğilip elmayı alıyor, tekrar sıskanın başına koyuyor, iyice otursun diye şöyle bir vuruyor. Gelgelelim elma yeniden düşüyor. Sıska palyaço da yere yuvarlanıyor.

İriyarı arkadaşı eğiliyor, pantolon kemerinden şöyle bir tutup ayağa kaldırıyor. Sonra elmayı yine başına oturtuyor. Elma yine düşüyor. Çocuklar bağrışıyor. Anne babalar gülüyor.

Locada oturan kadın sevinçle alkışlayan oğluna bakıyor. Neşe dolu. Elini başına götürüp siyah saçlarını okşuyor. Kadının kısa kesilmiş saçları da siyah. Dar yüzünde iri, kara gözler, hep canlı ve dikkatli. Fakat bakışlarında bir hüzün var. Gülse de. Cildi pırıl pırıl ve ipek gibi. Yaşamının çoğunu temiz havada geçiren insanlar gibi. "Benim Pierre'im," diye mırıldanıyor. Oğlu onu duymuyor. Bütün çocuklar gülüyor, yüksek sesle kahkahalar atıyorlar. Sıska palyaço, "Bu iş elmayla olmayacak!" diye bağırıyor. "Başka bir şey gerekli, babacığım!" Cebinden bir muz çıkarıp başına oturtuyor. Çocuklar bağrışıyor.

"Bırak bu saçmalığı, Walterli!" diye şişman palyaço sesleniyor, "Elmanın başında nasıl duracağını göstereceğim şimdi. At o muzu!"

Sıska palyaço muzu yere atıyor.

Şişman palyaço elindeki elmayı ısırıyor. Sonra arkadaşının başına oturtuyor. Şimdi elma duruyor. "Gördün mü, ne kadar kolay, sevgili Walterli! Sıra okumu bulmaya geldi."

"Okun nerede, babacığım?"

"Şurada, bavulun içinde."

Şişman palyaço gösteri alanına girerken orta yere bıraktığı kocaman, siyah bavulunun yanına gidiyor. Aynı anda sıska palyaço başındaki elmayı çabucak alıp ısırıyor ve yine başına koyuyor. Keyifle ağzını oynatıyor, karnını okşuyor. Şişman palyaço dönüp ona bakıyor. Fakat elma arkadaşının başında duruyor. Bütün çocuklar yüksek sesle gülüyor!

Bütün bunları düşünde gören adam geniş bir yatakta yatıyor. Yüzünde gülümseme var. Derin derin soluk alıyor düşünde.

Kısa saçlı, kara gözlü kadın bir erkeğin yüksek sesle güldüğünü duyup arkasına dönüyor. Gülen adam iki sıra arkada oturmuş, Yüzü kırışık, saçları gri. Kadın bu adamı tanıyor. Kırk beş

3

yaşlarında, ama daha yaşlı gösteriyor, diye bir an aklından geçiriyor. Şöyle bir selam veriyor. Adam da kadını selamlıyor. Yanında iki küçük kız çocuğu oturuyor. Kızları, diye düşünüyor. Onları da tanıyor kadın.

Sirki dolduran çocuklar kahkahalar atıyorlar. Şişman palyaço iki adımda bir arkasına dönüp sıskanın ne yaptığına bakıyor. Sıska da arkadaşı görmeden elmayı ağzına götürüp ısırıyor, sonra hemen başına koyuyor. Şişman palyaço bavulun yanına diz çökerek bavulu açmaya çalışıyor. Olmuyor. Zorluyor. Bu arada sıska palyaço elmayı yiyip bitiriyor. Çocuklar yüksek sesle gülüyorlar.

Şişman palyaço sesleniyor. "Walterli!"

"Ne var, babacığım?"

"Gel buraya. Yardım et bana!"

Sıska palyaço pantolonunu çekip koşuyor. Çorapları mor. Üzerine yeşil lastik geçirmiş. Koşarken tökezleniyor. Çocuklar gülüyorlar.

"Elma nerede?"

Sıska palyaço karnını gösteriyor.

Öfkeyle bağırıyor şişman. "Peki! Sen bilirsin! Öyleyse elmasız yapalım!"

"Evet, evet. Haydi elmasız yapalım!"

"Yardım et bana!"

Siyah bavulu açmaya uğraşıyorlar. Vuruyorlar. Sallıyorlar. Kapağı birden açılıyor. Palyaçolar aynı anda ayağa fırlıyorlar. Ellerinde makineli tüfekler var. Yüzleri seyircilere dönük olarak ateş etmeye başlıyorlar. Kısa siyah saçlı kadının oğluyla oturduğu bölüme doğru.

Birden panik baş gösteriyor. Kadınlar bağırıyor, erkekler haykırıyor, çocuklar ağlıyorlar. Makineli tüfekler durmadan ölüm kusuyor. Birkaç sıra arkada oturan gri saçlı adam vuruluyor. Alnının ortasından. Yere yuvarlanıyor. Kanlar akıyor. Oluk oluk. Yanındaki karısı ve iki kızı da vuruluyor. Kanlar içinde

4

adamın üzerine düşüyorlar. Başka insanlar da kurşun yiyor. Palyaçolar yerde yatanlara da ateş ediyorlar.

Seyirciler panik içinde kaçışıyor. Sıralar arasındaki basamaklar dar. Kadınlar ve çocuklar tökezliyor. Erkekler kavga dövüş yol açmaya uğraşıyor. Kadınlara vuruyorlar. Bazı insanlar yerde yatıyor. Üzerlerine basıp kaçıyorlar. Kan. Her yerde kan. Tahta sıralardan kanlar damlıyor.

Elinde tabanca tutan bir sirk görevlisi gösteri alanına doğru koşuyor. Onun geldiğini gören sıska palyaço dönüp birkaç el ateş ediyor. Kırmızı üniformalı adam olduğu yerde şöyle bir sallanıyor ve yüzükoyun yere kapaklanıyor. Düştüğü yer hemen kırmızıya bulanıyor.

Kısa siyah saçlı kadın, palyaçolar çılgın gibi ateş etmeye başladıklarında, kendini ve oğlunu yere atmıştı. Savaştaki bir asker gibi çok çabuk davranmıştı. Yattığı yerden İki palyaçonun şimdi ateş ederek geri geri uzaklaştığını görüyordu. Gösteri alanının girişinde duran birkaç kişi kaçışarak kendilerini yere attılar. Palyaçolar dışarı fırladı.

Onları bir otomobil bekliyor olmalı, diye düşündü kadın. Sirkin çıkış kapıları insan doluydu. İnsanlar birbirlerine vuruyor, vahşi hayvanlar gibi davranıyordu. Korku içinde. Yerlerde ağır yaralılar, ölüler yatıyordu. Hoparlörlerden bir erkek sesi duyuldu. Ne söylediğini kimse anlamıyordu.

Uykudaki adam yattığı yerde dönendi. Huzursuz. Ter İçinde kalmıştı. Soluk alırken zorlanıyordu. Gri saçları karmakarışıktı. Kanlar içinde yerde yatan adamı görüyordu düşünde. Her şey çok açıktı. Kırmızı kanların içinde yatan adam kendisiydi. Ölmüştü! Karısı, küçük kızları da... Onlar da ölmüştü! Uykudaki adam derin derin inledi...

Kadın yattığı yerden ayağa fırladı. Oğlunu da çekip kaldırdı. Çocuk sürüklenir gibi annesinin peşinden yürümeye çalıştı. Çıkış kapılarına varamamış bir sürü insan gösteri alanının orta yerinde toplanmıştı. Yaralıların haykırması kulakları tırmalıyordu. Kadın kendine zorla yol açtı. Elinden tuttuğu oğlunu çekiyordu. Çocuk tökezledi, ayağa kalktı, annesini zorlukla izliyordu. Kadın çevresindeki insanlara vurdu. Dönüp bağıranlar, küfredenler oldu.

Kadın girişe çıktı. Kasaların yanında üç telefon kulübesi vardı. İlk kulübenin kapısını kırar gibi açtı, içeri girdi, oğlunu da içeri çekti. Cama yaslanıp soluk soluğa bir numara çevirdi. Oğlu yerde oturuyordu.

"Hamburg gazetesi, buyurun," dedi bir genç kız sesi.

"Ben Norma Desmond. Yazı işleri müdürünü bağlayın! Çok acele!"

"Bir saniye, Bayan Desmond."

Telefon bağlandı. Başka bir kadın sesi duyuldu. "Yazı işleri, buyurun."

"Norma Desmond. Doktor Hanske'yi lütfen!"

"Derhal!"

Şimdi karşısında bir erkek konuşuyordu. "Norma?"

Kadın anlaşılır biçimde konuşmak için kendini zorladı. "Günter! Mondo Sirki'nden arıyorum. Burada teröristlerin baskınına uğradık. İki palyaço makineli tüfeklerle seyircilerin oturduğu belirli bir bölüme ateş etti. Orada ben de oğlumla oturuyordum."

"Ne dedin?"

"O bölümde ben de oğlum Pierre'le oturuyordum."

Dışarıda cankurtaranların sesi duyuldu. İki, üç, dört, beş... Bir sürü geldi. Peş peşe iki polis arabası da çadırın büyük kapısından gösteri alanına girdi. İnsanlar kaçıştı.

"Polisler geldi... Cankurtaranlar da... Doktorlar ve hastabakıcılar..."

Beyaz önlüklü ve gri üniformalı insanlar telefon kulübesinin önünden geçti. Koşar adımlarla.

"Kaç ölü, kaç yaralı var?" diye yazı işleri müdürünün sorduğunu duydu.

"Bilemiyorum. Belki elli! Belki de altmış! Günter, anlayabildiğim kadarıyla palyaçolar bir görevi yerine getirdi. Belirli bir kişiyi öldürmekle görevlendirilmişlerdi. Bir adamı ve yanındaki ailesini. Doğrudan doğruya ona ateş ettiler. Adam öldü. Karısı ve çocukları da."

"Bu adamın kim olduğunu biliyor musun?"

"Biliyorum!"

"Kim?"

"Profesör Martin Gellhorn."

"Profesör Gellhorn mu? "

Birden telefon kulübesinin kapısı açıldı. Norma arkasına döndü. Uzun boylu bir adam duruyordu karşısında. Yüzü donuktu. Mum gibiydi. Yuvarlak camlı bir gözlüğü vardı. Elbisesi buruşuktu. Adam soluk soluğaydı.

"Ne istiyorsunuz benden?" diye bağırdı Norma.

Ölü yüzlü adam bir adım geri çekildi. "Özür dilerim... Telefon ettiğinizi görmedim..."

Kapıyı kapattı. Hızla uzaklaştı.

"Norma! Norma!"

"Evet, evet. Buradayım!"

"Ne oldu?"

"Ne bileyim. Adamın biri..."

"Profesör Gellhorn mu demiştin?"

"Evet!"

"Virchow Hastanesi'nden?"

"Evet!"

"Bilim adamı değil mi?"

"Evet. Mikrobiyoloji uzmanı!"

"Gellhorn olduğundan emin misin?"

"Lanet olsun, tabi eminim. Onu sayısız fotoğrafından tanıyorum."

"Fakat neden öldürüldü?"

"Tanrım, şu anda nereden bileyim! Hemen fotoğrafçıları yolla buraya! Muhabirleri de! Joe, Franziska, Herbert, Jimmy gelsin! Gazetede yer gerekli! Yarınki başlık ne?"

"Brüksel Ortak Pazar Toplantısı'nda yine sonuç alınamadı... Tabii hemen atacağız! Birinci sayfa senin. Üçüncü de!"

"Tamam. Ben seni ararım." Kadın telefonu kapattı. Ve küçük oğlunun yere uzanmış yattığını gördü, çevresinde kan vardı. Kadın yere diz çöktü. Kanların içine, "Pierre! Pierre!"

Pierre yanıt vermedi. Pierre ölmüştü. Ceketinin üst sol cebi kan içindeydi. Vurulmuştu. Kadın ceketi yırtar gibi açtı. Daha çok kan fışkırdı. Elleri kan içinde kaldı. Norma soluk almaya çalıştı. Hırıldar gibi ses çıkardı. Başının döndüğünü hissetti. İlk anda vurulmuş olacak, diye düşündü. Ben onu yere yatırmadan önce. Fark etmedim. Buraya kadar da peşimden sürükledim.

Hamburg'da... Günlerden pazartesi. Saat 17.54... Ağustos'un 25'i. 1986 yılında...

BİRİNCİ BÖLÜM

1

Cenaze töreninden eve döndüğü o anı unutamıyordu. Çok kötüydü. Ben buna nasıl dayanacağım, diye düşündü. Artık ne zaman eve gelsem, o burada olmayacak, beni karşılamayacak. Artık beni beklemeyecek. Burada onun güldüğünü duymayacağım. Hiç. Hiçbir zaman, diye düşündü, hiçbir yerde. Ne kadar çok gülerdi. Tıpkı babası gibi. O da bu evde yaşamıştı, şimdi o da yok. Ölü. Artık onların sesi bu odalarda duyulmayacak. Onlar bu odalarda dolaşmayacak. Hiç. Hiçbir yerde olmayacak. Fakat bu ev! Bu ev artık benim için bir hayvan ini. Hep buraya geleceğim. Yorgun ya da yaralı, hüzünlü ya da aç. Tıpkı bir hayvan gibi. Belki bazen sevinçli ve neşeli. İyi avladığı ya da diğer hayvanlarla yaptığı yarışı kazandığı için. Yıllar boyu beni dünyanın her yerine gönderdiler. Hep döndüm, buraya geri geldim. Sevinçli ve mutlu. Pierre'in beni beklediğini bildiğim için... Onun ve babasının sesini duyduğum, onlarla mutlu olduğum için. Gecenin geç saatinde eve döndüğüm zamanlar da mutluydum. Yorgun ve mutlu. Eve, yurduma geldiğimde. Burası benim yurdum, başka hiçbir yer değil. Yataklarının yanına diz çöküp soluklarını dinlerdim, uykularında onları seyrederdim. Babasını ve oğlunu. Şimdi yok onlar. Artık ne babası ne de oğlu. Göremeyeceğim her ikisini de. Seslerini de duyamayacağım. Bu evde artık beni bekleyen insanlar yok. Burası benim için şimdi bir hayvan ininden başka bir yer değil. Her şey benim, ama her şey bana yabancı. Güzel, mutlu günler bir daha geri gelmeyecek. Onları yaşamayacağım. Hiçbir zaman! Ne kadar kötü bir söz "hiçbir zaman." *Hitler* sözcüğünden de kötü!

Evin içinde dolaştı. Bir odadan ötekine gitti. Ruhu bomboştu. Sanki yanıp kül olmuştu. Keşke ben de ölseydim, diye bir an düşündü. Ne güzel olurdu. Kara gözlerinde hüzün vardı. Öfke vardı. Ölümün ve yaşamın yalnızlığı da.

Bir zamanlar Pierre'in babasıyla konuşmuştum, diye düşündü. Ölüm üzerine, ölümü nasıl arzuladığımızı anımsıyorum. Beyrut'ta. 1978 yılının Ekim'indeydi. Çok iyi anımsıyorum. Beyrut'a yollamışlardı bizi. Beni gazetem, onu da Fransız Basın Ajansı. Tanışalı üç yıl olmuştu. 1976 yılının ocak ayıydı. Yeşil Hat'ta birçok insanın öldüğü gün. Doğu ve Batı Beyrut arasında. Hıristiyanlar doğuda, Müslümanlar batıda yaşıyorlardı. Ocak 1976'da Müslümanlar Yeşil Hat'ta kimlik kartı soruyordu. Yakaladıkları Hıristiyanları ya hemen vuruyorlar ya da sürükleyip bir yere götürüyorlardı. Ben o gün Batı Beyrut'taydım ve mutlaka doğuya geçmem gerekiyordu. Yeşil Hat'ta beni de tutukladılar ve sorgu sualsiz sürüklemeye başladılar. Beni de mi vuracaklar, diye bir an düşündüm. İşte o anda Pierre Grimaud ortaya çıktı. Beni sürüklemekte olan adamlara bağırdı. Benim yabancı bir muhabir olduğumu söylüyordu. Üzerimdeki tişörtü gösterdiğini de anımsıyorum. Parmağıyla kendi tişörtünü de gösteriyordu. Beyrut o günlerde çok sıcaktı. Bunaltıcı bir sıcak vardı kentte. Bütün muhabirler üzerinde Arapça ve İngilizce ATEŞ ETMEYİN, BASIN yazan tişörtler giymişti, Pierre Müslüman iki Arap'la ağız kavgasına girişti. Adamlar beni bırakmıyordu. Harabelerin arkasından tüfek sesleri duyuyordum. 1976 yılının Ocak ayında Yeşil Hat'ta çok insan ölmüş, öldürülmüştü. Beyrut'taki bu sonsuz kavga nasıl bir cinayet! Ve birden yakınımıza bomba düştü. Çok şükür! Herkes kendini yere attı. Etraf toz duman içinde kaldı. Aynı anda bu Pierre Grimaud -o gün adını bilmiyordum- beni yakaladığı gibi koşmaya başladı. Başlarımızı eğerek kaçtık. Bir sağa, bir sola koşuyorduk. Arkamızdan ateş ettiler. Elli metre ötemize bir bomba daha düştü. Toz dumandan göz gözü görmüyordu. Kaçıp kurtulmuştuk. Ve o günden sonra hep bir arada olduk. Birlikte çalıştık. O bana destek oldu, ben ona destek oldum. Pierre otuz dokuz yaşındaydı. Benden tam dokuz yaş büyüktü. O güne kadar onu da benim gibi huzursuzluk ve savaş çıkan üçüncü dünya ülkelerine göndermişlerdi. Ölümden nasıl kaçılacağını, savaşta nasıl yaşanacağını biliyorduk. Birçok püf nokta vardı. 1978 yılının o Ekim ayında yine de ölümden, ölmekten söz ediyorduk. Aradan geçen iki yılda sık sık ayrıldığımız olmuştu. Ayrı ayrı ülkelerde görevlendirilmiştik. Beyrut'taki olaylar büyüdüğünde, insanların insanları öldürmesi sonsuza vardığında yine bu kentte buluşurduk. O ekim gecesinde Batı Beyrut'taki Commodore Oteli'ndeydik. Doğu Beyrut'taki Alexandre Oteli'nde de odamız vardı, bu kentte görevli birçok muhabir iki otel odası tutardı. Biri doğuda, diğeri batıda. Çünkü her zaman birinden ötekine geçmek mümkün olamazdı. İki otel de sık sık bombalanırdı. Ama hemen şöyle bir onarılıp yine açılırdı. Ve o gece birbirimize sarılmış, birbirimize kenetlenmiş yatıyorduk. Vücutlarımız tek bir vücut gibi hareket ediyordu. Yavaş yavaş. Her zaman olduğu gibi. Pierre ve ben. Düşünüyorduk. Daha önce hiç düşünmediğimiz gibi. Birlikte olduğumuz bu üç yılda hiç düşünmediğimiz şeyi: Dün yoktu. Yarın da olmayacaktı. Şimdi vardı. Lütfen şimdi, evet, şimdi olsun. Tanrım, hep şimdi kalsın! N'olur şu an hiç bitmesin! Hiç yitirmeyelim şu an'ı! Sonsuza dek kalsın. Birbirimizin olduğumuz şu an devam etsin, bitmesin! Şimdi biterse, her şey bitecek! Şimdi en güzel an. Ölmek için, yaşamak için değil! Öleceksek şimdi ölelim, ne olur! Lütfen şimdi, şimdi! Sonra yan yana yattık. Başımı göğsüne koymuştum. Yüreğinin attığını hissediyordum. Dışarıda gecenin karanlığından makineli tüfek sesleri geliyordu. Bombalar düşüyor, patlıyordu. İnsanlar haykırıyorlardı. Çok yakınımızda.

"Biraz sonra buraya da düşecek bombalar," diye mırıldandım. "Bu kez kurtuluş yok!"

"Merak etme," dedi Pierre. Ve otelin önündeki caddeye bomba düştü. Bina sallandı.

"Öleceksek beraber ölelim," dedim. "Bunu hep istiyorum, öldüreceklerse lütfen ikimizi de öldürsünler. Birimizden biri hayatta kalmasın. Tek başına."

Pierre saçlarımı öptü, ben de onun alnını, "Ben senden önce ölürsem..." dedi.

"Hayır. Ölmeyeceksin!"

"Ben senden önce öleyim," diye Pierre devam etti. "Öleceksek, önce ben öleyim. Hep dua ediyorum."

Dışarıdan makineli tüfek sesleri.

"Dua mı ediyorsun? Benden önce ölmek için..." diye mırıldandım.

"Evet, her gece," dedi. "Hep. Şu anda da dua ettim."

Ona sarıldım. Vücudunu vücuduma yapıştırdım. Dudaklarından öptüm. Gecenin karanlığında yine bombalar. Uzaklarda. "Hayır, kabul etmiyorum," dedim. "Önce ben ölmek istiyorum."

"Tanrı bildiği gibi yapacak. Ben ona inanıyorum. Sen inanmıyorsun."

"Böyle konuşma," diye mırıldandım. Otelin önünden bir tank geçti. Gürültüyle. Birden gözlerimden yaşlar boşandı. Tanrıya inanıyor. Onun her şeyi yapacağına da. Pierre bana iyice sarıldı.

"Senden önce ölmek istiyorum," dedi. "Tek başıma kalmak istemediğim için. Biliyorum, böyle düşünmem bencil..."

"Lütfen, konuşma artık. N'olur!"

"Şöyle bir aklımdan geçirdim de," dedi. "Ne de olsa hepimizin başına gelebilir."

"Ama bir şey olmadı. Yıllardır."

"Biliyorum, ama günün birinde olabilir."

"Biz yanlış meslekteyiz."

"Meslekle ilgisi yok," dedi. "Birbirini seven iki insandan biri mutlaka ölür. Ne yaptıkları, nerede yaşadıkları önemli değil, ölüm onları her zaman, her yerde bulur. Ben böyle düşünüyorum, sevgilim."

"Ben de," dedim. "Bu nedenle zaman hiç değişmesin, şimdi yaşadığımız şu an hiç bitmesin istiyorum. Yarınlar gelmesin. Biliyorum, çılgınca bir düşünce bu."

"Hiç de çılgınca değil," dedi. "Şimdi hep kalacak. Geçmiş hiç olmayacak bizler için. Çünkü biz birbirimizi seviyoruz. Sevgililer için geçmiş yoktur." Pierre'in Almancası pek iyi değildi. Fransızca konuşuyorduk, "Bütün geçmişler ve gelecekler hep şimdi kalacak!"

"Ama ya ikimizden biri ölürse?" diye mırıldandım. Yüreğinin hızlı hızlı attığını hissettim. Ben de huzursuzdum. Kentin doğusuna arka arkaya üç bomba düştü. "Sen ya da ben ölürsek, Pierre?"

"Onu düşünmeye, onu sevmeye devam eden bir insan oldukça ölü, ölü değildir," dedi. "Ölü o insan için hep vardır." Yine makineli tüfek sesleri, "Ölen insanın en iyi yanı onu seven insanda kalır. O onun içindedir. Ölü yaşayanın. Ve onlar birbirlerinden hiç ayrılmaz. Hep birbirlerinin olurlar."

15

"Ama neden benden önce ölmek istiyorsun?" dedim. "Ben niçin senden önce ölmek istediğimi biliyorum. Çünkü anlattığın şeye inanmıyorum. Yine de bunları bana söylediğin için de seni çok seviyorum. Söylediklerine sen de inanmıyorsun, öyle değil mi?"

"Peki, peki," diye mırıldandı. "Ben de inanmıyorum. Ama tanrım, inanmayı nasıl da isterdim!"

Çok sıcaktı. Bunaltıcı bir sıcak. Dışarıdan makineli tüfek sesleri. Aralıksız. Tepemizden bir uçak. Bombalar. Beyrut'ta bir gece. Her zamanki gibi.

2

Düşünceleriyle irkildi.

Yatağında oturduğunu fark etti. Yanındaki küçük masada duran iki gümüş çerçeveye baktı, Pierre Grimaud ve küçük oğlunun fotoğraflarına. Oğluna da babasının adını vermişti. Pierre bir cephane sandığının önündeki benzin bidonuna yaslanmıştı. Sandığın üzerinde küçük bir yazı makinesi vardı. Pierre yeşil gri bir şort giymiş, başına da gri bir asker kasketi geçirmişti. Vücudu gibi yüzü de zayıf ve adaleliydi. Güneşten yanmıştı. Norma fotoğrafı çekerken kameraya bakmıştı. Gözleri griydi. Ağzı da iri. Pierre gülümsüyordu. Boynunda sallanan altın zincirde iki gözlük camı arasına sıkıştırılmış dört yapraklı bir yonca görünüyordu.

Norma elini siyah elbisesinin yakasına soktu ve altın zinciri çıkardı, uzun zamandır taşıyordu bu zinciri ve dört yapraklı yoncayı. Beyrut'ta vermiştim Pierre'e, diye bir düşündü. Uğur getirsin diye. Olmadı. Dört yapraklı yonca ona uğur getirmedi.

Sonra oğlunun fotoğrafına baktı. Çocuk bisiklete binmişti. Blucin vardı üzerinde. Renkli gömleğini pantolonunun üzerine çıkarmıştı. O da gülümsüyordu. Tabutu ne kadar küçüktü,

16

diye bir an düşündü, morgdaki kadın Pierre'e çok güzel bir kefen giydirdiklerini söylemişti. Parmaklarının arasına da çiçekler sıkıştırmışlardı. İnsan ölünce ona ne kadar da iyi davranıyorlardı. Tabutu taşıyanlara yeterince bahşiş verdim mi acaba? Çok kimse yoktu. Mezara toprak atarlarken uzaklaşmıştım. Dayanamamıştım.

"Ölü, ölü değildir..."

Karşısında duran fotoğraflara dayanamadı. Çekmeceyi açıp onları içine koydu. Bu odada bunalıyordu. Yataktan kalkıp dışarı çıktı. Salona geçti. Burada dolu bir kütüphane vardı. Büyük koltuklardan birine kendini bıraktı. Karşıdaki duvarda yığınla resim asılıydı. Pierre'le Norma yıllar boyu toplamışlardı bu resimleri. Çerçeveleri birbirine değiyordu. Bacakları kesilmiş, üniformaları yırtık iki asker Zille'nindi. "Zambaklar altında âşıklar" ve "Paris üzerinde âşıklar," sonra "Yeşil Yahudiler" Chagall'ın orijinal taş baskılarıydı. Milinkov'un resimleri... Bir tarlada uzun başaklar, yemiş dolu ağaçlar. Ağaçların altında sevişen erkekler ve kadınlar. Horst Janssen'in bir resmi. Çok büyük. Masa üzerinde bir kurukafa. Bir başka çerçevede kırmızı-beyaz giysili bir çocuk. Davul çalan. Berlin'li ünlü ressam Franz Krüger'in. 19. yüzyılın bu ressamı sayısız at resmi de yaptığı için kendisine "At Krüger" adını takmışlardı. Duvarda asılı bir sürü resim içinden en çok davul çalan bu çocuk resmini severdi Norma.

Ayağa kalktı. Küçük bir masanın üzerinde içki şişeleriyle kadehler duruyordu. Büyük bir kadehe viski doldurdu. Bir yudum aldı. Sonra balkona doğru yürüdü, camlı kapıları açıp dışarı çıktı. Akşam oluyordu. Güneş batmak üzereydi. Norma, Othmarschen semtinde, Park Caddesi'ndeki bir apartmanın en üst katında oturuyordu. Elbe Nehri'ne doğru baktı. Batan güneşin kırmızılığındaki sulara. Daha ötelerde Steendiek Kanalı'nı, Köhlfleet Limanı'nı, tren yolunu ve bir sürü vagonu gördü. Oralarda, uzaklarda küçük bir mezarlık ve küçük bir kilise vardı. Biraz önce oradan gelmişti. Tek başına. Nehrin kıyısındaki küçük iskeleye yürümüş, bir motorla Teufelsbrück'e geçmiş, Jenisch Parkı'nı dolanarak eve yürümüştü.

Balkonda duran koltuğa oturdu. Elindeki kadehi boşalttı. Ağır ağır. Artık her şey başka olacaktı. Yaşamı değişecekti. Geçmiş bir daha gelmeyecekti. Banyoya gitti, uzun uzun duş aldı. Eski günler geride kalmıştı. Eskisi gibi yaşayamayacaktı. Üzerine bir bornoz geçirdi. Kadehine viski doldurdu yine. Çalışma odasına geçip yazı masasına oturdu. Şimdi nasıl yaşayacaktı? Yalnız başına... Geçmişi düşünerek... Bir dostuna telefon etmek istedi. Numarayı çevirdi. Ama sonra telefonu kapattı. Konuşamayacaktı. Eskiden olsa uzun uzun konuşurdu. Eski artık yoktu. Ayağa kalktı. İçkisinden bir yudum aldı. Ağlamaya başladı. Geçmişi düşünmeden yaşayamam. Ben geçmişteyim. Tek başıma. Yalnız... İçkisinden bir yudum daha.

Oğlunun odasına gitti. Yatağın üzerine oturdu. Boş, bomboştu bütün ev gibi bu oda da. Yastığı kokladı. Oğlunun saç kokusunu. Dayanamayacaktı. Koşarak odadan çıktı. Balkona gitti. Sonra yine içeri girdi. Kendini koltuğa attı. Duvardaki resimlere daldı. Sevişenlere, davul çalan çocuğa, masa üzerindeki kurukafaya. Hiçbir şey geri gelmeyecekti...

3

Kırk yaşındaydı. On dokuz yıldır muhabirdi. On dokuz yıldır dünyanın her yerine gönderilmişti. Bütün savaşlara -savaş her zaman vardı- bütün devrimlere, bütün ayaklanmalara, bütün felaketlere. Büyük davalara, yiyicilik ve rüşvet olaylarına, silah ve eroin kaçakçılıklarına. Kötülüğün olduğu her yere. Büyük bir ülkenin girdiği küçük bir ülkeye. Bu on dokuz yıl süresinde karşılıklı oturup konuşmadığı ünlü politikacı, bilim adamı, filozof, yazar, ressam, rejisör, sinema ve tiyatro sanatçısı, müzisyen ya da heykeltıraş yoktu. Haberleri ve röportajları birçok yabancı dile çevirip birçok gazetede yayımlanmıştı. Mesleğinin en başarılı isimlerinden biriydi. Yurt içinden ve dışından sayısız gazete ve dergiden teklif almasına rağmen *Hamburg*'da kalmıştı. Yazdıkları birçok ansiklopediye de girmiş, bir sürü ödül almıştı. Sürekli gezide olduğu için oğlu Hamburg yakınlarında bir yatılı okulda kalıyordu. Eve geldiği günlerde Pierre de eve geliyor, geceliyordu. Boş zamanlarında Elbe Nehri kıyısında dolaşıyorlardı. Çernobil reaktöründeki faciadan sonra Moskova'ya uçmuş, olay yerine giderek insanlarla konuşmuş, basın toplantılarına katılmıştı. Hamburg'a döndükten sonra yaz tatilinde Pierre eve gelmiş, birlikte güzel günler geçirmişlerdi. Sık sık geziler yapmışlardı. 25 Ağustos'un o akşamüstünde de sirke gitmişlerdi...

Bir daha olmayacak. Bir daha o günleri yaşamayacağım. Hiçbir zaman. Geçmiş geri gelmeyecek.

Evin içinde dolaşıp duruyor, odadan odaya gidiyordu. Bir an balkonun açık kapısında durdu. Nehrin suları parıldıyordu. Güneş batmıştı. Ama hava henüz çok sıcaktı. Terliyordu.

Öldü, Öldü. Öldü.

Ayakları ağrıyordu. Salona girdi. Kütüphanenin önünde duran bir iskemleye çöktü. Pierre Grimaud, koyu yeşil kumaşla kaplı bu iskemlede oturmayı severdi. Hamburg'a her gelişinde onu havaalanında karşılardım. Bana hep güller getirirdi. Kırmızı güller. Otuz bir tane kırmızı gül. Yemekten sonra karşılıklı oturur, gecenin geç saatlerine kadar konuşurduk. Müzik dinlerdik. Şopen'i, Şubert'in piyano konçertolarını, Gerşvin'i. Rahmaninof'u... Sabaha karşı yatağa girerdik. Uyurken el ele tutuşurduk. Hep, her an beraber olalım diye. Böyle geçirirdik hafta sonlarını. Pazar sabahları geç uyanırdık. Kahvaltıdan sonra dışarı çıkar, gezmeye giderdik. Akşama doğru birbirimizden ayrılırdık. O bir yere, ben bir yere. Bazen de haftalar sonra yine buluşurduk. Beyrut'ta. Lanet olası o kentte. Orada en son buluşmamız 1978 yılının Ağustos'unda olmuştu. Batı Beyrut'ta, Commodore Oteli'nde kalıyorduk. Sonra ekimin ilk günlerinde -tarihi niçin anımsayamıyorum?- ölümden söz etmiştik. Beyrut'a bombaların düştüğü, insanların insanları öldürdüğü o gece. Sonra 18 Ekim gelmişti. O günü ise unutamayacağım. Doğu Beyrut'taydık. Alexandre Oteli'nde. Amerikalı muhabirler kentin bu bölümünde olaylar çıkacağını öğrenmişti. 17 Ekim günü Yeşil Hat'tan doğuya geçmiştik. Ertesi gün Suriye birlikleri Hıristiyan semtlerini ablukaya aldı. Devamlı bombalıyorlardı. O güne dek böyle bir şey görmemiştim. Yaşamımdaki en kötü anlardı. Korkunçtu. Böylesine bir dehşet anlatılamazdı. Kelime bulamıyorum. Pierre, ben ve bazı meslektaşlar hemen otelin bodrumuna koştuk. Çevreden bazı yabancılar da gelmişti. Bombalar yakınımıza düşüyordu. Bina aralıksız sallanıyordu. İnsanlar dua ve küfür ediyorlardı. Bombaların sonu gelmiyordu. Bir saat, iki saat. Ölüleri ve yaralıları taşıyorlardı. İnsanlar acı içinde bağırıyordu. Ne bir doktor, ne ilaç, ne su, ne de ışık vardı. Sonra birden Jean-Louis'in haykırdığını duyduk. Dostlarımızdan birinin. Bir insanın böyle dehşetle haykırabileceğini düşünemezdim. Köşede duran bir tahta sandığı alıp üzerine çıktık. Küçük pencereden dışarı baktık. Cadde toz duman içindeydi. Çukurlar vardı. Ve ilerde yatıyordu Jean-Louis. Fransız Basın Ajansı'nın fotoğrafçısı. Sırtüstü. Bombalar, üzerindeki giysileri parçalamıştı. Çıplaktı. Ellerini karnına bastırıyordu. Patlamış karnına. Bağırsakları dışarı taşmıştı. Jean-Louis onları vücuduna sokmaya uğraşıyordu. Olmuyordu. Bağırıyordu. Haykırıyordu. Ölmekte olan bir hayvan gibi.

Pierre'in dostuydu. Kaçıp otele sığınmak istediği belliydi. Ama son anda vurulmuştu. Başaramamıştı. Yattığı yerde kıvranıyor, bağırıyor, haykırıyordu. "Pierre!"

Ve Pierre kapıya doğru koştu. Ben de peşinden. Kolundan yakalayıp bağırdım. "Kal burada! Artık ona yardım edemezsin! Ölmek üzere. Pierre, Pierre, gitme. N'olur! Yalvarırım sana!" Ama beni şöyle bir silkeledi, yukarı koştu. Soluk soluğa küçük pencereye giderek caddeye baktım. Pierre'in dostunun yanına diz çöktüğünü gördüm. Olamazdı. Anlamı yoktu. Çılgıncaydı. Yapabileceği hiçbir şey yoktu. Ama Jean-Louis dostuydu. Yanında olmak, onu kurtarmak istiyordu. Ve bir bomba daha düştü. Pierre'le Jean-Louis'in olduğu yere. Toz duman içinde kaldı çevre. Birkaç saniye sonra iki dostun durduğu yerde kocaman bir çukur vardı.

Hamburg'a döndüm. 9 Haziran 1979 günü doğan oğlumun adını Pierre koydum, babasının adını.

Dayanamayacaktı. Ayağa kalktı. Evin içinde gezinmeye devam etti. Sigara yaktı. Bir nefes çekti. Tablaya bastırıp söndürdü. Uzaklardan büyük bir gemi düdüğü duydu. Elbe'yi geçip açık denize çıkıyor olmalıydı. Sonra yine Beyrut'u düşündü. Bugüne kadar tam yedi muhabir o kentte ölmüştü. Kaçırılanlar ve bir daha geri dönmeyenlerin sayısı da on ikiydi. Dostlarından NBC muhabiri Jerry Levin'i kalorifer borusuna bağlı tutmuşlardı. Tam on ay.

Bu dünyada oluşmuş en büyük inanç dinlerdir, diye düşündü. Ama dinler hemen, kendini ülkücü sanan kişilerin eline geçmişti. Ve bu kişilerin varlığı dünyadaki en büyük kötülüktü. Çünkü bir ülküye inandığını sanan bu kişiler en güzeli, en iyiyi berbat eden insanlardır. Bütün istedikleri güçtür. Güçlü olup insanlara hükmetmek isterler. Çıkarları ve kazançları peşinde koşarlar. Böyle kişiler Hıristiyanlara, Müslümanların peygamberlerinden ve ona inananlardan nefret etmeyi öğretti. Müslümanların aşırıları da aynı şeyi kendi insanlarına. Hıristiyanlığın ve Müslümanlığın şu sözümona ülkücü kişileri işkenceyi, yok etmeyi ve öldürmeyi öğretti. Tanrı adına. Başka ideolojiler de insanları suç işlemeye yönelten büyük fikirler üretti. Politikacılar ve savaş endüstrisi bu fikirlere, kişilere teşekkür eder! Bu ideolojiler milyonları etkisi altına aldı. Pierre benden önce bu dünyadan çekip gitmeyi başardı, diye bir an düşündü. Ne de olsa her gece bunun için dua ederdi. Peki oğlum? O dua etmiş olamazdı. Ama o da artık yaşamıyor. İdeolojileri yönlendirip insanlara hükmedenler, tanrıları ve büyük ideolojileri ·hangi noktaya getirdiler, onları neye benzettiler? İnsanların inanmaya alıştırıldığı ya da zorlandığı bu tanrılar ve ideolojiler dehşete ve hayvanca öldürmeye izin verirse, yalnız Beyrut'ta değil, bütün dünyada nefret ve ölüm, ıstırap ve yoksulluk, salgınlar ve açlık, eziyet ve çocuk ölümleri kol gezer. Lanet olsun! Her şeye. Günümüz insanına yüce ideoloji diye yutturulan şeylere! İnsanoğlu sen talihsiz bir yaratıksın, diye düşündü. Şimdi sevilsen bile, bir gün gelecek lanetleneceksin, yitip gideceksin. Tek başına kalacaksın. Mutlaka. Bekle, göreceksin. Çok sürmeyecek. Az kaldı. Her şeyi yitirmene. Hayır, diye mırıldandı birden. Hayır. Biten bir şey yok. Ölüler için, evet. Geride kalanlar ve yaşamaya devam etmek zorunda olanlar için değil. Ölüler mutlu. Belki de değil. Belki biz yaşayanlardan daha da mutsuz. Ne küçüktü tabut. Küçücük. Bir daha, hiçbir zaman geçmiş geri gelmeyecek. Ben geçmişi yaşamayacağım. Güzel günler bitti. Ve birden kapının zili çaldı.

4

Büyük bir çocuk duruyordu dışarıda. Üzerinde siyah pantolon, gümüş düğmeli kısa bir ceket vardı. Ceketin yakası kapalıydı. Sol üst cebine "Atlantic Oteli" sözcükleri işlenmişti. Çocuk koyu mavi şapkasını eline almıştı. Nezaketle selamladı.

"Bayan Desmond?"

"Evet."

"Size bu mektubu vermem rica edildi, sayın bayan." Elindeki zarfı uzattı.

"Mektup mu? Kimden?" Zarfın üzerindeki yazıya bir göz attı. "Ah, evet," diye heyecanla konuştu. "Bir saniye, bekle!" İçeri girip çantasından on mark alarak çocuğa uzattı. "Buyur."

"Çok teşekkür ederim, sayın bayan."

"Atlantic'e nasıl döneceksin?" diye sordu.

"Taksiyle. Dışarıda bekliyor." Hafitçe eğildi. "İyi günler dilerim, sayın bayan."

Norma kapıyı kapatıp salona doğru yürüdü. Koyu yeşil iskemleye oturdu ve zarfi yırtarak açtı. Otel kâğıtlarına yazılmış bir mektup çıktı. Bu elyazısını tanıyordu.

Sevgili, iyi yürekli Norma'm.

Şu anda ne söylesem, anlamsız. Biliyorum. Evinde tek başına oturuyorsun. Hüzünlüsün. Yüce ruhlu kişiler gönüllerinde acıya çok daha büyük bir yer ayırabilirler. Sen böyle bir insansın. İlk kaybından sonra da çabuk kendine geldin. Sevgili Norma, senin gibi daha çok insan olsaydı, ne güzel olurdu bu dünya...

Sözlerimi basit teselli sanma. İnsanoğlu zor teselli bulur, aradan geçecek yıllar bile yaraları kapatmaz. Örter biraz. Tek çıkar yol, "sakat" yaşamımızda bize verilen sürenin üstesinden gelmek zorunda olduğumuzu hep anımsamak ve bunu kabul etmektir.

Kötüyü düşünme. Bana hiçbir şey yardım edemez, deme. Söylediğim gibi teselli yok, ama dostların yardımı var. Onların söyledikleriyle daha çok umutsuzluğa kapıldığını sandığın anda bile, bu sözler, mimikler, seni sarıp sarmalayan kollar ve eller kendini içine atmak isteyeceğin bir çocuk beşiğidir. Beşiğin sallanması yavaşladığı anda dostların onu şöyle bir itecektir. Gülümseyerek. Onlar umutsuzluğa kapıldığın saatlerde sana destek olacaktır.

Sevgili Norma, istersen ve mümkünse, beni Atlantic'te ara, senin için ben her zaman varım.

Sana sadık, eski dost

Alvin.

23

5

"Atlantic Oteli, buyurun!"

"İyi günler. Bay Westen'le görüşmek istiyorum."

"Bir saniye lütfen."

Norma sakin ve kalın sesi duydu. "Westen."

"Ah, Alvin! Mektubuna çok çok teşekkür ederim. Ne kadar mutlu oldum bilemezsin. Ben seni Tokyo'da sanıyordum..."

"Tokyo'daydım. İki saat önce döndüm. Haberi alınca Tokyo'dan birkaç kez telefon ettim. Ama evde yoktun."

"Evet, sağa sola gitmem gerekmişti. Biliyorsun... Cenaze törenini bir hafta sonra yapabildim. Oğlumu bugün öğleden sonra toprağa verdim..."

"Benim zavallı Norma'm."

"Her şey kötü, Alvin. Mektubun bana iyi geldi. Ve senin yine burada olman da."

"Sana geleyim mi?"

"Lütfen, Alvin. Gel!" Birden sordu. "Bir şey yemek ister misin? Evde ne var bilmiyorum. Ama çabucak bir şey hazırlayabilirim."

"Teşekkür ederim. Uçakta yemek yemiştim. Norma."

"Benim de boğazımdan bir şey geçmiyor. Ama seninle konuşmak istiyorum. Şarap içeriz, değil mi? Mahzende sevdiğin şarap var, Alvin, Baron de L, *pouilly fümè*."

"Karşılıklı birkaç kadeh içeriz, Norma. Biraz sonra görüşmek üzere. Yarım saat sonra oradayım."

"Çok teşekkür ederim."

"Hayır," dedi. "Teşekkür etme. Mahzenden şarabı al ve buzdolabına koy."

"Evet, Alvin. Evet."

"Sakın çok soğuk olmasın."

"Hayır, Alvin. Çok soğuk olmayacak. Sana yine de çok teşekkür ediyorum. Karşı çıkma. Hep yanımda, hep bana destek olduğun için!"

"Öyle söyleme. Sen de bana hep desteksin," dedi Alvin Wes
ten. Nisanda 83 yaşına girmişti.

Yaşlı adam hiç konuşmadan Norma'yı kollarına aldı. Sırtını
okşadı. Yanaklarından ve alnından öptü. Bir an için ikisi de ko-
nuşmadı. Salona doğru yürüdüler. Yaşlı adam kolunu Nor-
ma'nın omzuna dolamıştı. Kadın titriyordu. Eski bakanlardan
Alvin Westen onun için ikinci bir baba gibiydi. Norma anne ve
babasını yıllar önce, genç kızken yitirmişti.

Zayıf, uzun boylu bir adamdı. Ak saçları gür, alnı genişti.
Kara gözleri canlıydı. Kişiliği yüzünden okunuyordu. Zekiydi,
iyi niyetliydi, duyguluydu, güçlüydü, haksızlığa karşıydı; hep
bilmek isterdi, bütün ciddiliğine karşın da çok şakacıydı. Üze-
rinde bej bir yazlık takım vardı. Norma, Westen'den daha iyi gi-
yinen bir başkasını tanımıyordu. Onun kadar canayakın, duygu-
lu ve dost birini de.

1969 yılının Ekim'inde sosyal demokrat Alvin Westen SPD
ve FDP koalisyonunda, dışişleri bakanlığını üstlenmişti. O
günlerde Norma yeni bakanla gazetesi adına bir röportaj yap-
mıştı. Hırslı bir gazeteciyle hırslı bir politikacı arasındaki derin
dostluğun başlangıcı olmuştu tanışmaları. Yıllar önce eşini ve
çocuklarını yitiren Westen, zamanla Norma için ikinci bir ba-
ba oldu. Uzun süre banka müdürlüğü de yapmış olan bu ba-
şarılı ekonomi uzmanı ve politikacının, dört yıllık bakanlığı so-
na erdiğinde sayısız yabancı şirket ve devlet adamı bilgisine
başvurmuştu, Westen birçok ülkeden davet almaya devam edi-
yordu. Norma da başı dertte olduğu zaman bu iyi yürekli ada-
ma danışırdı. Yaşlı adam ona her zaman destek olur, öğütler
verirdi. Norma ne zaman yaslı ve hüzünlü olsa *ikinci* babasına
gider, onun yanında teselli bulurdu. Dünyayı dolaşan Westen
herhangi bir ülkede olağanüstü haksızlık ya da müthiş yiyicilik
ve rüşvetle karşılaştığında hemen Norma'yı arardı. Genç kadın

da hemen oraya gider, araştırıp yazardı. Dehşetin, kaba kuvvetin, haksızlığın ve de yiyiciliğin olduğu yerde Westen ve Norma birlikteydi.

6

Balkonda oturuyorlardı.

Akşam olmuş, hava çoktan kararmıştı. Elbe Nehri'nin kıyılarında ışıklar görünüyordu. Gemiler limana geliyor, limandan açık denize çıkıyordu. Karanlık nehirde ışıl ışıl kayıyorlardı. Hava ılıktı. Sırtlarını balkon duvarına yaslamış oturuyorlardı. Westen, Norma'nın elini tutuyordu. Kadehlerde yaşlı adamın sevdiği şarap vardı.

Bir an hiç konuşmadan Elbe'nin ışıklarını seyrettiler. Norma'nın düşünceleri karmakarışıktı. Sonra bakışları ötelerde, ağır ağır konuştu, "En kötüsü bilmemek... bütün olup bitenlerin nedenini bilmiyorum... Oğlumun niçin öldüğünü de... Babası öldüğünde biliyordum... Jean-Louis caddede yaralı yatıyordu... Karnı patlamıştı... Bağırsakları dışarı çıkmıştı... Ve bağırıyordu, haykırıyordu... Dostunu çağırıyordu... Yardıma... Otelin bodrumunda olduğumuzu biliyordu... Pierre'in ona yardıma koşması bir yerde anlaşılırdı... Yardım edecek durum olmasa da... İkisi de öldü, ama neden öldüklerini ben biliyordum... Dostlukları uğruna... Pierre yardım etmek istedi... Bunun bir anlamı vardı... Ama şimdi... Oğlum niçin öldü? Niçin Alvin? Niçin? Bu soruya yanıt bulamamak beni çıldırtıyor... Bu çok kötü... Bu..."

Ve Norma birden ağlamaya başladı. Oğlunun ölümünden sonra ilk kez... Hıçkıra hıçkıra. Bütün vücudu titriyordu. Başını küçük masanın mermerine koydu. Ağladı. Hiç aralıksız. Yaşlı adam ayağa kalktı, onun saçlarını okşadı. Norma hıçkırmaya devam ediyordu. Westen yerine oturdu, kadının başını elleri arası-

26

na aldı. Norma biraz sakinleşir gibi oldu. Sonra kesik kesik konuştu. Gözlerinden yaşlar akıyordu.

"Birlikte ne kadar mutluyduk... Her yere beraber giderdik... Bütün boş zamanlarımı oğlumla geçirirdim... Tiyatroya... sinemaya... kırlara... O gün de sirke gitmiştik... Pierre pek gitmek istememişti... Ben istemiştim. Ben, ben... ben palyaçolardan çok hoşlandığım için... Evet, palyaçolar... Ne kadar kötü değil mi? Ne kadar da anlamsız, Alvin!"

Yaşlı adam hafifçe eğildi ve usul usul konuştu, "Yaşamda anlamsız olan hiçbir şey yok, Norma. Nedensiz ve rastlantı sonucu olan bir şey de. Bazı şeyler önce anlamsızmış gibi görünür, hemen anlayamadığımız için. Ama gerçekte her şeyin bir nedeni vardır. Şimdi olup bitenlerin de. Anlamını ve nedenini bilmiyoruz. Henüz. Bir gün gelecek, anlamını öğreneceğiz. Belki çok yakında. Eğer araştırırsak..."

Kadın doğruldu. Yaşlar içindeki yüzünü Westen'e çevirdi. "Ne dedin?" diye sordu.

Çok şükür, diye düşündü yaşlı adam.

"Hiçbir şey anlamsız değildir, dedim. Her şeyin bir anlamı vardır. Eğer aranırsa, bulunur. Onu aramak gerek."

"Sen demek istiyorsun ki..." Şaşkın şaşkın bakıyordu.

İyi, çok iyi, diye düşündü yaşlı adam. Devam etmem gerek. Ben onu iyi tanıyorum. Çok iyi.

"Demek istiyorum ki," diye konuştu. "Aramak gerek. Olup bitenlerin nedenlerini ve anlamını aramalıyız. Hiç zaman yitirmeden. Bir dakika bile. Umutsuzluğa kapılmamalısın. Şimdi görevine devam etmelisin. Elinden geldiği kadar. Şu anda senin için en iyi yol budur. Norma. Göreve devam! Anlamını ara! Gerçeği ara! Bir gün gelecek bulacaksın. Bunu yapacak tek insan varsa, o da sensin. Bu cinayetlerin ardında neler yattığını ortaya çıkarmalısın. Bu senin mesleğin, senin görevin."

Norma, "Evet," diye mırıldandı ve dalgın dalgın yaşlı adama baktı. "Evet, Alvin. Haklısın. Gerçekten..."

İyi, diye düşündü Westen.

"Saat kaç oldu?"

"On bir. Niçin sordun?"

"Saat on birde son haberler var da televizyonda. Bugün Gellhorn'la ailesinin de cenaze töreni yapıldı. Gel içeri girelim." Ayağa kalkarak salona koştu. Televizyonu açtı. Kendini kanepeye attı. Westen de yanına oturdu.

Televizyonda konuşan adam ağlamamak için kendini zor tutuyordu. İngilizce konuşmaktaydı. Spiker Almancaya çeviriyordu. "Sürekli silahlanma insanlığın ahlak anlayışının nereye geldiğini gösteriyor... Atom silahlarına sahip olmak insan öldürmekle aynı şeydir. Bunu kabul etmeliyiz." Yoğun alkış. Spiker açıklamada bulundu. "Atom Savaşına Karşı Doktorlar Kuruluşu'nun Başkanı Doktor Bernard Lown, çok heyecanlı konuşmasını bitirdi. 1985 yılı Nobel Barış Ödülü'nü ortaklaşa aldığı Sovyet Doktoru Yevgeni Tşasov elini sıkıyor.

Televizyonda görüntü değişti. Spiker göründü.

"Hamburg: Mondo Sirki'ndeki dehşet olaylarından sekiz gün sonra da araştırmalar henüz sonuçsuz. Polisin bütün çalışmaları başarısız kaldı. Olayın sorumlularını ortaya çıkaracak tek bir ize bile rastlanmadı. Kanlı olayın nedeni de henüz bilinmiyor. İlgili makamlar ölenlerin cesetlerinin gömülmesine ancak dün izin verdi. Hamburg'un çeşitli mezarlıklarında cenaze törenleri yapıldı. Mondo Sirki'ndeki olayda on dört kadın, dokuz erkek ve on beş çocuk yaşamını yitirmişti. On dokuz ağır yaralı henüz hastanelerde tedavi görmekte. Bugün Ohlsdorfer Mezarlığı'nda büyük güvenlik önlemleri altında bilim adamı Profesör Martin Gellhorn, eşi ve iki kızının cenaze töreni yapıldı. Profesör Gellhorn'un hedef alınan kişi olduğu sanılıyor."

Televizyonda görüntü değişti.

Mezarlığın bir bölümü. Polis panzerleri. Bir sürü üniformalı ve üniformasız polis. Bazılarının ellerinde video çekicileri. Törene katılanları filme alıyorlar. Büyük bir mezar. Çevrede daha birçok polis arabası. Mezarlıkta büyük güvenlik önlemleri. Duvarlarda, damlarda ve panzerlerin üstünde duran polislerin elindeki makineli tüfekler görünüyor. Mezarlığın üzerinde de polis helikopterleri dolaşıyor. Güneş binlerce çiçeğin oluşturduğu renkler denizini aydınlatıyor.

Başka bir spiker sesi: "3 Eylül 1986 Çarşamba. Bugün saat 16.30'da Profesör Martin Gellhorn ve ailesinin cenaze töreni yapıldı. Cenazeler kapalı arabalarla kiliseden mezarın bulunduğu yere getiriliyor. Törene katılanların arabaların arkasından yürümesine izin verilmedi. Polis arabaları cenazeyi izliyor. Törene katılanlar mezarın çevresinde toplandı."

Westen ikide bir Norma'ya bakıyordu. Kadının yüzü donuktu. Bakışlarını televizyondan ayırmıyordu. Elleri yumruk olmuştu.

Cenaze arabaları mezarın yanında durdu. Dört adam ilk tabutu kaldırdı. Üzerlerinde eski giysiler vardı. Hamburg'da 1700 yılından beri tabut taşıyıcıları böyle giyinirdi. Siyah kadifeden bir ceket, uzun çoraplar, diz boyu siyah pantolon.

Tabutu insanların arasından geçirip açık mezara götürdüler. Helikopterlerin motor gürültüsü kulakları sağır edecek gibiydi. İkisi çok alçaktan uçuyordu. Kamera, ellerinde makineli tüfek tutan polisleri de gösterdi. Spikerin sesi: "Profesör Martin Gellhorn'un tabutu mezara taşınıyor. Kırk altı yaşındaki profesör uluslararası üne ulaşmış bir uzmandı. Virchow Hastanesi Mikrobiyoloji Enstitüsü Başkanı Profesör Gellhorn daha önce Birleşik Devletler, Sovyet Rusya ve Fransa'da da çalışmıştı."

Birden televizyondaki görüntü karıştı. Ekranda binlerce siyah ve beyaz noktacık göründü. Spikerin sesi davam etti: "Tanınmış ilaç sanayi şirketlerinin temsilcileri ve Profesör Gellhorn'un meslektaşları ona son görevlerini yapmakta. Doğu ve batı ülkelerinden gelenler de var... Hamburg Virchow Hastanesi Başhekimi Profesör Herbert Lauterbach'ı görüyoruz..."

Televizyondaki görüntü berraklaştı. Siyah saçlı, sivri burunlu, zayıf, uzun boylu bir adam göründü. Mezarın başında duruyordu. Kamera başhekime iyice yaklaştı, ölünün diğer meslektaşları gibi Profesör Lauternach da Profesör Gellhorn'un en son ne üzerine çalıştığını söylemiyor.

Tabut mezara indirildi. Başka dört adamın taşıdığı ikinci tabut getiriliyordu.

"Profesörün eşi Angelika Gellhorn..."

Tabutu taşıyan adamlar televizyon kamerasının önünden geçti. Kamera yaklaştı. Öndeki iki adam şimdi yakın plandaydı. Birinin yüzü donuk, mum gibiydi. Yuvarlak camlı gözlüğü vardı.

Norma "İşte!" diye haykırdı. "İşte yine o adam!" Ayağa fırladı. Eliyle televizyonu gösteriyordu.

"Kim? Kim, Norma? Kim yine..."

"Sirkteydi. O..."

"Ne dedin? Neredeydi? Norma, kimden söz ediyorsun?"

Kadın oturdu. "Bekle! Sonra..."

Donuk yüzlü ve yuvarlak gözlüklü adam görüntüde değildi. Televizyonda şimdi başka görüntüler... Video çekicili sivil polisler, makineli tüfekli polisler, helikopterler, insanlar...

İki küçük tabut görüntü. "Profesör Gellhorn'un küçük kızları Lisa ve Olivia..." diye konuştu spiker. "Beş ve yedi yaşlarında..."

Yedi yaşında. Pierre gibi, diye düşündü Norma. Ne kadar küçük tabutlar. Pierre'in tabutu gibi...

Görüntüde kadınlar ve erkekler. Mezarın yanında, "... Ölülerin yakınları..."

Küçük tabutlar da çukura indirildi.

"... Profesör Gellhorn'un en yakın meslektaşları... Biyoşimist Polonyalı Doktor Jan Barski yardımcısıydı. On iki yıldır Profesör Gellhorn'la birlikte çalışmaktaydı..." İri, uzun boylu bir adam. Siyah saçları kısa kesilmiş. Ablak yüzlü. "... Biyoşimist Doktor Takahito Sakaki. Japon..." Ufak tefek, gözlüklü. "...

30

moleküler biyoloji uzmanı Doktor Eli Kaplan. İsrail'den..." Uzun, sarışın ve mavi gözlü. "... Alman bakteriyolog Doktor Harald Holsten..." Orta boylu, tıknaz, sinirli yüzlü. "... ve gen uzmanı İngiliz kadın doktor Alexandra Gordon..." Zayıf, uzun boylu, kumral. Ağlıyor.

Çiçeklerle çelenkler getirildi, mezar çukurunun çevresine kondu. Kamera çelenklerin üzerindeki yazılarda gezindi. Çeşitli ülkelerin dillerinde yazılar. En büyük çelenkler Amerikan ve Sovyet meslektaşlarından gelmişti.

Bir papaz konuştu. Helikopterlerin gürültüsünden tek kelime bile anlaşılmıyordu. Sonra insanlar mezara yaklaştı. Ellerindeki kırmızı gülleri çukura attılar. Spiker konuşmaya devam ediyordu: "Alman makamları Interpol'den yardım istedi. Cinayeti işleyenlerin yakalanmasına yardımcı olacak delilleri getirenlere Hamburg Belediyesi, polisi, Virchow Hastanesi ve sayısız ilaç sanayi şirketi toplam beş milyon mark verecektir..."

Norma masanın üzerinde duran uzaktan kumandayla televizyonu kapattı. Oda hemen hemen karanlıktı. Televizyonun yanındaki küçük lamba pek ışık vermiyordu.

Westen hemen sordu. "Biraz önce yine tanıdığın adam kimdi?"

"Sirkin önünde üç telefon kulübesi vardı. Kasaların olduğu yerde. Anlıyor musun? Ben olaydan hemen sonra bu kulübelerden birinden gazeteye telefon ediyordum. Yuvarlak gözlüklü, mum gibi yüzlü bu adam birden kulübenin kapısını açtı. Çok heyecanlıydı. Beni görünce özür diledi, hızla uzaklaştı."

"Şimdi tabut taşıyanlardan biri bu adamdı, Öyle mi?"

"Evet, Alvin. Evet! Çok eminim." Norma birden ayağa fırladı. Küçük lambanın ışığında gözleri parlıyordu. "Bu dünyada anlamsız hiçbir şey yoktur, demiştin. Önce anlamsız gibi görünür, ama anlamı sonra ortaya çıkar. Bu cinayetlerin de bir anlamı var. Ben bu anlamı bulacağım, nedenini ortaya çıkaracağım. Bütün gücümle."

31

Yaşlı adam ayağa kalktı. Kadını kollarına aldı. "Biliyorum. Sen başarıya ulaşacaksın, Norma." Şimdi yüzünde mutlu bir gülümseme vardı. Sana yardımcı olacağımı biliyordum, diye düşündü. Bırak biraz daha yaşayayım, ölüm!

7

Ertesi gün hava daha da sıcaktı.

Norma üstü açık mavi Golf GTI'sıyla kentin kuzeyine doğru yol alıyordu. Dış Alster'den geçerken sayısız yelkenlinin pırıltısını gördü. Kısa kollu siyah bir elbise giymişti. Ayakkabıları da siyahtı. Gözleri yanıyor, kendini yorgun ve güçsüz hissediyordu. Otomobilde oğlunun küçük bir fotoğrafı vardı. Gülüyordu çocuk. Bunu kaldırmalıyım, diye bir an düşündü. Winterhude semtinden geçti. Barmbeker Caddesi'ne girdi. Başı da ağrıyordu. Sıcak bir rüzgâr esmekteydi. Biraz önce Lübecker Caddesi'ndeki gazete binasında genel yayın müdürüyle görüşmüştü.

Dr. Günter Hanske elli dört yaşında, orta boylu ve şişman biriydi. Sürekli zayıflamaya uğraşırdı. İnce dudakları, sivri burnu ve hep merakla bakan kahverengi gözleri vardı. Bakışları çocuk bakışlarını andırırdı. Saçları kumral ve gürdü. Norma onun peruka taktığını bilirdi. Çok sarhoş olduğu bir gün çıkarıp göstermişti. Bir yıl önceydi. Norma'yı evinde ziyaret etmiş, ne kadar yalnız bir yaşamı olduğundan, onu bırakıp gitmiş ilk eşinden ve kırk yaşına geldiğinde bir ay içinde bütün saçlarının döküldüğünden söz etmişti. O akşam kendi kendine acıdığı belliydi. Peruka taktığını hiç kimseye söylememesi için Norma'ya yemin ettirmişti. Hanske hep iyi giyinirdi. Zekiydi. Mesleğinde de çok başarılıydı. Ama çoğu zaman hüzünlüydü. Kız arkadaşlarını sık sık değiştirirdi. Hepsi de gençti. Hanske onlarla diskoteklerde tanışırdı. Özel yaşamı biraz karışıktı. Kızlara sevişirken saçlarına dokunmamalarını söylerdi. Çok acı çektiğini anlatırdı.

"Onlar da sana inanır mı?" diye Norma sormuştu o akşam Hanske'ye.

"Ah, onlar ne söylersen inanırlar," demişti Hanske ve perukasını eline alıp kel başını göstermişti. Başının derisi pembe pembe parlıyordu. Sonra Norma'ya, onunla evlenmesi için yalvarmıştı. Kadın nezaketle reddedince, üzerine saldırmış, giysilerini çıkarmak istemişti. Ancak sarhoşluktan kanepeye yıkılıp kalmıştı. O akşamdan ve perukadan ilerde bir daha söz etmemişlerdi. Hanske'nin her zamanki yakınlığı değişmemişti. Norma'yla birlikte çalışmaktan gurur duyduğunu da başkalarına sık sık söylerdi.

O sabah Norma gazeteye geldiğinde hemen bürosuna kabul etmişti. Kadın da ona, olaydan sonra kurulan özel komisyondan söz etmişti. Wiesbaden'deki Federal Cinayet Masası'ndan Başkomiser Carl Sondersen bu komisyonun başına geçirilmişti. Olayı açıklığa kavuşturmakla görevlendirilmiş bu adamla Norma hemen ertesi gün görüşmüştü.

Sondersen'le hemen iyi anlaşmıştı. Ama adamın elinde ona yardım edecek hiçbir ipucu ya da delil yoktu. Katillerin palyaço giysileriyle Mondo Sirki'nin gösteri yerine girmeyi nasıl başardığını sorduğunda, omuzlarına yüklenen sorumluluk için çok geç olduğu belli komiser şöyle konuşmuştu: "Çok kolay. Gerçek palyaçolar odalarında bulundu. Eterle bayıltılmış ve elleriyle kolları bağlanmış. Katiller onların giysilerini giymiş, yüzlerini boyamış ve sıraları geldiğinde gösteriye çıkmışlar. Gürültüden ve kalabalıktan hiç kimse bir şey fark etmemiş. Olaydan sonra da tek bir iz bile bırakmadan sıvışmışlar. Bütün olup bitenler çok dikkatlice ve başarıyla planlanmış, gerçekleştirilmiş..."

"Peki, peki," demişti genel yayın müdürü, olaydan dokuz gün sonra Norma bildiklerini anlattığında. Sirkin önündeki telefon kulübelerinde rastladığı donuk yüzlü, yuvarlak gözlüklü adamdan da söz eden Norma, aynı adamı dün akşam televizyonda yine gördüğünü söylemişti. "Çalışmalarına devam et. Bildiğin gibi ve serbest çalışabilirsin. Bir şey gerekirse, hemen bana söyle, sağlarım. Ne olursa olsun. Elimden geleni yapacağım, Norma."

"Ben Doktor Barski'ye telefon ettim," demişti kadın. "Profesör Gellhorn'un yardımcısına, biliyorsun." Hanske başını sallamıştı.

"Saat on birde onunla buluşacağım, enstitüde. Çalışmalarıma Barski'yle başlayacağım."

"Sana başarılar dilerim," demişti Hanske. "Çok." Norma otomobiliyle Goldbek Kanalı üzerindeki köprüden geçerken gazetedeki havalandırmalı büronun ne kadar serin olduğunu düşündü. Hindenburg Caddesi'ne girdi. Büyük parkın yanından geçti. Burada küçük göller ve açık bir yüzme havuzu vardı. Sonra ilerde Virchow Hastanesi'nin üç yüksek binası göründü. Bu binalar bir üçgenin köşelerini oluşturuyordu. En yüksek binanın on sekiz katlı olduğunu biliyordu, Binaların arasına küçük yapılar serpiştirilmişti.

Norma bir engelin önünde durdu. Ter içinde bir adam kulübesinden çıkıp otomobilin yanına geldi. Başıyla selam verdi.

"Mikrobiyolog Enstitüsü'nde Doktor Barski'ye gitmek istiyorum," dedi kadın. "Adım Norma Desmond. Kendisi beni bekliyor." Gazeteden çıkmadan Barski'nin sekreterine telefon edip randevu almıştı.

"Bir dakika." Adam kulübesine girerek telefonla birisini aradı. Sonra yine Norma'nın yanına geldi. "Buyurun, Bayan Desmond. İlk binada on dördüncü kat." Norma otomobili yüksek binaya doğru sürdü, önündeki parka otomobili bıraktı. Diğer iki binada kulak-burun-boğaz kliniği, jinekoloji, üroloji, psikiyatri, nöroloji, cerrahi, çocuk ve ilkyardım bölümlerinin bulunduğunu biliyordu. Bu binada da birçok araştırma enstitüsüyle bir de kalp hastalıkları merkezi vardı.

Norma otomobilin anahtarını eline aldı. Bakışları bir an için oğlunun gülümseyen fotoğrafına takıldı. Elini uzatıp fotoğrafı çerçevesinden çıkardı ve tersine taktı. Sonra otomobilden inerek binaya doğru yürüdü. Birden aklına yine Beyrut geldi. Kaldırımın sıcağını ayaklarında hissediyordu. Rüzgâr da bunaltıcı ve dayanılmazdı. Beyrut'ta olduğu gibi. Hayır, dedi kendi kendine. Düşünme o kenti! Beyrut'ta rüzgâr, ölüm ve leş kokar. Ve Pierre ölü. Niçin düşünüyorsun? Oğlun da ölü. Onu burada, Hamburg'da öldürdüler. Onu düşün! Hamburg'u düşün! Katilleri düşün! Ensesinin terlediğini hissetti. Sonra binanın gölgesine vardı. Asansörlerin yanında kocaman madeni bir levhada hangi bölümün hangi katta olduğu yazıyordu. Norma asansörlerden birine bindi ve on dördüncü kata çıktı. Asansörde üç hemşire vardı. Aralarında konuşuyorlardı.

"Hiçbir şeyi satamıyorlar," diyordu biri. "Salata, ıspanak, karnabahar, hepsi ellerinde kalıyor. Fiyatlar üçte bir düştü. Sütte de radyasyon bulmuşlar. Şimdi Hessen eyaletinde süt tozu satışını da yasaklamışlar."

"Geçen gün Hamm'daki reaktörü durdurmak zorunda kaldılar," dedi diğeri.

"Orada geçen ay da bir şey saptanmamış mıydı?" diye birincisi sordu.

"Evet. Bu sabah haberlerde de, Fransız-Alman Komisyonu'nun Cattenom atom reaktörünün güvenlik açısından yetersiz olduğunu ortaya çıkardığını söylediler," diye üçüncü hemşire söze karıştı.

"Sonra önüne gelen başka bir şey söylüyor. Bir makamın söylediği ötekinin söylediğini tutmuyor. Nerede, ne kadar radyasyon var, doğru dürüst bilinmiyor. Çocuklar oyun bahçelerine çıkabilir, hayır çıkamaz. Çocuklar kum havuzunda oynayabilir, hayır oynayamaz, Atom reaktörlerine taraf olanlar, böyle bir kaza on bin yılda bir olur, diyordu. Kâğıt üzerinde akla yakın.

Ama gerçek öyle değil ki! 1981'de İngiltere'deki Three Miles Island reaktörü, 1986'da Çernobil."

"Kim bilir bizlere açıklamadıkları daha neler var?"

"Başımızdakilere kalırsa, radyasyonun insanlar açısından hiç tehlikesi yok," dedi ikinci hemşire. "Kohl böyle söyledi. 'Atom enerjisinden vazgeçemeyiz, yoksa endüstrimiz yıkılır,' dedi. Dün akşam ikinci kanalda. 'İnsanların paniğe kapılmasına neden olanlar çok sorumsuz davranıyor,' dedi. Dregger de, 'Kendilerine çıkar sağlamak isteyen korkaklar insanları ayağa kaldırıyor,' diye açıkladı. İçişleri bakanı ne dedi biliyor musun? 'Önce Ruslar açıklasın, o zaman düşünürüz...' Demek ki, bizimkiler henüz düşünmeye başlamamış!"

"Biz insanlara niçin böyle yalan yanlış şeyler söylüyorlar, biliyor musun? Milyarlar, evet Eva, milyarlar söz konusu..." "Geberip giderlerse milyarlarının da yararı yok onlara!" "Var. Onlar buna inanıyor. Milyarları olana radyasyon da etki göstermez. Onlara atom savaşında bile bir şey olmaz. Biraz daha bekle, Çernobil faciasından kimin sorumlu olduğunu öğreneceksin."

"Kim sorumlu?"

Hemşirelerden biri, "Yahudiler!" diye mırıldandı.

Asansör on dördüncü katta durdu. Norma indi. Uzun bir koridorda yürüdü. Koridorun sonundaki buzlu camlı bir kapıda durdu. "Girmek Yasak" yazıyordu kapının üzerinde, Koridor sağa sapıyordu. Norma şöyle bir bakındı. İlerledi. Solda bir sürü kapı gördü. Sağdaki büyük camlarda jaluziler indirilmişti. Sıcaktan olacak, diye düşündü. Bütün katta havalandırma çalışıyordu. Serindi. Her şey beyazdı. Duvarlar, kapılar, iskemleler. Sonra Gellhorn'un odasının kapısını gördü. Yanındaki kapı da sekreterinindi. Beyaz tabelada siyah harflerle "Dr. Martin Gellhorn" yazıyordu. Altında da, "Danışma sekretere" sözcükleri vardı. Profesör artık yaşamadığı için danışma da yok, diye bir an düşündü. Pierre de olduğu gibi. Okuluna telefon etmeliyim. Birden başı döner gibi oldu. Beyaz duvara yaslandı. Birkaç dakika öylece durdu. Sonra yürümeye devam etti. Düşünme, dedi kendi kendine. Çalışmalarını, seni bekleyen görevleri düşün. Başka kapılar. Okudu: "Takahito Sasaki" ve altında "Danışma sekretere" "Dr. Alexandra Gordon" ve altında "Danışma sekretere" "Dr. Jan Barski" ve altında "Danışma sekretere"

Yandaki kapı açıktı. Norma içeri girdi. Odada karşılıklı masalarda iki kadın oturuyordu. Yaşlı olanı beyaz karton çerçevelere sokulmuş saydamları düzeltiyordu. Genci de başına kulaklığı geçirmiş, çok sessiz bir elektrikli daktiloda yazıyordu. Kulaklığın ince kordonu dikte makinesine bağlıydı. Masaların yanındaki büyük pencerenin de jaluzileri indirilmişti. Başka bir odadan yüksek sesle gülüşmeler duyuldu.

"İyi günler," dedi Norma.

Kadınların üzerinde beyaz önlükler vardı. Yaşlı olanı başını kaldırarak baktı. Gözlüğünü eline alıp, "İyi günler," dedi.

"Benim adım Norma Desmond. Bir randevum var..."

"Doktor Barski'yle, biliyorum." Yaşlı kadın başını salladı. Genci hiç aralıksız daktilo yazmaya devam ediyordu. Masaların üzerindeki küçük tabelalarda siyah harflerle kadınların adı yazıyordu. "Benimle telefonda konuşmuştunuz, Bayan Desmond. Doktorla saat on birde randevunuz var." Önündeki açık deftere bir göz atmıştı.

"Evet. Bayan Vanis," dedi Norma. "Saat on birde. Sanırım geç kalmadım."

Adı Woronesch olan genci başını çevirip Norma'ya baktı ve gülümseyerek selam verdi. Norma da gülümsedi.

"Çok özür dilerim, Bayan Desmond," dedi yaşlı kadın. "Doktor Barski henüz çalışıyor. Acaba yandaki bekleme odasına geçer misiniz?" Ayağa kalkarak bekleme odasına doğru yürüdü. Burada da bütün eşyalar beyazdı. "Lütfen şöyle buyurun!"

"Teşekkür ederim." Norma masanın yanındaki bir koltuğa oturdu.

"Bir sorayım, daha ne kadar sürecek," diyen Boyan Vanis masasına döndü. Daktilo yazan genç kadının yanma gitti. Yüksek sesle, "Hertah" diye bağırdı.

Genç kadın başını kaldırıp baktı. Sonra kulaklığını çıkardı. Norma onun, "Ne var?" diye sorduğunu duydu.

"Doktor Barski hâlâ bulaşıcı hastalıklar bölümünde mi?"

"Evet. Hepsi orada."

"Teşekkür ederim, Herta." Genç kadın kulaklığını takıp yazmaya devam etti. Bayan Vanis kısa bir telefon numarası çevirdi. Karşısına çıkana sordu. "Doktor Barski orada mı?" Norma dinledi, "Ötekiler de orada mı? Evet, evet. Bayan Desmond geldi. Doktor Barski'ye..." Kısa bir ara. "Ah, evet... Anlıyorum. Peki, teşekkür ederim."

Bayan Vanis bekleme odasına girdi. "Çok özür dilerim, Bayan Desmond. Doktor Barski'nin biraz daha çalışması gerekiyor. Beklemek zorundasınız. Yarım saat sürebilir. Araya bir şey girmiş de... Sizinle telefonda konuştuğumda haberim yoktu..."

"Tabii bekleyeceğim. Doktor Barski'nin çalışmasının uzayacağını bilemezdiniz." Norma gülümsedi.

Bayan Vanis de gülümsedi. "Anlayış gösterdiğiniz için teşekkür ederim!" Sonra odadan çıktı.

Masanın üzerinde dergiler ve kataloglar duruyordu. Norma birini eline alıp ilgisizce sayfalarını karıştırdı.

Yakındaki odanın birinden gülüşmeler duyuldu.

8

Doktor Barski yarım saat sonra da gelmedi. Aradan yirmi dakika daha geçtiğinde koridorda sesler duyuldu. Sekreterlerin odasının kapısında adamın biri, "Öyleyse saat üçte odamda toplanalım." dedi. Diğerleri uzaklaştı. Konuşmuş olan adam içeri girdi. Norma onun sesini duydu. "Özür dilerim, ama daha önce gelemezdim."

"Bayan Desmond bir saate yakın bekliyor, doktor bey!"

"Dedim ya, çalışmalarımı bitiremedim." Adam bekleme odasına girdi.

Norma ayağa kalktı. Televizyonda olduğundan daha uzun boylu, diye bir an düşündü. Yorgun, bitkin bir hali var. Yüzü solgun, hüzünlü gözlerinin altında halkalar koyu. Çok çalışmaktan olacak, diye Norma düşünmeye devam etti. Ama başka bir neden daha olmalı. Hüzün, dert, korku! Neden korkuyor? Televizyonda hiçbir şeyden korkmayan insan görünüşündeydi. Şimdiyse...

Barski hafifçe eğildi. Kısa siyah saçları sık ve kıvırcıktı. "Barski. İyi günler, Bayan Desmond. Sizi bu kadar beklettiğim için özür dilerim. Ama çok acil bir iş çıkmıştı da."

"Biliyorum, doktor bey. Bulaşıcı hastalıklar bölümünde."

Karşısındaki adamın geniş yüzünün birdenbire nasıl değiştiğini görünce irkildi. Biraz önce gülümsemeye çalışan bu yüzün hatları şimdi çok sertleşmişti.

"Nerede?"

"Bulaşıcı hastalıklar bölümünde," diye tekrarlayan Norma kendini çok tuhaf hissetti. Çaresiz kalmış bir insan gibi.

"Bunu da nereden çıkarıyorsunuz?" Sesini yükseltmişti.

"Siz bulaşıcı hastalıklar bölümünde değil miydiniz?" Çok ilginç, diye düşündü. Bu adam bana niçin böyle öfkeyle bakıyor?

"Kim söyledi size bunu?" Sesini daha da yükseltmişti. Almancasında şimdi Polonya şivesi vardı.

"Bayanlardan biri... Telefonda biraz önce bu bölümle konuştu ve benim beklediğimi söyledi. Sanırım yanlış bir şey yapmadı... Doktor Barski rica ederim, ben..."

"Bir saniye!" Uzun boylu adam yandaki odaya geçti. Kapıyı kapattı.

Burada neler oluyor, diye düşündü Norma. Peki, bekleyelim bakalım. Beş dakika kadar bekledi. Sonra Barski yine içeri girdi.

Gülümsüyordu. Norma, bunu yaparken kendini çok zorladığı belli, diye düşündü.

"Her şey açıklığa kavuştu. Siz yanlış duymuş olacaksınız, Bayan Desmond. On iki numaralı laboratuvarda çalışmalarım uzadığı için, Bayan Vanis biraz daha beklemeniz gerekeceğini söylemiş size."

Norma üstelemekten vazgeçti.

"Evet, olabilir. Yanlış duymuşum herhalde." Biraz önce söylediklerimin onu böylesine öfkelendireceğini nereden bilebilirdim, diye bir an aklından geçirdi. Niçin bulaşıcı hastalıklar bölümünde çalışmış olmasındı? Burası hastane değil mi? Nerede, ne yaptığı beni ilgilendirmez ki! Peki, ama neden bu kadar öfkelendi?

Karşısındaki adam gülümsemeye devam ediyordu. Norma konuştu. "Ben... Daha doğrusu hepimiz henüz büyük bir şokun etkisindeyiz. Sanırım sinirlerimiz biraz zayıf."

"Sizin de mi? Ah, evet. Başınız sağ olsun! Çok kötü bir şey. Bir şey içmek ister misiniz? Kahve ya da meyve suyu?"

"Hayır. Teşekkür ederim, doktor bey."

"İzin verirseniz ben önden gideyim." Bekleme odasının diğer kapısını açtı. Doktor Barski'nin bürosuna geçtiler. Odanın büyüklüğü karşısında Norma şaşırdı. Burada da her şey beyazdı. Bütün eşyalar. Koltuklar, dolaplar, raflar... Beyaz masanın üzeri kitap ve dosya doluydu.

"Size ne gibi bir yardımım dokunabilir, Bayan Desmond?" Şimdi sakin konuşuyordu. Sesi rahatlatıcıydı. Müzik gibi.

"Profesör Gellhorn ve ailesine yapılan suikastın araştırmasını yapıyorum... Benim oğlum ve diğer başka insanlar da bu olay sırasında yaşamlarını yitirdi. Şu ana kadar hiçbir grup ya da kişi bu suikastı üzerine almadı. Bu konuyu tabii telefonda konuşmak istememiştim. Şimdi sizinle burada olayın nedenleri üzerinde konuşmayı düşünmüştüm. Sizce neden ya da nedenler ne olabilir?"

Doktor Barski'nin yüzünün donduğunu gördü. Şaşırdı.

"Benim bu konuda size bir şeyler söyleyebileceğimi de nereden çıkarıyorsunuz?"

"Bence..." Biraz sinirli gülümsedi. "Ne de olsa siz Profesör Gellhorn'un yardımcısıydınız. Öyle değil mi? On iki yıldır onunla birlikte çalıştınız.

"Evet. Bunda ne var?"

"Bu suikast niçin yapıldı, diye düşünecek, belki de nedenlerini bilecek bir kişi varsa, o da sizsiniz... Demek istiyorum ki, bu dünyada anlamsız hiçbir şey olmaz. Katillerin iki çılgın olduğunu sanmıyorum. Aradan geçen günlerde sizin aklınızdan birçok şey geçtiğinden eminim. Eğer şimdi söylemek istemezseniz, başka bir gün, başka bir yerde buluşalım. Daha rahat konuşabileceğimiz bir yerde."

"Hayır," dedi Barski.

"Ne demek istediniz?"

"Sizinle başka bir gün, başka bir yerde buluşmayacağım. Daha rahat konuşabileceğimiz bir yere gitmeyeceğiz." Şimdi sesi buz gibiydi. Polonya şivesi belli oluyordu.

"Siz benimle... Ama neden?"

"Buna hiç gerek görmüyorum da ondan."

"Doktor Barski, müthiş bir cinayet işlendi! Olayın nedenlerinin bulunması ve ortaya çıkması için her şeyi yapmak zorundasınız!"

"Kime karşı? Polislere karşı mı? İyi. Onlar üç defa buraya geldiler. Bildiklerimi onlara anlattım."

"Ne anlattınız?"

"Hiçbir şey bilmediğimi."

Neden, neden, diye düşündü Norma. Lanet olsun. "Sizce bu suikastın hiçbir nedeni yok mu?"

Adam öfkeli öfkeli konuştu. "Hayır. Tek bir nedeni bile yok. Benden ne istediğinizi bilseydim, size randevu vermezdim. Sorumsuz muhabirlere olağanüstü haberler yazsınlar diye bilgi vermek niyetinde değilim, sayın bayan!"

Şimdi de Norma sesini yükseltti. "Konuşurken seçtiğiniz sözlere dikkat edin, doktor bey! Yanılıyorsunuz, ben sorumsuz ve sansasyon heveslisi bir muhabir değilim!"

"Peki, peki. Değilsiniz."

"Telefonda söylediğinize göre, çalışmalarımı ve beni yakından tanıyorsunuz. Her ikisinin de hayranısınız."

"Evet, haklısınız. Oğlunuzun ölümünden dolayı size başsağlığı da dilerim."

"Gerekli değil."

"Böyle konuşmayın, Bayan Desmond! Sesinizin tonu..."

Norma, kim böyle konuşmaya başladı, diye düşündü. Lanet olsun, sinirlenmemeliyim. Bu herif bana soğukkanlılığımı kaybettiriyor. Dikkat etmeliyim. Kendimi tutmalıyım. Sonra kendini zorlayarak konuştu. "Özür dilerim, doktor bey. Sadece... Anlamadığım bir şey var da..."

"Neyi anlamadınız?"

Sanki bana tokat vuracakmış gibi bir hali var, diye düşündü. Suratındaki ifade öyle. Bu adamın nesi var? Burada neler olup bitiyor? "Öyleyse bana niçin randevu verdiğinizi anlamıyorum. Size başka şeyler mi soracağımı sandınız?"

"Ben... Ben..."

Bu mümkün mü, diye düşündü. Kekeliyor. Yüzü de kızardı. Neler oluyor burada?

"Evet!"

"Sanmıştım ki... Profesör Gellhorn'un ölümünün ardından bir makale yazmak istediğiniz için benden onun üzerine bazı bilgiler rica edecektiniz..."

"Doktor bey! Profesörün ölümünden dokuz gün sonra böyle bir makale yazılır mı?"

"Evet, niçin olmasın? Belki, çalışmaları üzerine... Yanlış mı olurdu?" Yine o Polonya şivesi.

"Olaydan sonraki iki, üç gün içinde yeterince makale çıktı. Benim dokuz, on gün sonra yazmam, sanırım gazeteciliğimle bağdaşmaz. Böyle düşünmeniz üzücü."

Adamın sesi yine değişmişti. Saldırıya geçmiş gibiydi. "Üzücü mü? Ne yapayım, üzülün öylese, Bayan Desmond!" Her söylediğini kabullenmek zorunda değilim, diye düşünerek ayağa kalktı Norma.

"Bu kadarı yeter!"

"Ben de aynı fikirdeyim." O da ayağa kalktı. Birbirlerinin yüzüne baktılar. Norma öfke içindeydi. Barski de. Norma, çok tuhaf, diye düşündü. Hayır, tuhaf değil. Çok endişe verici. Ve de akıl ermez. "Ben bütün dünyada görev aldım," diye konuştu. Ağzının içi kurumuştu. "Her türlü insanla karşılaştım. Ama bugüne kadar sizin gibi itici bir insan karşıma çıkmamıştı."

"Ah, öyle mi? Şimdi siz beni üzüyorsunuz," dedi Doktor Barski. Yüzü donuktu. "Size iyi günler dilerim, Bayan Desmond."

Norma kapıya doğru yürüdü. Doktor arkasından gelmeyi gereksiz bulmuş olacaktı ki yerinden kıpırdamadı. Norma kapıyı açarken birden durdu. Arkasına döndü. "Bir sorum daha var," dedi. "Hiç olmazsa ona yanıt verebileceğinizi umarım, Gellhorn ailesinin cenaze törenini düzenlemek için kliniğiniz bir kuruluşu görevlendirdi mi? Ne de olsa akrabaları başka başka kentlerde yaşamakta."

"Evet, ben böyle bir kuruluşu görevlendirdim."

"Adını ve adresini vermek iyiliğinde bulunur musunuz?"

"Niçin, Bayan Desmond?"

"Önemli de onun için."

"Bu önemli nedeni öğrenebilir miyim?"

"Hayır."

"Çok dostça."

"Siz de dostça davranmadınız bana. Nedir adresi?"

"Bayan Vanis size versin."

Norma sekreterliğe geçti ve yaşlı kadına adresi sordu. Sinirliliği yüzünden belli olan kadının verdiği adresi not etti. "Teşekkür ederim, Bayan Vanis. İyi günler!"

43

Saçlarına ak düşmüş kadın Norma'nın arkasından bakakaldı. Gözlüğünü eline almıştı. Neler olup bittiğini o da anlamamıştı.

Norma asansörle aşağı indi. Büyük kapıdan dışarı çıktı. Yakıcı sıcağa. Eylül girmiş olmasına karşın hava ne kadar sıcak, diye düşündü. Dayanılmaz bir sıcak. Hastaneyi iyi tanıyordu. Yüksek binanın yanından geçti. Otomobil parkını geride bıraktı. Uzun bir yürüyüşten sonra istediği yere varmıştı. İki katlı bir binanın önünde durdu. Çevresini bir çitin kapattığı binanın girişindeki tabelada "Bulaşıcı Hastalıklar Bölümü" yazıyordu. Kapının üzerinde bir televizyon kamerası gözüne ilişti. Zili çaldı.

Duvardaki hoparlörden bir erkek sesi duyuldu.

"Buyurun?"

Norma basın kartını televizyon kamerasına doğru tutarak adını söyledi.

"Lütfen biraz yaklaşın!" Söyleneni yaptı. "İyi. Buyurun, Bayan Desmond?"

"Ben..." diye Norma söze başladı. Birden arkasında bir ses duydu. "Bu kadarı da fazla." Hızla döndü. Barski'ydi arkasında duran. "Peşimden mi geldiniz?"

"Evet. Çünkü böyle bir şey yapacağınızı biliyordum. Casus gibi davranıyorsunuz. Hastanenin bölümlerine girmenizi şu andan itibaren yasaklıyorum."

"Siz bana hiçbir şeyi yasaklayamazsınız!"

"Yanılıyorsunuz. Otomobiliniz nerede duruyor?"

"Binanızın önünde."

Barski mikrofona sokulup konuştu. "Tamam, Bay Kreuzer." Sonra Norma'ya döndü. "Buyurun, gidelim!"

Kadın istemeye istemeye yürüdü. Doktor Barski peşinden geldi. Mavi Golf'ün kapısını açtı. Norma direksiyona geçti. Koltuğun derisi yanıyordu sanki.

"Bir saniye!" Uzun boylu adam otomobilin çevresinde dolaşıp sağ kapıyı açtı ve Norma'nın yanına oturdu.

Norma "Binmenize izin vermedim..." gibi bir şey söylemek istedi.

"Gerekli değil. Konuşmadan, çıkışa doğru sürün!"

Uzun uzun birbirlerinin yüzüne baktılar. Sonra Norma başını çevirdi ve hareket etti. Dış kapıdaki engelde durdu. Barski kulübedeki adamı el sallayıp yanına çağırdı. Adam koşarak yanına geldi. Biraz önceki gibi hâlâ ter içindeydi. Barski otomobilden indi. "Bay Lutz, bu bayanın adı Norma Desmond. Gazeteci. Defterinize not edin!"

"Başüstüne, doktor bey." Terleyen adam cebinden küçük bir defter ve kalem çıkardı. Söylenenleri yazdı.

"Ben de size kötülük yapabilirim," dedi Norma. "Biliyorum," diye cevap verdi Barski.

"Çok zorluk da çıkarabilirim. Yapacağım da. Emin olabilirsiniz!"

"Buna eminim, sayın bayan."

"Bu yaptıklarınız, yapabileceğiniz en budalaca şeylerdi. Şimdi olaya daha dikkatle ve bilerek eğileceğimden emin olabilirsiniz. Burada neler olup bittiğini ortaya çıkaracağım. Davranışlarınız beni gerçekten keyiflendirdi."

"Söyledikleriniz de beni çok memnun etti." Barski sonra kapıcıya döndü. "Kâğıdı herkesin görebileceği bir yere asın! Diğer adamlara da haber verin. Şu andan itibaren Bayan Desmond'un buradan içeri girmesi yasaklanmıştır. On dakika sonra idarenin yazılı bildirisi elinize geçecek."

"Başüstüne, doktor bey."

"Engeli kaldırın, Bayan Desmond'un dışarı çıkabilmesi için."

9

Ömrümde böyle bir şey görmedim. Ne oluyor bu adama? Çıldırdı mı? Hayır, sanmıyorum. Norma, Barmbecker Caddesi'nde kent merkezine doğru yol alırken böyle düşünüyordu.

Çıldırmış olamaz. Çünkü bu bulaşıcı hastalıklar bölümünün varlığını gözlerimle gördüm. Oraya girmeme izin vermedi. Bir şeyden çekinmese böyle davranır mıydı? Orada olduğunu benden gizler miydi? Bayan Vanis'in söyledikleri de kulaklarımla duymuştum. Ben bekleme odasında otururken. Doktor Barski oradaydı. Norma otomobili oldukça hızlı sürüyordu. Cadillac'ın birini sollarken, öfkeyle kornaya bastı. Böyle bir arabayı kullanmasını bilmiyorsan, metroya bin, budala herif! Norma öfkeliydi. Benden neyi gizlemek istedi? Belki bulaşıcı hastalıklar bölümünde benim görmemi istemediği biri yatıyor? Belki de birkaç kişi? Ne mikrobu kapmış bu insanlar? Nerede kapmışlar bu mikrobu?

Doktoru böylesine korkutan, paniğe uğratan şey nedir?

Winterhuder Caddesi'ni hızla geçti. Karşıdan gelen bir otomobil farlarını yakıp söndürdü. Teşekkür ederim, diye Norma bir an aklından geçirdi. Kilometre saatine bir göz attı. Yüz onla gidiyordu! Ayağını hafifçe gazdan çekti. Otomobil yavaşladı. Barski bana neden öyle kötü davrandı? Beni hastaneden kovdu. Korktuğu bir şey olmasaydı, bana nazik ve iyi davranırdı. Sorduklarıma da yanıt verirdi. Yalan söylemezdi. Evet, bana yalan söyledi. Randevu vermesinin nedeni de buydu. Gerçeği gizlemek, benim merakımı yatıştırmak, burada olup bitenleri saklamak için bana yalan söylemeyi tasarlıyordu. Bunun için de randevumu reddetmedi. Planı böyleydi. Mutlaka. Ama yaşlı sekreterin ağzından kaçırdığı, onun planını altüst etti. Şimdi otomobili normal hızla sürüyordu. Lanet olası o herif yüzünden polise yakalanıp ceza vermek niyetinde değilim! Hastanenin bölümlerine girmem yasaklandı. Orada bir şeyler oluyor... Bu iş midemi bulandırıyor. Hem de çok, Doktor Barski yanlış davrandınız! Ben budala değilim. Bekleyin daha neler olacak!

Mundsburger rıhtımından Uhlenhorster Caddesi'ne saptı ve durdu. Burasıydı. Kapıda "Cenaze Levazımatçısı Eugen Hess" yazıyordu. "Dünyanın Her Yerine Hizmet Verilir. Günün 24 Saati Açık."

Norma otomobilden indi. Arka koltukta duran çantasını alıp omzuna attı. Bu bir alışkanlıktı. Çantanın içinde fotoğraf makinesi, küçük teyp, kasetler, filmler, kâğıt kalem vardı. Otomobili sürerken taktığı güneş gözlüğünü çıkarmadan, içeri girdi. Burası serindi. Giriş salonu siyahlar içindeydi. Yüksekçe bir yerde duran çok süslü kara tabutun kilitleri gümüştendi. Sağında ve solunda kocaman gümüş şamdanlarda kalın, büyük mumlar yanıyordu. Hoparlörlerden Şopen'in müziği duyuluyordu. Siyah elbiseli, beyaz gömlekli ve siyah kravatlı yaşlı bir adam göründü. Yavaş ve sessiz adımlarla yürüyordu. Hafifçe eğilip selam verdi. Yüzü gibi sesi de hüzünlüydü. "Başınız sağ olsun, sayın bayan."

"Teşekkür ederim," diye mırıldandı Norma. O anda kafası karmakarışıktı.

"Ölüm bütün insanları bulur. Kralı da, dilenciyi de," diye yumuşak sesli adam konuştu. "Size bu zor anınızda nasıl destek olabiliriz, sayın bayan?" Beyaz ellerini ovuşturuyor, hafif kamburu çıkmış gibi duruyordu.

"Bay Hess siz misiniz?"

"Emirlerinizi bekliyorum, sayın bayan. İsterseniz büroma geçip her şeyi orada görüşelim... Otursanız iyi olur... Ayakta duracak haliniz yok..."

"Şimdi beni dinleyin, Bay Hess. Benim adım Norma Desmond. Gazeteciyim."

"Ah, evet. Ailenizden biri ölmedi, öyle mi?"

"Ölmedi." Lanet olsun!

"Ah, çok iyi. Ne kadar rahatladım, bilemezsiniz. Özür dilerim. Ben ne de olsa ölümün hizmetindeyim..."

"Bay Hess, bana görevimde yardımcı olmanızı sizden rica edeceğim. Bazı araştırmalar yapıyorum da."

"Elimden geleni yapmaya hazırım, sayın bayan."

"Teşekkür ederim. Virchow Hastanesi Mikrobiyoloji Enstitüsü'nden Doktor Barski, Profesör Gellhorn ve ailesinin cenaze törenini düzenlemekle sizi görevlendirdi..."

"Evet. Ohlsdorfer Mezarlığı'nda, sayın bayan. Ne müthiş bir trajedi! Küçük iki çocuk. Çok korkunç, çok dehşet verici! İnsanlık nereye gidiyor?"

"Her şeyi siz düzenlediniz. Öyle değil mi? Tabutları, çiçekleri, adamları..."

"Evet, evet. En iyi şekilde olması için elimizden geleni yapmıştık, sayın bayan. Büyük adama son saygımızdı." Ellerini ovuşturmaya devam ediyordu. Kamburunu da düzeltmemişti. "Ne de olsa büyük bir törendi. Yabancı davetliler de vardı."

"Cenaze törenini televizyonda gördüm," dedi Norma.

"Hoşunuza gitti mi, sayın bayan? Bağışlayın. Törenin havasını beğendiniz mi, demek istedim."

"Evet, beğendim. Çok iyi düzenlemiştiniz, Bay Hess. Çok da duygulandım."

"Teşekkür ederim, sayın bayan. Ne de olsa kentin en eski kuruluşlarından biriyiz."

"Tabutları taşıyan, eski giysiler içindeki adamları da çok beğendim."

"Bütün o giysiler iyi bir terzinin elinden çıkmıştır, sayın bayan."

"Belliydi. Kaç adamınız görevliydi mezarlıkta?"

"On iki. Çocuk tabutları hafiftir de... Onlara iki kişi..."

"Bu adamlar sizde devamlı çalışır mı?"

"Tabii, sayın bayan. Biz büyük bir kuruluşuz. Kentin çeşitli mezarlıklarında, çeşitli törenler düzenleriz. Bazen aynı gün ve aynı saatte. Adamlardan bazıları yıllardır bizde çalışır."

"Ben içlerinden birini arıyorum."

"Belirli birini mi?"

"Evet."

"Niçin? Bir şikâyet mi var acaba? Görevini gerektiği gibi yapmadı mı? Hüzünlü..."

48

"Hayir, hayır. Çok iyi yaptı. Bütün adamlarınız çok iyiydi. Benim onu aramamın nedeni başka. Çalışmalarımla ilgili. Kendisiyle mutlaka konuşmam gerek."

"Anlıyorum, nedir bu kişinin adı?"

"İşte bunu bilmiyorum."

"Bilmiyor musunuz?"

Şopen'in müziği sakinleştiriciydi.

"Hayır, bilmiyorum."

"O zaman..."

"Ama size onu biraz tarif edebilirim Bay Hess. Orta boylu. Şöyle 1.70, donuk yüzlü. Gözlüklü."

"Anlıyorum." Bay Hess başını eğdi.

"Kim olduğunu anladınız, değil mi?"

"Evet, sayın bayan." Bay Hess düşünceli düşünceli başını salladı."

"Nedir adı?"

"Langfrost. Horst Langfrost, sayın bayan. Birkaç hafta oldu bizde göreve başlayalı. Çok iyi bir adam. Şikâyet filan gelmedi. Hüzünlü olmasını biliyor." Bay Hess başını eğmişti.

"Kendisiyle görüşebilir miyim?"

"Sanırım, bu mümkün olmayacak, sayın bayan."

"Niçin?"

Bay Hess şöyle bir iç geçirdi. "Ortadan kayboldu da..."

Tamam, diye düşündü Norma. "Ne demek, ortadan kayboldu?"

"Söylediğim gibi. İşe gelmiyor. Sanki yer yarıldı, Langfrost içine girdi." Bay Hess yine ellerini ovuşturdu. "Biz de kendisini her yerde arıyoruz. Ne olduğunu bilmiyorum. Çoktan polise haber verdim. Yapmam gerekiyordu, öyle değil mi?"

"Ne zaman ortadan kayboldu?"

"Dün. Cenaze töreninden sonra buraya gelmedi."

"Diğerleri geri geldi mi?"

"Evet, sayın bayan. Hepsi. Şoförler de. Sadece Langfrost dönmedi. Ötekiler, belki doğru eve gitmiştir, dediler."

"Üzerindeki giysiyle mi? Bu mümkün mü?"

"Pek değil, sayın bayan, Ama ne bileyim... Belki kendini iyi hissetmiyordu, diye düşünmüştüm. Fakat Bay Langfrost eve de gitmemiş. Dün sabahtan beri eve uğramadığını öğrendim."

"Kimden?"

"Bayan Meisenberg telefonda söyledi. Langfrost onun yanında kalıyordu da. Bir oda kiralamıştı."

"Adresini verir misiniz, Bay Hess?"

"Tabii. Efeuweg 126. Alsterdorf'ta. Lattenkamp metro istasyonu yakınında."

"Teşekkür ederim, Bay Hess. Bana çok yardım ettiniz."

"Rica ederim. Her zaman beklerim... Özür dilerim, yanlış konuştum, sayın bayan."

Yaşlı adamın elleri küçük bir güvercinin kanatları gibi titriyordu.

10

"Köpek herif," diye konuştu Bayan Meisenberg. "Lanet olası köpek. Geberir inşallah. Sürünsün. Hiç kimse ona acımasın!"

Bayan Meisenberg elli yaşlarındaydı. Zayıf, uzun boyluydu. Saçlarını kırmızıya boyamıştı. Yüzü de çok makyajlı, dudakları açık bir yara gibiydi. Üzerinde çiçekli bir sabahlık, ayağında dizine kadar kıvırdığı çoraplarla terlikler vardı. Eski evinin birinci katındaki küçük bir odada Norma'yla karşılıklı oturuyorlardı. Birkaç odayı bekârlara kiraladığını anlatmıştı. Odalar arasındaki duvarlar çok ince olacaktı ki, yandan gürültü geliyordu. Adamın biri elektrikli makineyle tıraş oluyor, diye düşündü Norma. Giriş katı ve koridorlar gibi, bu oda da kir pas içindeydi. Duvarların kâğıdı yer yer yırtılmıştı. Bütün ev hiç bakımlı değildi.

"Burada hiç para vermeden kalırdı," diye Bayan Meisenberg devam etti. "Tek kuruş harcamazdı. Ona yemek de pişirirdim. Pisboğazlıydı. En iyi kahveyi içer, en iyi eti ve sebzeyi yerdi. Radyasyondan korktuğu için de son aylarda hep dondurulmuş et ve sebze aldırırdı bana. En pahalısından. Bencil herifin biriydi. Lanet olası, köpek herif!"

"Ama..."

"Deli gibi yerdi, en iyisini, en pahalısını. Kendini ne sanırdı? Beyefendi mi? Karnı hiç doymazdı. Dikkat et Horst, derdim. Bu kadar çok yeme! Karaciğerini düşün, sağlığını unutma, derdim. Boşuna konuşurdum. Beni dinlemezdi ki. Haftanın üç günü de *Mousse au Chocalat* isterdi! Çok para harcadım onun için, haram olsun. Geberip gitmiştir inşallah!"

"Belki yine gelir?" dedi Norma.

"O mu? O herif geri gelmez. Günün birinde kaçıp gideceğini biliyordum."

"Nasıl?"

"Bir kadın bunu hisseder, Bayan Desmond. Böyle bir şey benim ilk kez başıma gelmiyor! Başka herifler de beni bırakıp gitmişti. Her zaman önceden hissederim. Erkekler domuzdur! Hepsi!" diye nefretle bağırdı.

Yandaki odada adam şimdi dişlerini fırçalıyordu. Ağzına su alıp gargara yaptı. Suyu tükürdü. Temiz adamın biri olmalı, diye aklından geçirdi Norma.

"Burada ne kadar kalmıştı?"

"İki yıl. Hayır, iki yıldan biraz fazla. Düşünebiliyor musunuz, benimle evleneceğini söyleyip durmuştu? Yeni işe girer girmez."

"Yeni bir iş mi?"

"Tabutçunun yanından çıkmak istiyordu. Muhasebecilikti asıl mesleği. Yeni bir işe gireceğini söylüyordu." Yandaki odada adam bir gargara daha yaptı. "Bana böyle söylemişti. Demek ki yalanmış. Sürekli iş değiştirirdi."

"Başka ne işler yapmıştı?"

"Ne bileyim! Örneğin, gece bekçiliği. Nerede olduğunu bana hiç söylemedi. Çok önemli bir şeyi koruması gerekiyormuş! Gazetede de çalışmış. Birkaç gazetede. Hangilerinde bilmiyorum. Söylemezdi ki! Hep inanmıştım. Ne de olsa seviyordum. Ömrümde en çok sevdiğim adamdı. Seven bir kadının durumu hiç de kolay değildir. Haklıyım, öyle değil mi? Sinemada film göstericiliği bile yapmış. Bir süre de kitap yazmış. Tabii hiç bitmemiş o kitap. Bazı şirketlerde kuryelik de yapmış. Ne söylese inanırdım. Gizli evraklar götürüp getirirdi."

"Nereye?"

"Zürih'e, Paris'e, Milano'ya. Ne bileyim. Belki hepsi de yalandı. Belki başka bir kadınla kaçıp gitti şimdi. Ya ben? Ben bu yaşta ne yapacağım? Etraf genç orospu dolu! Sigara yakar mısınız?"

"Hayır, teşekkür ederim."

Yandaki odada adam öksürdü.

"Odasını görebilir miyim, Bayan Meisenberg?"

"Tabii görebilirsiniz. Ama pek bir şey bulamayacaksınız, genç bayan! İstediğiniz dolabı, istediğiniz çekmeceyi açabilirsiniz. Tek kalem bile yok odasında. Neyi varsa alıp götürmüş. Belki adı Langfrost bile değildi. Tanrım, her şey mümkün!"

Ayağa kalkıp önden yürüdü. Koridordaki odalardan birinin kapısını açtı. Oda küçüktü. Pencereden yüksek bir duvar görünüyordu. Odada bir dolap, bir yatak, iskemle ve masa vardı.

"Boş zamanını çoğunlukla benim odamda geçirirdi," dedi Bayan Meisenberg. "Herif buraya geldiğinde üzerine giyecek bir şeyi yoktu. Donundan kravatına kadar bütün giysilerini ben satın aldım. Onu sevdiğim için..."

Dolapta ve çekmecelerde gerçekten işe yarar bir şey yoktu. Norma kadınla birlikte odadan çıktı. Koridorda onu biraz teselli etmeye çalıştı.

"Beni hiç kimse teselli edemez Bayan Desmond," diye üzgün kadın konuştu. Çıkış kapısına doğru yürüdü. "Ben budala-

52

nın biriyim. Ve budala kalacağım. Bütün ömrüm böyle geçti, Bayan Desmond. Hoşça kalın ve başarılar!"

"Teşekkür ederim," dedi Norma.

Odadaki adam sifonu çekmişti.

11

"... Başkan Reagan'ın SALT-II anlaşmasına daha uzun süre bağlı kalamayacağını açıklaması üzerine, Sovyet parti gazetesi *Pravda*, yeni füzelerin yerleştirileceği tehdidinde bulundu. Gerek NATO'da gerekse Amerikan dostu Avrupa ülkelerinde ileri gelen politikacılar başkanın bu yeni davranışını şaşkınlık ve eleştiriyle karşıladılar. Leipzig: Belçika başbakanı fuar sonrası..." Norma ayağa kalktı. "Canlı Yayın" haber merkezinin büyük bekleme salonunda hoparlörlerden gelen radyo spikerinin söylediklerine kulak vermedi. Haber merkezinin büyük binası Bendestorf semtinde, film atölyeleriyle "Yılanlı Ağaç" lokantasının arasındaydı. Televizyonun birinci kanalından yapılan bütün yayınlar Bendestorf'ta hazırlanırdı. Norma sıcaktan bunalan kentten çıkıp buraya gelmişti. Çevre dümdüz ve çalılıklarla kaplıydı. Hamburg gibi sıcak değildi.

Asansörden bir adam çıktı. Norma ona doğru yürüdü. Orta yaşlıydı adam. İnce keten pantolon giymiş, kısa kollu mavi gömleğini pantolonunun üzerine çıkarmıştı.

"Norma!" diye seslendi. Kollarını açıp ona sarıldı. Haber bölümü şeflerinden Jens Kander sekiz yıl öncesine kadar muhabirlik yapardı. Dünyanın birçok ülkesinde karşılaşmışlar, birlikte çalışmışlardı. Kander'in görünüşü iyi değildi. Hasta gibiydi.

"Eşim ve ben dün sana yazdık... Çok üzgünüz. Norma!" diye konuştu.

"Çok teşekkür ederim," dedi Norma. Elini kısa saçlarında şöyle bir gezdirdi. "Ama ne olur olup bitenden söz etmeyelim!

53

Bir şey sormak istediğim için sana telefon etmiştim. Bana yardımcı olacağından eminim." Ve ne istediğini söyledi. "Yardım edebilirsem, sevinirim Norma!" Kolunu kadının omzuna attı. Birlikte asansöre yürüdüler. Kander'in bürosunda Norma siyah suni deri kaplı kanepeye oturdu. Adam da yazı masasına geçti. Telefonu açıp kısa bir numara çevirdi. "Birgit? Ben Jens. Bana bir iyilik yapacaksın! Dün akşam sekiz haberlerindeki Profesör Gellhorn ve ailesinin cenaze töreni bölümü gerekli... Sonra gece on bir haberlerinde tekrarlamıştık... Geç haberleri saklamadığımızı biliyorum... Onun için akşam sekiz haberlerini istedim ya. Benim buradaki ekranda yayınlayabilir misin? Peki, teşekkürler..." Telefonu kapattı. "Birkaç dakika sürecek," dedi Norma'ya dönüp. "Tabutu taşıyan o adama ne oldu ki?"

"Henüz tam bilmiyorum. Ama adamın ne yaptığını ve nerede olduğunu ortaya çıkarmalıyım. Fotoğrafını basabilirler mi?"

"Biz tümüyle elektronik çekicilerle çalışıyoruz. Norma. Olsa olsa ekrandan çekebilirler."

"Pek de iyi bir kopya olmaz, değil mi?"

"Merak etme, atölyedeki adamlarımız bu işin de hilesini bilirler. Oldukça iyi bir fotoğraf elde edebiliriz."

"Çok teşekkür ederim, Jens." Sustu. Yüzüne dikkatle baktı. "Senin neyin var? Üzüntülü müsün?"

"Bilmiyorum."

"Eşinle aran..."

Büronun kapısı açıldı. Uzun sarı saçlı genç bir kız başını uzattı. "İrlanda'da otomobil bombasını sen mi hazırlıyorsun?"

"Yok. Sanırım Henry."

"Okey!" Kapı hızla kapandı.

"Eşimle aram iyi," diye konuştu Jens. "Ne olduğunu ben de bilmiyorum. Aylardır hep böyle. Kendimi iyi hissetmiyorum. Keyfim yerinde değil. Buradaki iş arkadaşlarımla da aram iyi,

54

hiçbir sorunum yok. Görevimde de başarılıyım. Her akşam haberlerde yeni bir 'dünya batışı'na alıştım. Sen de, öyle değil mi? Eve gidince mutlu bir çevredeyim. Inge bana karşı iyi, çocuklar da. Ama ben nerede olsam kendimi berbat hissediyorum. Kusacak gibi oluyorum. Bak şimdi seninle bu konudan kolayca söz edebiliyorum, ama Inge'yle tek kelime bile konuşmuyorum."

"Beni arada sırada gördüğün için belki. Eşini her gün görüyorsun. Ona anlatmak istemiyorsun," dedi Norma. "Niçin kusacak gibi oluyorsun?"

"Bilmiyorum," diye yanıtladı Jens. "Ben bu yaşamda ne yapıyorum? Görevim nedir, yaşamımın anlamı nedir? Ben kimim?"

"Ah, anlıyorum..."

"Ben kimim, bunu nasıl bileyim? Yaşam bir nehir gibi akıp gidiyor. Her şey bir kez yaşanıyor. Düştüğüm durumlarda doğru kararlar mı verdim yoksa yanıldım mı? O anda bunu bilemiyorum. Yanlış bir şeyi düzeltemem. Çünkü o anı bir daha yaşamıyorum. Olaylar tekrarlanmıyor ki. Örneğin, akşam sekiz haberlerinin gece on birde tekrarlandığı gibi! Budalaca bir karşılaştırma, biliyorum. Resimler tekrarlanabilir, olaylarsa geçmiş gitmiştir. Tekrarlanamaz. Hiçbiri! Bu mümkün olsaydı, belki aynı şeyleri başka türlü yapardım. Belki o zaman kendimi iyi hissederdim. Kim olduğumu daha iyi kavrardım. İçinde yaşadığımız şu dünyada biz kimiz? İnsan nedir? Sen, Inge, ben, bütün insanlar? Olaylar tekrarlanmıyor ki! İstemediğimiz, değiştiremeyeceğimiz, düzeltemeyeceğimiz şeyleri yapmak zorunda bırakılıyoruz. Niçin böyle oluyor?"

"Ben de bilmiyorum, Jens."

"Sen kim olduğunu biliyor musun?"

"Hayır, bilmiyorum..." Sesi birden yorgun çıkmıştı,

"Ama bizler kim olduğumuzu bilmeliyiz! Bizler..." Birden sustu. "Lanet olsun! Dertlerimi kendime saklamalıyım. Bağışla, Norma! Bana ne olduğunu sormuştun da... Gerçekte senin durumun benimkinden de berbat."

"Bırak şimdi bunları," diye sesini yükseltti Norma. "Sana başka sorularım var. Mezarlıkta birkaç elektronik çekiciyle çalıştınız, öyle değil mi? Dışarıda bir nakil arabası duruyordu."

"Evet. Walter Grüter arabada oturuyordu. Ekranların başında.' Sonra da haberin montajını yaptı. Metni yazdı, haberde de konuştu. Akşam nöbetinde olanlar da haberlerde yayınladı."

"Akşam haberleri saklanıyor, öyle değil mi?"

"Evet. Akşam sekiz haberleri video olarak saklanır, istersen sana, örneğin 4 Eylül 1976 gününün haberlerini gösterebilirim."

"Nerede saklanıyor?"

"Merkezin altındaki mahzende. Bak Norma, lütfen dinle beni. Kim olduğunu, ne yaptığını, ne istediğini iddia eden bir sürü insan..."

Aynı anda telefon çalmaya başladı. Kander istemeye istemeye telefonu açarak konuştu. "Evet, Birgit?" Bir süre sustu. Telefon edenin söylediklerini dinledi. "Ne demek yok? Bir yerde olmalı! Bir daha ara! Öyleyse dördüncü defa ara! Özür dilerim, biraz sinirliyim de... Kaybolmuş olamaz ki..." Norma arkasına yaslandı. "Ne demek kayboldu? Şimdiye kadar hiçbir haberin kaseti kaybolmamıştı! Atölyeye telefon et! Belki orada bir yerde kalmıştır? Orada da yok mu? Lanet olsun! Demek ki... Bekle ben aşağı geliyorum!" Telefonu hızla kapattı. Ayağa kalktı. "İnanılır gibi değil. Dün akşam sekiz haberlerinin kasetini bulamıyorlarmış... Ben..." Norma'ya yaklaştı. "Tanrım, neyin var?"

"Niçin soruyorsun?" Norma ne olduğunu anlamamış gibi yüzüne bakıyordu.

"Ağladığının farkında değil misin?" Cebinden mendilini çıkarıp ona uzattı. "Yüzün yaş içinde. Norma, rica ederim!"

Kadın yüzünü kuruladı. Sonra konuştu. Sesi zorlukla çıkıyordu. "Ağladığımın farkında değildim, Jens. Ben... Ben Pierre'i de düşünmedim..."

"Neyi düşündün?"

"Haberleri... Senin söylediğin gibi hiçbir şeyin tekrarlanmadığını... İnsanın bazı şeyleri düzeltmesinin mümkün olmadığını, ona şans verilmediğini... Jens, şimdi kendime geldim. Gidebilirsin."

"Seni burada yalnız başına bırakıp..."

"Evet, merak edecek bir şey yok. Hava çok sıcak. Bütün gün de sağa sola koşturup durdum..."

"İstersen kanepeye biraz uzanıver! Bir şey içmek ister misin? Viski, konyak, su?"

"Hiçbir şey istemem." Kanepeye uzandı. "Haydi, Jens. Şimdi lütfen git."

Kander odadan çıkar çıkmaz gözlerini kapattı. Biraz sonra da Tanrıyla konuşmaya başladı. Sessizce. Tanrım, n'olur oğlum öteki dünyada huzura kavuşsun. Korku ve acı içinde değil, barış içinde ve mutlu yaşasın. N'olur, yalvarırım sana! Sevgili oğlum, ben hep senin yanındayım. Senin ve babanın. Sizler de benim yanımda olun! Ben ancak o zaman doğru bir yaşam sürdürebilirim... Pierre de benzeri şeylerden söz etmişti. Batı Beyrut'ta. İnanmak istiyorum, demişti. Bombaların düştüğü, makineli tüfek seslerinin bütün gece susmadığı o sıcak, bunaltıcı Beyrut gecesinde. O geceyi hiç unutmayacağım. Seni de. Söylediklerini de. Şimdi ben de inanmak istiyorum. Sizlerin benim yanımda olduğunuza...

Dayanamayacaktı. Yattığı yerden doğruldu. Çantasını açıp küçük el aynasını çıkardı. Yüzüne baktı. Niçin sizler ölüsünüz, bense yaşamak zorundayım, diye düşündü. Bu haksızlık. Makyajını şöyle bir düzeltti. Sonra oturdu ve hiçbir şey düşünmemeye çalışarak çevresine bakındı.

Bir süre sonra Jens geri döndü. Heyecanlıydı. Kasetin gerçekten kaybolduğunu söyledi. Aşağıda herkes kaseti aramıştı. Hepsi öfkeliydi.

"Biri çalmış olacak," dedi Kander. "Eğer arşivde ne olup bittiğini biraz bilirsen, çalmak kolay. Tabii bir anahtar da gerekli. Burada çalışanlardan biri yapmış olmalı. Ne düşünüyorsun?"

"İkinci kanalı," dedi Norma. "Onlarda cenaze törenini haberlerde vermiş olmalı." İkinci kanalın haber merkezi Münih yakınlarında Starnberg Gölü kıyısındaydı.

"Tabii haberlerde vermişlerdi," dedi Kander de. "Bizlerden başkasının töreni filme çekmesine izin yoktu."

"Biliyorum. Starnberg'de tanıdıkların var mı?"

"Bir sürü tabii. Ne de olsa birçok konuda ortak çalışmamız gerekiyor. Birbirimize yardım ettiğimiz oluyor. Haber bölümü şefi Rotter'le aram iyidir."

"Öyleyse lütfen hemen onu telefonla ara ve cenaze töreninin filmini rica et. Bakalım ne diyecek?"

"Hemen." Jens Kander masasına oturdu ve santrale, Starnberg'e bağlamasını söyledi. Birkaç saniye sonra dostu Rotter karşısındaydı. Hemen ne istediğini söyledi. Dinledi. Sonra elini ağızlığa koyup Norma'ya döndü, "Videokaset var, diyor... Aratıyor." Az sonra Kander yine konuştu. "Evet... Buldunuz mu? Harika! Biz buradaki kargaşada bizimkini bulamıyoruz da..."

"Hamburg'a nakledebilir mi, sor bakalım," diye Norma fısıldadı.

"Bir şey arıyoruz da, Kurt. Videoyu hemen buraya nakledebilir misin? Çok iyi... Evet, mümkünse hemen... Çok teşekkür ederim, Kurt. Hoşça kal!" Telefonu kapattı.

"Bakalım ne olacak?" dedi. Sonra birkaç bölüme daha telefon etti. En son telefon konuşmasından sonra Norma'ya dönüp, "On beş dakika sonra odamdaki ekranda görebileceğiz," dedi. "Kaseti getirecekler."

"Sağ ol, Jens." Norma küçük masada duran gazeteleri şöyle bir karıştırdı. Hepsinde cenaze töreninden haberler. Gellhorn'un yakınlarının, dostlarının, meslektaşlarının, yabancı konukların fotoğrafları vardı. Tabutları taşıyanların da. Ama donuk yüzlüsünü hiçbir fotoğrafta göremedi.

Sonra oda kapısı açıldı. Blucinli bir genç kız videokaseti getirdi. "Merhaba, Jens. Sana gönderdiler," dedi, "Starnberg'den nakledildi biraz önce."

"Teşekkürler, Monika." Genç kız odadan çıktı. Kander ayağa kalktı. "Bakalım ne göndermişler?" diyerek kaseti videoya soktu. Odanın perdelerini kapattı. Sonra videoyla televizyonun düğmesine bastı.

Norma bütün dikkatini vererek ekrandaki görüntüleri izlemeye başladı. Birinci kanalın haberine çok benziyordu. Tabii çekim başka açılardan yapıldığı için resimler de farklı görünüyordu. Norma, Profesör Gellhorn'un yakınlarını, meslektaşlarını, polisleri ve helikopterleri gördü yine. Tabutu taşıyanları da, dikkatle öne doğru eğildi. Birinci tabut, ikinci tabut, çocukların tabutu... Kamera bu kez karşıdan çekmişti. Başka bir açıdan da. Norma aradığı kişiyi göremedi. Donuk yüzlü, yuvarlak gözlüklü adamı. Hayır, ikinci kanalın haberinde bu adam yoktu. Kasetin çalınmamasının nedeni de bu, diye düşündü. Haber sona erdi. Kander televizyonun düğmesine basıp kapattı.

"İstediğin şeyi gördün mü?" diye sordu.

"Hayır," dedi Norma.

Kander perdeleri açtı. Düşünceli düşünceli sağ kulağını kaşıdı. "Aradığın bizim kasette vardı, ikinci kanalın kasetinde ise yoktu."

"Evet."

"Bizimkini çaldılar, onlarınkini çalmadılar!"

"Evet."

"Peşinde olduğun şey çok önemliye benziyor!"

"Öyle gibi," diye Norma mırıldandı.

12

Adam alçak bahçe duvarının üzerinde oturuyordu. Norma akşamüstü saat altıya doğru Park Caddesi'ndeki evin önünde durdu. Otomobilini bir Volvo'nun arkasına park etti. Onu tanıyan adam ayağa kalktı ve yanına geldi. Elinde büyük bir çiçek buketi vardı. Sarı güllerden yapılmış. Çekingen çekingen konuştu.

"Sizden özür dilemek istiyorum, Bayan Desmond."

"Bunun için mi burada beni bekliyorsunuz?"

"Evet."

"Öyle mi?" Güneş gözlüğünü eline aldı. Alnını kırıştırıp karşısında duran adama baktı.

"Bugün size iyi davranmadım. Biliyorum, davranışım çirkindi. Lütfen beni bağışlayın. Çiçekleri de kabul edin!" Çok heyecanlıydı.

Barski heyecanlandı mı, Polonya şivesiyle konuşuyor, diye düşündü. Bu sabah da dikkatimi çekmişti, "Peki, peki," dedi. "Yalnızca hoşuma giden insanlarla görüşmek mümkün değil. Mesleğim bu, ne yapayım!" Çiçek buketini aldı ve elini sıkmak için uzattı. "Teşekkürler. İkimiz de olup biteni unutalım!"

Adam elini bırakmadı. Uzun uzun tuttu. "Hayır, hayır... Ben... Ben sizden sadece özür dilemek istemiyorum, Bayan Desmond..."

Bu adam iriyarı ve bir ayı gibi güçlü, diye düşündü. Canayakın bir ayı. Evet, şimdi canayakın. Çiçek de getirmiş. "Başka ne istiyorsunuz?" diye sordu.

"Sizden sorularınızı sormanızı da rica ediyorum. Ayrıca bu trajik olayla ilgili bildiğim her şeyi anlatmama da izin vermenizi..."

Norma elindeki güneş gözlüğünü salladı. "Peki, öyleyse beni neden hastaneden kovdunuz ve oraya girmemi de yasakladınız?"

"Hayır, Bayan Desmond!" Neredeyse kekeleyecekti. "Çok büyük bir hata yaptığımı biliyorum..."

"Hata olsa yine iyi!"

"Küstahlıktı davranışım. Çok büyük bir küstahlık. Bütün iş arkadaşlarım da öyle söyledi."

"Onlara ne oluyor?"

"Öğleden sonra bir toplantımız vardı. Bu toplantıda benim davranışımdan da söz edildi. Sonunda, sizden hemen özür dilememe ve bildiklerimi anlatmama oybirliğiyle karar verildi."

"Bir dakika," dedi Norma. "Bulaşıcı hastalıklar bölümünden söz etmemiş olsaydım, bu sabah bana yine her şeyi anlatır mıydınız?"

"Hayır."

"Hayır mı? Öyleyse beni niçin kabul etmiştiniz? Şimdi gerçeği söylemenizi bekliyorum. Lütfen!"

"Bakın. Bizim enstitüde çok müthiş bir şey oldu. Bundan hiç kimsenin haberi yok."

"Polisin de mi yok?"

"Onlar biliyor." Dudaklarını ısırdı. "Ama başka hiç kimse bilmiyor. Hele gazetecilerin hiç haberi yok. Olayın basına, dolayısıyla kamuoyuna sızmasına engel olmalıydık..."

"Hey Tanrım! Öyleyse benim gibi bir gazeteciyi neden kabul ettiniz?" diye Norma sesini yükseltti. Sakin olmalısın, dedi hemen sonra kendi kendine. Sinirlerine hâkim olmalısın.

"Size randevu verirken, böyle ünlü bir gazeteciyi atlatamazsın, diye aklımdan geçirdim. Bırak gelsin. Bir sürü yalan söylersin, olur biter, dedim."

"Çok güzel." Ben de bunu bekliyordum, diye düşündü.

"Size yalan söyleyecektim. Siz de sonunda, benim ve arkadaşlarımın hiçbir şeyden haberi olmadığı kanısına varacaktınız."

"Ne güzel..." Birden öfkelendi. Gülleri niçin kabul ettin? Herifin anlattıklarını neden dinliyorsun? Enstitüsünde müthiş bir şey olduğunu öğrendiğin, belki bu olayın büyük cinayetin nedeni olduğunu sandığın ve katilleri bulup gerçeği mutlaka ortaya çıkarmak istediğin için. Çılgının birisin sen! "Çok iyi yalan söyleyeceğinizi ve beni inandıracağınızı sanıyordunuz, öyle mi?" diye sordu.

"Bundan çok emindim."

"Çok iyi bir yalancı olduğunuzdan emindiniz, demek?"

61

"Evet, Bayan Desmond."

"Tebrikler!" dedi Norma. "Peki, sonra?"

"Ne demek, sonra?"

"O zaman neden bana yalanlarınızı anlatmadınız? Niçin çirkin ve utanmazca davrandınız?"

Barski sesini çıkarmadı.

"Söyleyeyim: Bulaşıcı hastalıklar bölümünden söz ettiğim için! Bunu duyunca paniğe kapıldınız, sinirlerinize hâkim olamadınız. Yalan mı?"

"Doğru."

"Öyleyse 'müthiş' dediğiniz olay da bu bölümle ilgili. Doğru mu?"

"Doğru, Bayan Desmond. Sizi öfkelendirmekle, sizi hastaneden kovmakla en büyük hatayı yaptım. Çünkü olup bitenleri ve nedenlerini şimdi bütün gücünüzle araştıracaksınız."

"Bundan emin olabilirsiniz!"

"Biliyorum."

"Beni hastaneden kovduktan sonra bütün bunlar aklınıza geldiği için de şimdi buradasınız. Öyle değil mi?"

"Hayır."

"Ne demek, hayır?"

"Hem evet, hem hayır..."

"Ne demek istiyorsunuz, Doktor Barski?"

"Ben... Ben diğerleriyle konuştum... Biz..." Susup Norma'nın yüzüne baktı. Elbe Nehri'nden bir çatananın sesi duyuldu.

Norma öfkesini alamamıştı. "Olup bitenin nedenini bulamadığınız, polis de bir şey ortaya çıkaramadığı için bana anlatmaya karar verdiniz, öyle değil mi? Desmond olayın peşinden gider, mutlaka bulur, diye düşündünüz! Onun için bu kadınla konuşmam, ona her şeyi anlatmam doğru olur, dediniz!"

"Evet, böyle düşündüm. Nereden biliyorsunuz?"

"İlk kez başıma gelmiyor da onun için!"

"Anlatacaklarımı dinleyeceksiniz..."

"Tabii dinleyeceğim. Hastanede neler olup bittiğini bilmek istiyorum!"

"Ben de size her şeyi anlatacağım. Gerçekleri. Görevimizi, yaptığımız çalışmaları. Anlayacağınızı sanırım. Polis gerçekten hiçbir şey ortaya çıkaramadı. Siz çok tanınmış bir gazetecisiniz. Çalışmalarınız çok yürekli. Hepimiz sizin gibi bir gazetecinin hayranıyız..."

"Bu söylediklerinizi de ilk kez duymuyorum." Norma karşısındaki adamın yüzüne dikkatle baktı. "Yarın sabah enstitüye geleceğim." Adamın yüz hatları birden değişti. Hüzünlü bir ayı gibi.

"Yine ne oldu?"

"Sizinle bu akşam konuşabileceğimi umuyordum da..."

"Mümkün değil. Yemeğe davetliyim. Alvin Westen'le."

"Alvin Westen... Eski dışişleri bakanıyla mı?"

"Evet. Şunu hemen bilmenizi İsterim. Bay Westen benim çok uzun yıllardır tanıdığım en iyi dostumdur. Ona her şeyi anlatırım. Bana söyleyeceklerinizi de bilecektir. Eğer buna razı değilseniz, hiçbir şey anlatmanıza gerek yok. Gidebilirsiniz!"

"Hayır... Tam tersine..." Barski birden çok heyecanlanmıştı. Şivesinden anlaşılıyordu. "Bay Westen'i tanırım. Yani kim olduğunu çok iyi bilirim. Kusursuz bir insan. Bütün dünyada dostları olan bir insan. Polonya'da da! Ben de kendisine her şeyi anlatabilir miyim?"

"Nasıl isterseniz," dedi Norma. "Bu sizin bileceğiniz bir şey. Neler olduğunu bilmiyorum ki. Bana söyleyeceklerinizi Bay Westen'in de öğrenmesine arkadaşlarınız ne der?"

"Ne mi der? Onlar buna çok sevinecektir. Benim gibi. Biz yurtdışında da birçok enstitüyle ortak çalışırız. Bay Westen'in de bütün dünyada dostları var. Belki... Demek istiyorum ki... Biz çok zor bir durumdayız. Çaresiziz... Korkuyoruz da."

"Peki. Bay Westen'e soracağım. Sizin benimle birlikte gelmenizi kabul edecektir sanırım. Şimdi yukarı çıkalım. Duş yapıp üstümü değiştirmem gerek." Kapıya doğru yürüdü. Barski peşinden gitti. Ağzının içinde bir şeyler mırıldandı. Lehçe.

"Ne dediniz?"

"Akıllı insanla anlaşmak kolay olur, dedim. Affedersiniz!"

"Affetmek mi? Gönül okşayıcı bir söz bu." Niçin böyle konuştum, diye düşündü. Yapmamalıydım. Sinema gibi. Gerçek değil. Ama olup bitenlerin bir anlamı var. Çok çılgın! Yukarı çıktıklarında, Norma hemen mutfağa gidip sarı gülleri vazoya koydu. Barski bir bardak su rica etti. Sonra balkona çıkıp oturdu. Norma, Alvin Westen'e telefon etti. Olup bitenleri çabucak anlattı.

"Tabii," dedi dostu. "O da gelebilir. Lokantada her zamanki masamızı ayırmalarını söyledim, En arkadakini, biliyorsun. Yemekten sonra yukarı odama çıkarız. Barski yanında mı?"

"Hayır. Niçin sordun?"

"Bu sabah Bonn'daydım. Dışişlerine ve araştırma bakanlığına uğradım. Yakın dostlarımla olayı görüştüm. Hepsi de elimi çekmeni öğütledi. Hele senin..."

"Sandığımdan daha tehlikeli bir şeye benziyor!"

"Öyle görünüyor."

"Olayla neden ilgilenmememiz gerektiğini söylemediler tabii."

"Hayır. Bonn'dan Köln'e geçtim. Eski dost Profesör Keffer'le görüştüm. Moleküler biyoloji uzmanı. Naziler zamanında aynı hapishanede kalmıştık. Keffer savaştan sonra İngiltere'de Cambridge Üniversitesi Fizik Enstitüsü'nde çalışmıştı. Olayla ilgili bilgisi az. Ama, 'Bu çorbayı sakın karıştırmayın,' dedi. Her neyse, şimdi Barski'nin anlatacaklarını bir dinleyelim! Herkesin bu kadar korkması beni keyiflendiriyor, daha çok meraklandırıyor. Saat yedi buçukta görüşmek üzere."

"Evet, yedi buçukta. Duş yapıp üstümü değiştireceğim..."

"Dur!"

"Ne oldu?"

64

"Rica ederim, siyahlar içinde dolaşma! Benim sevdiğim elbiseni giy bu akşam. Beyaz elbiseni. Üzerine siyah beyaz kareli küçük ceketini al. Beyaz ayakkabılarını da giy. Söz veriyor musun?" "Veriyorum. *Ciao*, sevgili dost!" Telefonu kapattı. Sonra yine açtı. Başka bir numara çevirdi. Gazeteyi arıyordu. Karşısına çıkan kıza, genel yayın müdürünü bağlamasını söyledi.

"Günter, ben Norma, bütün gün sağa sola gittim. Yeni birçok şey öğrendim. Ama hemen baskıya girmesi gereken haber yok. Yarın anlatırım. Westen'le Atlantic Oteli'nde buluşacağım. Barski'yi götürüyorum. Bildiklerini açıklamak istiyor..."

"Ne açıklayacakmış?"

"Bilmiyorum. Yeni şeyler öğreneceğimi umuyorum. Hepsini yarın anlatırım. Beni bu akşam ararsan nerede olduğumu biliyorsun."

"Öyleyse başarılar," dedi Günter Hanske.

"Hoşça kal, Günter."

Duşun altına girip soğuk suyu açtı. Duştan sonra hemen kurulandı. Hafif bir makyaj yaptı. Alvin'in istediği elbiseyi ve küçük ceketi giydi. Balkona çıktı. Barski ayakta durmuş, batan güneşte parıldayan nehri seyrediyordu.

"Ben hazırım," dedi Norma. Barski duymamıştı. "Gidebiliriz," diye ekledi. Uzun boylu adam yavaşça arkasına döndü. Çok dalgındı. Düşüncelerinde çok uzaklara gitmiş, dedi Norma kendi kendine.

"Burası çok güzel," diye mırıldandı Barski. "Varşova'daki evimizin balkonundan da nehir görünürdü. Stefana Okrzei Caddesi'nin Wybrzeze Szczecinskie Caddesi'yle birleştiği köşedeydi evimiz. Balkona oturur, Vistül Nehri'ni seyrederdik..."

"Evli misiniz?"

"Evliydim," dedi Barski. "Eşim Öldü."

13

Alvin Westen'in peşinden yürüdüler. Büyük otel dairesinin salonundan geçip beyaz balkona çıktılar. Biraz önce aşağıdaki lokantada akşam yemeği yemişlerdi. Olaydan hiç söz etmemişler, havadan sudan konuşmuşlardı. Westen'le Barski'nin Varşova'da ortak tanıdıkları vardı. Ressamlar, yazarlar, değişik dallardan sanatçılar. 1970 yılında bütün dünyanın dikkatini çeken o olaydan da söz ettiler. Zamanın Başbakanı Willy Brandt'ın, Varşova'da, Yahudi mahallesindeki nasyonal sosyalistlerin öldürdüğü insanlar adına yapılmış anıtın önünde diz çökmesinden.

"Biz Polonyalılar, hiçbir Alman politikacısında böylesine bir bağışlanma ricası ve utanç duygusu görmedik, bugüne kadar," dedi Barski. "Annem babam, ben ve birçok Polonyalı o zaman ağlamıştı."

"Birçok Alman da ağlamıştı," diye Westen konuştu. "Ama birçok Alman da, Brandt'a diz çöktüğü için kızmıştı. Diğer partilerden, 'Almanya'ya ihanet etti,' diyenler bile olmuştu."

"Ben o gün Brandt'la Varşova'daydım," dedi Norma. "Diz çökmeyi önceden planlamamış olduğunu söylemişti. Törenden biraz önce aklından geçirmiş. Yahudi mahallesindeki bu anıtın karşısında eskiyi anımsamasını herhangi bir şekilde insanlığa göstermeliydi. Hiç kimseyle konuşmamıştı. Sonra anıtın karşısında durduğunda, savaşta yapılanların ağırlığı altında ezildiğini hissetmiş, diz çökmüştü, öldürülmüş milyonlarca insanın anısına. Böyle söylemişti bana. 'Auschwitz Kampı'na rağmen insanlar baskı altında tutulmaya devam ediyor, dünyamızda çeşitli çılgınlıkların ardı arkası kesilmiyor,' demişti."

"Evet." Westen. Norma'nın elini tuttu. "O günlerde senin yazdıklarını anımsıyorum, Çok iyi. Şöyle yazmıştın: 'Diz çökmesi gerekmeyen bu insan diz çöktü. Diz çökmesi gereken, ama çekindikleri ya da ellerinden gelmediği için diz çökmeyenler adına...'"

Yemeğe başlamadan önce Barski, Norma'yla Westen'e dönüp biraz çekinerek, "Sayın Bayan Desmond, sayın bakan, sizinle birlikte olabildiğim için çok mutluyum," demişti.

"Ben artık bakan değilim. Bana Westen, deyin yeter," yanıtını vermişti ak saçlı, canayakın adam da. Yemekten sonra hep birlikte ikinci kattaki dairesine çıkmışlardı.

Balkonun yüksek kapıları açıktı. Atlantic Oteli'nin bütün yüzü gibi balkonlar da bembeyazdı. Dış Alster'de binlerce ışık sulara vuruyordu.

"Buyurun, oturalım," dedi Westen.

Beyaz hasır koltuklara oturdular. Aşağıdan caddenin gürültüsü biraz duyuluyordu.

"Doktor Barski, Varşova'da eşiyle evlerinin balkonundan Vistül Nehri'ni seyrettiğini anlattı bana," dedi Norma.

"Eşimin öldüğünü de," diye ekledi Barski. "Bu kentte bazen o günleri anımsıyorum. Bu akşam da karanlık sulara vuran binlerce ışığı görünce..."

Westen dalgın dalgın uzakları seyrediyordu. Sonra uzun boylu adama döndü. "Başlayalım!" dedi. "Anlatın, neler olup bittiğini, Doktor Barski!"

"Anlatacaklarım kötü şeyler," diye başladı Barski, "iğrenç ve akıl ermez. Anlayabilmek için bazı bilimsel bilgiler gerekli."

"Siz anlatın. Biz dinliyoruz," dedi Norma. Alster'den *Beyaz Filo*'nun bir gemisi geçiyordu. Kayar gibi, gemiden müzik sesleri geliyor, güvertede insanlar dans ediyordu. Pierre'le Hamburg'a bir gelişimde böyle bir gemi gezintisi... Hayır, dedi Norma kendine. Hayır! Düşünme, Konuşmaya devam etti. "İstediğiniz kadar anlatın. Zamanımız var. Cinayetin nedenini mutlaka ortaya çıkarmalıyım! Sizin gibi."

"Teşekkür ederim," dedi Barski. "Bizim grubumuzda çeşitli bilim dallarından değişik insanlar çalışmakta. Ama hepimiz aynı amaç için çalışıyoruz. Ben örneğin, biyokimya uzmanıyım, iki türlü uzman vardır. Birinin bilmediği hiçbir şey yoktur. Diğeriyse her şeyi bilmez, yalnızca tek bir konu üzerinde uzmanlaşmıştır. Bu iki yetenek bende birleşmiş..."

Westen güldü. Norma ona baktı. Bu "genç yaşlı" dost yanımda oturuyor. Her zamanki gibi çok şık. Üzerinde mavi yazlık bir takım, uygun kravat, beyaz gömlek, mavi ince çoraplar ve makosenler. Kol düğmeleri eski madeni paralardan yapılmış, üzerlerine adının baş harfleri kazınmış. Norma, Alvin Westen gibi bir sosyal demokrat olan Heinrich Mann'ın da, işçilerle yapılan toplantılara bile gitse her zaman çok iyi giyindiğini bir an anımsadı. Norma'ya göre kardeşi Thomas'tan daha iyi ve başarılı bir yazardı. Bir defasında Alvin onun işçi toplantılarından birine beyaz eldivenlerle gittiğini anlatmıştı. İşçiler sorunlarına yürekten ilgi gösteren bu büyük adamın giyimini normal bulurdu. Hem onu hem de banka genel müdürü ve sosyal demokrat olan Alvin Westen'i canı gönülden severlerdi. Çünkü ikisi de işçi sorunları için savaşmıştı.

"Evet, devam edin," dedi Westen.

Doktor Barski, "Dediğim gibi, grubumuzdaki bütün uzmanlar aynı amaç uğruna çalışmakta," diye sözlerini sürdürdü. "Profesör Gellhorn da tabii. Moleküler biyolojinin yardımıyla göğüs kanserini yenecek bir ilaç bulmak istiyoruz." Gizli projektörler otelin bembeyaz duvarlarını aydınlatıyordu. En üst katın duvarında büyük harflerle "Atlantic Oteli" yazıyordu. "Bildiğiniz gibi moleküler biyoloji, hücrelerdeki değişimleri araştırır ve ortaya çıkarır. Her hücrede bir düzen ilkesi vardır. Bazı çok gizli bilgiler kuşaktan kuşağa geçer. Neden söz ettiğimi sanırım anladınız." Barski, Norma'ya baktı.

"Evet," dedi kadın burnundan soluyarak. Heyecanlanmıştı. "Her hücrede var olan belirli bir kimyasal maddeden söz ediyorsunuz. Son yıllarda çok sözü geçen bir şey bu. Kalıtım özelliklerinin taşıyıcısı. Bu maddeye DNA deniyor. Öyle değil mi?"

"Evet," dedi Barski. "DNA yaşamın en büyük sırrı. O olmadan hiçbir canlı gelişip çoğalamaz. Ne mikroplar, ne virüsler, ne bitkiler, ne hayvanlar ne de insanlar. Kuşaktan kuşağa geçen bilgiler genler aracılığıyla olmakta."

"Çalışmalarınızın genler üzerine olduğunu mu söylemek istiyorsunuz?" diye Westen sordu.

"Evet," dedi Barski. "Çok belirli özelliklere sahip belirli genleri arıyoruz."

"Bu belirli genlerle çok belirli değişimleri yapabilmek için. Öyle değil mi?"

"Kalıtıma bağlı kişilik özelliklerini ycniden oluşturmak için," diye Barski dikkatle yanıt verdi.

"Yeniden oluşturmak mı? Siz gen değişimi yapmaktasınız!" Westen'in sesi heyecanla yükselmişti.

Barski omuzlarını silkti. "İsterseniz şöyle söyleyelim: Gen değişimi üzerine araştırmalar yapmaktayız."

Norma'yla Westen bakıştılar. Uzun süre hiç kimse konuşmadı. Projektörlerin aydınlattığı bembeyaz balkondan gecenin karanlığına baktılar.

14

Barski, "Genetik, soyaçekim olayının araştırılması," diye açıklamasını sürdürdü. "Yüz yirmi yıl önce başlar. Çok ilginç bir alan. Araştırmalara ara verildiği olmuştur. Bazen 10-15 yıl hiçbir araştırma yapılmamıştır. Bu arada sanki unutulmuştur. İlk araştırmacı 19. yüzyılda yaşamış olan Avusturyalı rahip Gregor Mendel'dir. Kırmızı ve beyaz fasulyelerle bezelyeleri birleştirmiş, bu renklerin yeni üründe aynı oranlarda devam ettiğini ortaya çıkarmıştır. Hücrelerin biyolojik bilgileri DNA aracılığıyla kuşaktan kuşağa aktardığı ancak 1940 yılında keşfedildi. Kalıtımsal özelliklerin taşıyıcısının DNA adı verilen bir molekül aracılığıyla olduğu ortaya çıkarıldı. Daha sonraki yıllarda Viyanalı Erwin Chargaff bu olayla yakından ilgilendi.

Ancak DNA'nın önemi günümüzde anlaşılmıştır. Viyanalı bu biyoşimistin çalışmaları sonraki yıllarda araştırma yapanların işini oldukça kolaylaştırmıştır. Bu nedenle Chargaff'ın hayranıyım..."

"Öyle mi?" diye mırıldandı Norma.

"Bu adamın yaşamı ve alınyazısı da beni etkilemiştir. Yazdığı kitaplar da... Chargaff doğal bilimler üzerine eleştiriler yapmış ilk kişidir. Şu sıralarda onun yazdıkları ve dikkat çektiği konularla ilgileniyorum."

"Nelere dikkat çekiyor Chargaff?" diye sordu Norma.

Barski, "Bundan biraz sonra söz edeceğim..." dedi. "Amerikalı biyoşimist James Watson ve İngiliz biyoşimist Francis Crick 1952 yılında DNA'nın üç boyutlu bir yapısı olduğunu ortaya çıkardılar. Kalıtımsal özelliklerin taşıyıcısı bu molekülün bilgileri hücreden hücreye nasıl aktardığını buldular. Watson ve Crick 'Çift Helix' adını verdikleri bu buluşlarıyla Nobel ödülü aldılar. Helix, Yunanca bir sözcüktür ve 'solucan gibi kıvrılan' anlamına gelir. DNA'nın yapısının sarmal olduğunu Watson ve Crick bulmuştur." Barski cebinden bir kâğıt parçası çıkarıp çizdi. "Böyle bir şey. Bir solucan gibi kıvrılarak birleşmiş iki DNA molekülünü fermuara da benzetebiliriz. Genetik bilgilerin kuşaktan kuşağa geçmesi sırasında bu fermuar açılır ve her 'solucan' parçası beklemekte olan yeni bir 'solucan' parçasıyla birleşir."

"Çizdikleriniz güzel şekiller," dedi Westen.

Barski hafifçe gülümsedi. "Öyle değil mi? Herkes beğenir. Ressam Dali bile 'Çift Helix' adını verdiği bir tablo yapmıştır. Bu şekle bir zamanlar kravatlarda, gıda malzemesi paketlerinde, halılarda da rastlanırdı. Bayan Desmond, vücudunuzdaki tek bir hücrenin tüm DNA'ları bir araya gelse, bir buçuk metre uzunluğunda çok ince bir iplik oluşur. Bütün hücrelerinizin DNA'larını bir araya getirsek, dünyadan aya kadar uzanan bir iplik elde ederiz."

"Anlıyorum," dedi Norma. "DNA'nın yapısı ortaya çıkarıldıktan sonra da gen değişimi yapma çalışmalarına başlanabilirdi. Öyle değil mi? Tabii ben olumlu yanını düşünüyorum."

"Tabii." Barski başını eğdi. "Ve bilim dünyasında büyük çalışmalar başladı. Bilim adamları çılgına dönmüştü. Çünkü gen teknolojisi için çok yararlı ve verimli olanaklar ortaya çıkmıştı. Tedavisi mümkün olmayan hastalıklar tedavi edilebilecekti. Özellikle kanser, bilim adamları için artık bir sır değil. Genetik yapıtaşları belirli hücrelere verilerek, birçok ruhsal ve organik hastalık iyi edilebilir. Gen tekniği sayesinde, son yıllarda artmakta olan kalıtımsal hastalıkların da erken tanıyla önüne geçilebilir, daha doğrusu gebeliğe son verilir. Biyoteknik üretim sistemleri endüstride gereksiz enerji kaybını önleyebilir, yeryüzündeki hammadde stoklarını koruyabilir ve çevre kirlenmesine engel olabilir. Gen değişimleriyle insanlığın artıklarından değerli hammaddeler ya da hayvan yemi elde edilebilir."

"Bitkilerle de aynı şeyler yapılabilir," diye ekledi Norma. "Daha büyük ve daha verimli tahıllar, ağaçlar, yemişler. Fazla yağmur ya da kuraklıktan etkilenmeyen bitkiler. Daha sağlıklı ve daha verimli hayvanlar, daha lezzetli et. Kısacası, yeryüzündeki bütün insanlara gıda..." Birden sustu. "Ne oldu, Norma?" diye Westen sordu. "Güzel, çok güzel bu düşünceler..." Norma başını eğmişti. Sıkıntılıydı. "Çok güzel şeylerin kötü yanları da vardır. Madalyonun tersi..."

"Evet, haklısınız," dedi Barski. "Siz çok ilginç bir kadınsınız!"

"Mesleğimin gereği... Zamanla böyle düşünmesini öğreniyorsunuz."

"Bu Chargaff'ın beni niçin etkilediğini sormuştunuz az önce."

"Bazı şeylere dikkati çektiği için, demiştiniz."

"Chargaff, moleküler biyolojideki gelişmeleri korkuyla izliyordu. Watson'la Crick'in buluşundan sonra korkusu artmıştı. *Heraklit'in Ateşi* adlı kitabında, bilimin iki buluşundan çekindiğini yazıyordu. Bunlardan biri atomun parçalanmasıydı. İkinci-

71

si ise hücrenin parçalanması. Ona göre bilim, durması gereken sınırda durmamış, sınırın ötesine geçmek cüretini göstermişti. Ve Chargaff bunun sonuçlarından korkuyordu."

"Bilim adamları hiçbir zaman sınır tanımamıştır," dedi Norma.

"Evet," diye Barski devam etti. "Chargaff, 'Birkaç bilim adamı hırs ve merakını gidersin diye bütün bunlara göz yummalı, milyonlarca yılın evrimsel bilimlerine karşı mı çıkmalıyız?' diye soruyordu. Bence çok haklıydı. Çünkü iyi buluşların kötüye kullanılmasından korkuyordu."

Bir süre hiç kimse konuşmadı.

Sonunda Norma sessizliği bozdu. "Anlamıyorum..." Ama yine sustu.

"Neyi anlamıyorsunuz?" dedi Barski.

"Chargaff"a hayran birisinin gen değişimleri üzerine çalışmalar yapmasını. Bunu nasıl açıklıyorsunuz, doktor bey?"

Polonyalı Barski ağır ağır konuştu. "Gen teknolojisinin iyi yanları da var, demiştim. Ben ve enstitüdeki diğer elemanlar bütün gücümüzle ve dikkatle, gen teknolojisinin iyi yanlarını ortaya çıkarıp onlardan yararlanmak istiyoruz. Çok korkunç bir hastalığı iyileştirmek için araştırmalar yapıyoruz. Biz insanlara gerçekten yardım etmek istiyoruz. Ama en iyi amacın bile kötüye kullanılabileceğini de biliyoruz... İşte bunun için de size geldim..." Sesi kısılarak sustu.

"Niçin?" diye Norma usul sesle sordu. Karşısındaki adamın yüzüne baktı. Daha önce hiç görmemiş gibi.

Barski yanıt vermedi.

"Sizi korkutan bir sonuç mu elde ettiniz?" diye üsteledi Norma,

Barski başını salladı. "Evet... Otele girmeden önce küçük teybinizi otomobilde bırakmanızı rica etmemin nedeni de bu. Konuşmamız hiçbir yere kaydedilmemeli."

"Öylesine korkutucu bir şeyi mi ortaya çıkardınız?"

Barski başını salladı.

15

Dakikalarca hiç kimse konuşmadı. Sonra Barski bembeyaz hasır koltuğunda arkasına dayanıp söze başladı. "Göğüs kanseri üzerine yaptığımız araştırmalar sırasında virüslerle çalışmaktayız. Belirli virüslerin vücudun belirli noktalarına girip o bölgeleri hasta ettiğini biliyoruz. Tabii hastalık yapmayan zararsız virüsler de vardır. Bizim aradığımızsa, hasta etmeyip iyileştiren bir virüs. Bizim virüsümüzün üç özelliği olmalı: Hasta hücreye uymalı, onu olumlu yönde etkilemeli ve hasta olmayan diğer hücrelere zarar vermemeli. Anlaşıldı değil mi?"

"Anlaşıldı?" dedi Norma.

"Uygun bulduğumuz virüslerden birini seçiyoruz. Bu virüsün 'başındaki' DNA'dan çalışmalarımızda işimize yarayacak biyolojik bilgileri fermentler -iki bin ferment vardır- aracılığıyla ayırıyoruz. Bundan sonra, ayırdığımız parçayı zararsız olan bir başka virüse veriyoruz. Eğer şansımız varsa, bu yeni virüs beklediğimiz şekilde gelişir ve hasta hücreyi iyi eder. Ancak bugüne kadar başarılı olamadık."

"Ne zamandır bu virüsler üzerinde çalışıyorsunuz?"

"Ah, henüz yedi yıl oldu," dedi Barski. "Eğer aradan yedi yıl daha geçtikten sonra başarıya ulaşırsak, bu çok olağanüstü bir bulgu olur. Sayısız virüs var, bizse yedi yıldır işimize yarayacak tek bir virüsün düşünü kurup duruyoruz. Ve beş ay önce de o korkunç olay başımıza geldi. Bu olayın kurbanı, Doktor Thomas Steinbach. Benim gibi bir biyoşimist. Grubumuzun elemanlarından biriydi."

"Enstitüde kaç bilim adamı görevli?" diye sordu Westen.

"Tam olarak altmış beş kişi. Hayır, altmış dört kişi. Profesör Gellhorn'un ölümünden sonra, Steinbach'ın aramızdan ayrılmasıyla da altmış üç kişi kaldık. Tıp doktorları, fizikçiler, kimyagerler, biyoşimistler, mikrobiyoloji uzmanları, ne isterseniz. Laboratuvar elemanlarından en ünlü bilim adamlarına kadar. Çeşitli ülkelerden, çeşitli ırklardan. Çoğu henüz çok genç. En yaşlıları ben kırk iki yaşındayım. Örneğin, Tom yirmi dokuz yaşında. Kendisiyle Almanya'ya geldiğim ilk günden bu yana tanışıyorum. Tam on iki yıldır. İyi bir meslektaş, birinci sınıf profesyonel, tam bir bilim adamı! Sözün kısası, grubumuzun motoru. Devamlı yeni düşünceler, yeni buluşlar üretir. Hiç yorulmayan bir insan. Çılgın gibi çalışan, yaptığı işten büyük zevk duyan bir meslektaş. Aynı zamanda bizleri olduğu gibi kendi kendini de eleştiren biri. Ne kadar çok tartışmamız olmuştu! Ama her şeye karşın mesleğinin tutsağı değildi. Çeşitli konulara ilgi gösterirdi. Klasik müzik üzerine bilgisi tartışılmazdı. En çok Mozart'ı severdi. Evinde kocaman bir dolap Mozart'ın plaklarıyla doluydu. Bütün Mozart konserlerine ve operalarına giderdi. Edebiyata ve resim sanatına olan ilgisi de sonsuzdu. Politikaya, tenise, yüzmeye, boksa, yelkene, hangi spor dalını isterseniz. Mutlu bir evliliği vardı. Eşinin adı Petra. Yirmi sekiz yaşında. Moda branşında. İdeal bir çift... Bütün merakları ortak. Bu iki insan boğazlarına kadar yaşam, yaşam, yine yaşam doluydu."

16

Barski susmuştu. Bakışları uzaklardaydı. Alster'in ışıklar yüzen sularında. Norma ve Westen de konuşmadı.

Sonra söze başlayan yine Barski oldu. "Bir cuma günü. Nisanın on biriydi. Çok iyi anımsıyorum. Bundan beş ay önce. Tom, eşi Petra ve ben o akşam sinemaya gitmiştik. Ünlü film *Amadeus*'u seyretmeye. Biliyorsunuz tam sekiz Oskar ödülü kazanmıştı. Rejisörü Milos Forman'dır. Filmi ve müziklerini çok beğenmiştik. Sinemadan çıktıktan sonra yakındaki bir bara gidip bir şeyler içmiş, filmden söz etmiştik. Köşe masalardan birine oturup sohbete dalmıştık. Onlar viski içiyordu, ben de her zamanki gibi maden suyu içiyordum. Sohbet çoğunlukla Petra'yla

74

benim aramda geçiyordu. Tom oldukça sessizdi. Herhalde henüz filmin etkisi altında, diye düşünmüştüm. Ne de olsa Mozart en sevdiği besteciydi. Petra'yla ben hiç durmadan konuşuyorduk. Birden Tom'un sesi duyuldu..."

"Sussanıza!"
Barın bir kösesinde oturan piyanist eski melodiler çalıyordu. Müşterilerin çoğu bu melodileri dinlemek için buraya gelirdi. Barın duvarları ve koltukları kırmızıydı. Bütün masalarda mumlar yanıyordu. Piyanist o anda *Kazablanka* filminden "As time goes by" adlı parçayı çalıyordu. Petra ve Barski sustu. Şaşkın şaşkın Tom'a baktılar. O ise yandaki masada konuşulanlara kulak kabartmıştı. İki adam biraz önceki filmden söz etmekteydi.

İriyarı, şişman olanı çok heyecanlı konuşuyordu. Yüzü kızarmıştı. "Hayır, hayır, yine de hayır!" dedi yüksek sesle. "Mozart' in böyle biri olduğundan haberim yoktu, Johnny." Elindeki kadehte konyak vardı. Öteki adamın önünde bira duruyordu.

"Seni anlıyorum," dedi arkadaşı, "Film beni de etkiledi. Ama başka nedenle. Mozart'ın başına bir hale oturtmuşlar, onu efsaneleştirmişler. Filmde olağanüstü bu insanın son yıllarını görüyorsun. Toplumun kurallarını nasıl çiğnediğini ve ölüme nasıl sürüklendiğini yaşıyorsun."

"Çok doğru," dedi Petra.
"Sus!" Tom dikkatle adamları dinliyordu. Piyanist şimdi, "La vie en rose"a geçmişti.

"Çok saçma," dedi kırmızı suratlısı ve kadehini ağzına götürüp içti. "Hepsi palavra. Johnny. İnsanı eserinden ayıramazsın ki!"

"Ayırırım," dedi diğeri. "Ayırmak zorundayım! Birinin ötekiyle ne ilgisi var?"

"Olmaz olur mu?"
"Olur! Ünlü ve büyük kişilerin, ressamların, edebiyatçıların, filozofların, mimarların, müzisyenlerin, bilim adamlarının hepsinin çılgınlık yaptığı bir an vardır."

"Nasıl da gülüyordu," dedi kırmızı yüzlüsü, "deli gibi kıkırdıyordu!"

"Ne var bunda?"

"Masaların altına girip kızların eteklerini kaldırıyordu!" Adam gittikçe heyecanlanmaktaydı.

"Ne olmuş ki?" dedi arkadaşı.

"Sarışın kızın memelerini ellemek istiyordu. Bu muydu, Mozart denen dâhi?"

Kırmızı yüzlüsü başını iki yana salladı, "Müziği ilahidir..."

"Gürültüden başka bir şey duymadım ben. O duygusal sonatlar, dinleyeni başka dünyalara götüren eserleri bu adam mı yazmış?"

Yandaki masada oturan üç kişi dikkatle dinliyordu. Tom çok dalgındı. Yüzü birden değişmişti.

Kırmızı yüzlüsü, "Johnny, benim için Mozart bir tanrıydı," diyerek yumruğunu masaya indirdi, "evet, o bir tanrıydı!" Elindeki kadehi başına dikti. "Ne zaman müziğini dinlesem, kendimi kilisede Tanrıya yakın sanırdım. Ne yüce bir duyguydu o."

"Mozart'ın müziği hep güzeldir, Hans."

Hans denileni başını iki yana salladı. "Hayır," dedi hüzünle. "Hayır, Johnny. Eskisi gibi güzel değil artık, iğrenç. Ve de pis! Tanrı da değil o. Müziğini her dinlediğimde budalalıkları, şehveti, iğrençliği düşüneceğim. Bu filmde yaptıkları gözümün önüne gelecek."

"Yeter artık, Hans! Sen filmi anlamamışsın."

"Anladım. Hem de çok iyi. Keşke bu filme gitmeseydik. Biliyor musun, bundan sonra bir daha Mozart'ın müziğini dinlemeyeceğim!"

"Sen sarhoşsun!"

"İçtiğim iki kadeh konyakla mı? Ben ne söylediğimi biliyorum. Artık Mozart'ın müziği benim için öldü. Anlatmak istediklerinde haklı olabilirsin belki. Ama söylediklerinin benim için önemi yok. Mozart'ın müziği bitti! Böyle bir adamın müziği..."

Konuşma böyle sürüp gitti. Kırmızı suratlısı gerçekten sarhoş değildi. Düşündüğünü söylüyor, duygularını dile getiriyordu. O tanrısını yitirmişti. Biraz önce filmde gördükleriyle düş kırıklığına uğramıştı. Neredeyse gözlerinden yaşlar gelecekti. Piyanist "Portekiz'de Nisan" melodisini çalıyordu.

"Mozart'la benim alıp vereceğim yok artık," diye mırıldandı adı Hans olan adam. "Artık onun müziğini dinlemeyeceğim. Anlıyor musun beni, Johnny? Hiçbir zaman!"

Norma, hiçbir zaman, diye düşündü. Barski'yi dinlerken eski günler gelmişti gözünün önüne. Pierre beni beklemeyecek evde, onun gülüşünü görmeyecek, sesini duymayacak, onu kucaklamayacağım. Hiçbir zaman! Ama düşünme böyle şeyleri. Düşünmemelisin!

Barski merakla sordu. "Kendinizi iyi hissetmiyor musunuz?"

"Bunu da nereden çıkarıyorsunuz?"

"Yüzünüz birden kireç gibi oldu da."

"Ah, sadece buradaki ışıktan olacak!"

Westen, Norma'nın elini okşadı. "Merak edecek bir şey yok, doktor bey," dedi. "Ben Norma'yı iyi tanırım. Bazen yüzünün rengi uçar. Ama önemsizdir. Öyle değil mi, Norma?"

Kadın başını eğdi. Teşekkür eder gibi. Dostum, diye düşündü. Benim çok iyi dostum...

Bu arada Westen konuşmasını sürdürmüştü. "İlginç şeyler," diyordu, "böyle yapmamak gerek... Sanatta, politikada..."

"Ne yapmamak gerek?"

"İnsanları tanrılaştırmamak," diye yaşlı adam mırıldandı.

"Evet," dedi Barski. "Ama anlatacaklarım daha da ilginçleşecek. İzin verirseniz anlatmaya devam edeyim."

"Sizi dinliyoruz," dedi Westen. "Meslektaşınız Thomas Steinbach'tan söz ediyordunuz." Norma'nın elini okşadı yine. Karanlık sularda ışıklı gemiler kayar gibi geçiyordu. Alster'in karşı kıyıları da ışıl ısıldı. Aşağıda caddeden gelen otomobil sesleri azalmıştı.

"Sinemaya o cuma akşamı gitmiştik," diye Barski devam etti. Şimdi onun yüzü de birden kireç gibi oldu, dedi Norma kendi kendine. "Pazartesi sabahı Tom enstitüye geldi. Her zamanki gibi. Öğleden sonra Gellhorn'la hep birlikte çay içerken -güzel bir alışkanlığımızdır- Tom ansızın güldü ve 'Mozart plaklarımı isteyen var mı aranızda?' diye sordu."

"Mozart plaklarımı isteyen var mı aranızda?" diye Dr. Thomas Steinbach gülümseyerek sordu. Sesi çok rahat çıkmıştı. Pek neşeli gibiydi. Sonra çayını yudumladı.

"Haydi, Tom devam etsene! Fıkranın sonunu anlatsana..." Ufak tefek Japon Doktor Takahito Sasaki eliyle altın çerçeveli gözlüğünü düzeltti.

"Ben fıkra anlatmıyorum, Tak," dedi Dr. Thomas Steinbach. Sağlıklı bir görünüşü vardı. Yüzünün teni bronzlaşmıştı. Sesinin tonu gibi yeşil gözlerindeki bakış da dostçaydı. "Söylediğim ciddi."

"Ama o plaklar olmadan nasıl yaşarsın?" dedi İsrailli Doktor Eli Kaplan. Uzun boylu, mavi gözlü ve sarışındı.

"Yaşarım. Hem de çok iyi." Steinbach gülümsemeye devam etti.

"Tom, sen bizimle alay ediyorsun," dedi İngiliz doktor Alexandra Gordon. Zayıf, uzun boyluydu. Kumral saçlarını arkaya toplamıştı. "Niçin böyle yapıyorsun, Tom?"

"Ben kimseyle alay etmiyorum. Gerçekten." Ses tonu hiç değişmemişti. Yumuşaktı. Şarkı söyler gibi çıkıyordu.

"Çok sevdiğin o bestecinin plaklarını, Tom..." diye Alman doktor Harald Holsten araya girdi. Orta boylu, tıknazdı.

Tom yine gülümseyerek, "Artık sevmiyorum onu," diye mırıldandı. "Dinlemek de istemiyorum. Bu çayı Cambridge'deki dostun yolluyor, değil mi?"

"Evet, Tom," dedi Polonyalı Doktor Jan Barski. "Dinle beni şimdi. Geçen akşam sinemadan sonra gittiğimiz bardaki o heriflerin palavrası mı seni etkiledi yoksa?"

"O odam gerçeği söylemişti!"

"Gerçeği mi? Saçma. Şişko sarhoştu."

"Ama ertesi gün Mozart'ı dinlerken, hep o adamın söylediklerini düşündüm. Bundan sonra da böyle olacak."

"Ama sen Mozart'a tapardın!"

"Belki. Artık değişti."

"Peki, üç yüz Mozart plağı ne olacak şimdi?"

"Ne oluyor, allahınızı severseniz? Niçin tartışıyorsunuz?" diye Profesör Gellhorn söze karıştı. Yüzünün cildi kırışık, saçları gümüş grisiydi. Kırk beş yaşında olmasına karşın.

Barski, *Amadeus* filminden ve bardaki konuşmadan söz etti. Masada oturanlar şaşkın şaşkın Tom'a baktı. O bunu fark etmemiş gibiydi. Pencereden dışarısını seyrediyordu. Bulanık karanlığı ve tipiyi.

"Kimse istemiyor mu Mozart'ları? Hepsini hediye ediyorum!"

"Bırak bunları, Tom!" dedi Eli Kaplan. "Ne demek istiyorsun, onu söyle."

"Söyleyecek başka bir şey yok, Eli," dedi Tom, "Peki, nasıl isterseniz. Aranızdan hiç kimse plaklarımı istemiyor demek ki! Cerrahideki Ted'e hediye ederim. O da bir Mozart hayranıdır. Sevincinden dans edecek, göreceksiniz! Bazı plaklarda Bruno Walter orkestrayı yönetiyor. Hepsini Ted'e vereceğim. Jan, saat yedide yine tenis oynuyor muyuz? Kapalı salonda..." Gülümsüyordu.

"Akşam saat yedide tenis oynadık," diye sözlerini sürdürdü Barski. Atlantic Oteli'nde, Alvin Westen'in dairesinin balkonunda oturuyorlardı. "Tom beni yendi, Her zamanki gibi. Aramızda en iyi oynayan oydu. Bütün Mozart plaklarını da gerçekten cerrahideki dostuna hediye etti."

"Tuhaf," dedi Westen..

"Dinlemeye devam edin," diye mırıldandı Barski. "Daha ilginç şeyler duyacaksınız. Daha tuhaf!"

"Meslektaşınız yirmi dokuz yaşındaydı, öyle değil mi?" diye Westen sordu. Aklına bir şey takılmış gibiydi. "Bu görev için çok genç sayılmaz mı?"

"Evet. Ancak gen teknolojisi üzerine çalışanlar -bütün dünyada- yaşlı insanlar değildir... Kişi yaşlandıkça düşünceli olur. Dikkatli olur. Chargaff'ı unutmayın! Bu bilim adamı sonunda çevresini eleştiren, meslektaşlarına uyarılarda bulunan biri olmuştu." Barski omuzlarını silkti, "Kişi yaşlandıkça Chargaff'ın söylediklerini ve yazdıklarını düşünüyor..."

"Profesör Gellhorn da mı aynı şeyi yapmıştı?" diye Norma sordu.

"Evet," dedi Barski. "Öldürülmesinden birkaç hafta önce çok düşünceli bir hali vardı. Şimdi anımsıyorum,"

"Her zamankinden daha mı düşünceliydi?"

"Evet, çok daha fazla!"

"Neden acaba?"

"Bilsek iyi olurdu!" dedi Barski. "Genç bilim adamları için görevleri bir oyun sayılır. Kişiyi hayran bırakan bir oyun... Rulet gibi, örneğin. Evet, tam bir rulet oyunu gibi!" Başını uzaklara çevirerek bir süre düşünceli düşünceli Alster'i seyretti. Sonra yine konuştu. "Gerçekten yaratıcı olanlar gençlerdir. Başarısızlığa uğradılar mı, pek canlarını sıkmazlar. Kız arkadaşına uğrar, yüzmeye gider, birasını içer, sizin anlayacağınız canını sıkmaz. Ormanda koşar, sinemaya gider. Ne önemi var, der, yarın yeniden araştırırım!"

"Ya da çok hızlı otomobiline biner, otoyolda iki yüz altmışla sürer," dedi Norma da.

Barski şaşırmış gibi ona baktı. "Bunu nereden biliyorsunuz?"

"Neyi?"

"Tom'un da böyle bir otomobili vardı! Bir Ferrari'si. Bazen ona binip çılgın gibi sürerdi. Hiç hedefsiz. Söylemeniz beni biraz şaşırttı da." Norma'nın yüzüne baktı. Kadın bakışlarına karşılık verdi. Doktor Barski sonra başını yine uzaklara çevirdi. "Çünkü anlatacağım şey bu otomobille ilgili. Sinemadan beş gün sonraydı..." Düşündü bir an. "Evet, günlerden çarşambaydı, öğleden önce Petra enstitüye telefon etti. Oldukça heyecanlıydı."

"Tom dün gece olandan söz etti mi sana?" diye Petra sordu telefonda.

Barski bürosunda oturuyordu. Yalnızdı. "Dün gece olandan mı? Hayır, hiçbir şey anlatmadı."

"İlginç."

"Niçin? Kavga filan mı ettiniz?"

"Hayır."

"Öyleyse ne oldu?"

"Az kalsın ölüyorduk."

"Ne dedin?"

Petra'nın sesi titriyordu, "Ölüyorduk. Dostlarımıza akşam ziyaretine gitmiştik. Tom neden anlatmamış acaba? Gece saat bir sularında eve dönüyorduk. Heinrich-Hertz Caddesi'ni bilirsin, değil mi?"

"Evet. Sonra?"

"Tom otomobili yavaş sürüyordu. Elli kilometreyle belki. Ansızın ara sokaktan bir Mercedes fırlamaz mı! Yüzün üstündeydi hızı. Beklemesi gerekirken ana caddeye hızla çıktı. Çılgın gibi haykırdım. Mercedes önden bize bindirdi. Birkaç metre arkaya çarpsaydı, şimdi ikimiz de ölmüştük!"

"Ulu Tanrım!"

"Evet, Jan, Tanrıya dua ettim! Otomobilimiz savruldu. Bir evin duvarına çarpıp durduk. Aşağı indik. Ben duvara gidip kustum. Mercedes'ten ufak tefek, smokinli bir herif indi? Zor yürüyordu. Fitil gibi sarhoştu. Burnunun ucunu göremiyordu, Jan. Yemin edebilirim! Sonra bağırmaya başlamaz mı? 'Domuz

81

herif, otomobilimi ne hale soktun? Suratına yumruğu yersen görürsün! Yanındaki kadın da!' Evet, Jan, sarhoş herif böyle bağırıyordu. 'Seni hapse yollayacağım! Pis herif! Dışarı çık da, seni rezile çevireyim!' Tom sana olup biteni nasıl anlatmamış?"

"Anlatmadı Petra! Peki sonra? Tom ne yaptı?"

"Ne mi yaptı? Çılgınca olan da bu ya! Hiçbir şey yapmadı!"

"Ne demek, hiçbir şey yapmadı?"

"Otomobilden indi. Gülümseyerek. Biliyorsun, son günlerdeki bu tikini. Ne olursa olsun, hep gülümsüyor. Sarhoşun yanına gitti. 'Üzülme dostum, önemli bir şey değil,' dedi." Petra telefonda hıçkırmaya başladı. "Sonra, sonra sarhoş herif Tom'un suratına yumruğu indirmez mi! Kendini koruduğunu sanıyorsan, yanılıyorsun! Güldü ve 'Niçin bu kadar öfkelendiğinizi anlamıyorum,' dedi adama ve gülümsemeye devam etti. Ufak tefek adam bir yumruk daha attı. Tom az kalsın yere yuvarlanıyordu. Ben sarhoşun üzerine gittim ve ayakkabımın sivri burnunu bir yerine indirdim. Acıyan bir yerine... Anlıyorsun değil mi? Adam da bana tekme vurmaz mı?"

"Sonra?"

Petra şimdi hıçkıra hıçkıra ağlıyordu. "Yere yuvarlandım. Çoraplarım yırtıldı. Bacağım kanamaya başladı. Tom bana yardıma gelecek sanırsın, değil mi? Hayır, yanıldın."

"İnanılmaz!"

"Evet. Ayağa kalkmama bile yardım etmedi! Gülümsemeye devam etti ve 'Tanrım, neden bu kadar öfkelisiniz?' dedi. Sarhoş Tom'un karnına tekme attı. Otomobilin üzerine kapaklanırken, 'Yapmayın böyle şeyler!' dedi. Yemin ederim, böyle konuştu. Ve bir tekme daha yedi. Bu kez de, 'Bana acı veriyorsunuz,' demez mi?"

"Ama bunlar çılgınca şeyler!"

"Haklısın, hem de çok çılgınca şeyler. Sonra gürültüden çevre evlerin pencerelerinde ışıklar yandı, insanlar caddeye çıktı. Bağırıp çağıranlar oldu. Benimki hiçbir şey yokmuş gibi gülümseyerek insanları seyrediyordu. Her kafadan bir ses çıkıyordu. Sonra ne oldu biliyor musun? Sarhoş herif Mercedes'ine bindi, gaza bastı ve çekti gitti. Ben sinir krizleri geçiriyordum. Bağırıp çağırıyordum. Birkaç kişi beni sakinleştirmeye uğraşırken, polise telefon ettiler, Tom ise otomobile yaslanmış, gülümsemeye devam ediyordu."

"Çılgınca."

"Hem de nasıl!"

"Tom da içkili miydi?"

"Hayır. Biliyorsun içkiyle arası iyi değildir."

"Peki, polis gelince ne oldu?"

"Adamlar bizim haklı olduğumuzu gördüler tabii. Sonra benimkine sordular, 'Öteki otomobilin plaka numarası neydi?' Ne dedi biliyor musun? 'Ne numarası?' Gülümsedi. 'Plaka numarası,' dedi polisler. 'Özür dilerim. Not etmem mi gerekiyordu?' demez mi?"

Petra hıçkıra hıçkıra ağlıyordu.

Barski, "Peki sen de dikkat etmemiş miydin?" diye sordu.

Petra bir an sustu. Sonra, "Evet, evet ben niçin plaka numarasına dikkat etmemiştim? İlginç..." dedi. "Tabii bizim Ferrari hurdahaş, Çekici getirip götürdüler. Büyük masrafa gireceğiz. Polisler bizi eve getirdi. Sana hiçbir şeyden söz etmemiş olmasını bir türlü anlayamıyorum..."

"Belki henüz şokun etkisinde," dedi Barski canı sıkkın. "Şimdi sakinleşmeye çalış, Petra! Önemli olan kazada yaralanmamış olmanız. Para o kadar önemli değil. İnsanın sağlığından başka nesi var? Sanırım Tom bana olaydan söz edecektir..."

Ama Doktor Tom Steinbach olup bitenlerden Barski'ye söz etmedi.

Akşama doğru Barski dayanamadı, Tom'un çalıştığı laboratuvara gitti. Tom mikroskoplardan birine eğilmiş, çalışıyordu. Üzerinde koruyucu bir önlük, yüzünde burnunu ve ağzını örten yarım bir maske vardı. Barski de içeri girerken yüzüne aynı-

sından takmıştı. Elini dostunun omzuna koydu. Tom arkasına
döndü.

"Petra biraz önce telefon etti," diye yüksek sesle konuştu.
"Dün gece olanlar çok kötü. Niçin öyle davrandın?"

"Nasıl davranmışım?"

"Budalaca!"

Tom gülümsedi. "Ne zaman?" diye sordu.

"Dün gece, dedim ya!"

"Ne olmuş dün gece? Ah, kazayı mı demek istiyorsun?"

"Evet," diye Barski bağırdı. "Az kalsın ölüyormuşsunuz!"
Tom yine gülümsedi.

"İstatistiğe göre 1985 yılında Almanya'da günde yirmi üç ki-
şi otomobil kazasında yaşamını yitirmiş," dedi.

17

"Her şey böyle başlamıştı," dedi Barski. "Tom'un davranış-
ları bizi endişelendiriyordu. Örneğin, haftada iki kez yaptığı-
mız toplantılarda karşılıklı görüşler açıklanıyor, herkes kendi
görüşünü savunuyordu. Tabii değişik varsayımlar ortaya atıldı-
ğı için bazen sesini çok yükseltenler oluyordu." Barski bir an
için güldü. Sonra birden yine ciddileşti. "Tom'un toplantılar-
daki davranışları da değişmişti. Kısa süre öncesine kadar en he-
yecanlı konuşmacı olan bu genç adam artık hiç sesini çıkarmı-
yordu. Koltuğunda oturuyor, bağırıp çağıranları gülümseyerek
dinliyordu. Ne düşündüğü sorulduğunda, piposunu çekip du-
manlarını havaya savuruyor ve en son konuşanın varsayımının
iyi olduğunu söylüyordu. Her şeyi kelimesi kelimesine tekrarlı-
yordu. Bardaki adamın düşüncelerini kabul ettiği gibi, toplan-
tılarda söylenenleri de hemen kabulleniyordu. Gün geçtikçe de
umursamazlığı artıyor, ruhsal durumu bir çocuğunkini andırı-
yordu."

"Peki, meraklarına ne oldu?" diye Norma sordu. "Spor, sanat edebiyat..."

"Onlar devam ediyordu. Eskisi gibi. Eşine sorduk. Seks yaşamı da normaldi. Ancak..."

"Evet?"

"Duygusuz, demişti Petra. Bir gece sabaha karşı eve geldiğinde, 'Seks barına gittim,' demiş. Petra, 'Neden?' diye sormuş. 'Eski bir okul arkadaşımı gördüm. O rica edince gittim,' yanıtını vermiş... Petra'nın moda branşında olduğunu söylemiştim, değil mi? Düsseldorf'ta bir butiği vardı. Kentin en iyi yerinde. Königsallee'de. Evlendikten sonra Hamburg'a taşınınca, butiğin başına birini koymuştu. Birkaç hafta önce kötü haber aldı. Adam bankadan Petra adına bir milyon kredi almış, başka işlerde kullanmış ve bütün parayı yitirmiş. Düsseldorf'tan telefonla arayan savcı, adamın hapiste olduğunu söylemiş. Petra'nın başı dertteydi. Çünkü adamın elinde vekâlet vardı. Bir akşam Tom ve Petra beni yemeğe çağırmıştı. Tabii bu konudan da söz ettik. Petra... Düşündükçe fena oluyorum. Petra gülümsüyordu. Eşinin gülümsemesiydi. Düsseldorf'taki bir milyon umurunda değildi. 'Ah, Jan,' dedi. 'Sinirlenecek ne var? Komik şeyler bunlar!' Ben öfkelenmiştim, 'Komik mi?' diye sesimi yükselttim, 'Herif seni bir milyon dolandırdı...' Ne dedi biliyor musunuz? 'Senin bir milyonun mu?' dedi gülerek. İşte o akşam ilk kez korkmuştum Tom ve Petra'nın sağlığından. Müthiş bir korku sarmıştı içimi! Petra ertesi gün Düsseldorf'a uçtu ve üç gün sonra da eski dostları Doris'le Hamburg'a geri geldi. Bu kadın bana telefon ederek, 'Seninle mutlaka konuşmam gerek,' dedi. 'Petra hakkında mı?' diye sordum. 'Evet,' dedi Doris. 'Şimdi olmaz. Tom'un yanına gitmem gerekiyor. Akşam altıda, olur mu?' Doris, 'İyi, Jan,' dedi..."

Barski telefonu kapatıp Tom'un yanına gitti. Ve gördükleri karşısında şok geçirdi.

Tom'un üzerinde beyaz önlüğü vardı. Koltuğa oturmuş, ayaklarını yazı masasına koymuştu. Bir elinde pipo, diğer elinde küçük bir mikrofon tutuyordu. Barski şu sözleri duydu: "... bunun üzerine bir DNA'yı alıp vektöre yerleştirdik. Vektördeki bir açıklığa DNA fermenti verildikten sonra bu açıklık yine kapanır..."

"Neyi dikte ediyorsun sen?" diye Barski sordu.

Tom elini salladı. "Bırak şu cümleyi bitireyim... kapanır, çoğalır ve yeni açıklıklar oluşur. Tamam!" Tom mikrofonu elinden bıraktı. "Ne var, Jan?"

"Neyi dikte ediyorsun?"

"Buluşumuz olan şeyi." Gülümsedi...

"Ama bunu Lucie çoktan temize çekti!"

"Biliyorum. Ama o ne de olsa dostum. Benden rica etmişti..."

"Senden bunu rica eden kim?" diye Barski deli gibi bağırdı.

"Patrick."

"Hangi Patrick?"

"Patrick Renaud."

"Patrick Renaud mu? Eurogen'deki fizikçi mi?"

"Evet, o. N'olmuş? Niçin bağırıyorsun, Jan? Neyin var, Jan?"

Barski, Tom'un üzerine atılmış ve masada duran küçük aleti çekip almıştı.

"Bilmenizi istediğim bir şey daha var," dedi Barski. Norma'yla Westen merakla bakıştılar. "Günümüzde DNA'ların değişimi denen yöntemin bulunuşundan birkaç yıl sonra sadece Amerika'da biyotekniği üzerine çalışma yapan tam iki yüz on dokuz şirket kuruldu. Bunların bazıları büyük kimya ve ilaç şirketlerine bağlı yan kuruluşlardı. Ve bu şirketlerden yüz on tanesi DNA'ların değişimi sonucu ne ortaya çıkmıştı, onu bulmak amacıyla araştırma yapmaktaydı. Tabii günümüzde bu gibi kuruluşların sayısı arttı. Büyük bir endüstri oluştu."

"Senin bunlardan haberin var mıydı, Alvin?" diye sordu Norma.

"Evet," dedi yaşlı adam. "Haberim vardı. Doktor Barski gelecekten söz ediyor. Ve artık gelecek başladı! Bu işe milyonlar, hayır milyarlar yatırılıyor. Yine milyarlar kazanmak umuduyla."

"Evet, gen değişimiyle her hastalığın iyileştirileceği, her şeyin iyi, daha iyi olacağı umuluyor," dedi Barski, "insanların, hayvanların, tahılların. Buğdayın en iyisi, ineklerin en iyisi, gıda malzemelerinin en iyisi elde edilecek. Bilim adamları bunun umudunda. Denizlerin derinliğindeki yeraltı madenleri kolayca bulunabilecek... Hayvan hastalıkları olmayacak..."

Norma, Westen'e döndü. "Milyonlar, milyarlar yatırıldı, dedin, para. Çok para. Gellhorn'un öldürülmesinin nedenini biliyoruz. Öyle değil mi?"

"Ben de sizin gibi düşünüyorum," dedi Barski, "İngiltere'de çıkan bilim dergisi *Nature*'da birkaç haftada bir, en önemli gen kuruluşları üzerine bilgiler veren ve hisse senetlerinin durumunu açıklayan borsa haberleri çıkar..."

"Bir bilim dergisinde gen kuruluşlarının hisse senetleri mi açıklanıyor?"

"Evet, Bayan Desmond. Şu sıralar hiçbir kuruluş kazanca geçmiş durumda değil. Ama yakında bu değişecek. Böylesine büyük yatırımların yapıldığı alanda kazanç mutlaka olacaktır. Chargaff'ın sözleriyle, 'Prensiplerin ötesinde bir şey var burada... Her şey para kokuyor.'"

"Çok doğru söylediniz," dedi Westen.

"Evet... Kim bilir neler dönüyor," diye Barski devam etti. "Bizi destekleyen 'Multigen' adında bir kuruluş. Çeşitli ülkelerde gen teknolojisinde araştırma yapan bilim adamları tabii birbirlerini çok iyi tanımakta. Ama araştırmalarının sonuçlarını değiş tokuş etmiyorlar. Bunu düşünmek bile yanlış. Tom'un yaptığını görünce çılgına dönmüş ve "Lanet olsun..."

"... *Eurogen*'in en büyük rakibimiz olduğunu bilmiyor musun?" demiştim. "Burada yaptığımız çalışmalar büyük gizlilik içinde yürütülüyor. Şimdi sen kalkmış, dostun Patrick'e sonuçları bildirmek istiyorsun!"

"Ne olmuş, benden bunu rica etmişse?" diyen Tom yumuşak yumuşak gülümsedi.

"Ne zaman ve nerede?"

"Neyi ne zaman ve nerede?"

"Senden sonuçları ne zaman rica etti? Ve nerede?"

"Bundan üç hafta önce Paris'teydim. Öyle değil mi? Çok neşeli günler geçirdim orada, Patrick'le birlikte. Bir ara bana, çalışmalarımızın ne durumda olduğunu anlatmamı söylemişti. Ben de ona, Hamburg'a dönünce sana yazarım, demiştim. Ama oradan geçen sürede unutmuşum. Bir dostu bekletmek ayıp, öyle değil mi? İşte bu nedenle biraz önce oturdum..."

"Tom!" diye Barski haykırdı. Ağzından Lehçe bir küfür çıktı. Sonra kendini hemen toparladı. "Çalışmalarımızın ne aşamada olduğunu Patrick'e anlatamazsın!"

"Neden anlatamazmışım?" diye Tom şaşkın şaşkın sordu. "Çok canayakın bir dost. Aynı konuda araştırmalar da yapıyoruz. Belki yöntemlerimiz ayrı. Ama aynı şeyi bulmak istiyoruz. Patrick ilgi gösteriyorsa, kötü mü yapıyor?"

"Telefon numarası var mı?"

"Var tabii. Defterimde."

"Ver bana!"

"Nasıl istersen. Yoksa anlattıklarıma inanmadın mı?"

Barski telefonu açtı, defterdeki numarayı çevirmeye başladı. 00 33 14... Paris'in kod numarasını. Az sonra Patrick Renaud karşısındaydı.

"Patrick, ben Hamburg'dan Jan Barski."

"Ah, evet! Çok memnun oldum. Nasılsın?"

İngilizce konuşuyorlardı.

"Dinle beni şimdi, Patrick! Şu anda yanımda Tom var."

"Ah, o da mı orada? Eski dosta selam söyle."

Tom piposunu ağzından çekip elini salladı. "Selamımı söyle," dedi.

"Kapa çeneni!" diye Barski sesini yükseltti. "Hayır, sana demedim, Patrick! Tom, Paris'te seni ziyaret etti, değil mi?"

"Evet, etti. Ne var bunda?"

"Sen Tom'a, çalışmalarınız ne aşamada, diye sordun mu? Sana bilgi vermesini Tom'dan istedin mi?"

Karşısındaki bir an sustu.

"Patrick!"

"Evet, Jan..."

"Sen Tom'dan bilgi istedin mi? Evet mi, hayır mı?"

"Tanrım, evet böyle bir şey söylemiştim. Bir ara şakalaşırken, böyle konuşmuştuk. Boşver patronları, demiştim. Sen bana, ben sana bilgi gönderirsek, burada daha az çalışır, boş zamanlarımızda daha çok tenis oynamaya gideriz, diye şaka yollu konuşmuştum, Jan, ciddi değildi söylediklerim. Ne oldu şimdi? Benim şakalarımı Tom'un ciddiye alması mümkün değil!"

"Aldı..."

"Hayır, inanmıyorum. Bu büyük bir çılgınlık!"

"Haklısın, Patrick..."

"Dinle beni... Zavallı Tom... Acaba?"

"Yine haklısın Patrick..."

"Ama ne oldu? Neyi var Tom'un?"

"Bunu ben de bilmiyorum. Ben seni ilerde yine ararım. Yalnız bu arada hiç kimseyle konuşmak yok!"

"Tabii bundan hiç kimseye söz etmeyeceğim. Zavallı Tom... Ne olduğunu öğrenir öğrenmez bana haber ver, Jan!"

"Hoşça kal, Patrick."

"Benden de iyi dilekler," diye Tom seslendi. Piposundaki tütünü boşaltıyordu. "Gerçeği söylemişim, değil mi?"

"Bu küçük aygıt ve kaset bir süre bende kalacak, Tom," dedi Barski,

"Eğer canın böyle istiyorsa, kalsın. Nedenini anlamıyorum..."

Barski daha fazla konuşmasına izin vermedi. "Ben de senin dostunum, Tom. Öyle değil mi?"

"Tabii, Jan. Eski ve iyi dost!"

"Şimdi bir şey yapmak zorundayım," dedi Barski. "İstemeye istemeye de olsa."

"Öyleyse yapma!"

"Ama yapmak zorundayım."

"Ne yapmak zorundasın, Jan?"

"Senin durumunda bir şey var, Tom. Ne olduğunu bilmiyorum. Diğer arkadaşlar da bunun farkında. Mozart, otomobil kazası, seks barı ve şimdi bu çılgınlık!" Barski elindeki küçük teybi gösterdi. "Ben bürona biraz önce gelmeseydim... Sen enstitünün güvenliğini tehlikeye sokmaktasın, Tom. Şu anda bir yere kadar gitmem gerek. Ama seni yalnız bırakmak da istemiyorum. Ben... Bağışla, Tom... Dönene kadar seni bürona kilitlemek zorundayım."

"Bunu mutlaka yapman gerekiyor mu?"

"Evet, Tom! Senin iyiliğin için yapmak zorundayım. Kızma bana!"

"Neden kızacakmışım sana?" Doktor Thomas Steinbach gülümsedi. "Sen iyi bir insansın, Jan."

Barski kapıya doğru yürüdü.

"Mümkün olduğu kadar çabuk geri geleceğim," dedi.

"Acele etme, sevgili dost! Ben beklerim. Pipomu yakar, kitaplara bir göz atarım. Ah, Jan..."

"Ne var, Tom?"

"Ama sonra tenise gideceğiz, değil mi? Her zamanki gibi saat yedide."

18

"Artık dayanamayacaktım," diye Barski konuştu. Sonra başını çevirip uzaklara baktı. Alster'den ışıklar İçinde bir gezinti gemisi geçiyordu. Gemiden müzik sesleri geliyordu. "Moon River," diye mırıldandı. Düşüncelerinde uzaklara gitmiş gibiydi. Norma'yla Westen hiç konuşmadan ona baktılar. Bir süre sonra Barski sözlerine devam etti, "Tom'u bürosuna kilitleyip doğru Profesör Gellhorn'un yanına gittim. Ve biraz önce olanları anlattım. Kimya ve ilaç sanayindeki bütün laboratuvarlar gibi biz de büyük gizlilik içinde, en büyük güvenlik önlemleri altında çalışıyorduk. Gellhorn benim anlattıklarımdan sonra grubu bir araya topladı. Ben gördüklerimi ve duyduklarımı bir daha tekrarladım. Hepsi dehşet içindeydi. Sonunda Tom'un artık tek başına bırakılamayacağına karar verdiler. Ne olduğunu da ortaya çıkarmalıydık."

"Eve bile gitmemeli," dedi Takahito Sasaki, "Tom kontrolden geçmeli. Tepeden tırnağa. Başka kim benim gibi düşünüyor?"

Herkes elini kaldırdı.

"Peki, bu kararı Tom'a kim söyleyecek?"

"Ben," dedi Profesör Gellhorn'la Barski aynı anda.

İki adam odadan çıktı. Beyaz koridorda yürüdüler. "Tak haklı," dedi Gellhorn. "Zavallı dostumuzu hastanenin bütün uzmanları gözden geçirmeli."

Barski laboratuvarın kapısını açtı. Tom ayaklarını masaya dayamış, pipo içiyordu. Onları görünce ayağa kalktı.

"Çabuk geldiniz," dedi neşeli bir tavırla. "Merhaba, profesör."

"Merhaba Tom. Şimdi bizi dinleyin. Dikkatle! Jan biraz önce size de söyledi... Son günlerde sizde bir değişme var. Örneğin, araştırma sonuçlarını Paris'teki dostunuza vermek istemeniz hiç de normal değil."

"Değil mi? Bence dünyanın en normal şeyi... Ama siz başka türlü düşünüyorsanız... Jan da... Anlıyorum..."

"Tom," dedi Gellhorn. "Yaptığınız şey oyun değil. Siz hastasınız. Neyiniz var, bilemiyoruz. Bu nedenle bir kontrolden geçmenizi düşündük. Mümkün olduğu kadar çabuk. Hatta hemen. Hastalığınızı bilmek zorundayız. İster misiniz derhal Lauterbach'a gidelim ve durumunuzu konuşalım?"

Tom gülümsedi. "Öyle istiyorsanız memnuniyetle. Hemen gidelim. Ancak yanımda bir pijama bile yok."

"Jan gider alır. Eşiniz evde, değil mi?"

"Evet. Biraz önce kendisiyle telefonlaşmıştım." Gülümsedi. Bu gülümseme yok mu! Jan, bana ne gerekliyse al getir. İki kutu Dunhill tütününü de unutma. Yanımda pek kalmamış da. Bazı evraklarımı ve kitaplarımı da yanıma alabilirim, değil mi profesör bey? Önemli bir şeyi inceliyorum da... Kontroller sırasında zaman yitirmek istemiyorum..." Sonra gülümsemeye devam ederek elini Gellhorn'un omzuna koydu. *"Okay then, let's go, professor!"**

Barski gümüş rengindeki Volvo'suyla Adolf Caddesi'ne girdi. Steinbach'lar, eski Hamburg eşrafından kalma güzel bir binanın ikinci katında oturmaktaydı. Kapıyı Petra açtı.

"Merhaba, Jan!" Yanaklarından öptü. Gülümsüyordu. Tanrım, diye Barski bir an düşündü, kocasındaki gülümsemenin aynısı. "Gel içeri! Doris de burada." Petra önden yürüdü. Salona geçtiler. Yarımayı andıran geniş kanepede Doris oturuyordu. Petra'yla hemen hemen aynı yaştaydı. Çok güzel bir kadındı. Kızıl saçlı ve yeşil gözlü. Barski başını hafifçe eğip selamladı. Doris üzüntülü görünüyordu. Düşünceli düşünceli başını salladı.

Petra gülümseyerek, "Ne oluyor?" diye sordu. Hep bu gülümseme, dedi Barski kendi kendine. "Tom rahatsız," diye başladı.

"Rahatsız..." diye yineledi Petra.

"Son günlerde oldukça kötü. Durumu sen de görmüştün. Otomobil kazasını düşün! Mozart'tan nefret etmeye başlaması-

---

nı da. Biz kendisiyle açık açık konuştuk ve bir kontrolden geçmesini öğütledik."

"Niçin?" diye sordu Petra.

"Bu şaşırtıcı davranışlarından dolayı."

"Kontrolden geçirin bakalım. Bana göre hava hoş!"

Doris ağlamaya başladı.

"Bırak bu ağlamayı, yoksa hepimiz keçileri kaçıracağız!" dedi Barski.

Doris mendiliyle gözyaşlarını sildi.

"Ne oluyor? Niçin ağlıyorsun, Doris?" diye Petra sordu.

"Ah, yok bir şey... Ben... Ben Düsseldorf'u düşündüm de."

Petra, unut artık Düsseldorf'u! Hepsi saçmalık," dedi.

Barski, "Ne oldu ki Düsseldorf'ta?" diye sordu.

"Sıkıntıdan patladım," dedi Petra. Ve gülümsedi. Barski gözlerini yumdu.

"Sıkıntıdan patladın mı?" diye Doris sesini yükseltti. "Bu kadın ne yaptı biliyor musun Jan?"

"Ne yaptı?"

"Boşver, Doris!" dedi, Petra.

"Hayır, bırak konuşsun. Ne yaptı?"

Doris yüksek sesle anlattı. "Milyonu zimmetine geçiren bu herifi dava etmekten vazgeçti!"

"Sen..." Lanet olsun, dedi Barski içinden. Aynı şey. Eşinde olduğu gibi... "Ama neden?"

Petra gülümsedi. Uykudaymış gibi.

"Niçin?"

"Bağırma, Jan! Doris de bağırıp duruyor. Size ne oluyor, anlamıyorum."

Barski, "Ben seni anlamıyorum asıl," dedi. "Herifi niçin dava etmiyorsun?"

"Niçin edecekmişim? Ne gerek var?"

"Bir milyon... Bu yeterli değil mi?"

"Adamın parası yok. Hiçbir şeyi yok. Yargıç söyledi. Hem o kadar kötü bir adam değil ki! Ben de dava açarsam, durumu daha da kötüleşecek. Gerekli mi bu Jan? Ona karşı kötü mü davranayım?"

"Kötü davranmak mı? Bankanın parayı geri isteyeceğini bilmiyor musun? Adam senin adına almış krediyi. Elinde genel vekâletname vardı. O ödeyemeyeceğine göre banka senden isteyecek parayı. Milyonun var mı?"

"Yok tabii."

"Yoksa nasıl ödeyeceksin?"

"Ah," diye Petra mırıldandı ve gülümseyerek boynundaki zincirle oynadı. "Bir yolunu buluruz. Butiği satarım."

"Butiğine milyon veren çıkmaz."

"Biliyorum. Yarım milyon veren çıkar..."

"Peki, geri kalan yarım milyonu nereden bulacaksın?"

"Biz yıllar önce İtalya'ya gitmiştik. Tom ve ben. Orada yazlık bir ev kiralamıştık. Yandaki komşumuz bir köylü ailesiydi. Bu ailenin büyükbabası çok canayakın bir insandı." Gülümseme! "Yoksul insanlardı. Hiç şansları da yoktu, bu büyükbaba ne demişti, biliyor musun? 'Dio ci aiutera...' Tanrı yardım eder! Neden üzüleyim? *Dio ci aiutero.*"

"İşte böyle," dedi Doris, Barski'ye dönerek. "Dehşet verici, değil mi Jan?"

"Dehşet verici mi? Nedir dehşet verici olan?" diye sordu Petra.

Barski ayağa kalktı, "Ben senin dostunum, Petra. Öyle değil mi?"

"Evet dostumsun. Ne demek istiyorsun?"

"Senin de durumun pek hoşuma gitmiyor," dedi sert bir şekilde. Başka çıkar yol yok, diye düşündü. "Tom'a benzemeye başladın. Bana büyük bir iyilik yapmak İster misin?"

"Tabii."

"Sadece Tom'un pijamasını ve diğer eşyalarını değil, kendi eşyalarını da hazırla. Birkaç gün hastanede kalmak için."

"Hastanede kalmak mı?"

94

"Senin de genel bir kontrolden geçmeni istiyorum. Tom gibi. İsterseniz aynı odada kalabilirsiniz. Herkes size iyi davranacak. Sonunda neyiniz var bileceğiz."

"Bizim hiçbir şeyimiz yok," dedi Petra gülümseyerek. "Ama bu seni sevindirecekse, ben de bir kontrolden geçeyim. Neden karşı çıkayım. Düsseldorf'taki yargıç çok iyi bir adamdı..."

Barski, Petra'yı beraberinde getirdi kliniğe, Doris de onlarla geldi. Yolda Tom'un istediği pipo tütününü aldılar. Petra çok neşeli ve çocuksuydu. Eşinin de bir süredir olduğu gibi. Bütün yol boyunca modadan söz etti durdu. Diğerleriyse hiç ağızlarını açmadılar. Barski dikiz aynasında Doris'in yine ağladığını gördü.

Norma'nın başı sanki pamuk doluydu. Aklından bir sürü şey geçiyordu. Eski günler, birkaç gündür yaşadıkları. Hayır, dedi kendi kendine. Hiçbir şeyi düşünmek yok. Hele eskiyi anımsamanın sırası değil şimdi. Tanrım, bana yardım et! Westen'in konuştuğunu duydu. "Bulaşıcı bir hastalıktan mı korkuyordunuz, doktor? Belirtiler aynı olduğuna göre eşine de mi bulaşmıştı?"

"Evet, bulaşıcı hastalık. Doğru düşünüyorsunuz," dedi Barski. "Ama nasıl, nereden? Ne olmuştu? Hastaneye geldiğimizde Tom'u bulaşıcı hastalıklar bölümüne götürmüşlerdi, iki kişilik bir odadaydı. Pencere yanındaki masaya oturmuş, kitaplarını ve evraklarını karıştırıyordu. Sanki laboratuvarındaymış gibi. Küçük bir bilgisayar da getirmişlerdi. Eşiyle sarılıp öpüştüler. Eşyalarını dolaba yerleştirdiler. Ertesi gün de kontrollere başladık." Barski elini saçlarında gezdirdi. "Virchow Hastanesi'nde binaları birbirine bağlayan yeraltı yolları vardır. Özel önlükler giymiş doktorlar Petra'yla Tom'u bir bölümden ötekine götürüyordu. Her şey büyük bir dikkatle ve koruma önlemleri altında yapılıyordu. Bulaşıcı hastalıklar bölümündeki odaları da korunmadaydı. Bu konuda çok deneyimliyizdir. Tom'la Petra'yı tepeden tırnağa kontrolden geçirdik. Bütün organlarını. Yürek, ciğerler, boyun, boğaz, burun, kulaklar... Aklınıza ne gelirse. Sonuç sıfırdı! Hiçbir şey bulamamıştık. Bütün organlar sağlıklıydı. Karşımızda sağlıklı iki insan duruyordu. Lanet olsundu! Çünkü ikisinin de sağlığının yerinde olmadığını biliyorduk. Ne istersek yapıyorlardı. En acı verici testleri bile. Dudaklarında hep o gülümseme! Beni ürperten o gülümseme! Doktorlar bazı kontrolleri iki üç kez yapıyordu. Sonuç sıfıra sıfır, elde var sıfır! Bütün bir hafta boyunca bir klinikten ötekine, bir doktordan diğerine. Sonra nöroloji ve psikoloji uzmanları geldi, Onlar da tepeden tırnağa kontrol etti. İğneyle bir sıvı vererek beyinlerini incelediler. Sonuç yine sıfırdı. Hiçbir şey bulunamadı. Bütün testler de normal çıkıyordu. Ve Tom'la Petra hep sabırlı, hep canayakındı. Tom odasında olduğu zaman çalışmaya devam ediyordu. Gördüğüm kadarıyla hesapları hep zorlaşmaktaydı. Bizden devamlı kitap ve gazete istiyordu. Biz de ona veriyorduk, ne yazık ki..."

"Niçin?" diye Norma sordu.

"Verdiğimiz yeni kitaplar onu daha çok çalışmaya sürüklüyor. Geceleri doğru dürüst uyuduğu yok. Yemek de pek yemiyor. Bu ara onu durdurmaya, çalışmalarından vazgeçirmeye uğraşıyoruz. Ama başaramıyoruz. Eğer böyle devam ederse..." Barski başını salladı. "Petra da moda dergileri isteyip duruyor, hepsini baştan sona okuyor. Doktorlara pileli eteklerden, işlemeli bluzlardan ve kolsuz elbiselerden söz ediyor. Onun kafasında modadan, kocasının da virüslerden başka bir şey yok. Bir akşamüstü Profesör Gellhorn'un bürosunda toplanmış, yine çay içiyorduk. Doktor Harald Holsten şöyle dedi..."

"Bana kalırsa, bir virüs girdi vücutlarına." Holsten'in söyledikleri hepimizin günlerdir düşündüğü şeylerdi. "Bu virüsü önce Tom kaptı, sonra da Petra'ya bulaştırdı. Başkalarına bulaştırmamış olması bir mucize."

"Belki bulaştırdı da, henüz bilmiyoruz," dedi Gellhorn.

"Ulu Tanrım!" diye Takahito Sasaki mırıldandı.

"Ama nasıl oldu bu?" dedi Eli Kaplan, "Tom virüsü nasıl kaptı? Burada her türlü korunma var. Özel giysilerimiz, maskelerimiz... Bir klinikten ötekine giderken, özel bölümlerden geçiyoruz. Haksız mıyım, profesör?"

Yanıt veren olmadı. Saçları gümüş grisi adam başını çevirip boşluğa baktı.

"Profesör!" diye Kaplan seslendi.

Gellhorn irkildi, "Evet? Ne var?"

"Şu anda ne düşündünüz?"

"Chargaff'ı," diye mırıldandı Gellhorn. "Tom virüsü kaptığından ve davranışları değiştiğinden beri Chargaff'ın kitaplarını okuyorum. 'Yeni yaşam şekilleri değiştirilemez,' diyor. 'Çocuklarımız ve onların çocuklarından da öteye kalacaktır. Biyosfere yapılan inanılmaz saldırılar görülmemiş şeylerdir. Neslimin bunu yapmamış olmasını dilerdim!'"

"Ama bizim araştırmalarımız olumlu şeyler," diye Eli Kaplan sesini yükseltti, "kötü bir şey yapmıyoruz ki! Çağımızın en kötü hastalığına karşı savaşıyoruz!"

Gellhorn genç biyoşimistin söylediklerini hiç duymamış gibi konuşmasına devam etti. "'Bu dünya bizlere ödünç verilmiştir,' der Chargaff. 'Biz insanlar gelir ve gideriz. Toprağı, havayı ve suyu bir süre sonra bizden sonra gelenlere bırakırız. Benim neslim -belki benden bir önceki de bilimlerin Öncülüğünde doğaya karşı yok edici bir savaşa başladı. Gelecek bize lanet okuyacak...'"

"Yeni yaşam şekilleri değiştirilemez," diye Norma tekrarladı. "Evet, geriye dönüş yok! Ne kadar kötü. DNA'larda yapılan değişimlerle kalıtıma bağlı kişilik özellikleri de değişime uğrayacak. Ve bunlardan geriye dönüş olmayacak!"

Barski evet anlamında başını salladı, haklısınız, geriye dönüş yok. Tom ve eşi Petra'da olduğu gibi. Değişmiş olan kişilik özellikleri kalacak. Ölünceye dek..."

"Bunu nasıl iddia edebiliyorsunuz?" diye Westen sordu.

"Araştırmalarımızda bu aşamaya geldik," dedi Barski. "Steinbach'larda kalıtıma bağlı kişilik özellikleri değişime uğramakta. Eski ve yeni her şeyi anımsıyorlar. Bellekleri yerinde. Ancak duygularda değişme var, düşünce de oluşturamıyorlar, karşı çıkmıyorlar, eleştiride bulunmuyorlar, ne söylenirse yerine getiriyorlar. Buna karşılık duygu ve düşüncelerini belirli tek bir noktada toplayabiliyorlar. Bu durum frenlenmezse bitkinliğe sürüklüyor. Bayan Desmond, bulaşıcı hastalıklar bölümünden söz ettiğinizde, sonra oraya girmek istediğinizde niçin öyle öfkeli davrandığımı şimdi anlıyorsunuz sanırım! Bu olayı, ne olursa olsun gizlemeliyiz. Yoksa panik çıkar!"

Norma başını salladı. "Evet. Şimdi anlıyorum. Ama... Doktor Steinbach ve eşi bütün ömürleri boyunca başka insanlar için tehlike sayılacak. Tüm yaşamlarını klinikteki özel odalarında geçirmek zorunda kalacaklar. Yoksa yanılıyor muyum?" Barski'ye baktı.

"Haklısınız, Bayan Desmond. Söyledikleriniz ne yazık ki doğru."

"Ölene kadar bulaşıcı hastalıklar bölümünde mi yaşayacaklar?"

Barski evet anlamında başını salladı.

"Kişilik değişimine hangi virüsün neden olduğu ortaya çıkarılsa da..."

"Evet," diye Barski mırıldandı. "Virüs beyinlerinde belirli noktalara girmiş, orada değişime yol açmış."

"Ben de böyle düşünüyorum. Hangi virüs olduğu, bu virüsün DNA'sı bulunsa... O zaman karşı ilaçlar bularak iyileştirme olanağı yok mu? Örneğin, herhangi bir aşıyla? Bu iki insanın eski durumlarına dönmesi mümkün değil mi? Hayır..." diye Norma mırıldandı. "Chargaff'ın söyledikleri korkunç. Evet, geriye dönüş yok!"

"Korkunçtan da öte. Günümüzde bu adamın yıllar önce dikkat çekmek istediği konuları umursayan yok," dedi Barski. "Herkes gelişmeyi, ne olursa olsun daha ileri gitmeyi istemekte... Dünyamızdaki yaşamı güzelleştirmek ve bunu yaparken de pek çok kazanç sağlamak istemekteler. Tom'la Petra'nın vücudundaki virüsün ne olduğunu bu arada bulduk..."

"Buldunuz mu? Biliyor musunuz? Fakat nasıl..." diye Norma birden heyecanla sordu.

"Testlerimizde başarılı olduk. Ve şansımız da vardı!"

Westen, "Nasıl bir virüs?" diye sordu.

"DNA'sı herpes virüsünü andırıyor. Latincesi *herpes-labialis.* Zararsız bir virüs sanılır. Çoğu insanın dudaklarında uçuk olur. Kimse buna pek önem vermez. Hastalık filan da ortaya çıkmaz. Örneğin, uzun süre güneşte kalınca, dudaklarda küçük kabarcıklar oluşur. Genelde bir süre sonra kaybolur."

"Ya kaybolmazsa?" diye Westen sordu.

"O zaman virüs beyne gider ve orada beyin iltihabına yol açar. *Herpes-meningitis!* Bu öldürücüdür. Bizim Tom'la Petra'da bulduğumuz, buna çok benzeyen bir virüs! Bu virüs beyne girmiş ve orada değişimlere yol açmış. Oldukça tehlikeli. İnsandan insana tükürükle geçebilir. Çok yakından konuşurken örneğin. Tom da eşine böyle bulaştırmış olabilir."

"Peki, ama bu virüs nasıl ortaya çıkmış?" diye Norma heyecanla sesini yükseltti.

"Evet, nasıl?" dedi Barski de. "Başka virüslerle araştırma yaparken. Dikkatsiz bir davranış, yanlış bir yöntem uygulama... Dedim ya, mesleğimiz çok tehlikeli. Fermentlerle çalışırken olmuş olabilir. Anlatmıştım... Uygun bulduğumuz virüslerden birini alıp 'başındaki' DNA'lardan yararlı bulduğumuz biyolojik bilgileri fermentler aracılığıyla ayırıyoruz. Böyle..." Biraz önce kâğıda çizmiş olduğu şekilleri eliyle işaret etti.

"Ayırdığımız parçaya A adını verelim, onu kanserli hücreye verip iyileştireceğini umuyoruz. Anlaşıldı sanırım?"

Norma başını salladı.

"Ama tam böyle olmayabilir de," diye Barski devam etti. "Bazen bu parçada istenmeyen bir DNA kalabilir. Ayırırken dikkatsiz ya da başarısız çalışıldığı için. Böylece parçamız A'ya istenmeyen bir DNA takılır. Kısacası A'yla X birleşir ve AX'i oluşturur. Yeni bir virüs ortaya çıkar. İşte böyle bir virüsü de Tom kapmış olacak. Beyin hücrelerine giren bu virüs değişimlere yol açmış. Sonra da eşine bulaştırmış. Söylediğim gibi insandan insana bulaşması çok kolay. Şu günlerde karşıtı bir aşı bulmak için deli gibi çalışıyoruz."

"Bu aşı AX adını verdiğiniz virüsü kapmamış insana yararlı olabilir ancak," dedi Westen.

"Çok doğru. İnsanları bu virüsten koruyabilir. Tom ve Petra için geç kalındı."

Westen, "Çok korkunç bir kuşkum var," diye açıkladı. "Yeni salgın AIDS'i düşünüyorum... AIDS de birdenbire ortaya çıktı. Bu öldürücü salgının Afrika'dan geldiğini söylüyorlar. Orada çoktandır bilindiğini duydum. Öyleyse bizim niçin daha önce haberimiz olmadı? Neden, doktor bey? Acaba AIDS'in virüsü herhangi bir gen laboratuvarından dışarı sızmış olabilir mi? Bunu düşünmek bile beni ürpertiyor."

Barski yanıt vermedi. Susuyordu.

"Doktor!"

"Ben... Sanıyorum," dedi sonra. "Bunun böyle olduğunu sananlar var. Size biraz önce anlattıklarımdan sonra tabii mümkün olabilir!"

Norma heyecanla konuştu. "Mümkün olabilir mi? Bence mümkün. Tanınmış yazar Stefan Heym, biyoloji uzmanı Profesör Jakob Segal'le bir görüşme yaptı. Tanıyorsunuz onu değil mi?"

Barski başını salladı.

"Bu görüşmede Segal, Amerika'nın Maryland eyaletindeki Fort Detrick Virüs ve Gen Laboratuvarı'ndan söz ediyor. Profesör Segal çok iyi korunan, çevresinde kuş bile uçurtulmayan bu askeri araştırma enstitüsünde genetikçilerin deneyleri sırasında AIDS virüsü HTLV III geliştirdiklerinden çok emin. Ancak bu virüsün başlangıçta nasıl geliştiği ve gerçek hastalığın genelde ikiyle beş yıl arasında ortaya çıktığı bilinmediği için laboratuvardaki deneylerde kullanılan kişiler, birkaç ay sonra serbest bırakılmış. Deneylerde kullanılan insanlar, bir cezaevinin uzun yıllar hapse mahkûm olmuş hükümlüleriydi. Virüs verilmiş hükümlüler bir şey ortaya çıkmayınca cezaevine geri gönderilmişti. Profesör Segal virüsün böylece dış dünyaya ulaştığından emin. Bu olay 1977 yılındaydı. Ve hiç kimse ağzını açmamıştı. Sizin bunu bilmeniz gerek. Biliyorsunuz, öyle değil mi doktor bey?"

"Biliyorum. Profesör Segal'in iddialarından haberim var," dedi Barski.

"Sonra..." diye heyecanla sözlerini sürdürdü Norma. "Sonra dün gazetelerde yazılanları okudunuz mu? Şimdi AIDS büyük bir çığ gibi üzerimize gelmekte. Sadece Almanya'da günde iki bin kişi bu virüsü kapabilir. Yılda bir milyon yetişkin insan. Gelecek yıllarda kaç milyon insan?"

"O yazıları ben de okudum," dedi Westen. "Son zamana kadar uzmanlar virüsü kapmış insanlardan yüzde beşle yüzde yirmisinin AIDS olacağını sanmaktaydı. Ancak geçenlerde Paris'te yapılan bir AIDS kongresinde uzmanlar gelecek yıllarda virüsü kapmış bütün insanların AIDS olacağını öne sürdüler. Yüzde yüz! Siz ne diyorsunuz, doktor?"

Polonyalı Doktor Barski ağır ağır konuştu. "Profesör Segal'in iddia ettiği gibi AIDS virüsünün deneyler sonucu dış dünyaya sızdığına inanmıyorum. Çünkü elde kanıt yok!"

"Segal'in söyledikleri doğruysa?" diye Norma sordu. "Bu AIDS virüsü bir gen değişimi sırasında oluşmuşsa?"

"O zaman bu virüsün insanda kalıtıma bağlı değişimlere yol açmayacağını umut etmekten başka çıkar yol yok bence," dedi Barski. "Ancak o zaman hastayı iyileştirici serum bulmak mümkündür. Tersi durumdaysa bütün insanları koruyacak bir aşı bulmak gerekmekte."

101

"Diğerleri de Steinbach'lar gibi ölüme mahkûm olur," dedi Westen de.

Barski başını salladı.

"Korkunç," diye mırıldandı Norma. Korkunç ve inanılmaz, diye düşünüyordu. Peşinde olduğum olayın çapı çok büyük. Ve de çok korkunç!

"Yarın enstitüye gelin," dedi Barski. "Tom ve eşini görebilirsiniz. Camlı bölmenin arkasından. Bilmek istediğiniz her şeyi öğrenebilirsiniz. Tabii Bay Westen, siz de gelebilirsiniz. Barski başını Norma'ya çevirip Polonya şivesiyle konuştu. "Şimdi olayın içyüzünü öğrendiniz. Profesör Gellhorn'un, ailesinin ve diğer insanların niçin öldürüldüğünü araştırmaya devam edecek misiniz? Bu cinayeti ortaya çıkarmaya çalışacak mısınız? Polisin bize pek yararı yok. Bizim tek umudumuz sizsiniz! Bilmek zorundayız, Bayan Desmond! Gellhorn ve diğerleri niçin öldürüldü? Enstitüdeki bu olayla ilgisi olamaz ki! Nedenleri başka şeyler olmalı! Cinayetlerin içyüzü başka olmalı!"

"Elimden geleni yapacağımı söylemiştim," dedi Norma da. "Katilleri ve neden öldürdüklerini ortaya çıkarmaya çalışacağım. Bu benim amacım. Başka neyim kaldı ki? Anlamı olan tek şey! Oğlum..." Birden ayağa kalktı. Balkonun kenarına gidip gecenin karanlığına baktı. Westen de yerinden doğruldu. Yanına gitti. Elini omzuna koydu. Barski kadının boğulur gibi konuştuğunu duydu. "Profesör Gellhorn'un öldürülmesi konusunda başka ipuçları da verebilir misiniz? Tom'un virüsü kapması aylar önceydi, değil mi? Nisanda demiştiniz, değil mi?"

"Evet, nisandaydı..."

"Aradan geçen sürede neler oldu? Örneğin, Profesör Gellhorn ne yaptı? Dikkatinizi çeken bir şey oldu mu? Tehdit edildiğinden söz etti mi? Ya da benzeri bir şeyden?"

"Hayır. Hiçbir şeyden söz etmemişti." Barski de ayağa kalkıp Norma'nın yanına gitti. "Çok düşünceliydi. Dikkatimi başka bir şey çekmemişti."

"Mektup filan? Telefon konuşmaları? Size sır vermedi mi?"

"Hayır," dedi Barski. "Benim de anlamadığım bu ya. Cinayetten önce bir şey olmuş olmalı. Ancak hiçbir ipucu yok. Şüpheyi çekecek hiçbir şey olmadı..."

"Peki, ama Gellhorn neden öyle düşünceliydi?" diye Norma sordu ve Barski'nin kolunun koluna değdiğini hissetti.

"Bilmiyorum," dedi doktor. "Ancak gün geçtikçe gen teknolojisi konusunda kötümserleştiğini anımsıyorum. Bir defasında... Sanırım temmuz ortalarındaydı... Bürosuna girdiğimde, onun dalgın dalgın karşısındaki duvara baktığını görmüştüm. Geldiğimi duymamıştı. Seslenmek zorunda kalmıştım. Sonra konuştuklarımızı çok iyi anımsıyorum."

"Ne konuşmuştunuz?"

"Bana dönerek şöyle demişti: 'Jan, dün gece Robert Oppenheimer'in soruşturma tutanağını okudum...' İlgiyle dinlemiştim," dedi Barski. "Biliyorsunuz Oppenheimer 1954 yılında komünist avcısı Senatör McCarthy'nin oluşturduğu bir güvenlik kurulu karşısına çıkarılmıştı."

"Evet, biliyorum," diye yanıtladı Norma. "Oppenheimer atom bombasının babası sayılır. Ve yüzyılımızın en büyük bilim adamlarından biri, Nagazaki ve Hiroşima'ya atılan bombalardan sonra büyük bir umutsuzluğa kapılmıştı. Onun da kendini Chargaff gibi hissetmiş olabileceğini şimdi anlıyorum. Oppenheimer de topluma uyarıda bulunmak istemişti. Ancak eleştirileri üzerine 'komünist ajanlığıyla' suçlanmıştı. Hatta atom bombasının planlarını Sovyetler'e vermiş olduğu iddia edilmişti. Sonra?"

"Ne sonrası?"

"Profesör Gellhorn size bu konuda neler söyledi?"

"Oppenheimer'in güvenlik kurulu karşısında Einstein'ın kendisini telefonla arayıp şunları söylediğini anlattı: 'Bir daha dünyaya gelirsem, ya nalbur ya da dilenci olacağım. Daha özgün ve sorumsuz yaşayabilmek için.' Gellhorn böyle söylemişti."

Norma, "Bunu iyi anımsıyorsunuz, öyle mi?" diye sordu. "Temmuz ortalarındaydı..."

"Evet. Oppenheimer'in şöyle konuştuğunu da söylemişti: 'Eski çağlarda insanlar kavimleri ortadan kaldırırdı. İçinde yaşadığımız çağda ise insanoğlunun bütün insanlığı ortadan kaldırması mümkün. Eğer politik açıdan ortak bir yaşamı gerçekleştiremezsek, bunun olacağından korkarım. Geç kalmak üzereyiz.'"

"Doğru, geç kalmak üzereyiz," dedi Westen de.

Barski'nin sesi titriyordu. Polonya şivesi çok belirgindi şimdi. "Gellhorn'a ne oluyordu? Ne biliyordu? Neyi seziyordu?" Barski zorlukla konuşuyordu. "Niçin öldürüldü? Lanet olsun, niçin öldürdüler onu? Tanrım, niçin?"

Sonra Dr. Jan Barski sustu. Bembeyaz cephesi aydınlatılmış otelin balkonunda üç insan duruyordu. Hiç konuşmadan.

19

Otelden caddeye çıktıklarında, saat sabaha karşı üç buçuktu. Barski'nin gümüş gri Volvo'su karşıdaki otomobil parkında duruyordu. Alvin Westen geç olmasına karşın onlarla birlikte aşağı inmiş, otomobile kadar yürümüştü.

"İyi uykular, Norma," dedi. Sarılıp öpüştüler. İki eski dost.

"Sana da iyi uykular Alvin! Her şey için çok teşekkürler."

"Teşekkür edecek ne var! Sabah uyandığında beni ara."

"Seni uyandırmak istemem..."

"Artık eskisi kadar uyumuyorum. Dört, beş saat yetiyor bana. Yaşlanmanın iyi yanları da var..."

Norma, "Benim için sen hiç yaşlanmayacaksın," diyerek ona tekrar sarıldı.

Ve Westen iki gün önceki gibi düşündü. Bırak bir süre daha yaşayayım, ölüm!

Barski otomobilin ön kapısını açmıştı. Norma bindikten sonra kapattı. Sonra direksiyona geçti. Kontak anahtarını çevirdi. Norma anahtarlığa işlenmiş iki harf gördü. Motor çalıştı. Yan camı açıp Westen'e el salladı. Barski otomobili yavaş yavaş caddeye sürdü. Yaşlı adam onlara el salladı. Volvo hızlandı, Westen otele doğru yürüdü. Durdu. Yine el salladı. Beyaz ışığın altında yalnızdı. Barski frene bastı ve sola saptı.

Kentin caddeleri boştu. Hiç kimseler yoktu. Otomobildeki iki insan uzun süre konuşmadı. Lombards Köprüsü'nden geçtiler. Alster karanlıktı. Gezinti gemileri şimdi yoktu. Mutlu insanlar, müzik ve dans da. Gorch-Fock bendine varıp eski botanik bahçesinin yanından geçerlerken Norma, "Anahtarlığınız gümüşten mi?" diye sordu

Barski sakin sakin önüne bakıyordu. Başını çevirmeden yanıt verdi. "Evet, gümüşten. Eşimin armağanıydı."

"Özür dilerim."

Bir korunun yanından geçtiler.

"Özür dileyecek bir şey yok ki," diye uzun boylu odam konuştu. "Müzik dinlemek ister misiniz? Radyoda bütün gece müzik var."

"Hayır, dinlemek istemiyorum," dedi Norma.

Biraz sonra Barski yine konuştu. "Anahtarlığa birkaç sözcük kazınmıştır..."

"Bana anlatmanıza hiç gerek yok."

"Ama anlatmak istiyorum."

"Emin misiniz?"

"Evet. Lehçe 'Jan Barski'yi koruyan' diye yazar. Orta yerinde çok küçük, gümüşten bir melek vardı. Eşimin öldüğü gün bu melek kopup düşmüştü. Sonra kuyumcunun birine gidip sormuştum. Aynı yeri temizleyip oraya bir sözcük yazabilir mi, diye. Adam yazabileceğini söylemişti. Ben de ondan 'Dubravka' sözcüğünü yazmasını istemiştim. Meleğin olduğu yere. İyi anlamına gelir bu sözcük..."

105

Holsten seddinin yanından geçtiler. Caddelerde ne bir insan ne de bir otomobil vardı.

"Dubravka eşimin adıydı," diye Barski devam etti. "Biliyorum, eşim beni her zaman koruyacaktır."

"Mutlaka," diye mırıldanan Norma boynunda sallanan dört yapraklı yoncayı düşündü.

Barski düşünceli düşünceli, "Dubravka'ydı adı," diye yineledi, "Ve gerçekten iyi bir insandı. Çok iyi. 1972 yılında Varşova' da tanışmıştık. Üniversite kliniğinin psikiyatri bölümünde görevliydi. Bir yıl sonra da evlenmiştik. 1976'da kızımız dünyaya geldi. Jelisaveta."

Bırak konuşsun, diye Norma düşündü. Her insan böyle konuları konuşmak ister. Pierre öldüğünde ben de konuşurdum. Yine fırsat buldukça konuşacağım. Şimdi oğlum öldü. Bırak konuşsun! Belki senin yanında oturduğunu unuttu, kendi kendiyle konuşuyor. Sen de düşüncelerinde yitirdiğin insanlarla konuşmuyor musun?

"Biz kızımıza hep Jeli derdik. Ben de eşime Bravka derdim. Akıllı, şakacı ve herkese iyi davranan bir kadındı. Herkes onu severdi. Mesleğimizden söz ederdik, aynı ressamları, aynı müzisyenleri, aynı yazarları severdik. Her konuda hep aynı görüşteydik..."

Ah, dedi Norma içinden. Bizim gibi. "Birlikte çok şey yapardık. Tatillerimizi Baltık Denizi'nde geçirir, kayak yapmaya Zakonane'ye giderdik. Birbirimizi görmediğimiz günlerde en az iki, üç kez telefonlaşırdık..." Evet, diye aklından geçirdi Norma yine. Bizim gibi. "Sinemaya, tiyatroya, sergilere, operaya... Her yere birlikte giderdik. Cumartesi günleri alışverişe çıkardık."

Birlikte, hep birlikte, diye Norma düşündü. Pierre'le bizim pazar gezmelerimiz... Anlattıklarına dayanabilecek miyim, bilmiyorum. Sonra Sankt Pauli semtinden, Reeperbahn Caddesi'nden geçtiler. Burada renkli ışıklar yanıyor, sesler duyuluyordu

Bağırmalar, haykırmalar, gülüşmeler. Açık kapılardan sesler geliyor, köşelerde müşteri bekleyen kadınlar göze çarpıyordu. Yanlarından geçen oldu mu, ince eteklerini yukarı kaldırıyorlardı. Altlarına hiçbir şey giymemişlerdi. Suratlarında gülümseme. Zoraki, yorgundu çoğu. Sarhoş birkaç adam karşıdan karşıya geçti, Bağırıyorlardı. Ama ne söyledikleri pek anlaşılmıyordu. Caddede bir sürü gazete, kâğıt parçası, çöp vardı.

Yanlarından bir otomobil hızla geçti.

"Çok güzel bir dairemiz vardı," diye Barski anlatmayı sürdürdü. Otomobili hiç fark etmemiş gibiydi. "Sık sık balkonda oturur, müzik dinlerdik. Düşüncelere dalar, uzaklardaki nehri seyrederdik... Bravka..."

Caddenin orta yerinde sarhoş bir adam yatıyordu. Barski dikkatle çevresinden dolandı.

"Bugünkü gibi sıcak gecelerde," diye kendi kendine konuşur gibi devam etti, "sabahın erken saatlerine kadar balkonda otururduk. Sonra gökyüzü ve nehrin suları aydınlanmaya başlardı. Renkler her geçen an değişirdi. Sular, gökyüzü ve kent renkten renge girerdi... Ne güzel renklerdi... Ne güzel geceler... Bravka uyumak istemezdi... Uyumalıyız, derdim... Birkaç saat sonra kalkıp çalışmaya gideceğiz, derdim... N'olur biraz daha oturalım... İnsanın o kadar az zamanı var ki, derdi."

Caddenin orta yerinde şimdi de bir kadın duruyordu. Yerinden hiç kıpırdamadan. Barski yavaşladı. Kornaya dokundu. Kadın çekilmedi. Barski frene bastı. Kumraldı, iri gözleri, çıkık elmacık kemikleri ve güzel bir yüzü vardı kadının. Dudakları arasında bir sigara tutuyordu. Üzerine ince kırmızı bir elbise giymişti. Oldukça dekolte. İki yanındaki yırtmaçları kalçalarına kadar açıktı. Genç kadın parlak siyah çantasını sallayarak Barski'nin yanına sokuldu. Açık camdan içeri baktı.

"Ah bir çiftmiş!" Görünüşü gibi sesi de bayağıydı. Sigarasını yere attı. Kolunu camdan sokup arka kapının kilidini açtı. Barski'nin bir şey söylemesine fırsat kalmadan arka koltuğa kuruldu. Kapıyı kapattı. "Harika, çoktandır üçlü yapmamıştım!" dedi.

"Çabuk inin otomobilden!" Barski öfkeyle arkaya döndü.

Kırmızı giysili kadın eteklerini yukarı çekti. "Bak! Ne isterseniz yaparım. Sevgilin seyretmek isterse, tek seninle de! Sen seyretmek istersen, tek onunla da. Yapmayacağım şey yoktur."

"Otomobilden hemen inin dedim!" diye Barski bağırdı.

Kadın sırıtarak yanındaki kapının düğmesini aşağı bastırdı. "Boşver bunları, tatlım. Görmüyor musun yanındaki nasıl da hevesli. Suratına baksana!" Öne doğru eğildi, Barski'nin ensesini öptü.

Adam eliyle itti. Kırmızı elbiseli kadın koltuğun üzerine kapaklandı. Aynı anda Norma'nın arkada duran çantası yere yuvarlandı, içindekiler döküldü. "Allah belanı versin!" diye çığlık attı kadın. Sonra birden gülümsedi. Alay eder gibi konuştu. "Özür dilerim, sayın bayan. Her şeyi çantanıza koyarım." Yere eğilerek düşenleri çantaya yerleştirdi, "Yanınızdaki adam çok nazik! Domuzun biri!"

Barski otomobilden indi. Arka kapıyı açıp kadını dışarı çekti. "Ah, canımı acıtıyorsun!" Parlak siyah çantasıyla Barski'ye vurmaya çalışıyordu. "Pis herif! Pis dayakçı! Dilerim AIDS'e tutulursun!"

Hemen yanlarında siyah bir Mercedes durdu. İki adam dışarı fırladı. Kırmızı elbiseli kadın koşarak yan sokakta gözden kayboldu. Adamlardan biri peşinden gitti. Diğeri Barski'nin yanına gelip, "Ne istedi sizden?" diye sordu

"Ne isteyecek?" Adam elindeki küçük cep fenerini arka koltuğa tuttu. "Bir şey bırakmış olmasın!"

"Sanmıyorum. Hemen otomobilden dışarı attım. Gelmeniz uzun sürdü..."

"Sarhoş biri engel oldu da." Adam otomobilin içine eğilerek yeri aradı. Bir şey bulamadı, Norma'nın çantasını alıp ona uzattı. "Bir şey çalmış mı?"

Norma şaşkın şaşkın adama bakıyordu. "Siz kimsiniz?"

"Bakın, bir şey eksik mi çantanızda?"

"Kim olduğunuzu sordum!" Norma öfkelenmişti.

"Cinayetlerden sonra hepimizin peşinde koruyucu memurlar var," diye Barski açıkladı. "Beyler arkamızdan geliyordu, fark etmediniz mi Bayan Desmond?"

"Koruyucu memurlar mı?"

"Evet," dedi adam, "çalınan bir şey var mı?"

Norma çantasını karıştırdı. Adam elindeki cep fenerini tuttu. "Teyp, fotoğraf makinesi, kasetler, filmler... Hayır, her şey çantamda," dedi Norma.

"Emin misiniz?" diye odam sordu.

"Evet, eminim."

"Hepsi kişisel eşyalarınız mı?"

"Evet."

"Yabancı bir şey yok, öyle mi? Değiştirdiği bir şey de yok mu?"

"Lanet olsun! Hayır, dedim ya! Ben eşyalarımı tanırım!"

"Peki, peki. Basit bir orospudan başka biri değilmiş."

Öteki adam geri geldi. Soluk soluğaydı.

"N'oldu?"

"Yok. Sokakta bir sürü randevuevi var. Kapının birinden içeri girdi. Bulabilirsen aşkolsun! Hepsinin arka kapısı var. Koridorlar orospu dolu. Sanki Noel öncesiymiş gibi içerleri!"

"Peki, peki," dedi öteki adam. "Heyecanlanmaya gerek yok. İyi geceler, doktor bey. İyi geceler, sayın bayan!"

Barski otomobile bindi. Adamlar da siyah Mercedes'lerine doğru yürüdüler. Volvo'nun hareket etmesini bekledikten sonra onlar da yola koyuldu. Barski'yle Norma'nın peşinden.

"Özür dilerim," dedi Barski az sonra. Heyecanı geçmemişti.

"Koruyucu memurlar..." Norma dönüp arkasına baktı. Siyah Mercedes peşlerinden geliyordu, "Anlıyorum."

"Gerçekten özür dilerim," diye yineledi Barski.

"Sizin bir suçunuz yok ki... Park Caddesi'nde oturduğum için hep Reeperbahn'dan geçmem gerekir. Cuma akşamları burayı görmelisiniz. Otobüsler dolusu Hollandalı ve Belçikalı geldiğinde. Caddenin durumunu bir de o zaman görün!"

"Ama bu kadın size... Gerçekten özür dilerim, Bayan Desmond!"

"Lütfen sakinleşin, ben mesleğimde daha kötü şeylerle karşılaşır, daha kötü sözler işitirim."

Barski başını iki yana salladı. "Hayır, hayır, bu olay çok iğrençti."

"Üzülmeyin ve unutun! Hiçbir şey çalmadı. Önemli olan bu."

Sonra bir süre ikisi de konuşmadı. Tekrar konuşmaya başlayan Barski oldu. Düşüncelerinde yine geçmişe gitmişti.

"Kalbim, derdi bana... Ben de ona, ruhum, derdim... Ve günün birinde sancılar başladı. Doktora gittiğinde iş işten geçmişti. Böbrekler... Ameliyat oldu. Sonra başka organlara da geçti hastalık..." Barski Polonya şivesiyle konuşmaya başlamıştı. "Bir süre sonra doktorlar acı haberi verdi. Bağırsak kanseri! Onlara yalvardım... Bir şey yapın, dedim... Ve iki gün sonra yüreği durdu..."

König Caddesi'ne saptılar. Yahudi mezarlığının yanından geçtiler. "25 Mayıs 1982 günü öğleden önce ona çeyrek kala öldü... Otuz beş yaşındaydı Bravka... Kızımız Jeli altı yaşındaydı. Hamburg'da yaşıyorduk. Profesör Gellhorn 1974'te beni buraya aldırmıştı. Bravka'da Eppendorfer Kliniği psikiyatri bölümünde çalışıyordu. Enstitünün yakınında, kent parkı yanında eski ve güzel bir evde oturuyorduk. Yeşilin ortasında. Kocaman bir dairemiz vardı. Bravka'yı Ohlsdorfer Mezarlığı'na götürdüklerinde Jeli ve ben yalnızdık. Çok sıcak bir gündü... Pek sık gitmem Bravka'nın mezarına... Beni anladığınızı umarım..."

Norma, "Evet, sizi çok iyi anlıyorum," diye mırıldandı.

"Bravka orada değil ki artık," dedi Barski.

Altona'dan geçiyorlardı.

"Evet, değil..."

"O... Size bir Yahudi'nin hikâyesini anlatayım. Papaza gitmiş -eşi öldükten sonra- demiş ki: 'Papaz efendi, ölü canlanır mı?' Papaz da ona, 'Evet,' demiş. 'Hep düşünürsen canlanır.'"

Altona belediye binasının önünden geçtiler ve Elbehaus Gölü'ne vardılar.

"Anlatmamalıydım..." Barski başını Norma'ya çevirdi. "Anlattığım hikâye güzel değildi. Siz oğlunuzu kaybettiniz."

"Üzülmeyin," dedi Norma. "Sizin ölünüz var. Benim ölülerim var. *Everybody has to fight his own battles.*"

"Çok doğru." Yine Norma'ya baktı. "Herkes kendi savaşını vermeli."

"Kızınız okula gidiyor, değil mi?" dedi Norma.

"Evet. Bayan Krb onunla ilgileniyor. Yıllardır yanımızda. Evin bütün işlerine bakıyor. Ondan çok memnunum. Kızım Jeli de iyi yürekli bu kadını çok seviyor. Eşimin ölümünden sonra evden çıkmadık. Jeli orada kalmak istemişti..." Bir süre konuşmadı. Park Caddesi'ne geldiler. Barski, Volvo'yu Norma'nın mavi otomobilinin arkasına yanaştırdı. İndi. Arkadan dolaşıp sağ ön kapıyı açtı.

"Teşekkürler..." dedi Norma.

"Size eşlik edeyim."

Kadın şaşırmıştı. "Ne dediniz?"

"Sizinle yukarı geleceğim." Çekingen bir hali vardı. "Birkaç dakika için."

"Ama neden?"

Barski karşısındaki kadının yüzüne baktı. "Nedenini biliyorsunuz, Bayan Desmond."

"Evet," dedi Norma. "Eve yalnız girmeyeyim diye, ama yukarda ışıkları açık bırakmıştım. İçeri girince kendimi pek yalnız hissetmem."

"Birlikte gelebilir miyim?" diye üsteledi Barski.

Norma başını evet anlamında salladı ve binanın girişine doğru yürüdü. Asansörle yukarı çıktılar. Norma kapıyı açtı. Bir an için durakladı. Barski elini yanındaki kadının omzuna koydu. Sonra içeri girdiler. Birlikte bütün odalara girip çıktılar. Her tarafta ışık yanıyordu. Sonunda oturma odasındaki koltukların

111

önünde durdular. Barski duvardaki resimlere baktı. Sarı güller, küçük masanın üzerindeki vazoda duruyordu.

"Teşekkür ederim," dedi Norma. "Ama siz? Eve gidince..."

"Kızım beni bekliyor. Jeli'nin odasına girecek, uykuda onu seyredeceğim. Akşamları eve geç gelirsem ya da bir yolculuktan dönersem, kızımın odasına girer, nasıl uyuduğuna bakarım."

"Bana anlattıklarınız için size teşekkür ederim," diye Norma konuştu. "Oğlumun katillerini ortaya çıkarmamı kolaylaştıracak sizden öğrendiklerim. Bir maden suyu alır mıydınız? Alkollü içki içmiyorsunuz."

"Evet."

"Bir bardak maden suyu. Bir parça limonla."

"Hayır, teşekkür ederim. Zahmet etmeyin. Ah, bakın gülün üzerinde ne var?"

"Bir uğur böceği," dedi Norma heyecanla. Birden rahatlamış gibiydi.

Barski böceğin üzerine eğildi. Üzeri siyah benekli böceği dikkatle inceledi. "Evet..." dedi.

"Ne oldu?"

"Üzerinde yedi benek var," diye mırıldandı. "*Coccinella sep tempunctata...* İki benekli olanlarına da *adalia bipunctata* denir. Uğur getiren onlardır! İki benekli uğur böceğini öldürmek uğursuzluk getirir derler! Gen bilimcileri uğur böceklerinin aşk hayatları üzerine de araştırmalar yapmışlardır."

"Siz benimle alay etmek istiyorsunuz..." dedi Norma.

"Hayır, böyle bir niyetim yok. Bilim dergisi *Nature*'ın son sayısında..."

Beni oyalamak, biraz olsun neşelendirmek için uğraşıyor bu adam. İyi niyetli, ama...

"Beni biraz oyalamak, düşüncelerimi unutmamı istemeniz çok güzel," diye konuştu. Sonra birden sustu.

"Ben artık gideyim," dedi Barski.

"Peki." Adamın yüzüne baktı. "Eve varınca bana telefon edin."

"Bu saatte mi?"

"Hemen uyuyacağımı sanmıyorum. Rahatlamam için telefon etmelisiniz. Kazasız belasız eve vardığınızı bilmek istiyorum... Otomobili sürerken de dikkat edin!"

Koridora doğru yürüdüler. Barski elini uzattı. Lehçe bir şeyler mırıldandı.

"Ne dediniz?"

Barski başını eğdi. "Sizin için dua ettim..."

"Dindar mısınız?"

"Eskiden değildim. Ama..."

"Anlıyorum."

"Eve varınca telefon edeceğim." Barski dışarı çıkıp asansöre doğru yürüdü. "Tanrı sizi korusun," diye seslendi. Kapıyı açtı. El salladı. Sonra asansöre bindi. Norma hiç kıpırdamadan duruyordu. Asansör aşağı kaydı.

Norma içeri girdi. Doğru banyoya gidip muslukları açtı, küveti doldurdu. Tek başımayım, diye düşündü. Herkes kendi savaşını vermeli! *And he has to fight his own battles. Alone.*

20

Sıcak suya girdi. Hiçbir şey düşünmemeye çaba gösterdi. Bir süre bunu başardı da. Sonra uğur böcekleri geldi aklına. Gülümsedi. Barski'yi düşünmek istemedi. Kendini çok zorladı. Sonunda başka şeyler düşündü. Banyonun sıcak suyunda rahatladı. Göğüslerinin arasında dört yapraklı yonca sallanıyordu. Uğur getirmemişti şu·güne kadar.

Banyodan çıkıp yatak odasına geçti. Pencereler büyük bir balkona açılıyordu. Kurulanmadan kendini yatağın üzerine bıraktı. Tenindeki su damlaları sıcaktan kuruyordu. Gecenin bu

113

saatinde bile hava serinlememişti. Kendini rahatlamış hissetti. Bütün günün ve akşamın yorgunluğu yavaş yavaş geçiyordu. Gözlerini kapattı. Dua etti. Tanrım, ne olur Pierre ve oğlum acılardan, dertlerden kurtulsun. Onlar hiç olmazsa öteki dünyada barışa ve huzura kavuşsun! Ben ikinizi de seviyorum, her an sizlerle beraberim. Siz de benim yanımda olun, yaşamımı kolaylaştırın. Amin! "Ne güzel olurdu, onlar da hep beni düşünebilseydi," diye kendi kendine mırıldandı. Ve küçük masanın üzerindeki telefon birden çalmaya başladı. Barski olacak, diye düşündü. Eve varınca telefon edecekti. Telefonu açtı. "Alo?"

Güç anlaşılan bir erkek sesi konuşuyordu. Teneke gibi madeni bir sesti. "İyi sabahlar, Bayan Desmond. Doktor Barski sizi eve bıraktı. Banyo yaptınız, yatağa uzandınız..."

Norma yattığı yerden doğruldu. Yatağa oturdu.

"Kimsiniz siz?"

"Siz beni tanımazsınız."

"Ne istiyorsunuz öyleyse?"

"Hayatınız."

"Ne dediniz?"

"Hayatınız söz konusu Bayan Desmond."

"Siz bana baksanıza..."

"Sözümü kesmeyin! Doktor Barski size çalışmalarından söz etti. Gazetelerde çıkan yazılarınızın hayranıyım, Bayan Desmond. Ancak Doktor Barski'nin anlattığı konularda ne bir şey planlayın ne de araştırın. Bunu anlamanızı isterim. Eğer Doktor Barski, enstitüsü ve orada olup bitenlerle ilgilenmeye devam ederseniz, bu yaşamınızın sonu olabilir. Hem çok çabuk. Profesör Gellhorn ve ailesinin başına geldiği gibi. Sizi şimdiden uyarıyorum. Çok da ciddiyim. Çalışmalarınıza devam ettiğiniz an öleceksiniz. En geç iki gün içinde! Yine de iyiyim. Düşünmeniz için süre tanıyorum. Yakında yine telefon edeceğim. Neye karar verdiğinizi o zaman bana söylersiniz. Yaşamaya devam etmeye mi, yoksa ölmeye mi... Küçük oğlunuzun öldüğü gibi."

114

"Katil!" diye Norma haykırdı. Ve aynı anda açık pencerenin kenarında bir tüfeğin namlusunu gördü. Hemen davrandı ve telefonu atıp yatağın üzerinde yuvarlandı. Yere düştü. Aynı anda ateş edildi. Kurşun beyaz cilalı elbise dolabının kapısına saplandı. Çıplak vücuduna tahta parçaları düştü. Yatağın üzerine attığı telefondan duyulan ses kurbağayı andırıyordu. "Bayan Desmond... Bayan Desmond... Lanet olsun... Konuşsanıza... Ne oldu?"

Bitti. Artık son geldi. Balkondaki herif şimdi ayağa kalkacak. Beni görecek. Sonra bir kurşun daha sıkacak. Tüfek patladı. Uzaktan. Pencerenin kenarında duran tüfek namlusu yukarı kalktı. Yana doğru kaydı ve düştü.

Telefondaki kurbağa sesi yine duyuldu. "Bayan Desmond... Bayan Desmond... Konuşun lütfen!"

Çılgın, diye düşündü Norma. Çok çılgın. Beni öldürmek isteyen adam niçin telefon ediyor? Hayır. Sen delisin, dedi kendi kendine. Seni öldürmek isteyen adamın balkondaki adamla ilgisi yok. Olsaydı, önce telefon etmezdi! Senin bu olayla ilgilenmemeni isteyen biri daha olmalı. Ama karşı taraftan bir başkası öldürülmene son anda engel oldu...

Yandaki binalarda pencereler açıldı. Konuşmalar, bağırmalar duyuldu. Tüfek sesleri komşuları uyandırmış olacaktı.

Norma yattığı yerden yavaşça doğruldu. Sonra eğilerek yürüdü, dışarı baktı. Balkonda bir adam yatıyordu. Kısa saçlı, gri gömlekli, dar pantolonluydu. Ayağında mavi spor ayakkabıları vardı. Uzun boylu ve zayıftı. Ağzı açıktı. Dudaklarının arasından kan akıyordu. Başı yana düşmüştü. Norma kurşunun boynuna yandan girdiğini gördü. Adamın çevresindeki kan görülüyordu. Donuk bakışları gökyüzüne çevrilmişti. Çok şükür, dedi kendi kendine. Dört yapraklı yonca beni korudu! Tüfek adamın yanına düşmüştü.

Norma başını yandaki binaya çevirdi birden. Komşu binanın düz damında kaçan bir adam gördü. Sabahın ilk ışıklarında adamı seçti. Donuk yüzlüydü. Gözünde yuvarlak camlı gözlükler vardı. Bu adamı tanıyordu. Mondo Sirki'ndeki cinayetlerden sonra telefon kulübesinin kapısını açan, cenaze levazımatçısı Hess'in yanında çalışan. Gellhorn ailesinin cenaze töreninde tabut taşıyan, Meisenberg'in pansiyonunda kalan ve adı Horst Langfrost olan adamdı.

21

Düz damda bacalar, bir televizyon anteni ve paratoner gördü. Açık kapaklardan birinden aşağı iner, diye düşündü Norma. Sırtında tüfek taşıyan adam bu arada bacaların arasında gözden kayboldu.

Birden terlediğini hissetti. Buz gibi terler akıyordu sırtından aşağı. Ürperdi. Sıtmaya tutulmuş gibi titredi bütün vücudu. Şok ansızın geldi. Kendini yatağa attı.

"Alo... Alo... Bayan Desmond!" Telefondaki adam bağırmaya devam ediyordu. Norma şiddetle titriyordu. Yattığı yerden kıpırdayamadı. Birkaç dakika öylece yattı. Sonra uzanıp telefonu kapattı. Dışarıdan komşular sesleniyordu.

"Bayan Desmond!", "Ne oldu?", "Bayan Desmond! Bayan Desmond!", "Öldü galiba?", "Katil var, katil var! İmdat! İmdat!", "Sus! Bayan Desmond, beni duyuyor musunuz?"

Norma telefonu açtı ve kısa bir numara çevirdi.

Karşısına hemen bir erkek çıktı. "Polis imdat!"

Norma çok sakin konuşmaya çalıştı, "Ben Park Caddesi'nde oturuyorum. Adım Norma Desmond. Elbehaussee köşesinde." Binanın numarasını verdi. "En üst katta. Derhal gelin! Burada birisini öldürdüler."

"Tanıyor musunuz onu?

"Hayır. Beni öldürmek istiyordu. Ama bir başkası onu öldürdü."

"Lütfen adınızı tekrarlayın!"

"Desmond. Norma Desmond."

"Bayan Desmond, hiçbir şeye dokunmayın! Biz hemen geliyoruz."

22

"Anladığım kadarıyla, cinayetlerle ilgili araştırmalarınızı engellemek isteyen en az iki grup var," diye konuştu Başkomiser Carl Sondersen.

Saat tam on üçtü. Norma Desmond'a suikast girişiminin üstünden yedi buçuk saat geçmişti. Sondersen'ın adamlarından bazıları yatak odasında, güneşte yanan balkonda ve komşu binanın damında çalışmaktaydı. Telefon bağlantısı kesilmişti. Tek bağlantı polis müdürlüğüyleydi. Öldürülen adamın cesedi kurşun bir tabuta konup götürülmüştü. Balkondaki kanlar da temizlenmişti.

"Ancak bu iki grubun olaya olan ilgileri başka başka," diye devam etti Sondersen. Yaptığı göreve göre genç sayılırdı. Wiesbaden'deki Federal Polis'in kurduğu özel komisyonun başına getirilmişti. "Gruplardan biri, sizi öldürmek isteyen adamı buraya yolluyor. Diğeriyse, tarifinize göre Horst Langfrost'u buraya yollayıp o adamı öldürtüyor ve hayatınızı kurtarıyor. Her iki adamın da yandaki binadan geldiğini saptadık. İlk gelen ve kimliğini henüz belirleyemediğimiz adam, dama çıkan kapının kilidini kesmiş, oradan da balkonunuza geçmiş." Sağ elinin parmağını gömleğinin yakasına soktu. Terliyordu. "Sonra olup bitenlere ise pek bir neden bulamıyoruz."

"Evet. Beklememiz gerekecek," dedi Norma. Başkomiserle salonda karşılıklı oturuyorlardı. Norma'nın üzerinde ince ketenden beyaz pantolon, kısa kollu beyaz bluz ve beyaz sandaletler vardı. Yanında Barski oturuyordu. Başka bir koltukta da Wes-

117

ten. Gazetenin Genel Yayın Müdürü Dr. Günter Hanske de oradaydı. Resimlerle dolu duvarın altındaki kanepede oturan başkomiser el kol hareketleriyle konuşuyordu. İlk gelen Barski olmuştu. Olaydan yarım saat sonra Norma'nın yanındaydı. Ondan biraz sonra Westen gelmişti. En sonra da Hanske. Norma arada sırada başını çevirip ona bakıyordu. Kumral perukası hafifçe kaymıştı. Diğerleri de farkında değildi.

Odanın bütün perdeleri kapalıydı. Sıcağa karşı. Köşedeki masada büyük bir vantilatör çalışıyor, ama pek yararı olmuyordu. Salondaki erkekler ceketlerini ve kravatlarını çıkarmıştı. Alvin Westen dışında. Her zamanki gibi çok şık ve özenli giyinmişti. Durmadan terleyen Carl Sondersen'in yüzü dikkatli bir doktoru anımsatıyordu Norma'ya. Bu genç adam çok uzun boylu ve zayıftı.

"Langfrost, Bayan Desmond'un öldürülmesine engel olsun diye gönderilmişe benziyor," diye başkomiser devam etti.

Genel Yayın Müdürü Hanske, "Ama neden?" diye sordu. Heyecanlıydı. Perukasına dikkat etse, diye bir an düşündü Norma.

"Sonra Bayan Desmond'a telefon eden bir adam da var," diye Sondersen el kol hareketleriyle konuştu, "Öğrendiğimize göre bu adam, Bayan Desmond'a araştırmalarına devam ederse öldürüleceğini söylemiş. Ve kendisine düşünmesi için süre tanımış. Demek ki, katili gönderen gruptan değildi. O gruptan katile engel olması için Langfrost yollandı."

"Olay böyle gelişmiş olabilir," dedi genel yayın müdürü. "Tabii başka olasılıklar da vardır."

"Tabii," diye onayladı ince, zayıf yüzlü ve gri gözlü başkomiser. "Ama ben bu varsayıma inanıyorum." Elindeki kâğıtlara bir göz attı. "Kimliğini henüz bilmediğimiz katil Springfield 03 kullanıyordu. Langfrost da 98k'yla ateş etti. Eskiden Alman ordusunda kullanılan bir tüfekle. Yandaki binanın düz damında boş bir kovan bulduk. Cesedin yanında duran tüfeğin üzerindeki parmak izleri incelenmekte. Diğer tüfeği Langfrost yanında götürmüş. Bayan Desmond'un tarifine uygun bir resim yaptırılıp bütün kent polislerine dağıtıldı. Saat 05.44'te arama emri çıkarıldı. Langfrost'un Hamburg'u terk etmiş olması düşünülemez. Kaçacak zamanı yoktu."

Yatak odasının kapısı açıldı. Bir polis göründü. Sondersen ayağa kalktı. "Geliyorum..."

"Hayır..." Polis memuru heyecanlı gibiydi. "Bayan Desmond'u telefondan arıyorlar."

"Bayan Desmond'u mu? Ama bütün hatlar kapatılmıştı. Tek açık hat polis müdürlüğüne olan bağlantıydı."

"Ben de anlamıyorum."

"Bayan Desmond, buyurun, dedi Sondersen. Norma koşar adımlarla yatak odasına geçti. Başkomiser peşinden yürüdü. İkinci kulaklığı eline aldı. Konuşulanları dinlemek için.

Norma sabaha karşı telefon etmiş olan adamın sesini duydu. Güç anlaşılıyordu teneke gibi ses. "İyi günler. Bayan Desmond. Birkaç beyle birlikte evinizde oturmaktasınız. Başkomiser Sondersen de yanınızda. Sanırım konuşmamızı dinliyor şimdi. İyi günler, Bay Sondersen. Telefon hattının kapalı olmasına rağmen Bayan Desmond'la nasıl konuşabildiğimi merak ediyorsunuz, öyle değil mi? Ben istediğim her telefon hattına girerim! Ama şimdi size gelelim, Bayan Desmond. İlk telefonumdan sonra düşünecek yeterli zamanınız oldu sanırım. O konuşmamızda ne söylediğimi biliyorsunuz. Karşı bir grup olduğunu fark ettiniz. Ve onlar bizim kadar sabırlı değil. Bunu da gördünüz. Yanıtınız ne şimdi?"

Norma yatağa ilişti. "Dinleyin beni," dedi. "Doktor Barski'nin bana açıklamış olduklarını genel yayın müdürüme anlattım. Biraz önce de Bay Sondersen'e. Her ikisi de konuşmalarımı banda aldı. Şimdi ister beni, isterseniz Bay Hanske'yi öldürün. Polis ve gazetenin açıklamalardan haberi var. Tabii canınız isterse, gazetede bütün çalışanları da öldürebilirsiniz. Ama her

119

şey banda kayıtlı. Onların nerede olduğunu bilmiyorsunuz. Bulamazsınız. Doktor Barski bana çok geniş bilgi verdi. Neler olup bittiğini şimdi iyice bilmekteyim. Siz geç kaldınız. Ve ben de tabii araştırmalarıma devam edeceğim." Norma telefonu kapattı. "Telefonun nereden geldiğini bulmaya çalışın," dedi Sondersen yanında duran memura. Sonra Norma'yla birlikte salona döndü.

Odada hiç kimse konuşmuyordu.

"Araştırmalarıma devam edeceğimi söyledim ona," dedi Norma, sessizlik. "Geç kaldınız, dedim."

Sonra ilk konuşan Barski oldu. "Bayan Desmond, sizden rica ederim, size yalvarırım, unutun bu olayı! Size anlattığım her şeyi de. Hayatınızı tehlikeye soktuğum için kendimi hiç affetmeyeceğim, Şimdi... Şimdi bir başkası bu konuyu ele alsın. Bir başkası gazeteye yazsın. Doktor Hanske, rica ederim. Lütfen, yasaklayın Bayan Desmond'a çalışmasını! Ona başka bir görev verin. Başka ülkeye gönderin! Uzaklara! Hamburg dışına çıksın."

"Hayır," dedi Norma, "söylediklerinizi yapmayacağım."

"Sevgili kızım benim," diye araya girdi Westen. "Ben rica edersem?"

"Sen rica etsen bile, yine de vazgeçmeyeceğim." Norma alçak sesle, ama hırslı konuşmuştu. "Ben oğlumu yitirdim. Babasını da. Pierre Grimaud'du adı. Muhabirdi. Birlikte Beyrut'ta..."

"Biliyorum," diye mırıldandı Barski. "Okumuştum."

"Mesleği gereği tehlikeye atılmak zorundaydı," dedi Norma. "Savaş olan ülkelere gidiyordu. Her an ölebilirdi, benim yaşamım da tehlikedeydi. Biz savaştaydık. Cinayetin içinde görevliydik. Oğlumsa savaşta değildi. Oğlum sirkteydi. Onu bir sirkte öldürdüler, sözümü kesme lütfen, sevgili Alvin! Sevdiğim insanın ölümüne katlanmam gerekiyorsa, önümde bir amaç, çabalarımda bir amaç olmalı. Beyrut'tan sonra bütün gücümle çalışmıştım. Sanki Pierre hep yanımdaymış gibi. Şimdi telefon konuşmasından sonra da şuna inanıyorum: Gerçeği ortaya çıkarmalı, katilleri bulmalıyım! Gen teknolojisine milyarlar harcandığını bilmiyordum. Bu kadar çok paranın söz konusu olduğu yerde insanın hiçbir önemi yoktur. Oğlumu öldüren insanları bulmak istiyorum. Katilleri bulmalıyım!"

"Peki, onları bulunca ne olacak?" diye Westen alçak sesle sordu. "Ne olacak o zaman, Norma? Oğlun yaşama dönmeyecek ki!"

"Biliyorum," dedi Norma. "Ama beni ölülerden geriye getirecek. Yaşamamın anlamını kavrayacağım. Bu kadar yeter şimdi! Bu konuyu bir daha konuşmak yok! Devam edelim, lütfen!"

Barski, Westen'e baktı. Yaşlı adam omuzlarını silkti.

"Devam edelim," diye Norma yüksek sesle yineledi.

Sondersen konuştu. "Ben Bayan Desmond'un biraz önceki davranışını çok yürekli buldum."

"Teşekkürler," dedi Norma.

Hanske, "Fakat niçin?" diye sordu.

Sondersen, "Bayan Desmond'u öldürmek istediler," diye sözlerini sürdürdü. "İki ayrı grup kendisini tehdit ediyor, ikisi de onu öldürmek niyetinde. Bayan Desmond biraz önce bu gruplardan birine, bütün bildiklerini size ve bana ilettiğini açıkladı. Sözlerinin banda alındığını ve bantların da saklandığını söyledi. Bu durumda Bayan Desmond'un öldürülmesi zorlaşıyor. Belki bildiklerini biraz abarttı, fakat önemli değil. Çok akıllıca davrandı, kendine bir 'hayat sigortası' yaptı." Norma'ya dönüp gülümsedi. Norma da ona gülümsedi. "Telefondaki adam ben olsaydım, bu kadının öldürülemeyeceğini hemen kavrardım. Bayan Desmond öldürülse bile, gerçekleri bilen başkaları var. Hayatta kalması gerek. Şimdi karşı tarafın yapacağı, yanlış bilgilerle ve şaşırtarak onu -ve dolayısıyla beni de- başka yola sürüklemek olacaktır. Böylece izlerini kaybettirmek isteyecekler. Bana kalırsa şimdi iki taraf da bizi şaşırtmaya uğraşacaktır. Siz bana çok yardım ettiniz, Bayan Desmond. Teşekkürler."

"Haklısınız, Bay Sondersen," dedi Westen. "Norma'nın telefondaki davranışı kusursuzdu."

Sondersen ayağa kalktı. Norma uzun boylu adama baktı. Bir süredir düşünüyordu. Merak ettiği bir şey vardı. Sonunda sordu: "Mondo Sirki'ndeki olaylardan sonra sizi ilk gördüğüm gün soracaktım... Bay Sondersen, acaba ben sizin babanızı tanımış olabilir miyim? Bundan on iki yıl önce. Nürnberg cinayet masası başkomiserlerinden Bay Wigbort Sondersen'i... Emekliliğine az kalmıştı."

Zayıf, uzun boylu adam şaşırmıştı. "Evet, babamdı. Ama nasıl..."

"Sizi ilk gördüğüm gün babanızı düşünmüştüm. Onu çok andırıyorsunuz. Hareketleriniz de babanıza benziyor."

"Babamla nerede karşılaştınız?"

"1974 yılı Mayıs'ında Nürnberg'de çok büyük bir dava vardı. Ünlü sinema yıldızı Slyvia Moran, eski sevgilisi Romero Rettland'ı öldürmekle Suçlanıyordu. Moran'ın kızı Babs da olayda önemli bir rol oynuyordu. Küçük kız bir hastalık sonucu geri zekâlı kalmıştı..."

"Tanrım, tabii anımsıyorum," dedi Genel Yayın Müdürü Hanske de. "Sizi o davada görevlendirmiştik. Bütün dünyaya vermiştik. Hatta biri bu skandal üzerine kitap yazmıştı. Neydi adı?"

"Biliyorum. *Yalnız Değiliz*'di kitabın adı," diye Norma konuştu. "Olay yerine ilk gelen kişi olan babanız davada tanıklık yapmıştı, Bay Sondersen. Ben kendisiyle uzun uzun sohbet etmiştim." Odada bulunan diğerlerine dönerek sözlerine devam etti. "Çok akıllı ve acı çekmiş bir adamdı. Öğretmen olup iyiye giden yolu göstermek istemişti gençliğinde. Ama sonra bundan vazgeçmiş, kötüyle doğrudan doğruya savaşmaya karar vermişti. Polis olmuştu. Cinayet masasına verildiğinde kötünün kötüsüyle karşı karşıya kalmıştı. Aradan geçen yıllarda gücünü yitirmeye başlamıştı. Bir sohbetimiz sırasında bana söylediği şu sözleri hiç unutmadım: 'Benim görevimin çok kötüyle savaşmak olduğunu biliyorsunuz. Çok kötüde dehşet verici bir şey vardır. Nedir, bunu bilir misiniz? Onun karşısında çaresiz kalmaktır. Çok kötü bir insanı cezalandırabilirsiniz. Hepsi o kadar. Ondan iyi bir insan yapamazsınız,' demişti. 'En kötüsü de ne, biliyor musunuz? Yaşamımda çok şey geçti başımdan. Geriye baktığımda, bir sürü yanlış yaptığımı görürüm. Onları tekrar yapmak, doğru yapmak mümkün değil. İşte bu çok kötü...'" Norma sustu. Televizyondaki dostum Jens Kander de aynı şeyin ıstırabını çekiyor, ilginç. Çok insanı üzüyor bu düşünce. O adamın oğluna burada rastlamam da ilginç. Bir yıl sonra, 1975'te Pierre'i tanımıştım. Keşke ben de o Beyrut cehenneminde ölseydim seninle Pierre, diye düşündü. Ve bunu düşünürken konuştuğunu fark etti. "'Geçmişte elde ettiğim başarıların da şimdi hiç önemi yok,' demişti babanız. 'Günümüzde hiçbir şey kalıcı değil. Yargıç dava sonunda her şeyi dosyaya koyup nasıl rafa kaldırırsa, yaşadıklarımız da dosyalanıp raflara kaldırılıyor. Hiçbiri yinelenmiyor. Geçmişin altından kalkılamadığından söz edilir bu ülkede hep. Bu mümkün değildir!' 1974 yılında babanızla yaptığımız sohbetlerde bu söylediklerini hiçbir zaman unutmamışımdır, Bay Sondersen."

"Evet, babam..." diye mırıldandı genç Başkomiser Sondersen. "Ben o yıllarda yirmi altı yaşındaydım. Köln'de görevliydim. Söyledikleriniz çok doğru, Bayan Desmond. Çok kötü bir insandan az da olsun iyi bir insan yapamamak babamı çileden çıkarıyordu. Düşünmek bile onu umutsuzluğa sürüklüyordu. Bereket versin, annem ona yeni güç aşılıyor, onu destekliyordu. Babam ara sıra gülmesini anneme borçludur!"

Pierre'in beni güldürdüğü gibi, diye düşündü Norma. Sonra, "Hayatta mı?" diye korkuyla sordu, "Sağ mı?"

"Çok iyi bir insandır annem."

"Evet," dedi Sondersen. "Taunus'ta, Kronberg kentinde. Mümkün olduğu kadar sık ziyaretlerine giderim." Gülümsedi. "Babam yetmiş sekiz, annem yetmiş iki yaşında..."

Yaşlı ve·mutlular, diye Norma düşündü. Biz de birlikte yaşlanmak istiyorduk. Pierre ve ben. Herkesin yaşamı kısa değil. Yaşlılıklarını birlikte, mutlu geçirenler de var. "Ne güzel," dedi. "Evet. Son yıllarda babam düşüncelerini biraz olsun değiştirdi. Bunu annem başardı. Çok kötüyü biraz olsun iyileştirememenin önemli olmadığını kabul ettirdi ona. Asıl önemli olan, çok kötüyle savaşıp onu yenmektir. Bunu yapmalıyız!"

"Buna siz de inanıyorsunuz," dedi Norma.

"Her zaman inanmışımdır buna, Bayan Desmond. Tam babasının oğlu, öyle değil mi?"

"Siz de savaşmasını seviyorsunuz," dedi Norma. Fakat neden konuşurken ezik bir insan izlenimini yaratıyor, diye düşünüyordu.

"Babam gibi," dedi Sondersen. "O savaşında yorulmuştu. Bense yorulmayacağım. Hiçbir zaman yorulmamalı, vazgeçmemeli. Çünkü çok kötü yenilmez değildir! Bir an gelecek, yenilecektir. Önemli olan, yeterince insanın çok kötüyle savaşması. Hitler'i Eichmann'ı, Goebbels'ı, Himmler'i, Kaltenbrunner'i düşünün. O Nazi zorbalarını!"

"Güzel bir örnek değil," dedi Westen.

"Niçin olmasın? Ne de olsa, çevremizde rastlanıyor," dedi Norma da. "Eskilerine ve yenilerine."

"Savaşmalı. Hem eskileri hem de yenileriyle. Ben çok kötüyü iyi yapmak istemiyorum. Niçin yapayım? Ben onların daha fazla kötülük yapmasını engellemek amacındayım. Önemli olan bu," dedi Sondersen.

"Oğlun inancı," diye mırıldandı Westen.

"Evet. Bu inancım olmasaydı, bir tek gün bile çalışamazdım."

Norma, "Çok güzel düşünceleriniz var," derken yine, fakat niçin böyle düşünceli, ezik bir insanı andırıyor, diye düşündü.

"Kişinin korkmaması, hiç vazgeçmemesi önemli olan," dedi Carl Sondersen.

"Babanıza selamlarımı söyleyin. Onu hep güldüren annenize de." Ve Pierre'i düşündü Norma yine. Pierre de beni hep güldürürdü. O da bir savaşçıydı. İçinde yaşadığımız dünyada savaşçı olmak gerek. Gerektiğinde ölümü göze almalı. Savaşan insan ölümü göze alır.

"Doktor Barski, biliyor musunuz," diye Sondersen devam etti. "Bayan Desmond'a her şeyi anlatmış olmanız pek sevindirmedi beni. Anımsayacağınız gibi olaydan sonra gazetecilere açıklamalarda bulunmamanızı kararlaştırmıştık..."

"Ben..." diye Barski bir şey söylemek istedi.

Ama Sondersen elini kaldırıp onu susturdu. "Yine de sizi anlıyorum." Konuyu değiştirmek istedi. "Sirkte cinayet ne zaman olmuştu? 25 Ağustos'ta değil mi? Yani on bir gün önce. Aradan geçen bu on bir günde ne başarı elde ettik? Hiçbir şey. Elimizde ne bir iz ne de bir neden var. Bütün olanakları kullanmamıza karşın sonuç sıfır. Bayan Desmond'la konuşmanızı anlıyorum. Profesör Gellhorn dostunuzdu..."

Barski uzun boylu, zayıf adama baktı.

Sondersen devam etti. "Benim mesleğim bazen..." Ellerini havaya kaldırdı. Sustu.

Westen, "Evet, bazen?" diye sordu.

"Bazen... Çok zor," dedi Sondersen. Sonra başını duvardaki resimlere çevirdi. Horst Janssen'in ölüm resmine uzun uzun baktı. "Birçok şey bir araya gelir... Ne yapacağınızı..."

"Bu olayda bir araya gelen neler var?" Westen birden çok meraklanmış gibiydi.

"Ah, bir sürü şey," diye mırıldandı Sondersen, "Kendi kendini yeseydi ne güzel olurdu."

Hanske, "Kim?" diye sordu.

"Kötü, şu resimde olduğu gibi," dedi başkomiser. "Ama yapmıyor... Doktor Barski, size gelelim, Bu Sondersen'in bir şey bulacağı yok, dediniz. Bir de Bayan Desmond'la konuşayım. Ne de olsa çok başarılı, çok tanınmış ve bağımsız bir gazeteci. Olayın açıklığa kavuşmasında kişisel nedenleri de var, diye düşündünüz, Sondersen denen adam bulamaz, ama bu kadın mutlaka bir şeyler başarır..."

Bu adamın nesi var, diye Norma düşündü. Ne oluyor ona? Bir şey var ama! Westen'e baktı. Yaşlı adam onun bakışlarına karşılık verdi. Düşünceliydi. Başını hafifçe önüne eğdi.

Başkomiser iki elinin parmaklarını birleştirdi. "Ne var ki, bu Sondersen o kadar budala da değil." Bakışları yine duvardaki resimlerdeydi. "Davul çalan çocuk Krüger'in değil mi? Şu Berlinli ressam. Çok güzel. Bayan Desmond, duvardaki bütün resimler güzel."

Yine ne oluyor, diye düşündü Norma. Davranışlarında bir zorlama var. Bir an için babasını anımsadı. Onun gibi hüzünlü.

"Katilleri bulacağız," diye Sondersen devam etti. "Bu kez biraz zor olacak. Belki Bayan Desmond'a her şeyi anlattığınız için zorlaşacak, doktor bey. Ama sitem etmiyorum. Çünkü on bir gündür hiçbir iz bulamamamızın nedeni Bayan Desmond değil. Kendisiyle ortak çalışmalarımızın başarılı olacağını biliyorum. Bizim işimizi zorlaştıran, Bayan Desmond nedeniyle basın ve yayın organları olacak."

"Başınız onlarla hep dertte," dedi Hanske ve elini saçlarında gezdirdi. Norma bir an için gözlerini kapattı. Tekrar açtığında şefinin perukasını düzeltmiş olduğunu gördü. Çok şükür! "Bütün gazetelerde ve televizyon istasyonlarında muhabirler polis telsizini dinler. Gece gündüz. Buradaki olaydan hemen sonra polis alarma geçirildiği anda bütün gazeteciler yola çıkmıştı. Tabii bizim muhabirlerimiz de."

"Evet," diye onayladı Sondersen. "Hepsini ağaçlardan toplamak zorunda kaldık. Binaya girmesinler diye de kapılara adam koydurduk. Yine de yeteri kadar fotoğraf çektiler. Gazeteciler Bayan Desmond'un olaydaki rolünü biliyorlar. Oğlu öldürüldüğü için konuyla çok ilgili, diyorlar. Mutlaka bir şeyler biliyor bu kadın... Neler konuşulduğundan bir haberiniz olsa! Yarın gazetelerde neler çıkacak, bekleyin! Bir sürü yalan, bir sürü palavra haber. Doktor Hanske, gazeteniz de olaya geniş yer verecek, değil mi?"

"Evet."

"Ama gerçekleri. Olup biteni, başıma geleni. Tabii Doktor Barski'nin anlattıklarından bir kelimesiyle bile söz etmeyeceğim," dedi Norma. "Teşekkür ederim. Ama başka gazeteleri biliyorsunuz. Önüne gelen, aklına geleni yazıyor. Hepsi de mümkün olduğu kadar çok kazanmak istiyor."

"Bay Sondersen," diye genel yayın müdürü biraz heyecanlı konuştu. "Haberleri yapan biz değiliz. Başkalarının yaptıklarını biz yayınlarız. Daha doğrusu satarız."

"Söyledim ya, mümkün olduğu kadar çok kazanmak için."

"Ne yapmamızı isterdiniz, sayın başkomiser?" diye Hanske sordu.

Sondersen düşünceli düşünceli ona baktı.

"Evet, söylesenize!"

Sondersen konuşmaya başladığında sesinde hüzün vardı. Norma'ya yine babasını anımsatıyordu. "Her şey elimin altında olsun isterdim. Daha başka insanlar öldürülmeden olayı çözümlemek için. Toplumda panik ve kargaşa yaratılmadan. Görevimin daha çok zorlaştırılmamasını da isterdim."

"Daha çok mu?" diye Westen usulca sordu.

"Ne dediniz?"

"Siz, daha çok zorlaştırılmasın, dediniz de."

"Yanlış duymuş olacaksınız, sayın bakan. Böyle bir şey söylemedim." Sondersen boş gözlerle bakıyordu.

"Ama söylediniz," dedi Barski. "Biraz önce..."

Genel yayın müdürü söze karışarak yüksek sesle sordu. "Basın sözcünüzün açıkladığı tek şey: Henüz iz yoktur, toplumun yardımı rica edilmektedir."

"Evet, doğru..." Sondersen yine duvardaki resimlere baktı.

"Ama bu böyle devam edemez ki," diye Hanske öfkeli öfkeli konuştu. "Ülkemizdeki basın özgürlüğünü unutmayın. Sizin elinizde bir sürü olanak var. Olayı araştırmak için biz de olanaklarımızdan ve basın özgürlüğünden yararlanabilmeliyiz!"

Sondersen biraz tuhaf gülümsedi. Bu, Hanske'nin dikkatini çekmedi, konuşmasını sürdürdü. "Doktor Barski'nin Bayan Desmond'a açıklamalarda bulunmasını anladığınızı söylediniz. Çünkü sizin çabalarınızla bir sonuç alamadığınızı görmüştü. Böyle söylediniz değil mi?"

"Evet, böyle söyledim." Sondersen resimlere bakmaya devam ediyordu.

"Gördünüz mü? Biz bir demokraside yaşıyoruz! Kötü yanları var, kabul ediyorum. Siz demir perde ülkesinde olsaydınız..."

"Biraz sussanız iyi olacak, Bay Hanske," dedi Westen. "Lütfen. Bay Sondersen..."

"Sayın bakan buyurun?" Başkomiser durduğu yerde yavaş yavaş döndü, Westen'e baktı. Sanki çok uzaklardan, başka bir dünyadan geliyormuş gibiydi.

"Ben artık bakan filan değilim. Size bir şey sormak istiyorum."

"Buyurun sorun!"

Westen oturduğu yerde öne doğru eğildi. Çok yavaş ve usulca konuştu. Biraz önce Sondersen'in yaptığı gibi. "Federal Almanya'nın 'özel timleri' var mıdır?"

Herkes ona baktı.

Sondersen sordu. "Bay Westen, 'özel timler'le kast ediyorsunuz?"

"Bazı ülkelerde," diye yaşlı adam sabırla konuştu. "Kendilerine bütün olanaklar verilmiş 'özel timler' ulusal güvenliğin tehlikeye girdiği olaylarda göreve koşulur da. Ülkemizde böyle bir kuruluş yok mu?"

"Benim bildiğim kadarıyla yok." Sondersen sağ elinin parmaklarını gömleğinin yakasına soktu. Koltukaltları ter içindeydi.

"Eğer olsaydı söyler miydiniz?" diye Westen sordu.

"Hayır," dedi Başkomiser Carl Sondersen.

23

Odada hiç kimse konuşmadı.

Norma, Westen'e baktı. "Bunu niçin sordun, Alvin?"

Yaşlı adam, "Bir iddia," dedi.

"Kiminle iddiaya girdin?"

"Kendi kendimle. Bay Sondersen'in yanıtını merak etmiştim de.

"Kazandın mı?"

"Evet, Norma," dedi Westen.

"Siz Federal Polis Müdürlüğü'nün ya da benim herhangi bir baskı altında bırakıldığımı sanıyorsanız..."

"Bunu da nereden çıkardınız?" dedi Westen. "Siz elinizden geleni yapıyorsunuz. Ben buna inanıyorum. Saçma bir soruydu. Size bir öneride bulunmak isterim, Bayan Desmond ortak çalışma önerseydi kabul eder miydiniz? Çok başarılı, çok tanınmış ve de bağımsız bir gazeteci olduğunu söyleyen sizdiniz. Öyle değil mi?"

"Evet, bunları söylemiştim." Sondersen, Norma'ya baktı. Hayret eder gibi. Bu adam beni kıskanıyor, diye aklından geçirdi Norma. Niçin kıskanıyor? Bağımsız... Evet bağımsız çalışabildiğim için.

"Tabii çok iyi olurdu," diye yanıtladı uzun boylu adam. "Çok sevinirdim. Bundan daha iyi bir şey düşünemezdim."

"Buna sen de sevinirdin, öyle değil mi Norma?" diye Westen yanında oturan kadına dönerek sordu. Bay Sondersen'in elde edemediği bilgilere sen erişebilirsin. Tabii onun da senden üstün olduğu durumlar var. Tam bir ortak çalışma yapmanız gerek."

"Tabii," dedi Sondersen. Hüzünlü hali birden geçmiş, çok rahatlamış gibiydi. Norma bunu fark etti. "Olur..." Sesi çok değişik çıkmıştı. "Ortak çalışmamız nasıl olacak?"

"Doktor Barski'den öğrendiklerinizi yazmayacaksınız. Araştırmalarınızda elde ettiğiniz bilgileri de bana vereceksiniz. Anlatacaksınız, telefonda söyleyeceksiniz ya da teyp bantlarına geçeceksiniz. Fotoğrafları da bana vermelisiniz. Her şeyi hemen bana bildireceksiniz."

"Peki. Ya siz? Ortaya çıkardıklarınızı yalnız bana vereceksiniz. Basın sözcünüz açıklamadan yirmi dört saat önce."

Barski şaşkın şaşkın Norma'ya baktı. Bu kadını henüz böyle tanımamış olduğunu anladı.

"Mümkün değil!" diye karşı çıktı. "Açıklamalarda bulunmak zorundayız. Size ancak altı saat önce verebilirim."

"On sekiz!"

"On!"

"Kabul, satın aldım!" dedi Norma.

Sondersen yaşlı adama döndü, "Aracılığınız için teşekkürler, Bay Westen."

"Teşekkür edecek bir şey yok. Daha fazla insanın ölmesini ben de istemiyorum. Umarım, ortak çalışmayla çok şey açıklığa kavuşur..."

"Belki. Dilerim, öyleyse..." Sondersen elini Norma'ya uzattı. Kadın kendine uzanan eli sıktı. "Biliyorum."

"Neyi biliyorsunuz?"

"Şimdi başıma ne geleceğini. Yaşamım tehlikede. Siz de bütün sorumluluğu yüklenmiş kişisiniz. Yaşamı tehlikede olanları korumak zorundasınız. Gece gündüz kişiye özel korunma yapılacak, değil mi?"

"Evet, gece gündüz," dedi Sondersen. "Gizli korunma."

"Bu da ne demek?" diye Barski sordu.

"Bütün gün gizli gizli izlenirsiniz," diye Norma açıkladı. "Pek hoşuma gitmez, ama Bay Sondersen, size güçlük çıkarmak da istemiyorum."

"Teşekkürler," dedi Sondersen. "Doktor bey, siz de korunacaksınız. Enstitüdeki iş arkadaşlarınız da. Bundan haberiniz var. Daha önce söylemiştim..."

"Evet, biliyorum. Biz kabul etmiştik."

130

"Bay Sondersen'in sizi ya da bir başkasını, isteğiniz dışında korunma altına almasına izin veren herhangi bir kanun yoktur," diye açıkladı Westen. "Ancak Federal Almanya'nın güvenliği söz konusu olduğunda bu size sorulmaz. İsteseniz de, istemeseniz de peşinize adam takarlar. Ama şimdiki durumda bu söz konusu değil."

"Nasıl değil?" Sondersen yaşlı adama baktı. Biraz sinirli görünüyordu.

"Ülkenin çıkarlarıyla bu olayın ilgisi yok, demek istiyorum. Onun için de biraz önce 'özel timleri' sormuştum size, sayın başkomiser. Yok demiştiniz. Olsaydı bile bana söylemeyeceğinizi de belirtmiştiniz."

"Siz ne istiyorsunuz, Bay Westen?" diye Sondersen sordu. Yaşlı adama baktı. Huzursuzlaşmıştı.

Yumruklarını sıkıyor, diye Norma düşündü. Terliyor da. Bu adamın dertleri var... Yoksa sadece öfkeli mi? Hüzünlü de.

"Ben sadece sizin söylediklerinizi tekrarladım, Bay Sondersen." Westen kendinden emin ve sakindi. "Hepsi bu kadar. Doktor Barski'ye de sizin içinde bulunduğunuz durumu açıklamak istedim. Ülkenin çıkarları tehlikede değil. Bu nedenle Doktor Barski ve arkadaşlarının peşine adam takmanızı kolaylaştıracak kanun yok. Ama gördüğünüz gibi hepsi anlayışlı kişiler. Sizin kolay çalışmanızı istiyorlar. Sizi destekliyorlar. Benim peşime kimseyi takmayın. Bakanlık dönemimden bu yana koruyucularım vardır."

Sondersen hâlâ yaşlı adama bakıyordu. Sesini çıkarmadı.

"Bakın doktor bey," diye Westen konuşmasını sürdürdü. "Ülkenin çıkarları tehlikede olmadığı için Bayan Desmond'un rahat çalışabilmesine karar verildi. Bu nedenle de kendisi gizli koruma altına alındı. Yasada böyle yazar. Bana öyle bakıp durmayın, Bay Sondersen! Neşeli olduğumu sanmayın. İçinde bulunduğumuz durum neşelenmemize hiç de izin vermiyor."

Sondersen omuzlarını kaldırdı. Ağzını açtı. Bir şey söylemek istiyordu. Sonra birden vazgeçip sustu.

131

"Benim Hamburg'dan ayrılmam gerek," diye Westen devam etti. "Bayan Desmond'dan bütün istediklerinizi kabul ettiğimi söylemek isterim."

"Niçin gidiyorsun? Önümüzdeki günlerde burada kalacağını söylemiştin..."

"Sen beni yanlış anlamışsın, Norma," dedi yaşlı adam gülümseyerek. "Gideceğimi daha önce söylemiştim!"

Doğru değil. Bunu hiç söylememişti, diye düşündü Norma. Hamburg'dan gitmek istemesinin nedeni buradaki konuşmalarla ilgili olacak. Karşı çıkmayayım. Acele acele konuştu. "Tabii. Haklısın, söylemiştin. Ben bugünlerde biraz dalgınım da..."

"Bay Sondersen seni koruma altına alacağına göre, buradan çıkman gerekiyor bence," diye Westen konuştu. "Burası tuzak gibi bir yer. Seni bu evde korumak zor. Öyle değil mi, Bay Sondersen?"

"Evet, Bay Westen," dedi uzun boylu, zayıf adam. Ses tonunda şaşkınlık ve hayranlık vardı. "Enstitüde yeterince adamımız var. Sanırım Bayan Desmond orada çok iyi korunacaktır. Siz ne dersiniz?"

"Ben hemen yönetimle konuşur, hallederim," dedi Barski çabuk çabuk. "Hasta odalarından iki oda ayırtabilirim. Rahat çalışabilirsiniz. Eşyalarınızı taşımanızda yardımcı olacağım, Bayan Desmond."

"Teşekkür ederim, doktor bey," dedi Norma da.

"Şimdi memnun musunuz, Bay Sondersen?" diye Westen sordu.

"Çok," dedi başkomiser. "Nereye uçuyorsunuz?"

"Ah, önemli değil. Sağa sola..."

"Nereye gittiğinizi bilmiyorum..."

Aynı anda salona Sondersen'in adamlarından biri girdi. Şefinden yatak odasına gelmesini rica etti. Başkomiser adamla birlikte odadan çıktı.

"Niçin gitmek istiyorsun? Nereye gideceksin?" diye Norma hemen sordu.

Westen omuzlarını silkti. "Ben yaşlı bir adamım... Ölümü düşünen. Çok zamanım kalmadı."

"Böyle konuşma!" diye Norma sesini yükseltti.

Barski de aynı anda, "Lütfen, böyle şeyler düşünmeyin," dedi. Karısı Bravka'nın da bazen böyle konuştuğunu anımsamıştı. Norma'nın ona baktığını sezdi. Şimdi o da benim gibi düşünüyor, dedi kendi kendine. O da hüzünlü. Biliyorum.

"Bırakın beni," diye mırıldandı yaşlı adam. "Sonsuza dek yaşamayacağız ki! Hiçbirimiz. Ölümsüz değiliz. Yaşamımızda bazı şeyleri öğrenme şansımız çok az. Ben öğrendim. Gitmek istememin nedeni de bu. Bayan Desmond'un yakınında olduğunuz için de çok mutluyum, doktor bey."

"Ah..." diye Barski bir şey söylemek istedi. Sıkılganlıkla devam etti. "Evet, Bay Westen. Ben de..."

Hanske, "Bu Sondersen'de bir şeyler var, öyle değil mi?" diye sordu.

"Sanırım," dedi Westen.

"Neyi var acaba?"

"Mutlu değil."

"Mutlu değil mi?"

"Evet," dedi Norma. "Çok eminim."

"Neden mutlu değil ki?"

Sondersen salona girdi ve Norma'nın yanına oturdu.

"Adamın telefon bağlantısını nasıl yapmış olduğunu ortaya çıkardınız mı?" diye Hanske sordu.

"Hayır," dedi Sondersen. "Nasıl başardığını kimse bilmiyor." Yorgun gibiydi. Zorla devam etti. "Ama sizlere başka bir haberim var. Dinleyin beni, Bayan Desmond. Balkonunuzda vurulan adamın kim olduğunu biliyoruz."

"Çok çabuk ortaya çıkardınız. Hayret!" dedi Barski.

"Daha çabuk buldukları da olur," diye Genel Yayın Müdürü Hanske söze karıştı. "Bay Sondersen'in Interpol'den yardım istediğini düşünürsek..."

"Bunu nereden biliyorsunuz?"

"Ah, önemli değil. Sağda solda dostlarım vardır, Bay Sondersen. Bayan Desmond'un Interpol'e üç kez yardımcı olduğunu anımsıyorum. Onlar da bize yardım eder. Paris'te bir dostla telefonlaşmıştım da. Büroya gelmeden önce..."

"Bana karşı olmadığınız için teşekkür ederim," diye Sondersen karşılık verdi.

Norma, bu adam çok mutsuz olmalı, dedi kendi kendine. Mutsuz mu? Lanet olsun! Bu dünyada kim mutlu ki? Hele şurada oturanlardan hiçbiri değil.

Sondersen'in konuştuğunu duydu. "Bay Hanske haklı, öldürülen adamın kimliğini bulmamız uzun sürdü. Bakın Bay Barski," diye doktora dönerek devam etti. "Önce ölüden parmak izleri alınır. Bunlar en yakın polis karakoluna götürülüp hemen Wiesbaden'deki merkeze iletilir."

"Nasıl iletilir?" diye Barski sordu.

"Telefotoyla, Wiesbaden parmak izlerini Paris'teki Interpol'e yollar. Onlar da Avrupa'daki gerekli merkezlere verirler. Parmak izlerinin telefotoları her ülkede iyice incelenir."

"Bu nasıl olur?"

"Bilgisayar aracılığıyla yapılır," diye açıkladı Sondersen. "Sonunda bilgisayar parmak izlerinin uyabileceği iki ya da üç kişinin adını verir. Bundan sonrasını memurlar yapar. Bu işin ustası uzmanlar her ülke polisinde vardır. Söz konusu kişilerin kartlarını arşivden alıp iyice karşılaştırırlar ve böylece suçluyu tespit ederler."

"Peki, böyle birinin poliste kartı yoksa? Hiç benzeri parmak izi bulunmazsa?" diye Barski sordu.

"Şans önemli bir rol oynar."

"Öldürülen adam daha önce suç işlemiş miydi?"

"Hayır. Fakat bir süre Monako'da çalışmış. Bu ülkede çalışanların tümünün poliste parmak İzi vardır. Bu gereklidir. Kim olursa olsun kimlik kartında parmak izi vardır. En namuslu insanın bile. Söyledim ya, şans önemli bir rol oynar. Ve bizim şansımız vardı."

"Peki, kimmiş bu adam?" diye Norma sordu.

"Adı Antonio Cavaletti. 11 Ocak 1949'da Korsika adasının Ajaccio kentinde dünyaya gelmiş." Norma hemen not aldı. "1974 yılında Monako'yu geçmiş. Fransa'da yaptığı askerliği sırasında keskin nişancılık eğitimi görmüş. Askerlikten sonra da Monako' da yaşamış. Beş yıl süreyle. Bir kuruluşta koruma görevi yapmış. Birinci sınıf bir adam olmalı."

"Çalıştığı yerin gen teknolojisiyle ilgili bir kuruluş olduğunu söyleyeceksiniz, öyle değil mi?" dedi Barski.

"Evet, haklısınız," diye yanıtladı Sondersen. "Genesis Two adlı bir kuruluşun yönetim merkezinde."

"Ne dediniz?"

"Genesis Two. Yaratılış İki."

"Cavaletti, Genesis Two'dan gelmişse, bu kuruluş iki gruptan en acımasız olanı," dedi Westen.

"Doğru. Monako'da yıllar boyu toprak ve kayalarla denizi doldurdular. İnşaat yapabilmek için. Kentin batısında böyle kazanılmış bir bölgenin adı Fontvielle. Genesis Two'nun yönetim merkezi oradaydı."

Norma, Barski'nin yüzünün katılaştığını fark etti.

"Ne demek, oradaydı?" diye sordu.

"Evet, oradaydı," yanıtını verdi Sondersen. "Mondo Sirki'ndeki cinayetlerden üç hafta önce merkezdeki bütün bürolar ansızın boşaltılmıştı. Çalışanlar ortadan kaybolmuştu. Interpol'e göre nereye gittiklerini kimse bilmiyordu. Henüz de bilinmemekte."

Norma, Barski'nin yüzünün kireç gibi olduğunu fark etti.

24

"Ne işin var burada?" diye ufak tefek Dr. Takahito Sasaki sordu. Karşısında duran Barski'ye şaşırmış gibi bakıyordu. Barski'nin yanında Norma vardı.

"Seninle konuşmak istiyorum."

"Şimdi sırası değil..."

"Hayır, şimdi konuşmalıyız. Bekleyemem."

"Sen benimle nasıl konuşuyorsun öyle?"

"Özür dilerim, biraz sinirliyim de. Sekreterine sordum, 12 no.lu laboratuvarda olduğunu ve dışarı gelemeyeceğini söyledi. Bunun üzerine sana telefon etmesini istedim. Çok önemli, dedim. Sonra..."

"Evet, evet. Biliyorum. Buraya telefon etti. Ben de ona, şimdi olmaz, dedim."

Japon doktor kalın suni camdan yapılmış ve zarı andıran büyük bir düzenin karşısında oturuyordu. Üzerinde koruyucu giysi, ağzında maske vardı. Ellerine geçirdiği lastik eldivenler dirseklerine kadar çıkıyordu. Büyük zarın içinde irili ufaklı sayısız cam kavanoz ve çanaklar göze çarpıyordu. Doktor Sasaki ellerini zarın içine sokmuş, çalışıyordu.

Norma çevresine bakındı. 12 no.lu laboratuvar çok büyüktü. Uzun masalarda çalışan yedi erkekle üç kadın daha gördü. Hepsinin üzerinde Japon doktorunkine benzer giysiler vardı. Masalarda bir sürü mikroskop ve bilgisayar duruyordu. Yeşil ekranlarında Norma'nın anlamadığı sayısız formül görünüyordu. Başka masalar kimya deneylerinde kullanılan cam kavanozlar ve kâselerle doluydu. Laboratuvarın duvarlarındaki raflarda kimyasal maddeler göze çarpıyordu. Kocaman buzdolapları, elektrikli fırınlar ve çeşitli elektronik düzenler de eksik değildi.

Öğleden sonraydı. Saat üçü geçiyordu.

Sondersen ve adamları sonunda çekip gittiğinde, Barski Norma'ya birlikte enstitüye gitmelerini rica etmişti. Hemen yola çıkmışlardı. Evden çıkmadan Norma, Hanske'ye dönüşte gazeteye uğrayacağına söz vermişti. Barski otomobili çılgın gibi sürmüş ve Norma'nın sorularına yanıt vermemişti. Sasaki telefonda sekreterine, laboratuvardan çıkamayacağını söyleyince de, Norma'ya koruyucu giysiyi üzerine geçirmesini rica etmişti.

Norma, "Burada radyasyon var mı?" diye sormuştu.

"Çalışmalarımızda kullanmak zorunda olduğumuz bazı kimyasal maddelerde var," yanıtını vermişti Barski. Sonra da bir kabini göstermişti. Norma burada üzerindeki giysiyi çıkarıp duvarda asılı duran, hangi maddeden olduğunu bilmediği yeşil bir giysiyi üzerine geçirmişti. Ellerine yeşil plastikten eldivenleri ayaklarına yine yeşil plastikten ayakkabılar geçirmiş, ağzına koruyucu maskeyi takmıştı. Saçlarını da yeşil bir başlık koruyordu. Sonra başka bir kapıyı açıp dehlizi andıran bir yere girmişti. Bu arada Barski de aynı şeyleri üzerine giymişti. Dehlizden küçük bir odaya, oradan da bir koridora geçmişlerdi. Bu koridorun sonunda 12 no.lu laboratuvar vardı.

Şimdi Japon doktorun yanında duruyorlardı. Ufak tefek adam, elleri büyük zarın içinde çalışıyordu, öfkeliydi. "Ne istiyorsun, Jan? Söyle bakalım," dedi.

"Adamlarına söyle dışarı çıksınlar!"

"Ne dedin?"

"Adamları dışarı gönder, dedim."

"Sen bana baksana. Bunların devamlı çalışması gerek, öyle dışarı..."

"Lütfen söylediğimi yap!"

Japon doktor ne olduğunu anlamıyordu. Sonunda çaresizlikten omuzlarını silkti ve zorla gülümsedi. Başını çevirerek yüksek sesle, "Arkadaşlar, bir süre için laboratuvardan çıkmanızı rica edebilir miyim? Mümkünse hemen!"

Bazıları homurdandı.

"On beş dakika için" dedi Barski. "Ben rica ediyorum!"

Yeşil giysili insanlar dışarı çıktı.

"Konuş bakalım," dedi Japon öfkeyle.

"Çok önemli bir şey," diye Barski söze başladı. Hafifçe Doktor Sasaki'ye doğru eğilmişti. Alçak sesle konuşuyordu. "Bugün Hamburg'da birini öldürdüler. Adamın adı Antonio Cavaletti'ydi."

"Ne var bunda?"

"Sen söylemiştin, Tak..."

"Ne söylemiştim ben? Ne?"

"Erkek kardeşin Kiyoshi'nin Nis'teki kliniğine hırsızların girdiğini. Bazı araştırma sonuçlarının kasadan çalındığını anlatmıştın. Bu olaydan sonra kayıplara karışan bir görevlinin polisçe arandığını da söylemiştin. Kardeşin Kiyoshi bu adamı Monako'daki Genesis Two adlı kuruluştan devralmıştı. Doğru mu anlattıklarım?"

Sasaki hiçbir şey anlamamış gibi gülümsedi. "Senin söylediğin şeyler geçen yıl aralık ayında olmuştu. Bu kadar uzun süre sonra laboratuvara dalmanın, bizleri çalışmalarımızda rahatsız etmenin nedeni bu mu?"

"Sen benden iyi biliyorsun ki, kardeşinin kliniğinde yapılan deney ve araştırmaların sonuçlarıyla başkaları çok ilgilenebilir. Tıpkı bizimkilerle olduğu gibi! Onun kliniğine hırsızlar girdi. Burada da Gellhorn ve ailesi öldürüldü."

"Birinin ötekiyle ne ilgisi var?"

"İlgisi olabilir. Hem de çok!"

"Niçin?"

"Çünkü Hamburg'da öldürülen bu Antonio Cavaletti, Genesis Two'da görev yapmış. Ve Genesis Two sirkteki cinayetten üç hafta önce sanki yer yarılmıştı da içine girip ortadan kaybolmuş!"

Sasaki kollarını büyük zarın içinden çekti. "Bana bak Jan, ses tonun hoşuma gitmiyor. Anlattığın şeylerin ortak yanı olduğunu sanıyorsun. Ama elinde tek bir kanıt bile yok!" Sasaki'nin yüzü kızarmıştı. "Benimle bu bayanın yanında konuşuyorsun. Kim bu söyler misin?"

138

"Norma Desmond. Gazeteci."

"Siz..." Japon derin bir soluk aldı. "Jan sizi buraya getirdi... Evet..."

"Evet, ben bayanı buraya getirdim," dedi Barski sinirli sinirli.

"Çok memnun oldum tanıştığımıza, Bayan Desmond." Sasaki oturduğu yerde hafifçe eğildi. Sonra Barski'ye dönerek, "Buraya girmenin yasak olduğunu..." diye başladı.

Barski ufak tefek Japon'a iyice sokulup, "Kardeşin ne yapıyor, Tak?" dedi. "Hayatta mı? Tehdit ediliyor mu? Yoksa kliniğiyle birlikte havaya mı uçurdular?"

"Bu kadarı yeter, Jan!"

"Bana da, Tak! Hem de çok! Davranışların çok komiğime gidiyor."

"Senin davranışların da benim! Peki ama gerek kardeşimin Nis'teki kliniğinde, gerekse burada, Hamburg'da Genesis Two'nun adamının görünmesinden ne çıkarıyorsun? Yoksa Gellhorn'un öldürülmesinde benim yardımcı olduğumu mu sanıyorsun?"

"Bağırma öyle!"

"Önce beni suçla, sonra da bağırma de!"

"Benim seni suçladığım filan yok ki!"

Suni camdan büyük zarın içinde kırmızı bir lamba yanıp sönmeye başladı. Sasaki Japonca küfretti. "Yaptığını gördün mü? Her şey berbat oldu. Günlerdir bununla uğraşıyorduk. Şimdi her şeye yeniden başlamalıyız!" Ayağa kalktı. "Haydi koş, polise git! Beni şikâyet et! Gellhorn'un katili benim! Hepsini ben öldürdüm! Ben..."

"Tak!"

"Ne var?"

"Kapa çeneni!"

"Yeter artık. Çık buradan! Haydi, defol!"

"Kardeşin Kiyoshi Nis'te mi?"

"Bilmiyorum."

"Onunla en son ne zaman telefonlaştın?"

"Ne bileyim? İki ya da üç hafta önce!"

"Benim onunla konuşmam gerek. Çok çabuk!"

"Niçin telefon etmiyorsun? İstersen kalk Nis'e git!"

"Gideceğim."

"Jan'a ne olduğunu siz söyleyebilir misiniz bana, Bayan Desmond?" Ufak tefek Japon Norma'ya baktı. Bakışlarında korku vardı.

"Sana hiçbir şey söyleyemez," dedi Barski. "Ama başka bir şey bilmek İster misin? Bu sabah Bayan Desmond az kalsın öldürülecekti. Şimdi hayatta olması büyük bir şans."

Sasaki'nin omuzları çöktü. "Size ateş mi ettiler?"

Norma başını evet anlamında salladı.

"Ulu Tanrım... Ben... Ben sabah sekizde laboratuvara girdim... Hiçbir şeyden haberim yok... Çok korkunç..."

"Bayan Desmond'a ateş eden, ama başkasınca öldürülen adamın adı Antonio Cavaletti'ydi. Genesis Two'dan gelen," diye Barski açıkladı. "Şimdi şoke oldun mu?"

"Hem de nasıl!" Japon doktor şaşkındı.

Barski, Norma'nın koluna dokundu. "Gelin benimle, Bayan Desmond!" dedi. Laboratuvarın çıkış kapısına doğru yürüdüler. Norma arkasına döndü. Takahito Sasaki taburesinde oturuyordu. Omuzları çökük. Kendi kendine bir şeyler mırıldanıyordu. Suni camdan büyük zarın içindeki kırmızı lamba yanıp sönmeye devam ediyordu.

25

Koridorda durdular. Barski musluğun yanına gitti. Ellerini uzattı. Su akmaya başladı. Ellerini geri çekti. Suyun akması durdu. Ellerini yine uzattı. Su yine aktı.

"Otomatik," dedi Barski. Yine Polonya şivesiyle konuşmuştu. "Musluğa elimle dokunmam gerekmiyor. Mikrop kapmam

140

mümkün değil. Biraz önce girdiğimiz dehlizin kapıları da aynı sistemle çalışıyor." Yürüdüler. Barski elini tokmağa yaklaştırınca kapı açıldı. İçeri girdiler, Doktor Barski elini yine tokmağa yaklaştırdı. Kapı arkalarından kapandı.

"Evet, anlıyorum," dedi Norma. "Siz üzgünsünüz. Ve de düşünceli. Doktor Sasaki'nin davranışı oldukça tuhaftı. Sizce söylediklerinden daha çok şey mi biliyor."

Barski susuyordu.

"Doktor!"

"Bilmiyorum." Bakışları hüzünlüydü. "Burada olan cinayetten kendini mi sorumlu sanıyor? Enstitüde çalışan bizler şüphe altındayız, Bayan Desmond. Bugün düşündüm bunu. Sanırım Sondersen de böyle düşünüyor. Mümkün olduğu kadar çabuk Nis'e gitmeli, Tak'ın kardeşiyle konuşmalıyım."

"Ben de gelebilir miyim?"

Yüzündeki ifade değişmişti. Yorgun bakışlarına sevinç gelmişti birden. Norma bunu fark etti. Sevinç ve mutluluk, diye bir an düşündü. Var mı bu duygular? Nerede?

"Gelmenizi ben rica edeceğim."

"Ne kliniği Nis'teki?"

"Tak'ın kardeşi Kiyoshi'nin araştırdığı şey, 'Çift Helix'i bulan Watson'un söylediği gibi, bulunduğu zaman bütün dünyayı politik ve de ahlaki açıdan değiştirecek olan şeylerden sayılabilir."

"Ne zaman uçuyoruz? Ve nasıl? Nereye? Sondersen ve Hanske'ye de bildirmem gerek."

"Düsseldorf üzerinden uçuyoruz. Ben biletlerle ilgilenirim. Yarın sabah ilk uçakla. Kiyoshi'nin kliniği Nis'in Cimiez semtinde, Avenue Bellanda Caddesi'nde. Hemen telefon edip yarın geleceğimizi söylerim."

"Benim de gazeteye gitmem gerek. Yazımı hazırlamalıyım. Bay Westen yarın Hamburg'dan ayrılacak. Akşam yemeğini birlikte yiyeceğiz. Siz de buyurun."

"Teşekkürler. Ben de bu arada kliniğe gidip odanızın hazırlanmasını sağlayayım. Geceyi orada geçirmeniz için. Eşyalar sonra da gelebilir."

"Siz çok iyisiniz," dedi Norma. "Akşam yedi buçukta Atlantic'te olabilir misiniz?"

"Evet, olabilirim."

"Öyleyse akşam görüşmek üzere," dedi Norma ve üzerindekileri çıkarmak için kabine girdi. Yeşil giysiyi, eldivenleri, ayakkabıları, başlığı, maskeyi çıkarıp kendi giysilerini giydi. Ellerini musluğa uzatarak akan suda iyice yıkadı.

"Kabinde koruyucu giysiyi giyip laboratuvara girerken hiçbir mikrop ve virüs taşıyamazsınız. Laboratuvarı terk edince de enstitü dışına mikrop ve virüs çıkarmamalısınız," demişti Doktor Barski.

Norma ellerini kurularken düşündü. Niçin ona "Siz çok iyisiniz," demişti? "Sen budalanın birisin," diye kendi kendine mırıldandı. Ne oluyor sana? Öfkelendi. Bunu söylemen gerekiyor muydu? Ama birçok iyi insan var. Söylemişsen ne olur? Kötü bir şey yapmadın ya! Unut şimdi bunları. Yeter. Oğlun öldü. Pierre de. Sen oğlunun katillerini bulmak zorundasın. Bütün gücünü bu işe vermelisin. Birden başının döndüğünü hissetti. Küvetin kenarına tutundu. Ve ağladığını fark etti. Ağlamak istemiyordu. Ağlamamak için kendini zorladı. Ama başaramadı. Gözlerinden yaşlar akıyordu. "Lanet olsun," diye mırıldandı.

26

"Kardeşinin kliniğindeki hırsızlıkla Hamburg'daki cinayetler arasında Sasaki'nin ortak bir rolü olduğunu sanmıyorum," dedi Alvin Westen.

Norma, "Ama Nis'teki olayı unutmuş olabileceğine de inanmıyorum," diye ekledi.

"Evet, buna ben de inanmıyorum," diye mırıldandı ak saçlı odam.

Atlantic Oteli'nin lokantasında, en arka masada oturuyorlardı. Biraz önce yemeği bitirmişler, kahve ve konyak içiyorlardı. Westen'le Barski bütün yemek süresince konuşup durmuşlardı. Norma pek söze karışmamıştı. Kendini yorgun hissediyordu. Ve hüzünlü. Westen'in yanında oturuyordu. Arkasını duvara dayamıştı. Barski karşısında oturmaktaydı. Bu açık hava lokantasını çok seviyorum, diye düşündü. Bütün Atlantic Oteli'ni seviyorum. Çünkü Alvin Hamburg'a geldiğinde hep burada kalır. Defalarca onunla burada buluştum, yemek yedim, sohbet ettim, güzel saatler geçirdim. Yıllarca. Pierre hayattayken onun da bizim sohbetlerimize katıldığı olmuştu. Alvin ve benimle bu masada oturmuştu. Alvin onu severdi. Pierre artık hayatta değil. Yıllar oldu öleli. Koltuğu hep boş kalmıştı. Ama şimdi başka bir adam oturuyor onun koltuğunda. Aradan geçen yıllar önemli değil. Benim için orada hâlâ Pierre oturmakta. Son üç günde Beyrut'ta üç otomobil havaya uçuruldu. Birincisinde altmış, ikincisinde yirmi bir, üçüncüsünde otuz bir insan öldü. Sayısız insan da yaralandı. Pierre'in ölümünden sonra bende ne gibi bir değişiklik oldu? Hiç. Ben hep aynı kaldım... Başka şeyler düşün, dedi Norma kendi kendine. Çevrene bakın. Bu lokantada son yıllarda bazı değişiklikler yapıldı. Masa örtüleri şimdi sarı. Duvarların kâğıdı da. Kavisli yüksek pencerelerin arasında yeni lambalar vardı. Pirinçten, tavana ışık veren. Eskiden masalarda şamdanlar dururdu. Şimdi onları kaldırmışlar. Mavi uzun perdeleri kaldırmadılar. Mavi, Atlantic Oteli'nin rengidir. Pierre severdi bu maviyi. O kadar çok anı, o kadar çok sevgi! Birisi yazmıştı: "Sevgi, anıdan başka nedir ki?" Pierre'in koltuğunda başka bir adam oturuyor. Pierre ve küçük oğlum yardım edin bana, katilleri bulmam için... Ne olur yardım edin. Mümkünse. Ben sizi seviyorum. Ama siz artık yoksunuz. Siz öldünüz. Hayır, yeter artık. Bu düşünceleri şimdi kafamdan silmeliyim...

143

"Sen bana Amerika ve Rusya'da görüşmelerin olduğunu söylemiştin, Alvin. Sonbaharda gidecektin. Ama şimdi, yarın gidiyorum, diyorsun. Bunun bir nedeni olmalı."

"Haklısın. Var bir nedeni," dedi yaşlı adam.

"Sondersen'e sorduğun 'özel timler' konusuyla mı ilgili? Sence başkomiser baskı altında mı? Üzüntülü hali çeşitli baskılarla mı ilgili?"

"Gitmemin bazı nedenleri var," dedi Westen. "Sondersen'in çalışmalarında zorlandığından eminim. Fakat nedenini bilmiyorum. Tokyo'ya gitmeden önce *Süddeutsche* gazetesinde, Alman hükümetinin 1990 yılına kadar biyoteknolojisindeki -gen teknolojisi de bunun içinde- geliştirici araştırmalara bir milyar mark ayırdığını okumuştum. *Times* dergisi de Amerikan hükümetinin gen teknolojisine harcamak için milyarlarca doları bütçeye koyduğunu yazıyordu. Doktor Barski biraz önce Nis'teki o kişinin ne üzerine çalıştığını anlattı. Amerikalı bir psikolog ne der biliyor musunuz? 'İnsanın insandan neler yapabileceğinden henüz haberimiz yok.'"

Çok dikkatli ve nazik şef garson masaya sokulmuştu. Birkaç adım ötede duruyordu. Westen adamı gördü. "Evet?" diye sordu.

"Sizleri rahatsız etmek istemem," dedi şef garson. "Acaba sayın bayanın ve beyefendilerin başka bir istekleri var mı?"

"Sanırım ben bir konyak daha içebilirim," dedi Westen.

"Başüstüne, sayın bakan. Doktor beye de bir bardak maden suyu? Buzlu ve limonlu." Şef garson usulca uzaklaştı.

"Haberimiz yok... Ulu Tanrım!" diye Norma mırıldandı. "Bu ne demek biliyor musunuz? Böyle bir dünyada!"

Westen yanındaki kadının elini tuttu.

Biraz sonra şef garson tekrar masaya geldi. Yanındaki garson servis arabasında getirdiği büyük, geniş karınlı kadehleri ispirto ocağında ısıttı. Sonra konyakları doldurdu. Barski'ye de maden suyunu uzattı.

"Sayın bakanın en sevdiği marka," dedi şef garson. "Martell extra. Cordon argent."

"Daha lezizi var mı sizce?" diye Westen sordu.

"Hayır, sayın bakan."

"Biz ikimiz hep aynı fikirdeyizdir," dedi Westen. "Siz ve genç arkadaşınız da bizim şerefimize içki alın!"

"Çok teşekkür ederim, sayım bakan! Sizin ve konuklarınız şerefine!" İki adam hafifçe eğildi. Uzaklaştılar.

Westen elindeki kadehi kaldırdı. "Şerefimize!" İçtiler. Sonra yaşlı adam devam etti. "İnsanın insandan neler yapabileceğinden haberimiz yok henüz. Ünlü Psikolog Skinner haklı. Biz üçümüz gerçeği bulmalıyız, Norma. İnsanın insandan neler yapabileceğini. Sondersen neler döndüğünü biliyor. Bilgisi benden çok. İşte bu nedenle dünyadaki politikacı dostlarımla sohbet etmem gerek. Beni istediğin ülkede bulabilirsin. Nerede olduğumu sana hep bildireceğim. Sık sık telefonlaşacağız, Ben de senin ne yaptığını bilmeliyim. Neler olup bittiğini öğrenmemin zamanı geldi artık..."

27

Barski ve Norma otelden ayrıldıklarında saat ona geliyordu. Yüz metre kadar arkalarında siyah bir Mercedes izlemekteydi onları. Barski dikiz aynasından gördü ve Norma'ya söyledi.

"Gizli koruma böyle oluyor," dedi.

Sokaklar kalabalıktı, Kent merkezinde insanlar gezintiye çıkmışlardı. Yanlarından otomobiller geçiyordu. Bir süre hiç konuşmadılar. Sonra sessizliği bozan Barski oldu. "Özür dilerim, sizden bir ricada bulunacağım. Ama istemezseniz, hemen söyleyin."

"Nasıl bir rica bu?"

"Yarın sabah yedi buçukta yola çıkıyoruz. Bir saat önce Fuhlsbüttel Havaalanı'nda olmam gerek. Küçük kızımı yarın sabah

145

göremeyeceğim. O saatte henüz uyur. Şimdi eve söyle bir uğrayıp kendisine hoşça kal diyebilir miyim? Sonra sizi hemen eve bırakırım. Yoksa dönüşte Jeli çoktan uyumuş olacak..."

"Tabii önce size uğrayabiliriz. Ben otomobilde beklerim." Barski buna karşı çıktı. "Hayır, olmaz. Benimle yukarı gelmeniz daha doğru olur. Lütfen! Ben... Ben Jeli'ye sizden söz etmiştim. Kızım sizi tanımak istiyor..."

Hayır, dedi Norma kendi kendine. Bu doğru değil, bunu yapmamalıyım. Yapmak istemiyorum. Yapmamam gerek. "Öyleyse yukarı çıkar ve Jeli'ye iyi geceler dilerim."

"Teşekkür ederim," dedi Barski.

Kent parkının yakınlarında, Ulmen Caddesi'ndeki bir binanın önünde durduklarında, Norma oğlunu düşünmemek için kendini zorladı. Siyah Mercedes de yüz metre kadar geride park etmişti.

Barski'nin dairesi çok büyüktü. Modern eşyalarla döşenmişti. Çalışma odasının duvarları kitaplıkla kaplıydı. Yazı masasının tam karşısında genç bir kadının yağlıboya tablosu asılıydı. Kadının ince bir yüzü, büyük bir ağzı, koyu kahverengi gözleri ve kısa kesilmiş siyah saçları vardı. Geri planda yüksek gri binalar ve gri gökyüzü görünüyordu.

"Bu Bravka," dedi Barski. "Dostumuz bir ressam bayan yapmıştı. Bravka'yı tanımayan insanlar onun bir büyük kent çocuğu olduğunu bilsin diye gri yapıları çizmiş..."

"Eşiniz çok güzelmiş," dedi Norma.

"Ah, evet. Saçları... Saçları hep böyle kısaydı, sizinkiler gibi. Bağışlayın! Bu resim yapıldığında hastalığı ilerlemişti. Ancak biz durumunu geç anlayabildik. Dostumuz resmi yaparken ağzına ciddi bir ifade vermişti. Ama eşim bunu beğenmemiş, 'Değiştir dudaklarımı,' demişti. O günden bu yana Bravka duvarda bizlere güler..." Barski bakışlarını tablodan çekmemişti.

Odaya altmış yaşlarında bir kadın girdi. Ufak tefek, şişmancaydı. Geniş bir yüzü, yassı bir burnu ve bembeyaz takma dişleri vardı. Barski yaşlı kadınla Norma'yı tanıştırdı. Evin işlerine bakan Mila Krb çok canayakındı.

"Jeli yatakta," dedi kadın. Tam bir Slav şivesiyle konuşuyordu. "Banyo yaptı ve hemen yatağa girdi. Uyumadan önce sevgili babasını beklediğini söyledi."

"İşte babası geldi... Siz yatabilirsiniz, Mila. Ben beş, on dakika için dışarı çıkacağım..."

Çocuk odasında ışık yanıyordu. Tavandan sallanan mavi kumaştan lamba sıcak bir ışık veriyordu.

"Jan!" diye seslendi küçük kız neşeyle, Barski'nin Norma'yla odaya girdiğini görmüştü. İnce kollarını babasına doğru uzattı, gülümsüyordu. Adam kızına sarıldı. Uzun uzun. Norma hemen başını çevirdi. Oyuncakları, bebekleri, küçük hayvanları ve duvarlarda renkli bir sürü çocuk resmi gördü.

"Bak Jeli," dedi Barski. "İşte bu sana sözünü ettiğim Bayan Desmond."

"Buraya geldiğiniz için teşekkür ederim," dedi küçük kız elini uzatarak.

"Ben de seninle tanıştığım için çok sevinçliyim, Jeli," dedi Norma da. Dilerim biraz daha dayanabilirim.

"Ben de... Ah Jan, bugün okulda bilsen neler oldu. Ben de Berlin'e gideceğim. Düşünebiliyor musun bütün sınıftan tek ben!"

"Harika bir haber bu, Jeli," diye Barski heyecanla konuştu. "Nasıl sevindim bilemezsin! Mektubun çok güzel olduğunu söylemiştim, değil mi?"

"Evet. Diğer çocuklar da çok güzel mektuplar yazmıştı. Ama yine de benimkini seçmişler."

"Bunu Bayan Desmond'a açıklamalıyım," dedi Barski.

"Otursanıza biraz! Lütfen. Yatağıma oturabilirsiniz. Sen de, Jan!" Oturdular. Jeli memnun memnun gülümsüyordu. Anne babası gibi siyah saçlı ve siyah gözlüydü. Üst orta dişi eksikti. Tatlı bir kız çocuğuydu. "Evet, açıkla, Jan!"

"Anımsayacağınızı sanırım," diye Barski başladı. "Reagan'la Gorbaçov'un zirve toplantısından sonra dünyanın bu iki güçlü adamına iki yüz yirmi beş bin çocuk mektup yazmış, silahlanmaya son vermesini istemişti. Bu mektuplar gelecek zirve toplantısında kendilerine verilecek. Bunlardan bir bölümü Berlin Anı Kilisesi'nde sergileniyor. Yüz elli kadar çocuk Berlin'e davet edildi, politikacılarla atom savaşının tehlikeleri üzerine konuşmak için."

"İşte ben de Berlin'e gidiyorum," dedi Jeli çok ciddi. "Ben de Anı Kilisesi'nde politikacılarla konuşacağım."

"Bu ne zaman olacak?" diye Norma sordu.

"Ne zaman bilmiyorum, ama yakındaymış."

"Sen o kiliseyi hiç görmüş müydün?"

"Hayır! Ben Berlin'i de bilmiyorum. Oraya hiç gitmedim. Onun için şimdi çok heyecanlıyım..."

"Uykun da gelmiş. Gözlerin kapanmak üzere," dedi Barski.

"Uyuyacağım... Mila biraz önce, senin yarın bir yere gideceğini söyledi... Lütfen bana okur musun? Biliyorsun, 'Bencil Dev' masalını! Şurada rafta duruyor..."

Barski, Norma'ya dönüp, "En çok sevdiği masal," dedi.

"Evet. Jan hep okur ben uyumadan önce..."

"İnanıyorum," dedi Norma.

"Siz de sever misiniz masalları?"

"Çok," dedi Norma. Benim küçük oğlum da masalları severdi. En çok "Kurbağa Kral" masalını. Akşamları ne kadar çok masal okumuştum ona. Çoğu zaman masal bitmeden uyuyakalırdı. Ama şimdi böyle şeyleri düşünmemelisin, dedi kendi kendine. Yapma böyle.

"Benim bir sürü masal kitabım var," dedi küçük kız. "Hepsini de çok seviyorum, Andersen'in, Polonyalı Korozak'ın birçok Rus ve Çek masalını... Oscar Wilde'ın üç masalı da var!"

"Oscar Wilde! Adını doğru söylüyorsun..."

"Nasıl söylendiğini Jan'dan öğrendim. Onun üç masalını da çok beğeniyorum, 'Yıldızların Çocuğu', 'Mutlu Prens' ve 'Bencil Dev'. Haydi Jan, oku lütfen!"

Barski kitabı eline almış, belirli bir sayfayı açmıştı. "Peki," dedi ve özür diler gibi Norma'ya baktı.

Kadın gülümseyerek başını eğdi. Gülümsemek için kendini çok zorlamıştı.

"Çocuklar okuldan döndükten sonra devin bahçesine gitmişler oynuyorlardı," diye Barski okumaya başladı, "Kocaman, çok güzel bir bahçeydi. Çok yumuşak yeşil çimenleri vardı..."

Küçük kız babasına bakıyordu. Mutluydu. Başını çevirip Norma'ya da baktı. Gülümsedi.

"... çimenlerde yıldızları andıran güzel çiçekler vardı. Bahçenin bir köşesinde on iki şeftali ağacı duruyordu. İlkbaharda açık pembe ve inci beyazı çiçekler açardı bu ağaçlar. Sonbahar geldiğinde de ne güzel meyveler verirdi. Dallarına konmuş kuşlar neşeli neşeli şarkılar söylerdi. Çocuklar oyunlarını bırakıp hep kuşların şarkılarını dinlerdi, 'Biz 'ne kadar mutluyuz!' diye birbirlerine seslenirlerdi.."

Beyrut.

Commodore Oteli...

Alexandre Oteli...

O pis sıcak. Askeri uçaklar. Roketler. Bombalar. Yıkıntılar, insan ölüleri.

Biz yine de çok mutluyduk...

İKİNCİ BÖLÜM

※

1

Kızıl saçlı güzel bir kadın. Siyah saçlı güzel bir kadın. Atlet yapılı zenci bir erkek. Bir erkek daha. Çok geniş bir yatak. Bu dört insan kıvranıyor, birbirlerini seviyor... Akıl almayacak şekillerde. Çok dramatik bir müzik geri planda, iniltiler, iç geçirmeler, derin derin soluk almalar, bağırmalar. Arada sırada ağızlarından çıkan sözler herkesin anlayabileceği sözler.

Porno filmi. Kocaman bir perdede oynuyor. Kırmızı kadife kaplı on iki locada genç adamlar oturuyor. Ve bu gençlerin yanında cam kavanozlar duruyor. Locaların birinden hafif bir ses duyuldu. Oradaki genç işini bitirmiş olacaktı.

"İstediğimiz şeyi burada elde ediyoruz," diye konuştu Doktor Kiyoshi Sasaki. Erkek kardeşi Takahito, Hamburg'da,

DNA'ların değişimi sonucu kanserli hücreleri tehlikesiz yapacak bir virüs bulmaya uğraşıyordu. Kiyoshi Sasaki ufak tefekti. Kardeşine çok benziyordu. Söylediğine göre de ondan iki yaş küçüktü. Son moda gözlüğü dikkati çekiyordu. Camın takıldığı çerçeveler dört köşeydi. Sapları da dalga gibi kıvrılarak kulaklarına doğru uzanıyordu. Yüzüne göre çok büyüktü. Doktor Kiyoshi Sasaki dış görünüşüne çok dikkat eden, güzel bir adamdı. Üzerinde çok şık haki renkli bir takım, tatlı sarı gömlek, kahverengi çizgili kravat, açık kahverengi çoraplar ve pahalı deriden kahverengi beyaz hafif ayakkabılar vardı. Barski'yle Norma'nın arasında duruyordu. Arkasından bakıldığında içerisi görünen büyük aynadan salonda olup bitenleri seyrediyorlardı. Hoparlörlerden iniltiler, iç geçirmeler, bağırmalar ve Wagner'i anımsatan bir müzik duyuluyordu. Norma küçük teybini çantasından çıkarmış, konuşmaları kaydediyordu. "Teybe alabilirsiniz ama fotoğraf çekmek yok," demişti Sasaki.

Çok geniş yatağın üzerinde dört insan kıvranıp duruyordu. Bütün dünyadaki istasyon sinemalarında ya da seks barlarında oynatılan ucuz filmlerden değildi. Gerçekten çok başka bir filmdi. Estetikti. Yapımcıları akıllıca davranıp estetiğe biraz da ucuz seks karıştırmıştı.

"Biz buraya oyun odası deriz," diye açıkladı Doktor Sasaki. Eliyle gözlüğünü düzelttikten sonra hafifçe sırıttı. "Bağışta bulunanlardan bazıları çekingen ve utangaçtır. Bağışlarını evde yapıp buraya getirirler," dedi. "Oysa burada her türlü konfor ve gizlilik sağlanmıştır. Oturdukları localar da çok rahat ve büyüktür. Kişilerin bağışlarını evden getirmeleri pek hoşumuza gitmez. Buna yakında son vereceğiz de. Burada elde edilen taze bağışlarla daha iyi sonuçlar alınmakta..."

Perdedeki seslere ve müziğe göre son yaklaşmaktaydı. Yataktaki dört insanın hareketleri de hızlanmıştı. Biraz önce işini bitirmiş genç adam locadan çıktı, başka bir locadan oradakinin de sona ulaştığı duyuluyordu.

"Ancak bu şekilde," diye Doktor Sasaki devem etti. "Çok taze malzeme elde ettiğimizden eminiz." Hafifçe öksürdü. "Genç ve sağlıklı bir erkeğin -ki buraya en çok yüksekokul öğrencileri gelir- bir mililitrede birkaç milyon sperması vardır. Biz birinci sınıf bir kliniğiz. Şaşırmış gibi bana bakıyorsunuz, sayın bayan. Sizlere daha başka açıklamalarda da bulunacağım. Lütfen şimdi benimle gelin." Hep birlikte küçük gözetleme odasından çıktılar.

Uzun bir koridorda yürüdüler. Yerleri mermer, çok aydınlık bir koridorda. Sonra Sasaki bir odanın kapısını açtı. "Buyurun," dedi Barski'yle Norma'ya. Oda bütün klinik gibi serindi. Dışarıda ise kent cayır cayır yanıyordu. Büyük odada beyaz önlükler giymiş birçok kadın ve erkek mikroskoplar, dolaplar ve kimya aletleri başında çalışıyordu. Odada üç de televizyon vardı. Sasaki birinin önünde durdu.

"Bakın burada dört yüz kez büyütülmüş bir sperma damlasını görüyorsunuz. Kırk beş dakika önce bağışlanmış." Yine gözlüğüyle oynadı. Ekrana dikkatle bakıyordu. "Gördüğüm kadarıyla çok verimli ve aktif spermalar."

Norma'yla Barski'nin gördüğü spermalar, yeni doğmuş kurbağalar gibi kıvranıp, uzanıp duruyordu. Bazıları hiç hareket etmiyor ya da hafifçe oynuyordu. Ama çoğunluğu ok hızıyla değişik yönlere hareket etmekteydi.

"İçlerinden yüzde altmış beşi çok hızlı." Sasaki ekrana doğru iyice eğilmişti. "Böyleleri hoşuma gider. Onları severim. Onlar benim için her zaman hoş gelmiştir. Buyurun oturun!" Yüksek üç tabureyi işaret etti.

Pencerelerden büyük bahçe görünüyordu. Çimenlik alanda yaşlı palmiyeler vardı. Gövdelerinde sarmaşıklar ve yaseminler yükseliyordu. Beyaz çiçekler açmıştı. Bahçenin bir köşesi begonville doluydu. Menekşe, kırmızı ve portakal renklerinde. Başka bir köşede petunya çiçekleri ve sardunyalar göze çarpıyordu. Kırmızı, beyaz ve mavinin en güzel tonlarında. Tam bir çiçek bahçesiydi. Değişik renklerde küçük güller, beyaz, kırmızı portakal rengi glayöller, demet demet beyaz papatyalar... Gökyüzü koyu mavi ve bulutsuz. Güneş ısıtıcı, sıcak ve de yumuşak...

"Bağışta bulunanlardan birinin sperması," diye ufak tefek Japon sözlerini sürdürdü. "Şurada gördüğünüz otomatik sayaçta sayılır. Bir mililitredeki sperma sayısı üç milyonu geçerse kabul ederiz." Altın kol düğmesiyle oynadı. Üzerine bir tanrı başı kazınmıştı. "Bağışı yapana yüksek bir ücret ödenir. Birçoğu bağışlarıyla öğrenim giderlerini karşılar. Bu kişi sonra testten geçirilir, kendisine birçok soru sorulur. Dört kuşak geriye kadar soyağacını bilmemiz gereklidir. O kişinin boyu, kilosu, saç rengi, göz rengi, deri rengi, dini, öğrenimi, mesleği, vücut yapısı, kan grubu ve başka özellikleri not edilir. Bazı alışkanlıkları, çocukluk hastalıkları, tikleri de önemlidir."

Sasaki konuşurken kol düğmesiyle oynamaya devam etmişti. Kendisinin bir savaş verdiğini, bütün özleminin çok güzel bir dünya olduğunu da söyledi.

"Eğer bağışı yapan kişi daha başka bağışlar için de uygunsa, kendisine bir numara verilir. Adı ve numarası bir kod alır. En son olarak da spermalar 'dondurulma testi'nden geçirilir. Çünkü spermaların yüzde yirmi beşi -nedenini henüz bilmiyoruz- dondurulduğu zaman bozulur." Sasaki yüksek taburesinden aşağı atladı ve laboratuvarın bir köşesine doğru yürüdü. Çalışmakta olan uzmanların yanına gitti. Barski'yle Norma da onu izlediler. "Bu nedenle her bağıştan küçük bir damla, dondurucu düzene konur. Bakın, şurada olduğu gibi. Dondurulur, sonra yine eritilir. Mikroskobun altında dondurulmadan sonraki durumu incelenir." Yürümeyi sürdürdü. "Dondurulacak olan sperma damlası şurada gördüğünüz gibi ince cam boruya çekilir. Bu cam borular da pahalı bir puronun kılıfını andıran alüminyum kılıflara sokulur. Önce yavaş yavaş sıfırın altında 35 dereceye kadar soğutulur. Sonra da sıvı azotla çalışan soğutuculara konur. Böylece sıfırın altında iki yüz derecede dondurulup depoya kaldırılır. Herhangi bir ülkeden, ki şu sıralar sadece Avrupa değil, Amerika'dan Brezilya'ya kadar birçok ülkeden sipariş geldiğinde dondurulmuş spermalar soğutucular içinde oralara yollanır."

"Dondurulmuş spermalar ne kadar dayanır?" diye Norma sordu.

"Uzun süre," diye yanıtladı Sasaki kardeşlerin genç olanı. "On üç yıl önce dondurulmuş spermalarla çocuklar dünyaya gelmiştir. Ancak genelde üç yıl kadar koruyor ve saklıyoruz."

2

Portakal ağaçları. Limon ağaçları. Çınar ağaçları. Okaliptüs ağaçları. Çam ağaçları. Çiçekler dolu begonviller. Katırtırnakları. Burçaklar. Devedilleri. Karanfiller. Mimozalar. Şebboylar. O temiz hava. O güzel ışık. Deniz. Aşağılarda. Uzaklarda. Mavi sularda sayısız beyaz yelkenli. Kocaman bir kelebek sürüsü gibi. Buraya daha önce de gelmiştim, diye Norma düşündü, Barski'yle Sasaki'nin arasında, kliniğin parkında yürüyordu. Geniş Bellanda Caddesi'ndeki büyük arazide kurulmuş beş binadan oluşmuştu klinik. Hyatt Regency Oteli'nden taksiye binip Cimiez semtine doğru yol aldıklarında, 'ben buraları daha önce görmüştüm' duygusuna kapılmıştı. Şimdi çok iyi anımsıyordu. Buralara Pierre'le gelmişti. Nis'te çok bulunmuştu. Ama hep kısa sürelerle, hep çabuk çabuk. Bir defasında buraya çıkmıştık. Bu kliniğin yakınlarında çok güzel bir gün geçirmiştik. Güzdü. Her şey rengârenkti. Çiçekler açıyordu. Havada tatlı çiçek kokuları vardı. Bugünkü gibi. Şurada, ilerde, zeytin ağaçlarının altında oturmuştuk. Romalılardan kalma açık hava tiyatrosunun kalıntılarını da gezmiştik. Arenes de Cimiez'de yıkıntılar arasında gezinmiş, tepelere bakmış, Garin Villası'nın bahçesini görmüş, sonra da Roma hamamlarının kalıntılarına yürümüştük. O gün hiç insan yoktu buralarda. Sıcak taşlara uzanıp öpüşmüştük. Sevişmiştik. Ne kadar mutluyduk burada. Birlikte. Biz ikimiz. Sonra Arenes Villası'na inmiştik. Pierre ve ben. Buradan görünmüyor. Cimiez'de bulunan bütün tarihi eserler orada saklanmakta. Binanın birinci katı da Henri Matisse Müzesi'dir. Bu ünlü kişi ölümünden önce Cimiez'de son yıllarını geçirmiş. O güzel resimleri burada yapmış. Renkler içinde yanan çıplak kız resmini anımsadı Norma. Tablonun karşısında duran yaslı kadını da. Yüzü kemikli ve kuruydu. Ölümü yaklaşmış bir insanı andırıyordu. Tablodaki genç, güzel ve çıplak kıza bakıyordu. Kim bilir neler düşünüyordu. Onunla konuşmuştuk. "Bu benim," demişti yaşlı kadın. "Her gün gelir kendimi seyrederim. Evet, bu gördüğünüz genç kız benim, madam ve mösyö." Matisse'nin bu tablosuna nasıl modellik yaptığını da anlatmıştı. Tablodaki o güzel vücut şimdi ölümü bekliyordu. Uzun uzun konuşmuştuk yaşlı kadınla. Evet, ben buralara gelmiştim.

"Gelin havuzun kenarına oturalım," dedi ufak tefek, şık giyimli Japon. "Size bir döllendirme yönteminden söz etmek istiyorum. Şu karşıda gördüğünüz binadaki laboratuvarlarda yapılıyor."

Eski çınar ağaçlarının ötesinde bir binayı eliyle gösterdi. Burada her şey çok lüks, çok zevkliydi ve çok da para harcanarak yapılmıştı. Binalar arasındaki yollar renkli mozaiklerle kaplıydı. Biraz ötede beyaz çakıllar üzerine en pahalı otomobiller park etmişti.

"Bu laboratuvarları size göstermem mümkün değil," diye Sasaki devam etti, "Orada gizli deneyler yapmaktayız. Hırsızlık da o laboratuvarlarda olmuştu." Yanında durdukları yüzme havuzu buradaki birçok şey gibi mermerden yapılmıştı. Mavi zemini suya güzel bir renk veriyordu. Çevresi çiçeklerle doluydu. Norma biraz ötede içinde küçük bir derenin aktığı Japon bahçesini gördü. Köprüsü de unutulmamıştı.

Sasaki, kadının oraya baktığını fark etti. "Benim planlarıma göre yapılmıştır," dedi. "Çok hoşuma gider. Bu parkta gördüğünüz çok şeyi ben kendi elimle yapmışımdır. Birçoğu zevkimin ürünüdür. Bakın, şu papağanı görüyor musunuz? Palmiyenin dallarında oturan. On üç yıldır burada. Her akşam ıslıkla Frank Sinatra'nın şarkılarını çalar. Ben Sinatra'yı çok severim. Sık sık plaklarını dinlerim. Origines de bu yüzden şarkıları ezberlemiştir. Yıllardır dinler durur."

"Origines, papağan," diye Norma yineledi. Teyp çalışıyordu.

"Papağanım Origines. Madam, tabii burada da fotoğraf çekmenize izin veremem."

Rahat beyaz koltuklar, şezlonglar ve masalar duruyordu, yüzme havuzunun çevresinde renkli güneşlikler altında. "Buyurun oturalım," dedi Sasaki yine. "Japon bahçem bana vatanımı anımsatır. Derede akan su aşağıdan buraya pompalanır." Yine kol düğmeleriyle oynadı. Tanrı başını okşadı. "Mutlu ettiğim bayanlarla burada veda içkisini yudumlarım. Bir kadeh şampanya içeriz. Önlerindeki dokuz ay içinde tabii içkiye pek el sürmemelerini tembihleyerek. Ha, ha, ha! Sanırım şimdi birer kadeh de bize iyi gelir. Comte de Champagne'ya ne dersiniz?"

"Ben alkollü içki almam," dedi Barski. "Bir bardak limonlu maden suyu rica edeceğim."

"Çok güzel." Sasaki yanındaki masada duran telsiz telefona uzanıp numaralara bastı ve konuştu. "Raymond? Şampanya lütfen. İki kadeh. Bir bardak da limonlu maden suyu. Havuz başına. Teşekkür ederim." Sonra telefonu tekrar masaya bıraktı. Barski o gün beyaz keten bir pantolon, mavi gömlek ve beyaz ayakkabılar giymişti. Yanındaki küçük deri el çantasını açtı. İçinden çıkardığı bir fotoğrafı Sasaki'ye uzattı, "İşte bu Antonio Cavaletti," dedi. "Genesis Two'nun adamı. Hamburg'da öldürüldü. Size telefonda sözünü etmiştim. Bu adamı hiç gördünüz mü?"

Sasaki uzatılan fotoğrafa uzun uzun baktı. Sonra, "Hayır," dedi "hiç rastlamadım."

"Emin misiniz?"

"Çok."

"Burada hırsızlık yapan adamın adı neydi, doktor?" diye Norma sordu.

"Piro Garibaldi. Genesis Two'nun önerisi üzerine işe almıştık!" Küçük adam birden yerinden fırladı. "Tanrım! İkisi de Genesis Two'dan gelmiş! Bu rastlantı olamaz."

"Evet. Öyle değil mi?" Norma başını salladı. "Garibaldi denen adam kasadan bütün malzemeyi mi çaldı?"

"Bir bölümünü. Disklere kaydedilmiş olanları. Biliyor musunuz, şu küçük plakları! Ne de olsa önemli bilgilerdi. O günden sonra bütün klinik ve bizler polisin koruması altındayız."

"Bizde de durum pek farklı değil." Barski, Norma'ya baktı.

Kadın başını hafifçe eğdi. Biraz ötede mavi bir Citroen'de oturan iki adamı çoktan fark etmişti. Biri gazete okuyor, diğeri sigarasını tüttürüyordu.

Barski, "Buraya gelmemizin nedeni, Bay Sasaki," diye açıklamasını sürdürdü. "İki olay arasındaki ortak yanları araştırmak, varsa ortak nedenleri bulmak. Sizin buradaki çalışmalarınızı da görmek istiyorduk. Bizim Hamburg'da ne üzerine çalıştığımızı kardeşinizden biliyorsunuz. Sizin yaptığınızınsa DNA'ların değişimiyle ilgisi yok."

"Hayır, yok! Demek istiyorum ki... Araştırma ve deneylerimizde DNA'ların yeri yok. Ancak..."

"Evet?" dedi Norma.

"Bakın... DNA'lara biz de ilgi duyuyoruz. Size bunu biraz açıklamak isterim."

Beyaz giysili genç bir adam yanlarına yaklaştı. Küçük bir servis arabasıyla ısmarlanan içkileri getirmişti. Şampanya şişesi buzluktaydı. Sasaki'nin telefonda Raymond dediği hizmetkâr dikkatle şişeyi açtı. Kadehlerden birine biraz koyarak, Sasaki'ye tatması için uzattı. Japon yudumladı. Başını salladı. Raymond kadehleri doldurdu. Limonlu maden suyu bardağını da masaya koydu. Ayrıca tuzlu badem ve yeşil zeytin dolu küçük tabakları da masaya bıraktı.

"*Merci*, Raymond."

"*A vôtre service, Monsieur te directeur.*" Genç adam uzaklaştı. Sasaki kadehini kaldırdı. "Madamın güzelliği şerefine içelim!" dedi. İçkilerini yudumladılar.

"Çok teşekkür ederim, doktor bey," dedi Norma. Ah, hayır, diye düşündü. Ne oluyor bana? Pierre'le birlikte burada geçirdiğim o çok güzel günün sonunda palmiyeler altında bir lokantada şampanya içmiştik. Hüzün, tatlı bir hüzün. Pierre'le şampanya. Evet. Beyaz pantolonlar ve beyaz mokasenler vardı üzerimizde. Hafif, yazlık gömlekler de. Bugün Barski'yle benim giydiğim gibi. Pierre'in de elinde küçük bir çanta vardı. Barski'nin elinde tuttuğu gibi. Bir yıl sonra ölmüştü. Ve ben şimdi buraya döndüm. Niçin tekrarlanıyor eski şeyler? Niçin?

Norma havuzdan ötelere baktı. Otomobil parkına, çimenliklere, Nis'in evlerinin üzerinden aşağıdaki denize. Pırıl pırıl o güzel denize. Bir sürü kelebeği andıran beyaz yelkenliler uzaklara gitmişti. Ne güzel bir görünümdü. Norma hemen başını çevirdi. Masanın üzerinde duran teybin kasetinin bittiğini fark etti. Yeni bir kaset koyup teybin düğmesine bastı. Yine eskiyi düşündü. O gün deniz böyle pırıl pırıl ve güzeldi. Bugün de olduğu gibi. O gün... Hayır, dedi kendi kendine. Yeter artık! Düşünmek yok! Küçük adamın anlattıklarını dinle.

"Önce," dedi küçük adam. "Kadının yumurtası gereklidir. Denemelerimizde çok yumurtaya ihtiyaç vardır."

Norma öne doğru eğildi. Dikkatle dinlemeliyim, diyordu kendine. "İşittiğime göre, bazı doktorlar çok sağlıklı yumurtaları alabilmek için kadınları kısırlaştırıyor."

"Ne demek istediğinizi anlamıyorum, madam."

"Bildiğinizi sanırım. Rahim hastalıklarında ameliyattan önce bazı uzmanlar doktora, rahimle birlikte yumurtalıkları alması

161

söyler. Bu artık para getiren bir iş oldu. Hatta bu işi yapan uzmanlara kötü bir ad da takıldı. Biliyorsunuz..."

"Hayır, bilmiyorum."

"Bu kötü işi çevirenlere 'yumurta hırsızı' adı verilir."

"Bu gibi eleştiriler için ben yanlış kişiyim, madam." Doktor Sasaki hafifçe gülümsedi. "Yumurta hırsızları. Ben böyle şeyleri hep reddetmişimdir."

"Peki, deneylerinizde kullandığınız yumurtaları nasıl elde ediyorsunuz?"

Sasaki iyice gülümsedi. "Ben her zaman ahlak kurallarına özen göstermişimdir, madam. Geliştirdiğim çok mükemmel bir yöntem vardır. Kadınlara hormon veririz. Böylece yumurtalıklarında bir yumurta oluşur."

"Sonra bunları alıyorsunuz, öyle mi?"

"Evet, madam. Hormon yöntemi sayesinde yumurtalıklarda en az on iki yumurta oluşturuyorum. Küçük bir ameliyatla da onları alıyoruz. Şu gördüğünüz klinikte..."

Norma ufak tefek doktoru dikkatle dinliyordu. Ama tüm çabasına karşın düşünceleri geçmişte gezinmekteydi. Karşı koymak istedi. Olmadı. Ne güzeldi. Ben Pierre'i seviyordum. O da beni seviyordu. Çok sevişirdik...

"... Sonra yumurtalar küçücük cam kavanozlara konur. Kadının yumurtalık kanalından alınan sıvıda yüzen binlerce sperma yumurtayı çevreler. Cam kavanozdaki döllenmeden sonra hücreler bölünür ve çoğalır..."

Ve Pierre demişti ki: "Artık çalışmadığımız zaman buralara yerleşiriz, *mon petit chou*. Côte d'Azur köylerinden birine. Çok güzel buralar. Birlikte çok mutlu olacağız. Bir ev satın alırız: Turistlerin doldurduğu kıyılarda değil. Yamaçlarda. Saint-Paul-de-Vence köyünde belki. Curd Jürgens'in yaşadığı, Marc Chagall'ın tablolarını yaptığı köyde. Öldükten sonra da buralarda gömülmek isterim." Jürgens öldü. O dâhi Marc Chagall da, Pierre de. Her şey çok çabuk olup bitti. İnsanın çok zamanı yok bu dünyada.

"...tabii cam kavanozda gelişmekte olan embriyonun kromozomlarını sürekli kontrolden geçiririz. Vücuda verildiği an çok önemlidir. Döllenmiş yumurtanın rahme girmesi, yumurta kanalından geliyormuş gibi olmalıdır. Yumurta bu yolculuğu beş günde yapar. Yolculuk, gezinti, kayma... Ha ha ha!" Kol düğmeleriyle oynadı yine. *"Santé, chére, Madame, santé Monsieur le docteur!"* Sasaki kadehini kaldırdı. Hep birlikte içtiler. Doktor Kiyoshi Sasaki neşeli bir adamdı. Palmiyenin dallarında oturan papağan ıslık çalmaya başladı.

Sasaki hayretler içindeydi. "Origenes günün bu saatinde hiç ıslık çalmaz... İlk kez yapıyor. Bakın, dinleyin! Franki-boy'un 'Strangers in the Night melodisini çalıyor!"

Çılgınca, diye düşündü Norma. Çok çılgınca. Yanında duran çantasını tuttu. Daha az içmeliyim. Ah, o gün nasıl da başım dönüyordu otele geldiğimizde. Hyatt Regency'de kalmamıştık. Pierre ve ben Negresso'daydık. Hemen odamıza çıkmıştık. Birbirimizi severken vücutlarımız yanıyordu.

Papağan ıslık çalıyor, Sasaki de mırıldanıyordu: *"...and ever since that night we've been together, lovers at first sight..."**

3

Teybin küçük kırmızı ışığı yanıyordu.

Norma, "Size kimler geliyor?" diye sordu.

"Ah, bilseniz kimler geliyor... Birçok insan." Sasaki öne doğru eğildi. "Ülkenizi ele alalım. Federal Almanya'yı. Evli çiftlerden yüzde on beşi istemelerine karşın çocuk sahibi olamamakta. Ya erkek ya da kadın kısır. Kadınlardan yüzde otuzunun yumurtalıkları verimsiz. Çocuk sahibi olamamak, büyük bir insanlık trajedisi. İnanın bana! Sağlıklı olmalarına karşın çocuk doğu-

---

* O geceden beri hep birlikteyiz, ilk bakışta âşık olan sevgililer. (ç.n.)

163

ramamış kadınlar da var. Eşcinseller, özürlüler, sakatlar. Dullar. Size ilginç bir şey anlatayım. Şimdi anımsadım..." Sasaki'nin yüzüne mutluluk yayıldı. Gülümsedi. "Eşinin ölümünden sonra bir kadını onun spermasıyla döllediğimizi anımsıyorum. Adamın ölümü ani olmuştu. Spermaları dondurduğumuzu size biraz önce göstermiştim. Bu adamın da işi başından aşkındı. Çocuk sahibi olmayı düşünecek hali yoktu. İlerde çocuk yapacaklardı. Ne olur olmaz diye de, kliniğimizde spermasını dondurtmuştu. Nasıl da akıllı davranmış, değil mi? Ölümünden sonra kadın buraya geldi. Bana nasıl teşekkür etti, bilemezsiniz. Neredeyse önümde diz çöktü. Sevgili eşinin spermasıyla gebe kalacağı için. Ben bunu mümkün kıldığım için!" Sasaki yükseklere çıkmıştı. Sonra yine kendine geldi. Gülümsedi. "Birçok kadının da gebe kalması mümkün değil. Bazılarınınsa zamanı yok. Bu işi onlar için başka kadınlar yapar. Para karşılığı tabii." Sasaki gülüyor, papağan ıslık çalıyordu. "Amerika'da büyük bir endüstri oluşmuştur. Sırf bu işi yapan avukatlar var. Çocuk sahibi olmak isteyen eşlerle kiralık anne arasındaki sözleşmeleri yaparlar. Sasaki çok heyecanlıydı. Konuşurken son moda gözlüğünü çıkarıp takıyordu. "Amerika'da bu işte milyarlar dönmekte. İnsanların mutluluğu İçin."

Norma, Barski'ye baktı. O da başını çevirdi ona. Bu arada Japon sanki başka bir dünyadaydı. Konuşup duruyordu.

"Sakat kadınları düşünün. Bu insanlar ne gebe kalabilir ne de çocuk doğurabilir. Ama neden onlar da çocuk sahibi olmasın? Hakları yok mu? Ya da kadın iş hayatında o kadar başarılı ve yükseklere çıkmıştır ki, gebe kalmakla her şeyini yitirecektir. Çok ünlü sinema yıldızlarını düşünün!" Sasaki kol düğmeleriyle oynadı. "Çok büyük bir filmde başrolü oynayacak. Hollywood'dan milyonlarca dolar alacak. Bu kadın kiralık bir anneyle anlaşmaz mı? Böyle gebe kalmalar ve doğumlar bütün ülkelerde artmaya başladığında, Çin komünistlerinin çıkardığı *Pekin Halk* gazetesi bu konuda ne yazmıştı biliyor musunuz? Size kelimesi kelimesine söyleyebilirim: 'Gebe kalmadan çocuk sahibi olmak isteyen kadın, çalışmaya ara vermeyecektir. Bu kadınlar için çok güzel bir haber.' Görüyor musunuz hükümetler nasıl düşünüyor? Tabii çok güzel bir haber! Yalnız sinema artistleri ve meslekte yükselmiş kadınlar için değil, büyük toplumlar için de. Hele kadının da erkek kadar çalıştığı ülkeler için. Sovyetler buna hayran kalmıştır. Çünkü bu ülkede çalışabilecek kadılardan yüzde sekseni iş hayatındadır. Sanırım konunun öneminin ne kadar büyük olduğunu kavrıyorsunuz?"

"Evet, oldukça," dedi Norma.

"Teşekkür ederim." Sasaki gururla eğildi. Hoşuna gitmişti. "Bir yudum daha! *Santé*! Konumuza dönelim yine. Başkaları için gebe kalıp çocuk doğuran annelere ilk kez 1977 yılında rastlanmıştır. O günlerde bu kadınlar gazete ilanıyla aranmaya başlanmıştı. Bu arada Los Angeles'te çocuk başına elli bin dolar ödendiğini duydum. Erkeğin kısır olduğu ailelerde kiralık anneye başka bir erkeğin sperması da verilebiliyor. Dediğim gibi bu işi yapan avukatlar var Amerika'da. Yazıhanesine gidiyorsunuz, bir albümden istediğiniz bekâr kadınla erkeğin fotoğraflarını seçiyorsunuz. Hele Kaliforniya'da bu 'bebek' işi öylesine para getirmeye başlamıştı ki, yetkililer mafyanın bu işe de el atmasından korkmakta. Belki de çoktan el attılar. Yönetiyorlar, kontrol ediyorlar, parayı ceplerine atıyorlar..."

Sasaki gözlüğünü eline aldı. Sonra taktı. Yine çıkardı. "Biz spermaları donduruyoruz. Veteriner hekimlerse embriyonları dondurmayı başardı. Böyle dünyaya gelen ilk buzağının adını 'Frosty' (Buzlu) koydular. Ünlü biyolog Hafek'e göre bir gün gelecek, kadınlar dondurulmuş embriyonları süpermarketten satın alabilecek. Ha, ha! Sonra da doktoru rahmine yerleştirecek, dokuz ay sonra da çocuk sahibi olacak. Tabii satın alırken garanti kartı da verilecek. 'Bu embriyonda hiçbir genetik bozukluk yoktur!' diye. Çocuğun cinsiyeti, saç ve göz rengi konusunda satıcı kız size bilgi verecek tabii..."

"Başka dünyalara gidiyoruz," diye Norma mırıldandı.

"Öyle mi sanıyorsunuz?" Sasaki hafifçe gülümsedi. "Doğacak çocuğun kız mı oğlan mı olacağını önceden bilmek kötü mü?"

"Hindistan'da gebe kadınların doktora gidip çocuklarının cinsiyetini öğrenmek istediklerini okumuştum," dedi Norma. "Böyle yapan kadınların sayısı da her geçen gün artmaktaymış. Çocuk kız olacaksa kürtajla aldırıyorlarmış. Hindistan ne de olsa yoksul bir ülke. Birçok aile için kız çocuğu yük olmakta. Erkek çocuklarsa çalışacak, ailesine bakacak. İnsanlar böyle düşünüyor. Ama Hindistan'daki bütün kadınlar böyle düşünse. Önümüzdeki yüzyılda Hintli kalmaz."

Sasaki kıs kıs güldü. "Belki benim çalışmalarım bu tür şeylere yardım edebilir?"

"Sanıyor musunuz?" dedi Norma.

"Ne demek istiyorsunuz?"

"Hindistan'daki konuyu başka açıdan görmek gerek. Birçok neden var. En önemlisi de açlık. Yoksulluk. Sonra Çernobil'i düşünün. Radyasyonu."

"Biz değişik konulardan söz ediyoruz, madam. Benim sorumluluğum bunlar değil. Ancak ben insanların istediği 'kız' ya da 'oğlan'ı yüzde doksan garanti edebilirim." Yine kol düğmeleriyle oynadı. Hoşuna gidiyor olmalıydı. "Ama daha ileriyi de düşünüyorum. Düşüncelerim yıllar ötesine gidiyor. Doğacak bebeklerin kız mı oğlan mı olmasından çok, nasıl bir insan ve nasıl bir tip olacağı, ne gibi kişilik özellikleri ve yeteneklerle dünyaya geleceği önemli. Böyle bir gelişmeye kim ilgi duyabilir? Sayın meslektaşım, şimdi sizin çalışma alanınızdayız. DNA'ların değişimde..."

"Ve de bambaşka bir dünyada," dedi Norma.

Sasaki yine gülümsedi. "Size gösteremeyeceğimi söylediğim laboratuvarlarda uzun zamandır deneyler yapılmakta... Pico Garibaldi denen adam bu laboratuvarlara girmişti. Genesis Two'dan gelen Pico Garibaldi. Deneyler ve çalışmalarımızın sonuçlarını çalmıştı. Kimin için, kimin adına yapmıştı bu hırsızlığı? Bana kalırsa, istedikleri tip ve boyda insan yetiştirmek isteyen çevreler adına. Garibaldi'ye hırsızlığı yaptıran onlardı. Ben buna inanıyorum. Siz 'bambaşka dünyalar' diyorsunuz. Acaba? Ne zaman o dünyalarda olacağız? Yakında mı?" Sasaki oldukça heyecanlanmıştı. Sakinleşmeye çalışarak gülümsedi. Ayağa kalktı. "Gelin benimle! Kız mı oğlan mı... Bu konuda size bir şey göstermek isterim. Çok ilginizi çekecek bir şey. Şaşıracaksınız, *cherè madame*... Sayın meslektaşım!"

4

Sasaki'nin gözleri parıldıyordu. Kendi yaptıklarının hayranı gibiydi. Sesi de titriyordu. "Size buluşlarımı göstereceğim."

Üzerine beyaz bir önlük geçirmişti. Laboratuvar, en modern ve pahalı araç gereçlerle doluydu. Norma'nın elindeki küçük teyp açıktı. Sasaki masaların birinde duran küçük gaz ocağını yaktı. Sonra eline yirmi santim uzunluğunda ince bir cam boru aldı.

"Önce," diye anlattı, "erkek çocuk doğumu sağlayan spermaları, kız çocuk doğumu sağlayan spermalardan ayırt etmek mümkün değildi. Çok güçlü bir mikroskop altında bile bu başarılamamıştı. Burada gördüğünüz özel mikroskopla, ışık saçmayan objeleri bile görmek ve incelemek mümkündür. Bu mikroskopta, erkek çocuk doğumu sağlayan spermaların, diğerlerinden daha küçük olduğunu göreceksiniz. Onların başları yuvarlak, kuyrukları uzundur. Kız çocuk doğumu sağlayan spermaların başları ise ovaldir."

Sasaki elindeki ince cam boruyu alevin üzerine tuttu. Boru ortasına kadar erimeye başladı. Tam bu sırada, Karayan'ın konserde bütün aletlerin müziğe girişini sağlamak için yaptığı gibi, hızlı bir hareketle boruyu alevden çekti. Cam erimişti. Boş ve içi görünen bir sicimi andırıyordu. Çok ince bir tel bile içine zor girerdi.

"*Voilà*! Benim yarış pistim bu!" diye Sasaki heyecanla sesini yükseltti. Sonra borunun içine küçücük bir huniyle değişik sıvılar döktü. "Bakın, bunlar spermalar." Elindeki ince cam boruyu mikroskobun altına koydu. "Buyurun bakın, madam!" Norma eğildi. Mikroskobu gözüne göre ayarladı.

"Ne yapıyor spermalar?"

"Akıntıya karşı yüzen alabalıkları andırıyor..."

"Harika! Çok güzel!" dedi Sasaki heyecanla. Yine kol düğmeleriyle oynadı. "Hangileri daha hızlı yüzüyor?"

"Uzun kuyruklu ve yuvarlak başlı olanlar sanırım daha hızlı. Kısa mesafede. Oval başlı olanlar daha dayanıklıya benziyor."

"Bravo!" diye bağırdı Sasaki. "Siz ünlü bir uzman olabilirdiniz. Kız çocuk doğmasını sağlayan spermalar uzun sürede daha dayanıklıdır." Barski ve Norma karşılarındaki ufak tefek adama bakıyordu. Yaptıklarıyla kendinden geçmiş gibiydi. "Hangi spermanın yarışı kazanacağına ben karar verebilirim." Kol düğmeleriyle oynadı.

"Bu nasıl oluyor?" diye Norma sordu.

"Kadının dölyolundan aldığım salgıyı bu cam boruya katarım. Spermalar kendilerini evlerinde sansınlar diye. Salgıya biraz üzüm sirkesi kattım mı; bu, kız çocuk doğumu sağlayan spermaların hoşuna gider. Sulandırılmış kabartma tozu katınca da diğerleri hızlanır." Sasaki'nin yüz ifadesi kutsal topraklar karşısındaki Musa'yı andırıyordu. "Bu bambaşka bir dünya mı, madam? Benim kliniğim en iyi kalite malı satar! Erkek çocuk isterseniz erkek, kız çocuk isterseniz kız!" Kol düğmelerini zevkle okşuyordu, "Size bazı öğütlerde bulunabilirim, madam. Eğer kız çocuk sahibi olmak istiyorsanız..."

"Bu öğütleri biliyorum ben," dedi Norma. "Ne de olsa yazmıştım. Kadın âdetten iki gün öncesine kadar cinsel ilişkide bulunmalıdır. Sonra bütün hafta bir şey yapmamalıdır. Kız çocuk doğumu sağlayan sperma uzun yaşamlıdır. Diğerleri ise kısa yaşamlı olur. Kız çocuk sahibi olmak isteyen kadın, yeniden cinsel ilişkide bulunmadan önce bir litre suya karıştırdığı İki kaşık sirkeyle lavaj yapmalıdır."

"Çok güzel!" diye heyecanla bağırdı Sasaki.

"Aynı zamanda erkeğin uzvu kadının dölyolunda beş santimden daha içeride olmamalıdır."

"Bravo!" Sasaki heyecanla alkışladı.

"Böylece," diye Norma devam etti. "Doktor Sasaki'nin 'yarış pisti' uzar, erkek çocuk doğumu sağlayan spermalar için uygun olmaz. Üçüncü önemli nokta da, kadının bu cinsel ilişki sırasında doyuma ulaşmaması gereklidir. Çünkü böyle bir anda oluşan salgılar alkaliktir ve 'pistte yarış'ı hızlandırırlar. Bu da erkeklik spermalarının işine yarar." Norma elindeki kadehi kaldırdı. "Mutlu kız çocuklarının şerefine!"

"Alay etmeyin," diye uyardı Sasaki.

"Böyle bir niyetim yok," dedi Norma, "Erkek çocuk doğurmak isteyen kadınlarsa her şeyin tersini yapmalıdır. Üzüm sirkesi yerine kabartma tozu. Erkeğin uzvu iyice girmeli. Ve kadın cinsel ilişki sırasında doyuma ulaşmalıdır."

Sasaki oturduğu tabureden ayağa fırladı ve Norma'nın elini öptü.

"Müthiş! Çok müthiş, madam! Biz bambaşka bir dünyada yaşamıyoruz. Bu alandaki gelişmeler ve buluşlara -özür dilerimgazeteciler ve yazarlar böyle bir kavram verdi. Araştırma yapan uzmanlara 'üçkâğıtçı' diyenler oldu. İstenilen şekilde insan yapmak düşüncesi o kadar müthiş ki, önüne gelen bu konuda aklına geleni yazdı çizdi. Ülkenizde çıkan *Der Spiegel* bile şimdiye kadar gen araştırmaları üzerine büyük üç röportaj yayınladı."

"Doğru. Konu çok tartışıldı, herkes bir şeyler iddia etti," diye araya girdi Barski. "Ancak sizin tarafınızda olan çok ünlü bilim adamları da var, meslektaşım. Örneğin, Biyolog Adolf Portman. Ben de size hak vermeliyim Doktor Sasaki. Basın ve yayın organları bu konuyu çok deşti. Onun çalışmaları bambaşka bir dünyayı yaratmak için değil."

"Teşekkürler," dedi Sasaki. "Şu anda bütün işin henüz başındayız. Her şeye yeni başladık. Yapacak daha çok şey var." Yine kol düğmeleriyle oynadı, "Mikroskop altında gen malzemesini yumurtacıklara verebilmekteyiz. Bunu fareler üzerinde defalarca denedik. Bu gen tekniğiyle yeni hayvanlar yaratılabilir. Örneğin, süper inekler oluşturulabilir."

"Ve aynı şeyi insana da yapmak mümkün, öyle mi?" diye Norma sordu.

"Teknik bakımdan mümkün olabilir."

"Şu anda farelerde başardınız," dedi Barski. "Ancak hayvanların çok genç olması gerekiyor. Yoksa başarılamaz."

"Hemen yarın insanlarda başarı elde edeceğimizi söylemiyorum ki! 'Çift Helix'i bulan James Watson'un bir sözü aklıma geldi. İnsanın tıpatıp bir kopyasının klonlar aracılığıyla önümüzdeki yirmi yıl içinde yapılacağını sanıyorum.'"

"Ama biz ikimiz de biliyoruz ki, sayın meslektaşım," diye Barski konuştu. "Watson buluşundan sonra bunun gibi bazı ipe sapa gelmez açıklamalarda bulunmuştur."

"Evet, haklısınız..."

"Nedir bu 'klon'lar?" diye Norma sordu. Teyp çalışmaya devam ediyordu.

"Bu Yunancadan gelen biz sözcüktür," diye açıkladı Sasaki, "Üretme anlamına gelebilir. Örneğin, bitkilerde toprağa daldırma yöntemiyle yeni bitkiler üretilebilir. 'Klon'lar aracılığıyla da cinsel ilişki olmadan çocuk sahibi olunabilir. Yumurtaların ve spermaların birleşmesi gerekli değildir."

"Niçin gerekli değildir?"

"Eğer gerçekleştirmek için gerekli teknik ve bilimsel olanaklar varsa, kadının yumurtalığından bir ya da birkaç yumurta alınır. Yumurtanın hücre çekirdeği çıkarılır. Erkekten alınan hüc-

170

re çekirdeği bu yumurtaya yerleştirilir. Sonra yumurta yine kadının rahmine konur ve dokuz ay sonra çocuk dünyaya gelir. Bu çocuk erkeğin tıpatıp bir kopyasıdır." Sasaki, Norma'nın yüzüne baktı. "Korktunuz değil mi?"

"Hem de nasıl," dedi Norma. "Kadınlar kullanılıyor. Belirli erkeklerin kendilerine benzeyen çocukları olsun diye kadın yumurta hücresini bağışlıyor ve gebe kalıp çocuğu dünyaya getiriyor."

"Ama korkmanızı biraz aşırı buluyorum, madam," dedi Sasaki. "Siz de biliyorsunuz ki, erkekleri ölümsüzleştirmek düşünce ve çabaları eski çağlarda da vardır. Geri kalmış kavimlerde ya da modern toplumlarda erkekler oldukça genç kadınlarla evlenmekten hoşlanır. Bu kadından doğacak çocuğun çok güzel, çok sağlıklı olmasını beklerler. Geçenlerde okuduğum bir Amerikan bilim araştırmasına göre, bu erkekler çocuklarında kendilerini görmek istiyorlarmış. Demek ki, günümüzde bilimin denediği ve araştırdığı şey, yüzyıllardır toplumlarca hayal edilmiş bir düşünce. Şimdi gülümsüyorsunuz, madam. Çok şükür! Tabii çok akıllı, başarılı ve güzel kadınların da tıpatıp kendilerine benzeyen bebeğe sahip olmaları mümkün. Ancak dediğimiz gibi, bilim adamlarının bu başarıyı elde edebilmeleri için yirmi otuz yıl daha geçmesi gerekecek. Şu anda bilimsel teknik bunu başaracak olanaklara sahip değil. Öyle değil mi, meslektaşım?"

"Evet, öyle," diye yanıtladı Barski. "Ancak toplumun böyle denemelerle mekanik insanlar yaratılmasını engellemesi de yerinde olur."

"Ah," dedi Sasaki. "Böyle insanlar yaratılmasında kimlerin çıkarları vardır, sorusuna geldik. Kimdir toplum? Toplum, güçlüler ve zenginlerdir. Bunlar her şeyi finanse edecektir. Çünkü her zaman için güçlü, zengin kalmak ve sonsuza dek diğer insanları yönetmek istemektedirler. Flemming'in penisilinini düşünün! 1928 yılında bulmuştu. Kimse bu yeni buluşla ilgilenmemişti. Ta ki Amerikalıların 1942 yılında savaşa girmesine dek.

O zaman yaralılarına penisilin gerektiğinde, birden milyarlarca doları bu yeni antibiyotiğe harcamışlardı. Otto Hahn'ın Berlin'de atom çekirdeğini parçaladığı günü düşünün. Yanında çalışan Lise Meitner Danimarka'ya gidip, Niels Bohr'a haber vermek zorunda kalmıştı. O da bu haberi Einstein'a ulaştırmıştı. Bu ünlü bilim adamının Başkan Roosevelt'e yazdığı mektup üzerine Amerikalılar milyarlarca doları Manhattan Projesi'ne yatırıp Hitler'den önce atom bombasını yapmıştı. Çok şükür! Bu bombayı o yıllarda Hitler'in elinde düşünebiliyor musunuz?"

"Peki, sizi finanse eden kim?" diye sordu Barski.

Norma içinden, bu adamı tanıyalı birkaç gün oldu, dedi. Gittikçe düşünceli ve hüzünlü oluyor. Neler düşündüğünü biliyorum. Chargaff'ın eleştiri ve uyarılarını çok ciddiye alıyor...

"Bu sorunuzu duymamış olayım," dedi Sasaki gülümseyerek. "Ne de olsa bizler meslektaşız. İnsanların yardımcısıyız, katil değiliz. Burada neler üzerine çalıştığımızı açıkladım. İnsanları daha sağlıklı ve daha mutlu kılmak için büyük çaba gösteriyoruz." Yine kol düğmeleri. "Yumurtadaki gen değişimleri çabalarımızda da tek düşüncemiz insanların mutluluğu. Her şeyi olumlu açıdan görelim. Öyle değil mi?"

"Tabii, her şeyi olumlu görmek gerek," dedi Barski.

"Girmemize izin vermediğiniz o binada adamlarınız, DNA'ların değişimi yoluyla başarıya ulaşmak istiyor..." diye başladı Norma.

Sasaki, "Evet, haklısınız," dedi.

"Bunu yaparken de, milyonlarca yıl süregelen bir şeyi değiştirmeye çalışmanız size vicdan azabı vermiyor, öyle mi?" diye Barski sordu. "Tanrının yarattığı insanlara verilecek zararlarda geriye dönüş olmadığını da biliyor musunuz?"

"Bırakın böyle şeyleri, meslektaşım!" diyen Sasaki tikini tekrarladı. "Yaratılış, Tanrının yarattığı insanlar... İnsanı Tanrının yaratmadığını biliyorsunuz. Kendine tanrı yaratan insandır. Bütün düşündüklerimiz, çalışmalarımız ve bu çatışmalarımız sonucu gelecekte kullanılacak bütün bilgiler insanoğlunun iyiliği içindir..."

"Tabii," diye Barski mırıldandı.

"Güçlülerin ve zenginlerin iyiliği için demek istiyorsunuz," diye Norma söze karıştı. Teyp çalışıyordu.

"Yine öfkelenmeyin, madam!" dedi Sasaki. "Tanrıdan söz ettik de aklıma şu hikâye geldi. Hahamın biri öğrencilerine Tanrının gücünü açıklamaya çalışmaktadır. 'Tanrı,' der 'ev büyüklüğünde bir taşı kaldırıp millerce öteye fırlatabilir. Dağ kadar bir taş bile onun için bezelye büyüklüğündedir.' Sonra heyecanla devam eder. 'Hiç yoktan, kaldıramayacağı büyüklükte bir taş da oluşturabilir.' Sonra birden susar, kendi kendine mırıldanır. 'Ama o zaman güçlü sayılmaz ki!'"

5

Evet, diye düşündü Norma. Nerede kalmıştı gücü, Hitler milyonları öldürürken, Auschwitz'de, Berlin'de ve Vietnam'da açlık ve savaş hüküm sürerken, bütün dünyada onca sefalet ve yoksulluk varken? Bir süre sonra Pierre ve ben Saint-Paul-de-Vence yakınlarında bir villa bulmuş, hatta ilk taksitini ödemiştik. Sonra öldürülmüştü Pierre, Beyrut sokaklarında. Niçin? Niçin böyle yapmıştın, Tanrım? Başını kaldırıp düşünceli düşünceli Sasaki'ye baktı. O inanmıyor Tanrıya, diye düşündü. O bilime inanıyor. Benim inanacak neyim var? Eskiden Pierre'im vardı. Pierre benim inancımdı. O öldü. İnancım.

"Hikâye pek hoşunuza gitmedi sanırım, madam?" diye Sasaki sordu.

Norma irkildi. Sanki uykudan uyanmıştı. "Ben mi? Ah, hayır. Hoşuma gitti. Aklıma bir şey gelmişti de..."

"Peki, siz, sayın meslektaşım? Sizin hoşunuza gitti mi?"

"Hayır," dedi Barski.

"Siz inanıyorsunuz Tanrıya, öyle mi?"

"Evet, öyle. Ben gerçekten inanıyorum Tanrıya," yanıtını verdi uzun boylu, geniş yüzlü, siyah saçlı adam.

Pierre gibi, diye Norma düşündü. Pierre'in işine yaramış mıydı bu inancı?

"Ben de bu arada bazı şeyleri düşünmüştüm. Chargaff'ın bazı sözlerini."

"Kimin dediniz?"

"Erwin Chargaff'ın."

"Ah, onun mu?"

"'İnsan sırları olmadan yaşayamaz,' diye yazmıştır. 'Büyük biyoloji uzmanları karanlığın ışığında çalışmaktadır,' der." Barski boşluğa baktı.

Gellhorn ve diğer insanların ölümünden sonra bu adamın kafasında neler dolaşıp duruyor, diye merak etti Norma. Neyi bilmek istiyor? Neyi biliyor? Neden korkuyor?

"Chargaff'ın şu sözleri de araştırmacılara çok uygun, sayın meslektaşım: 'Yasaklanan bilim diye bir şey var mı, bilemem. Ancak kullanılması yasaklanan bilim vardır...'"

"Ah," dedi Sasaki, "Chargaff'ın unuttuğu bir şey var. O da bilim adamlarının araştırmalarıyla insanlığa ne gibi büyük hizmetlerde bulundukları!"

"Chargaff başka şeyleri de yazıyor," diye Barski devam etti. Sesi hüzünlüydü. Bakışları da. "'İnsanlar hiçbir zaman yapılan eleştiri ve uyarılara kulak asmamıştır,' der Chargaff." Barski başını çevirdi. Sasaki'yle Norma'ya baktı. Sanki uykudan uyanıyordu. Gülümsemeye çalıştı. Sonra konuyu değiştirdi. "Bize güvendiğiniz ve anlattığınız şeyler için teşekkür ederiz, sayın meslektaşım. Çalışmalarınız üzerine bilgi edindik. Yine de şu Pico Garibaldi denen ve burada hırsızlık yapan adamla Hamburg'da az kalsın Bayan Desmond'u öldürecek olan şu Antonio Cavaletti'ye dönelim. İkisinin ortak bir yanı olmalı."

"Tabii var," dedi Sasaki.

"Emin misiniz?"

"Evet, eminim. Onun da Genesis Two'dan geldiğini sizden önce öğrenseydim, Hamburg'a hemen telefon ederdim."

"Haberim yoktu, diyorsunuz. Kabul," dedi Norma. "Ama Profesör Gellhorn'a yapılan suikasttan haberiniz vardı! Olaydan sonra neden Doktor Barski'yi ya da polisi aramadınız?"

"Ben dedim ki, pardon madam, burada yapılan hırsızlıkla size yapılan suikast arasında bir ortak yan görüyorum."

"Laboratuvarınızdaki olayla Profesör Gellhorn'un öldürülmesi arasında sizce bir bağlantı yok mu?" Norma, Barski'ye de baktı. Adamın bakışları anlamsızdı.

"Ben bu bağlantıyı göremedim. Daha doğrusu hemen."

"Ne demek istediğinizi anlamıyorum."

"Profesör Gellhorn ve bütün o insanların sirkte öldürülmesi benim için büyük bir şok olmuştu. Bu olay benim için bir bilmeceydi. Kardeşim Takahito için de. Ama sonra Nis'teki ve Hamburg'daki iki olayda aynı örgütün parmağı olduğunu öğrenince. Önceki olaylardaki bağlantıyı da kavradım."

İyi çevirdin her şeyi, dedi Norma içinden. Akıllısın, Barski'ye baktı. O da şu anda benim gibi düşünüyor...

"Nasıl?" dedi Barski.

Sasaki heyecanla konuşmaya başladı. "Buradaki çalışmalarımızın sonuçları ve gelecekteki projelerimiz disklere kaydedilmişti. Hepsi kasada saklanmaktaydı. Disklerin tümü kodluydu. Hamburg'daki kodlardan da Profesör Gellhorn'la ortak çalıştığınız doktorların haberi olduğunu söylemiştiniz. Burada ise benden başka sekiz kişi bilmekte. Bu sekiz kişiden biri Garibaldi'ye kodu vermiş olacak. Demek ki, bazı insanlar, sizin olduğu gibi benim çalışmalarımla da çok yakından ilgileniyor. Benim adamlarım arasında bir hain var. Ancak burada kimse öldürülmedi."

"Sizce Profesör Gellhorn'a, araştırmalarımızın sonuçlarını ya da kodu vermesi için baskı yaptılar, öyle mi?" dedi Barski.

Sasaki başını salladı.

175

"Profesör Gellhorn da bunu kabul etmediği için öldürüldü."

"Ben bundan eminim. Bayan Desmond da konuyu araştırıp açıklığa kavuşturmasın, gazetelerde yayınlamasın diye öldürülmek istendi."

"Peki, bütün bunların ardında kim ya da kimler var?" diye Norma sordu.

"Çalışmalarımızla ilgilenen biri... Gerektiğinde insan öldürmekten çekinmeyen biri."

Norma, "İlaç sanayisinden bir kuruluş mu dersiniz?" diye sordu. Teyp çalışıyordu.

"Belki bir kuruluş, belki de birkaç," dedi Sasaki. "Her şey olabilir. Her şey mümkün. Endüstri casusları günümüzde her yerde var. Öyle değil mi? Belki bütün bu kuruluşların da üzerinde, çok güçlü biri."

"Hükümetler mi, demek istiyorsunuz?"

"Hükümetler, politikacılar... Kısacası bu dünyadaki güçlüler."

"Meslektaşım Doktor Sasaki, dinleyin beni. Biz Hamburg'da göğüs kanserini iyileştirmek için çaba gösteriyoruz. Siz de burada suni döllendirme, embriyonlar, DNA denemeleriyle uğraşıyorsunuz. Araştırmalarımızın sonuçlarını elde etmek için hükümetler ve politikacılar, teröristleri görevlendirip insanları mı öldürtüyor? Bu düşüncenize katılmıyorum."

"Ben düşüncemin doğruluğuna inanıyorum," dedi Sasaki.

"Ama neden? Niçin?" diye Barski sordu.

"Siz ve biz çalışmalarımız sırasında öyle bir şey bulmuş olmalıyız ki, bu bulduğumuz başkalarını müthiş ilgilendirmekte!"

"Ne olabilir bu?"

"Bunu bilemem," dedi Sasaki. "Her neyse, benden onun bir bölümü çalındı. Sizde durum başka, Sayın Barski. Profesör Gellhorn şantajı kabul etmedi. Konuyu sizlere bile açmadı. Karşı tarafın teklifini reddetti, Bu karşı taraf da -her kimse- onu öldürttü."

"Ancak şu ana kadar böylesine çok istedikleri şeyi yine de ele geçiremediler," diye belirtti Norma.

"Evet," dedi Sasaki. "İşte bu nedenle, bu kişi ya da kişiler - diyelim ki, kuruluşlar, partiler, hükümetler- istediklerini sizden ya da bizden almaya uğraşacak. Çok eminim, yakında sizin grubunuzdan da bir hain çıkacak, Sayın Barski. Bir erkek ya da bir kadın. Her şeyi, kliniğinizde olan biteni, karşı tarafın istediklerini onlara bildirecek, verecek, satacak bir hain." Ufak tefek Japon yine kendinden geçmiş gibiydi. "Hainlik yapacak, sırları satacak, casusluk yapacak, kendisine güvenilmeyen, sözüne inanılmayan bir insan olacak! Kısacası, sizler ve bizler bundan sonra artık daha çok dikkat etmeliyiz. Hayatımız tehlikede!"

6

"Bu adama inanıyor musunuz?" diye Norma sordu.

Sasaki'nin yanından ayrılmışlardı. Cimiez kilisesinin ve manastırının yanından geçmiş, büyük parkta yürüyorlardı. Limon ağaçları ve sayısız çiçek yataklarıyla bu park bir renkler deniziydi. Büyük terasından Boron ve Châteua tepeleri görünüyordu. Aşağılarda da Nis'in evleri ve ötelerde masmavi Akdeniz.

"Bilmiyorum. Ona inanmak istiyorum... Ama sonra..."

"Evet," dedi Norma. "Ama sonra? Ben de sizin gibiyim. Belki tahminleri ve iddialarının ardında belirli amaçlar yatıyor? Belki araştırmalarımızı belirli bir yöne çekmek istiyor?"

Barski durdu. "Onun kliniğinde hırsızlık yapıldı. Bu gerçek. Buraya gelmeden önce polise de sordum. Garibaldi adında bir koruma görevlisi o günden bu yana kayıp. Polis diskleri onun çaldığından emin. Sasaki'nin deneyleri ve buluşları gerçekten çok ilgi çekici. Ama bizim deney ve çalışmalarımızın nesi ilgi çekici? Biz karanlıkta kuyu kazıyoruz. Sasaki'den ne çaldılar? Sanı-

177

rım çok değerli bir şeyi. Bizden istenen ve bizim bilmediğimiz şey de karşı taraf için çok önemli olmalı."

"Grubunuzdan birinin hain olabileceğine inanıyor musunuz?"

"Bunu düşünmek bile çok müthiş," dedi Barski. "Biz birbirimize çok yakınız. İçimizden birinin hainlik yapması... Bay Westen dünyadaki politikacı dostlarımla acele konuşmam gerek, derken, sanırım çok haklıydı. Müthiş bir olayın içine girdiğimizi yavaş yavaş kavramaya başlıyorum. Ama bunun ne olduğunu da bilmiyorum!" Yüzünün ifadesi birden değişti. "Bakın şu parka... Ne güzel, değil mi, Bayan Desmond? Nis'in çok güzel yerlerinden, birindeyiz. Siz Cimiez'e çıkmış mıydınız hiç?"

Bu kadarı fazla, dedi Norma içinden. Neden oluyor böyle şeyler? Niçin Pierre?

"Buralara hiç gelmiş miydiniz?" diye yineledi Barski.

"Hayır," dedi Norma. Dayanamayacağım, diye düşündü. Pierre, Pierre! Bu yolda, evet, şurada yürümüştük birlikte. El ele. Yazın son günleriydi. Çiçekler bugünkü gibi rengârenk açıyordu. Ve biz öylesine mutluyduk!

"Burada bazı şeyleri görmeniz gerek," dedi Barski. "Çok güzel bir antik tiyatro vardır. Romalılardan kalma. Kazılara devam ediliyor... Sonra Roma hamamları. Arenes Villası'ndaki Matisse Müzesi."

Pierre, Pierre, yardım et bana!

"...biraz daha aşağılarda da Chagall Müzesi... Siz Chagall'ı çok seversiniz, öyle değil mi? En güzel taş baskıları ve guaşları orada sergilenmektedir."

Norma'nın parktaki bir sıraya oturması gerekti. "Bütün bunları siz ne zaman görmüştünüz?" dedi.

Barski yanına ilişti. Sesi birden uzaklardan geliyormuş gibiydi. Çok usul çıkıyordu. "Biraz ötede Pasteur Kliniği vardır. Orada görev gereği çok kısa süre bulunmuştum. Eşim Bravka'yı da getirmiştim. Ona bütün buraları göstermiştim. Tabii kiliseyi ve Aziz Pons'un manastırını da. Şu tepeye kurulmuş kilisenin içi çok güzeldir. Nis Okulunun üç dönemi bu kilisede görülür, Aziz Pons üçüncü yüzyılda şehit olmuştur..." Birden sustu. "Çok konuşuyorum, bağışlayın! Siz bu kıyıları biliyorsunuz tabii."

"Evet."

Park kuş sesleriyle doluydu. Hava sıcaktı. Ne güzel bir sıcaklık! Hava başka yerlerde olduğundan daha bir başkaydı. Işık da ne güzeldi, ne kadar canlıydı!

"Nis'i de bilir misiniz?"

"Pek değil... En çok havaalanını bilirim... Hiç yeterince zamanım olmamıştı..." Pierre!

"Kendinizi iyi hissetmiyor musunuz?" Yanındaki kadına merakla bakıyordu.

Norma bütün gücünü toplayıp ayağa kalktı. "Hiçbir şeyim yok. Ne zaman... Ne zaman eşinizle buraya gelmiştiniz?"

"O günleri çok iyi anımsıyorum. Yazın son günleriydi. Kızımız dünyaya gelmeden önce... Ne söylediğimi bilmiyorum. Ama siz birden çok hüzünlendiniz. Neden?"

"Buralar çok güzel olduğu için," dedi Norma.

"Rahatsız olmazsanız... Ben... Ben kiliseyi ziyaret etmek istiyorum da... Batı Avrupalılar, Polonyalılar delirmiş, der. Hem Kızıllar hem de Tanrıya inanıyorlar! Ama benim gibi birçok Polonyalı Tanrıya inanır. Gerçekten! 1980-1981'den sonra on binlerin kiliseye bağlanması ise dinle filan ilgili değil. Onlar yönetime karşı çıkmak için böyle yapmıştır."

"Siz eşinizle bu kiliseyi mi gezmiştiniz?" diye Norma sordu.

"Evet. Sizi rahatsız etmezsem... Birkaç dakika için... Sanırım sizin inancınız biraz başka... Öyle değil mi? Kilisenin önünde taş sıralar vardır..."

Barski kiliseye doğru yürüyüp içeri girdi. Norma da ayağa kalkarak biraz yürüdü. Beyaz mermerden bir sütunun karşısında duran mermer sıraya oturdu. Burada daha önce de oturmuş, yoncalarla süslü bu mermer sütunu daha önce de seyretmişti. Sütunun bir yanında Meryem, öteki yanında kanatlı bir melek görünüyordu. Aralarında da Aziz Klara ve Assisi'li Aziz Franz vardı. Pierre anlatmıştı bana. Ve birden onun sesini duydu. O güzel günde bu kilisenin önünde, bu beyaz mermer sütunun karşısında anlattıklarını duydu... İnanılmaz, diye düşündü. Bu sıcak mermer sırada oturuyorum. Kendimi çok kötü hissediyorum. Deniz kıyısındaki bu kentin aydınlık ve de çok yumuşak ışığında. Ben yine buradayım. Aynı mevsimde, aynı günlerde. Oturuyorum, ölmüş olan aşkımı düşünüyorum. Ve kilisenin içinde bir başka adam diz çökmüş, ölmüş olan aşkına dua ediyor. Başını çevirdi. Sütunun üzerindeki meleğe baktı. Ben de ölmüş olmayı isterdim. Bizleri geride bırakmış diğer iki ölü gibi. Ama ben ölmemeliyim, diye düşündü birden. Ben oğlumun katillerini bulmalıyım! Onları bulduktan ve yazılarımla açıkladıktan sonra ölebilirim. Önce görevimi yerine getirmeliyim. Ben o katilleri bulsam, ne olacak? Onları dava edecekler mi? Büyükler ve güçlüler ve de zenginler, katilleri öldürmek için yollamış o insanlar, ne zaman dava edilmiştir? Bunu düşünmemem gerek. Yoksa görevime devam etmek yürekliliğini yitiririm. Ve görevimi sürdürmek zorundayım!

Mermer sıranın ucunda küçük bir kertenkele gördü. O çok eski çağları anımsatan, akıllı gözleriyle yabancı yabancı bakıyordu oturan kadına. Neler olup bittiğini sen biliyorsun, diye kertenkeleyle düşüncelerinde konuştu. Evet, senin haberin var. Bunu görüyorum. Sen her şeyi anlıyorsun. Onun için de hiç konuşmuyorsun ya! Sen en yüksek basamaktasın. Tucholski bir merdiven çizmiş ve en alt basamağa 'konuşmak', orta basamağa 'yazmak' ve en üst basamağa da 'susmak' yazmıştı. Bense hem yazıyor hem de konuşuyorum. Sense susuyorsun. Her şeyin gereksiz, anlamsız ve boşuna olduğunu biliyorsun. Konuşmanın ve yazmanın. Gel bana, küçük kertenkele. Gel, yaklaş bana!

Ürkek hayvan çok yavaş ve çok dikkatle Norma'ya doğru ilerledi. Kadın gülümsedi. Ağzını açmadan kertenkeleyle konuşmayı başardığı için. Sonra küçük hayvan birdenbire sıradan aşağı kayarak kayboldu. Norma'nın üzerine bir gölge düştü. Başını kaldırıp baktı.

"Siz mutlu değilsiniz, madam," diye şişman, kırmızı suratlı bir papaz konuştu. Kara giysisi boldu. Başında kara bir şapka vardı. Norma'nın yanı başında duruyordu. Göğsünde kocaman bir istavroz sallanıyordu. Gümüşten. "Bir şey mi oldu? Anlatın bana, Sizi teselli etmek isterim."

"Ben mutsuz değilim," dedi Norma ve kertenkeleyi kaçırttığı için bu papazdan nefret ettiğini düşündü.

"Ah, ama... Neden ağlıyorsunuz, madam?" diye adam sordu.

"Ağlamıyorum," dedi Norma. Ve yanaklarından akan gözyaşlarını hissetti. Yine oluyor, diye düşündü. Elimde değil. Çantasından bir mendil çıkarıp gözyaşlarını sildi. Ama yeni gözyaşları geldi.

"Ben bir papazım, madam. Size yardım edebilir miyim?"

"Hayır," dedi Norma.

"Rica ederim, *chère madame...*"

"Gidin," dedi Norma. "Lütfen gidin!"

"Anlamıyorum..."

"Gitmenizi istiyorum," diye Norma yüksek sesle konuştu. "Gidin buradan! Beni kendi başıma bırakın!" Ve gözyaşlarını sildi. "Gidin, beni rahat bırakın!"

Şişman papaz omuzlarını silkti. "Nasıl isterseniz, madam. Ben sizin için dua edeceğim."

"Hayır, etmeyeceksiniz. İstemiyorum!"

"Dua edeceğim," dedi papaz uzaklaşırken. Bütün şişman insanlar gibi çok yavaş yürüyordu. Sanki havada bulut gibiydi. "Dua etmeliyim. Bu benim mesleğim. Tanımadığım bir bayan için dua edeceğim..."

Norma arkasında adımlar duydu. Başını çevirdi.

Barski geliyordu. "N'oldu? Neden ağlıyorsunuz?"

"Gözüme bir şey kaçtı da."

"İzin verin, bakayım."

"Yok, gerekli değil. Artık geçti."

"Emin misiniz?"

Pierre, Pierre ne olur gözyaşlarım geçsin! "Evet, eminim."
Zorla gülümsedi. Gözyaşları dinmişti. Teşekkürler, Pierre!
Barski ağlayan kadının yüzünü kurulamasını bekledi. "Siz
çok yüreklisiniz," dedi.

"Ah, bırakın böyle şeyleri!"

"Hayır, gerçekten..."

"Böyle konuşmayın, lütfen!"

"Otele dönelim artık."

"Evet, haklısınız."

Barski kolundan tuttu. "Haydi, gidelim!"
Büyük kilise meydanını geçtiler, General Estienne Cadde-
si'ne indiler. Birden karşılarına küçük, üstü başı paramparça bir
çocuk çıktı. Ayaklarında ayakkabılar da yoktu. "Bana on frank
verir misin?" dedi Barski'ye.

"Niçin verecekmişim?"

"Bilmiyorum," dedi çocuk. "Ama gerekli. Çok gerekli."
Barski elindeki küçük deri çantayı açtı. "Al, yirmi frank,"
dedi.

"Çok teşekkür ederim, mösyö," Küçük çocuk hiç gülümse-
meden uzaklaştı.

"Güzel bir çevre, fakat çirkin bir dünya," diye mırıldandı
Barski.

Kaldırımın kenarında mavi Citroen duruyordu. Bu otomobi-
li daha önce de Sasaki'nin kliniğinin park yerinde görmüşlerdi,
Barski birden yanına gidip arka kapısını açtı. Onları koruma gö-
revini yüklenmiş iki adam heyecanla arkalarına döndüler.

"Özür dilerim," dedi Barski. "Kente inmek istiyoruz. Sizin-
le gelebilir miyiz? Ne de olsa yolumuz aynı."

"Buyurun," dedi direksiyonda oturan adam. Barski, Norma'nın binmesine yardımcı oldu. Kendi de bindi. Otomobil yola koyuldu.

"Teşekkürler," dedi Barski. "Bizim işimiz bitti. Yarın sabah Almanya'ya döneceğiz. Birlikte akşam yemeğine gidelim mi?"

"Bunu yapabilir miyiz acaba?" diye sordu ikinci adam.

"Tabii otelde yemeyeceğiz," dedi Barski. "Beaulieu'da küçücük bir lokanta biliyorum. Orada en güzel *fruits de mer* vardır!"

Direksiyondaki adam, "Siz nasıl isterseniz, doktor bey. Çok teşekkür ederiz," diye karşılık verdi.

Cimiez Bulvarı'ndan aşağı indiler. Yolun iki yanında büyük muz ağaçları görünüyordu. Bir evin duvarında kırmızı boyayla yazılmış şu üç sözcüğü okudu Norma: *Fraternité -Egalité- Radioactivité...*

Havada ışık pırıldıyor, titriyordu. Yokuş aşağı indiler. Yüksek binaların arasından bir an için deniz göründü. Akşam güneşinde erimiş kurşun gibiydi. Çok parlaktı. Norma gözlerini yumdu.

"Evet," dedi Barski.

"Ne eveti?"

"Evet, ben bu küçük lokantaya gitmiştim. Eşimle. Orada *fruits de mer* yemiştik."

"Bunları neden bana anlatıyorsunuz?"

"Sormak istediğinizi sanmıştım da..."

"Hayır, öyle bir niyetim yoktu," dedi Norma. "Beaulieu'ya gitmemiş olsaydınız, bu lokantayı nereden bilecektiniz?"

"Sizi ilgilendirmiyor mu?"

"Hayır."

Barski yanındaki kadına baktı. "Siz..." diye söze başladı.

Ama Norma öne doğru eğilerek, "Saat altı. Mümkünse haberleri dinlemek istiyorum," dedi.

"Başüstüne, sayın bayan." Şoför radyoyu açtı. Hemen spikerin sesi duyuldu. "'Atom denemelerimizi durdurma kararını yıl sonuna kadar uzatacağız,' dedi Gorbaçov televizyon konuşma-

183

sırıda. 'Yeryüzünde insanlığı ortadan kaldırmaya yetecek silah var. Görüşmelere engel olmak istemiyoruz...'"

Otomobil bir viraja girince Barski yanında oturan Norma'ya yaslandı. "Affedersiniz," diyerek köşesine çekildi. Norma yanıt vermedi. Çantasından güneş gözlüğünü çıkarıp taktı. Parıldayan denize baktı. Beyaz yelkenliler artık yoktu.

7

Bu kitaptaki Desmond adlı kadının teybindeki kayıtların kopyasıdır:

Barski yanılmıştı. Uçağımızın pazartesi günü sabah saat 07.30'da kalkacağını sanıyordu. Alandaki kontroller arttırıldığı için de en az kırk beş dakika önce orada bulunmamız gerekliydi. Bu nedenle sabah saat 05.30'da kalktım. Kahvaltıyı uçakta etmeye karar vermiştik. Hyatt Regency Oteli'nin resepsiyonunda Barski'yle buluştum. Hesabımızı ödeyip taksiyle havaalanına gittik. Barski şoföre bol bahşiş verdi. Sanırım bu adam hep böyle gerektiğinden çok bahşişler veriyor. Havaalanının büyük salonunda kimseler yoktu. Lufthansa'dan, Düsseldorf üzerinden Hamburg'a gidecek uçağın saat 8.30'da kalkacağını söylediler. Bir saat erken gelmiştik. Uluslararası Côte d'Azur Havaalanı'nın bu büyük salonunu çok iyi bilirdim. Burası her zaman insanlarla doludur. Gürültü, karmakarışıklık, telaş. Sabahın bu saatindeyse bomboş ve sessizdi. Bütün dükkânlar kapalıydı. Bagajımızı verdik ve yürüyen merdivenle birinci kattaki lokantaya çıktık. Köşedeki barda bir defa Pierre'le oturduğumu anımsadım. Elektrik süpürgesiyle ortalığı temizleyen bir kadın, kahvaltı etmek istersek, ikinci kattaki lokantaya gitmemiz gerektiğini söyledi. Orayı bilmiyordum. Barski de. Yukarı çıktık. Burası aşağıdakinden daha büyüktü. Le Ciel d'Azur adlı bu lokanta da bomboştu. Tek bir insan bile yoktu.

Büyük camların önündeki masalardan birine oturduk. Biraz sonra yanımıza bembeyaz üniformalı zenci bir garson geldi. Kahve, yumurta, salam ve daha birçok şcy ısmarladık. Çünkü karnımız açtı ve çok da zamanımız vardı. Zenci uzaklaştı. Sonra elinde bir vazo kırmızı gülle geri geldi. Masaya koydu. Yine uzaklaştı. Nazik bir zenciydi. Karşılıklı oturuyorduk. Barski ve ben. Birbirimize baktık. Uzun uzun. Onun yüzüne bakmak istemiyor, ama yine de bakıyordum. Niçin, bilmiyorum. Yüksekteki bu lokanta çok sessizdi. Sanki uzayda gibi. Anlatamayacağım bir sessizlik vardı. İçim sıkılıyordu. Ama aynı zamanda kendimi huzur içinde de hissediyordum. Yaşamımda böyle bir duyguyu anımsamıyorum. Huzur ve barış bir aradaydı. Demek ki, barış var, diye düşündüm. Birden çok rahatladım. Üzerimden bir ağırlık kalktı. Hüzün kayboldu. Korkular da. İnsanlığın ötesinde, bambaşka bir dünyadaydık burada sanki. Bunlar yepyeni duygulardı.

Camdan dışarı baktım. Aşağıda pistte bir sürü uçak duruyordu. İnsanlar yoktu. Kimse gelmemişti. Hava serin ve berraktı. Güneş doğalı fazla olmamıştı. Uçakların uzun gölgeleri vardı. Denize baktım. Ne kadar da sakindi. Renkleri her an değişiyordu. Griden gri maviye, gri maviden gümüş mavisine. Daha önce böyle renkler görmemiştim. Onlara ad veremiyordum. Karşımda oturan adam da aynı şeyleri görüyordu. Ve ikimiz de konuşmuyorduk. Sessizlik devam ediyordu. Bu ürpertici sessizlik. Daha önce hiç yaşamadığım bir sessizlik. Hiçbir şey gerçek değilmiş, her şey başka dünyadan geliyormuş gibiydi. Büyük bir huzur duydum ve büyük bir heyecan. Çok yeni ve güzel duygulardı bunlar. Küçük kızını ve masallara olan sevgisini anımsadım. Çünkü bu sabah burada yaşadıklarım, ancak masallarda anlatılan bir dünya olabilirdi. Mutluluk duyguları içindeki iki insan ancak böyle bir dünyada yaşayabilirdi. O güzel duyguları yitirmeden.

Sonra yine birbirimize baktık. Konuşmadık. Bizi büyüleyen şeylerin tutsağıydık. Yazmak benim mesleğim. Ama sözcükleri bulmak için kendimi çok zorluyorum. Günün ilk saatlerinde, yükseklerdeki duygularımı anlatabilmek için. Pierre'den sonra yaşamın ve ölümün benim için pek bir önemi olmamıştı. Ancak bazı günler ölümü düşündüğümü anımsıyorum. Acı çekmeden ölmeliydim. Acılardan çok korkarım. Bu yaşamda neler geçmişti başımdan. Bu dünya ve insanları bana neler göstermişti... Ama ölmem doğru değil, diye düşünmüştüm. Pierre'in çocuğu yanımdaydı. Onu çok seviyordum. Bizim çocuğumuzu. Pierre bu çocukta yaşıyordu benim için. Ne var ki, sonra onu da öldürdüler. Ben ölmeyecektim. Ölmemeliydim. Çocuğumuzun katillerini bulmak için. Ama onları bulur bulmaz ölmek isterim. Bu dünya bana yetmişti! Başımdan geçen bütün kötülüklerden sonra Anne Frank'ın şu sözlerine artık inanamıyordum: "İnsanların çok derinliğinde iyilik vardır." Şimdi sabahın erken saatlerinde, bu adamın karşısında otururken, hiç ölmeyecekmişim gibi hissediyorum. Ve onun da aynı duygulara kapıldığını, zamanın ötesinde, başka dünyalarda olduğunu da. Benim gibi.

Zenci garson geldi. Küçük bir servis masasında kahvaltımızı getirdi. Çok nazik ve canayakındı. Barski ona, nereden geldiğini sordu. Genç adam, "Dakar'dan," dedi. Senegalliydi. Nis Üniversitesi'nde tarih ve felsefe öğrenimi yapmaktaydı. "Niçin Paris'te değil?" diye Barski sordu. "Buradaki sıcağı sevdiğim için," dedi Afrikalı zenci garson.

Sonra yine yalnız kaldık. Kahvaltı ettik. Ismarlarken ikimizin de karnı çok açtı. Şimdi her şey masanın üzerinde durduğunda, bir lokma bile yiyecek durumda değildik. Fincanlarımıza kahve koyduk. Yudumlarken birbirimize baktık. Sonra yine ötelere. Tek başlarına duran uçaklara. Sanki donmuş, yerlerinden hiç kıpırdamayacak gibi duruyordu uçaklar. Ve pistte tek insan görünmüyordu. Denize, sürekli renk değiştiren sulara baktık. Tek dalga bile yoktu. Dümdüzdü deniz. Ötelerde, çok uzaklarda, benim gözlerimin seçemediği yerlerde deniz gökyüzüyle birle-

186

şiyordu. Ufukta. Çok deniz görmüştüm. Ama o gün, sabahın o saatlerinde, bu deniz benim dostum, diye düşündüm. Ben burada kalmak istiyorum. Çünkü ancak burada, benim gibi hep bilmek için çaba gösteren bir muhabir, sonunda, bu denizin karşısında bilinmenin ne kadar değerli olduğunu anlayacaktır, dedim kendi kendime.

Barski konuşmaya başladığında birden irkildim. "Sabahın kızıllığının kanatlarını alıp denizin ötelerine uçsam da senin elin beni orada bile tutacak..." Gözlerimin içine baktı. "Peygamber Davud'dan," dedi. "Affedersiniz."

"Neyi affedeyim?" diye sordum. "Siz beni affedin."

"Ben mi?" dedi.

"Evet," dedim. "Size dün gerçeği söylememiştim. Ben Cimiez'e çıkmıştım. Pierre Grimaud'la. Kiliseye ve manastıra girmiş, parkta gezinmiştik. Marc Chagall Müzesi'ni de ziyaret etmiş, o güzel tabloları görmüştük. Sizin eşinizle gördüklerinizi ben Pierre'le görmüştüm. Pierre de sizin gibi kiliseye girmiş ve dua etmişti. O da sizin gibi Tanrıya inanıyordu..."

"Biliyordum, sizin daha önce oralara gitmiş olduğunuzu."

"Nereden biliyordunuz?"

"Bu anlatılamaz," dedi. "Ama hemen anlamıştım."

Bomboş lokantada tek başımıza oturduğumuz bir saat içinde bütün konuştuklarımız bunlardı. Sonra kalktık. Barski genç zenciye pek iştahımız olmadığını söyledi. Hesabı öderken de bol bahşiş bıraktı. Elini sıktı ve başarılar diledi. Zenci de bize aynı şeyleri söyledi. Dışarıda pistte benzin tankerleri ve kamyonlar gidip gelmeye başlamıştı. Bir sürü sarı üniformalı insan da çalışmaya gelmişti. Aşağı büyük salona indik. Burada da birçok insan gördük. Dükkânlar da açılmıştı. Bir dükkânın kapısına konmuş gazetelerde, Şili Cumhurbaşkanı General Pinoşet'nin suikast girişiminden sonra ülkede sıkıyönetim ilan ettiği ve basın özgürlüğünü kısıtladığı yazıyordu.

Pasaport kontrolüne doğru yürürlerken hoparlörlerden Fransızca ve Almanca bir çağrı tekrarlandı: "Doktor Jan Barski, Lufthansa'nın 876 sefer sayılı Hamburg yolcularından, lütfen danışmaya! Çok önemli bir telefon konuşması için Doktor Barski lütfen..."

"Hemen geliyorum." Barski, Norma'nın yanından uzaklaştı. Kalabalığın arasından geçip danışmaya gitti. Norma onun telefonda konuştuğunu gördü. Geri geldiğinde yorgun görünüyordu, yüzünün rengi de kireç gibiydi.

"Ne oldu?" diye Norma sordu.

Yanlarından geçen insanlar telaşlı ve sinirliydi. Herkesin acelesi vardı. Annesinin kucağında bir bebek ağlıyordu. Koltuklarda oturan insanlar esniyorlardı. Hoparlördeki ses hiç aralıksız duyulmaktaydı. Kalkışa hazırlanan, alana inen uçakları haber veriyor, bazı yolcuları danışmaya çağırıyordu.

"Tom," dedi Barski. Norma'nın yüzüne bakmıyordu. "Thomas Steinbach. Otele telefon etmişler, çıktığımızı öğrenmişler."

"Ne oldu Tom'a?" diye Norma sordu. "Otel resepsiyonundan beni havaalanında bulabileceklerini söylemişler. Onun için şimdi buradan aramışlar."

"Tom'a ne oldu?"

"Anımsıyorsunuz değil mi, Tom'un bir virüs kaptığını. Eşi Petra'nın da. Nisandan bu yana bulaşıcı hastalıklar bölümünde yaşıyorlar."

"Evet, evet. Fakat ne oldu şimdi?"

"Hemen dönmem için buraya telefon etmişler. Nis'ten başka bir yere uçabileceğimden korkuyorlarmış."

"Doktor!" dedi Norma. "Ne oldu Tom'a?"

"Dün akşam iyiydi. Ancak gece kötüleşmiş. Tom ölüm döşeğinde..."

Bebek ağlamayı sürdürüyordu.

Barski'nin gümüş rengi Volvo'su çok hızlı gidiyordu. Büyük kent parkını, açık yüzme havuzunu, park gölünü geçtiler. Sonra Virchow Hastanesi'nin girişinde fren yaptılar. Hamburg'da saat öğle üzeri bir buçuktu ve çok sıcaktı. Nis'teki sıcaklığa daha iyi dayanıyordu insan. Buradaki başka bir sıcaktı. Bunaltıcı. Norma, Nis'te her şey bambaşka, diye düşündü. Her şey. Arkalarından gelen Mercedes de durdu. Başkomiser Sondersen'in adamlarıydı.

Barski öfkeli öfkeli kornaya bastı. Havaalanından buraya gelene kadar bir kaza yapmasından korkmuştu Norma. Girişin yanındaki kulübeden şişman kapıcı çıktı. Norma adamı buraya ilk gelişinden tanıyordu.

"Ne oluyor, Bay Lutz?" diye seslendi Barski. "Beni artık tanımıyor musunuz?"

"Tabii tanıyorum sizi..." Şişman adam bu sıcak ve nemli havada günlerdir buram buram terlemekteydi.

"Öyleyse engeli neden hemen kaldırmadınız?"

"Bayan," diyecek oldu kapıcı Lutz.

"Ne olmuş bayana?"

"Girmesi yasak da..."

"Ne?"

"Girmemem için emir veren sizdiniz," diye Norma anımsattı, "unuttunuz mu? Beni buradan kovduğunuzda öyle emir vermiştiniz."

"Yasak kalkmıştır. Bayana bir kimlik kartı vereceğiz. Gece gündüz buraya girip çıkabilir."

"Daha önceden haberim olsaydı..." Lutz biraz kızmış gibiydi. Engel kalkarken Barski gaza bastı. Otomobil üç yüksek binadan toprak renginde olanına doğru hızla ilerledi. Yanlarından geçen beyaz doktor önlüklü bir adam, yavaş gitmesi için bağırdı. Barski binanın önünde park etti. Kapıyı açıp indi. Norma da peşinden. Etrafı yüksek çitle çevrili iki katlı binaya doğru yürü-düler. Barski koşar adımlarla gidiyordu. Norma birkaç adım ar-kasındaydı. Uzun boylu doktor kapının ziline bastı ve yukarıda-ki televizyon alıcısına baktı.

Hoparlörden bir erkek sesi duyuldu. "İyi günler, doktor."

"Merhaba."

"Bayan?"

"Girebilir."

"Başüstüne."

Norma da kapıya varmıştı, içerdeki adam bir düğmeye bas-mış olacaktı ki, kapı sessizce açıldı. Barski hızla içeri girdi. Nor-ma da peşinden. Üç gün önce beni buradan kovarken, neredey-se tokatlayacaktı, diye düşündü. Bu üç gün içinde neler olmuş-tu? Büyük kapı arkalarından kapandı. Ben bu adamı böyle tanı-mıyorum, diye geçirdi içinden. Upuzun bir koridoru koşar adım geçtiler. Barski cebinden çıkardığı anahtarla bir kapıyı aç-tı. Küçük bir odaya girdiler. Burada bir adam onları beklemek-teydi. Orta boylu, tıknazdı. Saçları hafif dökülmüştü. Başının ortası açıktı.

"Çok şükür!" dedi adam. Üzerinde beyaz bir doktor önlü-ğü vardı.

"Daha çabuk mümkün değildi," diye açıkladı Barski. "Düs-seldorf'ta aktarma yaparken iki saat beklememiz gerekti. Bura-da da bagajlarımızın gelmesi her zamanki gibi uzun sürdü. Tom'a ne oldu?"

"Tom öldü," dedi orta boylu, başının ortası açık adam. "Te-lefonda konuşmamızdan yarım saat sonra. Saat 07.47'de."

Barski yanında duran bir iskemleye bitkinlikle çöktü. "Zaval-lı dostumuz," diye mırıldanarak karşısındaki duvara baktı. Bom-boş bakışlarla.

"Adım Holsten," dedi beyaz doktor önlüklü adam Norma'ya.

Barski başını çevirdi. "Evet. Doktor Harald Holsten, Bayan Desmond," dedi.

Holsten hafifçe eğildi. Yine sol gözünün altındaki sinir atıyor, diye Norma düşündü. Gellhorn ailesinin cenaze töreninde de Dr. Harald Holsten'in sol gözünün altındaki sinirin attığını anımsamıştı. Televizyonda görmüştü. Acaba bu bir tik mi? Yoksa duygulanma belirtisi mi? Holsten, Barski'ye dönerek konuştu. "Tom'un son haftalardaki sağlık durumunu biliyorsun. Her geçen gün kötüleşiyordu. Normal koşullarda bir zatürreeyi atlatabilirdi. Ama böyle..." "Bayan Desmond'un yanında açık açık konuşabilirsin." Barski, Norma'ya baktı. "Size ve Bay Westen'e anlatmıştım. Tom hastalandıktan sonra burada çılgın gibi çalışmıştı. Doğru dürüst uyumuyordu da. Yemek yemeye bile zamanı yoktu. Çalışmalarından başka bir düşündüğü yoktu. Bütün gücünü çalışmalarına vermişti. Bu koşullar altında zatürreeyi atlatması mümkün olamadı." Sesi titriyordu. Polonya şivesi belirgindi. "Şimdi huzura ve özgürlüğüne kavuştuğunu umuyorum. Çünkü yaşadığı sürece buradan dışarı çıkamayacaktı. Uzun yıllar birlikte çalıştığım ve çok iyi tanıdığım dost bir insandı... Eşi Petra da..." Kendini toparladı. "Yakınlarına haber verdin mi, Harald?" diye sordu.

"Evet. Önce anne ve babasına telefon ettim. İspanya'da tatildeler. Tom'un durumunun kötüleştiğini bilmiyorlardı. Onları daha fazla üzmemek için söylememiştik. Öyle değil mi? Bu akşam Hamburg'a geliyorlar. Saat 19.30'da, Swiss Air'le. Tom'un ölümünden hiç kimseye söz etmemelerini tembihledim. Zavallı insanlar, iyi insanlar. Telefonda kendilerine, otopsi yapılmasının gerekli olacağını söyledim. Hemen kabul ettiler. Sonra onları idareye bağladım. Oradaki sorumlu kişilere de söylesinler diye. Otopsiden sonra cesedin yakılması gerek. Bunu da kabul ettiler. Buradaki nöbetçi Doktor Jacobsen ölüm belgesini doldurdu. Eli Kaplan ona yardımcı oldu. Bütün belgeler hazırlanınca da Eli, Tom'un cesedinin patolojiye götürülmesini sağladı. Şimdi orada."

"Tam bir otopsi olmalı," dedi Barski. "Hele beyin tam olarak incelenmeli!"

"Biliyorum."

Barski, Norma'ya döndü. "Tom'un ve eşinin vücudunda virüs bulmuştuk," dedi. "Onları değiştiren ve hasta yapan bu virüstü. Tom'un beyin hücrelerini de değiştirip değiştirmediğini incelememiz gerekli şimdi. Böyle bir değişiklik varsa, nasıl bir değişiklik olduğunu mutlaka bulmalıyız. Patoloji bize beyin dokusundan örnekler verecektir. Böyle konuştuğum için özür dilerim..."

Norma başını salladı. Nis Havaalanı'ndaki o bomboş lokantanın sessizliği, diye düşündü. O güzel sessizlik, o güzel deniz. Birkaç saat önceydi. Başka bir ülkedeydi...

"Petra'nın durumu nasıl?" diye Barski'nin sorduğunu duydu.

"Ah, Petra," dedi Holsten. "Gel de, gözlerinle gör!" Adamın sol gözünün altındaki sinir atmaya devam ediyordu.

10

"Merhabalar, Jan!" diye Petra neşeyle seslendi. "Seni bu kadar uzun süreden sonra görmek ne güzel. Biraz önce Doris'e de gösterdim. Söylediklerimde haklı olduğumu."

"Ne söylemiştin, Petra?"

"Bu sonbaharda etek ceketlerin çok beğenileceğini. Her boyda ve her kumaştan. Çok satılacak! Bak, burada göreceksin!" Elindeki moda dergisini kaldırıp gösterdi. "Yeşil ceket ve siyah etek. İskoç stilinde. Yünlüden. Saint Laurent'in çizgileri..."

Çok kötü, diye düşündü Norma. Biraz önce Barski ve Holsten'le birlikte buraya gelmişti. Yine koridorlardan ve dehlizi andıran geçitlerden geçmişlerdi. Üçünün de üzerinde yeşil koruma giysileri vardı. Ufak tefek, sarışın ve oldukça hareketli bir kadındı Petra. Onun üzerinde normal giysiler vardı. Petra büyük bir

192

camın arkasındaydı. Mikrofon ve hoparlör aracılığıyla konuşuyorlardı. Odaya girdiklerinde genç, çok güzel, kızıl saçlı bir kadının camın önünde durduğunu görmüşlerdi. Kadın ağlıyordu. "Doris Leister," diye Barski kadını Norma'ya tanıştırdı. "Bayan Steinbach'ın bir tanıdığı." Doris başını eğdi. Yeşil gözlerinden yaşlar akıyordu.

Petra, "Ah, Bayan Desmond!" diye seslendi. "Buraya gelmekle bana onur verdiniz! Sizin yazılarınızı hep okurum! Moda üzerine de bir şey yazmalısınız! Bakın burada *Harper's Bazaar*'ın son sayısı var. Sonbahar modası. Yeni kostümler. Örneğin şu..." Elindeki derginin sayfalarını karıştırdı. Sonra bir sayfayı açıp kocaman bir fotoğrafı gösterdi. "Dior'un. Siyah beyaz. Gabardin. Kısa etekli. Yanlarda cepler. Şık değil mi? Doris, bırak artık şu ağlamayı! Onu hoş görmelisiniz, Bayan Desmond. Doris çok çabuk ağlar. En ufak şeyde gözünden yaşlar gelir. Kocam öldü. Hemen ağlamaya başladı. Bakın şu nasıl? İpek ve kaşmir karışımı. Yakalar geniş. Kol ağızlarında vizon. Ceketin altına da kapalı yakalı bluz giyiliyor."

Doris hıçkıra hıçkıra ağlamaya başladı. "Dayanılmaz bir durum, değil mi? Buraya geleli beri hep aynı şeyler. Tom'un ölümünü hiç umursamıyor."

"Öyle konuşma," dedi Petra şaşırmış gibi. "Tom'un öldüğünü biliyorum. Umurumda değil mi sanıyorsun? Doktor Holsten'le konuştum. Çok hasta olduğunu söyledi. Zavallı Tom. Ama çok hasta insanlar ölür. Öyle değil mi? Herkes ölecek. Hiç kimse sonsuza dek yaşamayacak..." Elindeki moda dergisini karıştırdı. "Bakın şu nasıl? Ben çok şık buluyorum! Yeni Humphrey-Bogart-Look. Kahverengi çizgili tayyör. Sanırım flanel... Evet, pamuklu flanel..." Hiç durmadan konuşuyordu. Canlı ve acele acele.

Norma, Petra'nın odasına baktı. Büyük camın ardındaki hasta odası bir evin oturma odası gibi döşenmişti. Her tarafta moda dergileri duruyordu. Pencerenin yanındaki büyük masanın üzerinde bir sürü eskiz, kalem ve beyaz kâğıtlar gözüne ilişti. Bazıları yere düşmüştü. Oda karmakarışıktı. Petra'nın üzerinde sarı bir giysi vardı, Görünüşü hiç de iyi değildi. Teni sapsarıydı. Feri kaçmış gözlerinin altında koyu halkalar vardı. Ses tonu da sinirliydi...

"En çok hoşuma giden de şu. İskoç yününden siyah ceket. Diz boyu etek. Üzerinde de ipekten siyah bluz. Guy Laroche'un. Audrey Hepburn'ü düşündürüyor bana. 'Tiffany'de Kahvaltı.' Sizce de öyle değil mi, Bayan Desmond? Bayan Desmond!"

Norma irkildi. "Evet, evet. Çok doğru. Audrey Hepburn'ü anımsatıyor," dedi. Barski, gözü yaşlı Doris'in yanında durmuş, usul usul konuşuyordu. Bir elini omzuna koymuştu. Holsten birkaç adım arkada duruyordu. İnanılmaz, diye bir an için düşündü Norma. Buradaki her şey inanılmaz.

Barski'nin sesini duydu. "Bırak artık ağlamayı, Doris. Rica ederim! Görüyorsun, hiç anlamı yok. Tom'un ölümünü hiç umursamıyor..."

"Ya da şu gri flanel kostüm! En iyi pamukludan. Uzun etek, ipek bluz."

"Ve hiç iyileşmeyecek mi? Hep böyle mi kalacak?"

"Evet, Doris."

"Şu siyah tayyör de mükemmel. Lanvin'in. Ben çok şık buluyorum. Bayan Desmond, bilseniz burada ne kadar çok işim var. Modeller, modeller! Düsseldorf'taki butiğim! Adamlar isteyip duruyorlar..."

Norma, Düsseldorf'taki butiğin artık yok, diye düşündü. Adam da hapis yatıyor.

"Yapacak bir şey yok," dedi Barski, Doris'e. "Çok kötü. Biliyorum. Fakat ne senin ne de bizim elimizden bir şey geliyor."

"Kostümler! Çeşitli modellerde kostümler. Benim önceden söylediğim gibi..."

"Metin olman gerek, Doris! Sen her zaman yüreklisin!"

194

Ama Doris hıçkırmaya devam etti. Petra kostümlerden konuştu durdu. Neon lambaların ölü ışığı oradaki insanların üzerine düşüyordu.

11

Yarım saat sonra Norma, Barski'nin büyük yazı masasının karşısında oturuyordu. Büroya girdiklerinde sekreter iki kadın çok şaşırmıştı. Ama Barski onlara durumu kısaca açıklamış, Bayan Desmond'un bundan sonra kliniğe girip çıkabileceğini, hatta güvenliği söz konusu olduğu için bir süre enstitüde kalacağını söylemişti.

"Zavallı Petra," dedi Barski. Koltuğunda arkasına yaslandı. Çok yorgun görünüyordu. "Bu virüsün insanın kişiliğini nasıl değiştirdiğini gözlerinizle gördünüz. Hasta hiç eleştirisiz bir insan olur. Bencilleşir. Bütün ilgisini tek bir noktaya toplar. Başka hiçbir konuyla ilgilenmez. Tom tüm gücünü gen araştırmalarına vermişti. Petra ise modaya. Bu zamanla o kadar ilerler ki, çok çalışmaktan sağlığı bozulur. Tom'da olduğu gibi. Umut etmekten başka bir şey gelmiyor elimizden..."

"Bayan Steinbach'ın sağlığının çok kötüleşmeden yaşamının son bulmasını mı umut ediyorsunuz?" dedi Norma.

Barski başını evet anlamında salladı. "Zavallı Doris. En yakın dostu. Biraz kendine gelmiştir umarım."

Telefon çaldı.

Barski açtı. "Evet, Alexandra?" Dinledi. Birden heyecanla ayağa fırladı. "Ne dedin? Fakat olamaz böyle bir şey... Niçin? Kim? Bu... Olduğun yerde kal! Hiçbir şey yapma! Hemen geliyorum!"

Barski telefonu öfkeyle kapattı ve bomboş gözlerle Norma'ya baktı. "Bayan meslektaşım Alexandra Gordon'du," dedi. "Doktor Kaptan ve Holsten, Tom'u patolojiye yollatmıştı. Otopsi için..."

"Evet. Ne oldu ki?"

"Orada otopsi masasında yatan adam Tom değil! Alexandra geldiğinde otopsiye başlamak üzereymişler. Başka birinin cesedi. Kim olduğunu da bilmiyorlar..."

"Ben de geliyorum."

Barski kuşkuyla baktı, "Bana kalırsa burada beklemeniz daha doğru olur."

"Hayır, görmek istiyorum," dedi Norma.

12

Her yer ilaç kokuyordu. Dayanılmaz bir kokuydu. Koskocaman bodrum katının duvarları beyaz fayans kaplıydı. Bir duvarda da madeni kapılar görünüyordu. Bu kapıların ardındaki büyük gözlerde ölülerin yattığını biliyordu Norma. Ne olsa böyle yerlere birkaç kez girip çıkmıştı. Mesleği gereği. Morgun dayanılmaz atmosferinde soluğu kesilecekmiş gibi olurdu her defasında. Midesinin bulandığını hissetti. Orta yerde bir düzine çelik masa vardı. Burayı da neon ışığı aydınlatıyordu.

Norma, Barski ve Dr. Alexandra Gordon'la birlikte bu masalardan birinin yanında durmaktaydı. Masanın üzerinde otuz yaşlarında bir adamın cesedi yatıyordu. Derisi mavimsi beyazdı. Masanın öteki yanında iriyarı patoloji uzmanı ve asistanı duruyordu. Üzerlerine plastik önlükleri geçirmişler, ellerine de uzun lastik eldivenler giymişlerdi. Asistanın yanında kemik testeresi ve irili ufaklı keskin bıçaklar göze çarpıyordu. Hepsi gözlerini çelik masada yatan ölüye dikmişti. Bir musluktan su damlıyordu. Koskocaman bodrum katının sessizliğinde damlayan suyun sesi rahatsız ediciydi.

Sonunda ilk konuşan Alexandra Gordon oldu. "Bay Kluge bana telefon etti ve otopsiye başlayacağını söyledi. Harald ondan, mümkün olduğu kadar çabuk bitirmesini istemişti. Ben de hemen buraya geldim. Tabii cesedin Tom olmadığını hemen

196

anladım." İngiliz kadın doktor uzun boylu ve zayıftı. Uzun saçlarını sıkıca arkaya toplamıştı.

Beyrut'ta Pierre'le birlikte bir gün Amerikan Hastanesi'nin morguna gitmiştim, diye Norma düşündü. Vurulmuş bir meslektaşımızı teşhis etmemiz için çağırmışlardı. CBS'den Tommy Cohen'di. Yakın dostumuzdu. Yüzünden vurulmuştu. Tanıyacak pek bir şey kalmamıştı. UNO'nun Fransız askerleri cesedini çalılıklarda bulmuştu. Tommy'nin sol ayağında üç parmağının eksik olduğunu biliyorduk. Birkaç yıl önce mayına basmıştı. "Ölmediğim için şanslıymışım," derdi. Pierre dostu Tommy'ye bir defasında fildişinden bir yüzük armağan etmişti. Onu korusun diye. Bizler böyle şeylere inanırdık. İnanmayanlar da Beyrut'ta inanmaya başlamıştı. Şimdi boynumda taşıdığım dört yapraklı yoncayı da o yıllarda Pierre'e ben armağan etmiştim. Pierre'i korumadı. Yüzük de Tommy'yi. Ama dostumuzu teşhis etmemizde bize yardımı olmuştu. Şans getirmesi için bir insana verdiğiniz şey, öldükten sonra teşhis etmenizde işe yarar. "Benim bir suçum yok," diye patoloji doktoru Kluge konuştu. "Etiketin üzerinde Thomas Steinbach yazıyor. Diğer veriler ve ölüm saati de doğru." Cesedin sağ ayağının başparmağına takılı bir kartı kaldırıp gösterdi. Barski okudu ve Lehçe küfretti.

Beyrut'u düşündü Norma. Kentin morgunda doktorlar birkaç masada birden çalışırdı. Genç bir kadının cesedini kesen adamın sigara içtiğini anımsadı. Asistanlardan birinin içtiği sütü cesetlerin durduğu soğuk depoya koyduğunu görmüştü. O cehennemi sıcakta bozulmasın diye.

Ama burası Beyrut değildi. Her şey daha başkaydı. Dayanılmazdı. Barski'nin konuştuğunu duydu. "Bu adam buraya nasıl geldi?"

"Nasıl olacak. Her zamanki gibi," dedi Kluge. Serbest güreşte ağır sıklete çıkan bir sporcuyu andırıyordu. "Kurşun tabutun içinde. İki erkek hastabakıcı tekerlekli masanın üzerinde alt koridorlardan geçirerek getirdi."

"Adamların adları?"

"Bilmiyorum. Burada bir sürü insan çalışıyor, biliyorsunuz!"

"Nereden geldiklerini söylemişler miydi?"

"Hiçbir şey söylememişlerdi. O adamlar pek konuşmaz, biliyorsunuz. Otopsi yapılması için gerekli evrakları bana verdiler. Ben de imzalayıp kopyasını geri verdim. Cesedi teslim aldığıma dair."

"Nerede evraklar?"

"Şurada."

Barski çelik masalardan birinde duran kâğıtları aldı.

"Doktor Thomas Steinbach," diye okudu. "Her şey doğru."

"Tabii, doğru! Bayan Gordon gelip de burada yatan yanlış adam, dediğinde nasıl oldum bilemezsiniz!"

Bir kapı açıldı. Harald Holsten içeri girdi. Soluk soluğaydı.

"Alexandra! Beni niçin aramıştınız?" Sonra niçin arandığını gözleriyle gördü. Norma, tuhaf, diye düşündü. Gözünün altındaki sinir atmıyor. "Lanet olsun," dedi Holsten. "Bu da ne demek?"

"Biz de bunu senden öğrenmek istiyorduk." Alexandra Gordon öfkeyle yanında duran adama baktı. Böyle devam ederse, hepsi birbirine girecek, diye aklından geçirdi Norma, Böyle olmasını bir isteyen mi var? Kim acaba?

Holsten sesini yükseltti. "Bu da ne demek oluyor?"

"Bağırma!" dedi Barski.

Holsten, "Alexandra benimle böyle konuşmasın," diye karşı çıktı. "Ne de olsa birlikte çalışıyoruz. Bunu bekleyebilirim..."

"Evet, evet," dedi Barski. "Anlaşıldı. Şimdi Tom bulaşıcı hastalıklar bölümünden nasıl çıkarıldı, buraya nasıl getirildi? Bunu söyle bize!"

"Alüminyumdan örtülere sarılmış ve kurşun tabut içinde. Özel dehlizden geçirilerek. Taşıyan hastabakıcılar da özel giysiler giymişti."

Norma duvarın fayanslarına dayandı. Ayakta duracak hali yoktu. Gözlerini kapattı. Bütün bunlara dayanamayacaksın, diye bir an düşündü. Allah kahretsin! Ama dayanmalısın, bu enstitüde neler olup bittiğini öğrenmelisin. Oğlunu kimin öldürdüğünü bilmelisin! Sen katilleri bulmak istiyorsun. Bu nedenle her şeye dayanmalısın. Her şeye.

"Tanıyor musun o iki adamı?"

"Neden tanıyacakmışım? Tom'un buraya getirilmesini Eli üzerine almıştı! Lanet olsun, hepiniz bana niçin öyle bakıyorsunuz?"

"Sana öyle bakan yok, Harald. Bırak saçmalığı! Bu kartı sen yazdın, değil mi?"

"Tabii ben yazdım. Başparmağına da taktım."

"Bu muydu?"

Holsten kimliği bilinmeyen adamın sağ ayak başparmağında takılı kartı okudu. Gözünün altındaki sinir atmaya başladı, diye Norma düşündü. Herhalde çok heyecanlı olduğunda ya da korktuğunda atmıyor... "Benim yazdığım kart bu. Evet, bu benim yazım. Ne olacak şimdi?"

Norma o anda, Nis'te Kiyoshi Sasaki'nin bu dünyadaki güçlüler, büyükler ve de hainler üzerine söylediklerini anımsadı. Mümkün olduğu kadar çabuk Alvin'le konuşmalıyım.

"Evet, ne olacak şimdi?" diye Doktor Kluge de sordu. Ensesi çok kalındı. Yüzü de iri ve köşeliydi. "Bunu açacak mıyız, yoksa dursun mu? Bizim burada yapacak başka işlerimiz de var!" Duvardaki kapıları gösterdi. "Hepsi dolu. Bugün gelecek başkaları da var. Üç kişi izinde. Benden başka bir doktor daha var. Yazları hep aynı şey. Evet, ne olacak söyleyin?"

"Hiçbir şey olmayacak," dedi Barski. "Bu bizim ceset değil. Kim olduğundan da haberimiz yok. Ne olup bittiğini gördünüz. Bunu belki açmak gerekmiyor. Kaldırın dolaba, Belki daha sonra kim olduğu ortaya çıkar."

"Bana kızmanıza gerek yok," diye konuştu orta boylu, tıknaz Holsten.

"Sana kızan kim ki?" dedi Barski. "Rahat bırak şimdi beni. Burada telefon nerede?"

"Dışarıda koridorda. Çıkınca sağdaki büroda. Kapısında 'İçeri Girilmez' yazıyor," dedi Kluge. "Haydi, bunu dolaba kaldıralım, kanserliyi açalım!"

Barski hızla kapıya yürüdü, Norma koşar adımlarla peşinden gitti. Arkalarından Holsten'le İngiliz kadın Doktor Gordon'un tartışmaya başladığını duydu. Telefonun durduğu büroda genç bir kız musluğun başında bir şeyler yapmaktaydı. Üzerindeki lastik önlüğün altında blucin ve bol bir gömlek vardı. Morgun cam kâseleriyle aletlerini yıkıyordu. Yüzü çok makyajlı, sarı saçları karışıktı. Başına bir walkman kulaklığı geçirmişti. Vücudu duyulmayan müziğin ritminde hareket ediyordu. Genç kız bir yandan cam kâseleri yıkıyor, bir yandan titriyor, bir yandan da şarkı söylüyordu...

"... I'm in league with satan I am the Master's own..."

"Merhaba!" diye Barski bağırdı.

Genç kız odaya iki kişinin girdiğini fark etti. Kulaklığı istemeye istemeye çıkardı.

Barski, "Telefonu kullanabilir miyim?" diye sordu.

"Şimdi öğle tatili," diye sarı saçları karmakarışık kız söylendi. "Hem siz kim oluyorsunuz?"

"Barski." Telefonu açmış, bir numara çeviriyordu. Aynı anda Gordon'la Holsten içeri girdi.

"Ne oluyor, allahınızı severseniz?" diye genç kız sordu. "Burası tren istasyonu mu? Tam Heavy Metal dinleyecektim..."

"Kes sesini!" diye Barski homurdandı. Telefonda konuştu. "Genel merkez mi? Ben Barski. Dün gece yarısından sonra bütün hastanede kimlerin öldüğünü bilmek istiyorum... Evrakların tamamı henüz gelmedi mi? Öyleyse bütün bölümlere hemen telefon edin! Çok çabuk! Bekliyorum... Çok gerekli... Bir ceset kayboldu... Haydi, biraz acele edin!"

"Ceset mi kayboldu?" diye genç kız şaşkınlıkla sordu. "Ne güzel yer burası!"

"Siz kendi işinizle ilgilenin!" dedi Barski kabaca.

Genç kız omuzlarını silkti, kulaklığını taktı. Vücudu müziğin ritminde hareket etmeye başladı.

"Birisi ölünce," dedi Barski, Norma'ya. "Doktor gerekli kâğıtları hazırlar. Bu kâğıtların birinci kopyası ölenin yakınlarına verilir. Öteki kopyalar de burada, genel merkezde kalır. Hastanenin verdiği kâğıtla herhangi bir cenaze evine giden ölünün yakını gömü törenini hazırlatır. Morgda yatan adamın evrakları da bir yerde olmalı."

Bürodaki ilaç kokusuyla sarışının ucuz parfümünün kokusu birbirine karışıyordu. Dayanılmaz bir kokuydu.

Hiç kimse konuşmadı. Beş dakika sonra telefon çaldı. Barski açtı. "Bir saniye," dedi. Masanın üzerinde duran bloknotu ve kalemi aldı. "Evet... Evet... Durun! Doktor Thomas Steinbach var mı? Evet? Bu sabah 07.47'de ölen... Evet, bu doğru..." Holsten'le Gordon yanına sokuldular. Gözünün altındaki sinir yine atmıyor, dedi Norma kendi kendine.

"Kâğıdı kim imzalamış? Doktor Jakobsen. Evet... Otopsiye kim yollamış? Profesör Kallbach..."

"Ben ona gitmiştim," diye telaşta atıldı Holsten. "Hem Kallbach'ın da imzalaması gerekir."

"Şimdi bütün bölümlerden gelen kâğıtlar önünüzde mi? Peki otopsiye kaç kişi? Başka yok mu? Evet, evet... İnanıyorum size! Gece yarısından sonra altı erkek, üç de kadın hasta mı? Kaçı burada? Bir kadın, dört erkek... Adları lütfen! Evet... Doktor Steinbach yok mu? Emin misiniz? Anlıyorum. Toplu nakil mi? Evet... Hangi cenaze evine? Ne? Eugen Hess mi? Uhlenhorster Caddesi... Gellhorn ailesinin cenaze töreni için görevlendirdiğimiz firma. Evet... Hayır... Neden olacak? Burada biri yatıyor. Otopside. Ama kartında yazdığı gibi Thomas Steinbach değil... Tabii tanıyorum. Meslektaşımdı! Burada yatan adam bir başkası... Ne bileyim... Acelem var, özür dilerim. Yardımınıza da teşekkürler... Evet, araştırmaya başlasınlar. Nesi olduğunu ortaya çıkarsınlar... Buradaki adamı sabah getirdiler, diyor Doktor Kluge. Başparmağında mı? Steinbach adına düzenlenmiş kart... Evet, her şey doğru. Ama adam başkası! Thomas Steinbach değil... Kim mi imzalamış? Bizim Holsten... Evet... Yeni bir şey öğrenir öğrenmez beni büromda arayın... Teşekkürler!" Barski telefonu kapattı.

"Eugen Hess," dedi Norma. "Uhlenhorster Caddesi. Ben oraya gitmiştim."

"Biraz sonra oraya yine gidecekseniz," diyen Barski hızla bürodan çıktı. Norma peşinden koştu.

Sarışın genç kız bir yandan dans ediyor, bir yandan şarkı söylüyordu.

"*I'm gonna break out. I'm gonna drive my car! I'm gonna get up and go! I want some action...*"

13

"Ulu Tanrım niçin Federal Polis?" diye Bay Hess sordu. Yüksekçe bir yerde duran, kilitleri gümüşten kara tabutun yanındaydı. Arkasında kocaman gümüş şamdanlar göze çarpıyordu. Bay Hess'in büyük cenaze evi çok serindi. Gizli hoparlörlerden Şopen'in müziği duyuluyordu. Her zamanki gibi, diye aklından geçirdi Norma. Barski'yle Carl Sondersen'in arasında duruyordu. Barski başkomiseri enstitüden aramış, olup biteni anlatmıştı.

"Bayan Norma Desmond'u tanıyorsunuz, Bay Hess. Öyle değil mi?" dedi Sondersen.

"Evet, ben... Bayanı anımsıyorum." Siyah elbiseli, beyaz gömlekli ve siyah kravatlı yaşlı adam hafifçe eğildi. Konuşurken ellerini ovuşturuyordu.

"Bu da Doktor Barski. Virchow Hastanesi'nden. Onu da tanıyorsunuz. Biz bu sabah ölen bir adamı arıyoruz."

202

Hess gözlerini kırpıştırdı. "Evet, sonra?"

"Bugün öğleden önce buraya iki kişi getirilmiş. Virchow Hastanesi'nden. Bir erkekle bir kadın."

"Evet, sonra?"

"Bunların kim olduğunu sizden öğrenmek istiyorum."

"Sayın başkomiser özür dilerim, ama adlarını vermem mümkün değil."

Sondersen gülümsedi. "Vermeniz gerekecek, Bay Hess. Çünkü 25 Ağustos'ta Mondo Sirki'ndeki cinayetlerle ilgili. Gellhorn ailesinin cenaze törenini de siz düzenlemiştiniz."

"Evet, bu doğru. Ama neden..."

"Sirkteki cinayetlerle ilgili araştırmaları yapan komisyonun başında ben bulunuyorum, Bay Hess. Adları verin lütfen!"

"Başkomiser, siz bana..."

"Bırakın bunları şimdi. Adlar gerekli. Ve cesetlerin şimdi nerede olduğu da! Hepsi bu kadar."

"Evet... Peki vereyim... Ne durumlarla karşılaşıyor insan bu meslekte! Büroma geçmemizi rica edebilir miyim? Burası büyük bir kuruluş. Tabii bütün adları ezbere bilmem mümkün değil..." Hess önden yürüdü. Bürosu da siyahlar içindeydi. Duvar kâğıtlarından mobilyalara kadar. Kâğıtlar ve dosyalarla dolu masanın üzerinde siyah bir vazonun içinde ipekten siyah krizantemler vardı. Hüzünlü müzik burada da duyuluyordu.

"Buyurun oturun!" dedi Hess. Büyük masanın arkasına geçti, Koltuğuna oturup kâğıtları karıştırdı. Bulamadı. Sonra yandaki masada duran siyah bilgisayara dönerek tuşlara dokundu. Yeşil ekranda yazılar göründü:

virchow'dan:

1. anneliese grasser, doğumu 7.5.1911, numara 876/86, sipariş veren: konrad grasser, kocası, grindel caddesi 46a, dosya numarası: 32114 mezar numarası 14...

2. ernst thubold, doğumu 11.2.1960, numara 1102/86, sipariş veren: thea thubold, karısı, romberg caddesi 135, dosya numarası 32115, yakılacak, ohlsdorf'da...

"İşte hepsi bu," dedi Hess. "Siz de gördünüz. Bu iki kişiyi Virchow Hastanesi'nden almışız. Bugün."

"Her şey gittikçe çılgınlaşıyor," dedi Barski.

"Niçin doktor bey?" Hess pamuk beyazı ellerini ovuşturdu.

"Çünkü biz..." diye Barski başladı.

Sondersen sözünü kesti. "Bay Hess, bunlar toplu nakildi, değil mi?"

"Evet. Üç aracımız vardır. Büyük. Hepsi de telsizlidir. Ölünün yakınlarından biri buraya gelip de bizden yardım isterse tabii elimizden geleni yaparız. Törenle ilgili her şeyi konuşuruz. Eğer bu dünyadan ayrılmakla ıstıraplarından kurtulan insan bir hastanedeyse..."

"Evet, evet," dedi Barski. Norma ona bakmadı. Nis'te Doktor Sasaki'nin konuşmasını anımsadı. Hüzün veren şeylerden komikliğe kaçan bir anlatımla söz etmesini.

"...yakındaki araçlarımızdan biri o kişiyi hemen alır. Biliyorsunuz Hamburg çok büyük bir kent. Bir sürü hastane ve klinik var. Toplu nakiller gerekli. Dünyamızdan ayrılan insan hastanede dört günden fazla kalamaz. Soğuk hava dolapları yeterli değildir. Bizim de tabii böyle dolaplarımız var. İstenirse ya da gerekirse bir ölüyü haftalarca burada misafir edebiliriz. Bazılarının yakınları başka ülkelerde. Amerika'da, Asya'da... Öyle değil mi?"

"Öyle, öyle," dedi Sondersen sabırla. "Bayan Grasser'in kocası öğleden önce mi geldi?"

"Evet. Benimle görüştü. Bir dakika bekleyin!" Hess masada duran bir düzenin düğmesine basıp yumuşak sesle konuştu. "Bayan Beatrice, lütfen 32114 ve 32115 numaralı dosyaları getirin!" Sonra arkasına dayanıp pamuk beyazı ellerini göbeğinin

204

üzerinde kavuşturdu. "Fa minör konçertosu, üçüncü bölüm...
Piyanoda Ezkenazi... Ne kadar güzel, değil mi?"
Soluk yüzlü genç bir kız içeri girdi. Üzerinde siyah elbise
vardı. Yürürken hiç ses çıkarmıyordu. Elindeki iki dosyayı masa-
sına bıraktı.
"Teşekkür ederim, Bayan Beatrice," dedi Hess. Genç kız
odadan çıktı. Arkasında ter kokusu bırakarak. Hess dosyalardan
birini açtı. "Bakalım ne yazıyor... Bay Grasser saat dokuzu on
geçe gelmiş. Evet. Çok heyecanlıydı ve de üzüntülü. Normal,
değil mi? Bütün geceyi ölüm döşeğindeki karısının yanında ge-
çirmişti. Cenaze töreni için gerekli bütün işlemleri üstlenebile-
ceğimi kendisine anlattım. Yazık, çok büyük bir aşkmış! En iyi
kestane ağacından bir tabut ısmarladı. Üzerinde elişçiliği palmi-
ye dalları ve aslan pençeleri... Burada müşterilerimize elli ayrı
çeşit tabut sunarız. En güzel modelleri. Çam, meşe, abanoz,
kestane, çelik..."
"Tamam, tamam," dedi Barski.
"Her insana bir tabut gereklidir. Öyle değil mi, baylar?"
Barski'nin sözünü kesmesi yaşlı adamın onuruna dokunmuş gi-
biydi.
Her insana değil, diye Norma düşündü. Pierre'e gerekli ol-
mamıştı. Gün geçtikçe de tabutun gerekli olduğu insanlar aza-
lıyor!
"Her neyse... Üç numaralı aracımız Virchow Hastanesi'nde-
kileri almıştı... Tabii gerekli bütün belgelerle birlikte... Bay
Grasser en güzel çiçekleri ve en güzel ayaklı şamdanları istemiş-
ti. Müzik olarak da List'in 'Aşk Rüyası'nı seçmişti. Çelengin or-
ta yerine yüz kırmızı gülle 'Elveda, Liesel' sözleri yazılacak..."
"Yeter, Bay Hess!" dedi Sondersen de. "Bayan Thubold ne
zaman geldi?"
"Bir bakayım..." Hess öteki dosyayı açtı. "Hemen Bay Gras-
ser'den sonra. Yaşlı bayanla konuşan Bay Schneider oldu. Çün-
kü ben henüz Bay Grasser'le görüşmekteydim. Kadın çok üzün-

tülüymüş. Kocası genç yaşta dünyamızdan ayrıldığı için... Yakılmasını ve kavanozun Ohlsdorf Mezarlığı'na konmasını istemiş. Bay Thubold da üç numaralı araçla Virchow Hastanesi'nden gelmiş..."

"Bir dakika!" Barski elindeki kâğıda baktı. Hastanede gece yarısından sonra ölmüş kişilerin adları yazıyordu. "Evet. Ernst Thubold. Üçüncü kalp krizinden sonra ölmüş."

Hess dosyadan bir kâğıt çıkardı. "Doğru. Kâğıdı burada Doktor Lohotzky imzalamış. Ölü üç numaralı araçla getirilmiş."

"Peki, şimdi nerede?" diye Sondersen sordu.

"Ohlsdorf Mezarlığı'nda."

"Ne? Doğru oraya mı götürüldü?"

"Bayan Thubold ameliyat olacağını söylemiş, her şeyin çok çabuk bitirilmesini rica etmişti. Sevgili eşi ve kendisi yıllarca önce kiliseden ayrılmışlar. Bu nedenle törende konuşacak birisini istemişti. Elimizde tabii en iyi konuşmacılar var! Profesyonel. Günde en az üç törende konuşuyorlar. Ne de olsa piyasa iyi. Kiliseden ayrılan insanların sayısı arttıkça..."

"Bay Hess!" Sondersen uyarır gibi bakıyordu.

"Özür dilerim. Bay Grasser'i soğuk hava dolabına aldık. Bay Thubold'u da çam ağacından bir tabuta. Yakma için en ucuzu bu tabuttur. Öyle değil mi, hemen yanıyor..."

"Lütfen Ohlsdorf Mezarlığı'na telefon edin," dedi Sondersen. "Tabutun gelip gelmediğini sorun."

"Başüstüne, hemen telefon edeceğim. Neler olup bittiğini bir anlasam..."

"Bunu biz de anlamak istiyoruz," dedi Barski. "Öteki telefonu da ben kullanabilir miyim?"

"Buyurun, doktor bey."

Hess, Ohlsdorf Mezarlığı'nı ararken, Barski de Virchow Hastanesi'ne telefon etti. Kalp hastalıkları bölümünden Dr. Lohotzky'yle görüşmek istediğini söyledi. Hemen bağladılar. Aynı anda Hess de mezarlıkla konuşuyordu. Barski adını verdikten hemen sonra söze girdi. "Çok önemli bir konu, sayın meslektaşım. Belki anımsıyorsunuzdur? Bu sabah Ernst Thubold'un kâğıtlarını imzaladınız. Evet mi? Çok güzel, bana hastaneden cesedin orada olduğunu söylemişlerdi... Evet. Ama sanırım bu doğru değil... Nedenini size sonra açıklarım. Lütfen hemen baktırır mısınız? Bekleyeceğim. Biliyorum... Beklerim..." Hess'le yan yana telefonda konuşuyorlardı, ikisi de telefonu kulaklarına iyice dayamıştı.

Birkaç dakika sonra ilk konuşan Hess Oldu. "Evet? Orada mı? Emin misiniz?" Sondersen ayağa fırladı. Telefonu çekip aldı. Kim olduğunu ve adını söyledi. "Tabuta sakın dokunmayın! Ne olursa olsun! Biz hemen oraya geliyoruz."

"Tabutta Thomas Steinbach mı var sizce?" diye Norma sordu.

"Bambaşka bir adam da olabilir," dedi Sondersen telefonu kapatırken. "Her şey mümkün! İçinde kimin yattığını öğrenmeliyiz!"

Bir süre odada kimse konuşmadı. Hoparlörlerden Şopen'in fa minör opus 21 piyano konçertosu duyuluyordu.

Biraz sonra Barski konuştu. "Evet? Yok mu? Biliyordum... Nasıl mı? Onu bilmiyorum..."

"Telefonu verir misiniz?" dedi Sondersen. Barski uzattı. "Doktor Lohotzky, ben Federal Polis'ten Başkomiser Sondersen. Lütfen şimdi beni iyi dinleyin ve sizden istediklerimi yerine getirin. Patolojiye gidin. Orada morgdaki dolapların birinde, ayağındaki karta göre Doktor Steinbach olan bir ceset var... Evet, Thomas Steinbach... Dolabı açtığınızda göreceğiniz bu ceset, ortadan yok olduğunu sandığınız Ernst Thubold'dur... Adamlarımdan ikisi hemen geliyor... Bir saniye lütfen! Mümkün olduğu kadar çabuk Bayan Thubold'u arayıp bulun. Morgda yatan o kişinin eşi olup olmadığını teşhis etmeli... Benim elimde değil, ama işler biraz karıştı. Teşekkürler!" Sondersen, Hess'e baktı. "Bayan Thubold'u siz de bulmaya çalışın lütfen! Bulursanız hemen müdüriyete telefon edin. '25 Ağustos Komisyonu'yla

207

görüşün. Adamlarımız Bayan Thubold'u Virchow Hastanesi'ne götürecektir. Ben telsizle hemen gerekli kişilere haber vereceğim." Telefonu kapatıp hızla kapıya doğru yürüdü. Barski ve Norma da peşinden gittiler.

"Tanrım, neler oluyor?" Hess pamuk beyazı ellerini ovuşturdu. "Tam yirmi yedi yıldır kusursuz çalışmalarımızla tanınmışızdır! Yalvarırım size... Bir skandal ortaya çıkacak! Düşünmek bile istemiyorum... Ulu Tanrım!" Söylene söylene diğerlerinin peşinden koştu. Ama kapı hızla arkalarından kapandı. Hess büyük pencereden bir polis otomobilinin kaldırıma yanaştığını gördü, Sondersen, Norma ve Barski bindiler. Otomobilin kapıları kapandı. Hareket etti. Canavar düdükleri duyuldu.

14

Dua eden bir kadının sesi duyuluyordu. Orgu andıran armonyumun ağır melodisi de kulağa geliyordu. Üç kişi krematoryumun bodrumuna inmekteydi. Norma birden durdu.

"Bir şarkı," dedi Barski. "Sadece bir şarkı. Düşünmeyin!"

"Ölü çocukların ardından söylenen dini bir şarkı," dedi Norma. "Mahler'den."

"Düşünmeyin bunları lütfen!" Barski koluna girdi. "Haydi gelin!"

Krematoryumun bodrumuna indiler. Barski kolunu tutuyor olmasa, Norma az kalsın yere düşecekti. Sondersen hızlı adımlarla önden gidiyordu. Norma kendini toparladı. Büyük bir odaya girdiler. Kat kat raflarda en az üç düzine tabut durmaktaydı. Başkomiser burada çalışan gri önlüklü iki adamla konuşmaya başladı. Ohlsdorfer Mezarlığı'na gelmelerini istediği iki sivil polis de oradaydı. Büyük oda çok sıcaktı. Dayanılmaz bir koku da vardı. Büyük sobaların sıcaklığı duvarlardan geçiyor, diye düşündü Norma. Adamlar raflardan çam ağacından yapılmış bir tabut indirdi. Üzerindeki etikette no. 2101 yazıyordu. Tabutu yere koydular ve kapağını açtılar. Norma sokuldu. Barski de hemen yanı başında duruyordu.

İçinde genç bir adamın cesedi vardı Kısa boylu, zayıftı. Kısa, siyah saçlıydı. Çenesi kaymıştı, "Bu Tom Steinbach değil," dedi Barski. Sinirli olduğu şivesinden belliydi.

"Steinbach'ı büroda bulamayacağımızı biliyordum," diye Sondersen mırıldandı.

Adamlardan biri, "Ama ayak parmağındaki kartta Ernst Thubold yazıyor," diyecek oldu.

Sondersen sözünü kesti. "Bunu biz de görüyoruz. Öyle de yazması gerek. Yoksa burada olmazdı. Ama yine de o değil."

Diğer adam köşedeki masadan bir kâğıdı alıp başkomisere gösterdi. "Fakat burada öyle yazıyor..." dedi.

"Unutun orada ne yazdığını!"

"Ne oldu?"

"Henüz bilmiyoruz. Bu ne zaman yakılacaktı?"

Adam duvardaki bir tabelaya baktı. Diğeri gibi o da sigara içiyordu.

"Bu gece saat onda. Fırına atacağız."

"Yakılmayacak!" dedi Sondersen. "Önce onun kim olduğunu ortaya çıkarmalıyız. Soğutmalı dolaplar var mı burada?"

"Burada yok tabii. Ama karşıdaki binada var. Yedek dolaplar."

Büyük odaya giren başka adamlar yeni bir tabut getirdiler. Onların da üzerinde gri önlükler vardı. Tabutun kapağında Luise Zager yazıyordu. Adamlardan biri şarkı mırıldandı. "Ah Luise, hiç kimse senin gibi..."

Sondersen'le konuşan adam, "Kapa çeneni be herif!" diye homurdandı.

"Şimdi adamı başlatma!" dedi şarkı mırıldanan. Sonra yanındakiyle birlikte tabutu kaldırıp raflardan birine koydu. "Üç tane daha getireceğiz," diye homurdandı.

"Çalışmaya devam, dostlar!" dedi odada duran adamlardan biri ve masadan aldığı küçük içki şişesini ağzına götürdü. "Çalışma özgürlük getirir!" Tabutu getirmiş olanlar, dışarı çıktı.

"Özür dilerim..."

"Önemli değil," dedi Sondersen. "Yoksa buradaki göreve dayanmak kolay değil. Şimdi lütfen şu ölüyü tabuta koyup soğuk depoya kaldırın. Ben izin verene kadar da orada kalsın."

"Bunu müdürle konuşmalısınız. O bize haber verir."

"Benim söylemem yetmiyor mu?"

"Hayır... Sayın başkomiser, biz burada neler işitiyoruz bir bilseniz!"

"Müdürünüzün adı ne?"

"Norden."

"Telefon nerede?"

"Dışarıda. Merdivenin yanında."

"Kaç numara?"

"323."

Sondersen dışarı çıktı. Adamlardan biri sigara yaktı. İçine çektikten sonra dumanını havaya üfledi. "Kötü bir şey mi oldu?" diye dikkatle sordu.

Barski başını salladı. Beni hâlâ kolumdan tutuyor, diye Norma bir an düşündü. Yapmasın. Hayır, yapsın. Kendimi iyi hissetmiyorum. Barski'ye baktı. O da açık tabutta yatan adama bakıyordu.

"Dün akşam 'Derrick' polisiye filmini gördünüz mü?" diye adamlardan biri sordu.

Arkadaşları gördüklerini söylediler. Biri dışında hepsi filmi iyi bulmuştu.

"Ama mezarlık sahnesi berbattı. Papazın sözlerinden sonra katili buldu! Mezarlıktaki kadar başka hiçbir yerde yalan söylenmez. Bunu hepimiz biliyoruz."

"Ama insanlar öyle istiyor," dedi adamlardan bira içeni. "Ne kadar da çok çiçek vardı. Ömründe görmediğin kadar çok çiçeği öldükten sonra mezarına getirirler, insanlar korktukları için bu kadar çok çiçek satın alır."

"Büroda her şey lanet olası," dedi elinde içki şişesi tutanı. Polisiye film hoşuna gitmemiş olanı da, "Bütün mezarlıklar böyle. Ölülerin olduğu her yerde aynı oyun," diye mırıldandı.

"Hep böyle homurdanıp durma," dedi bir başkası da. "Burada çalıştığınıza şükredin! Dışarıda iki milyon işsiz var. Bak Alfred üniversiteye giremiyor. Orje ise Berlin'deki elbiseci dükkânını kapatmak zorunda kaldı. İflas. Ben de iki yıl işsiz dolaştım, üç yıl sonra iş başına geldiklerinde 'her şey değişecek' sözünü vermişlerdi. Ne oldu? Hiçbir şey! Palavra her şey! Ve iflas iflas üzerine. Buradaki işimizse her türlü krizi atlatacaktır. Ne de olsa her zaman ölünür!"

"Ama parası iyi değil," diye homurdandı Berlin Orje.

"Sen hiçbir zaman memnun değilsindir zaten," dedi ufak tefek adam. Elindeki şişeden bir yudum aldıktan sonra devam etti. "Burası çok iyi bir yer. Ben ne söylediğimi biliyorum! Başka yerlerde nasıl çalışıyorlar, biliyor musun? Herifçioğulları iki ölüyü bir tabuta koyup yakıyorlar. Sonra da arta kalan tabutları cenaze levazımatçısına satıyorlar."

Elinde bira şişesi tutanı, "Hele Münih'te ne yapmışlar, biliyor musunuz?" dedi. "Bacadan sık sık kara duman çıktığını görmüşler. Niçin mi? Herifçioğulları çöpe dökemedikleri kullanılmış otomobil motor yağlarını da tabutla birlikte fırında yaktıkları için. Bu kadarı da olmaz."

"Daha neler var neler," dedi Berlin'de elbiseci dükkânını kapatmış olanı. "Benim kulağıma gelenlere göre..."

Sondersen içeri girdi. Biraz önce konuştuğu gri önlüklü adamın yanına gidip "Müdürünüz sizinle konuşmak istiyor," dedi. Adam hemen odadan çıktı. Sondersen sivil polislere döndü. "Bu cesedin fotoğrafları gerekli. Parmak izlerini de alın! Dişlerine bakın. İşte ne gerekliyse yapın. Her zamanki gibi. Hemen başlayın." Adamlar yanlarındaki küçük bavulları açtılar. Biri yerde duran tabutun yanına diz çöktü. Diğeri fotoğraf çekmeye başladı. Biraz önce telefona gitmiş olan adam geri geldi.

"Ne oldu?" diye Sondersen sordu.

"Her şey sizin istediğiniz gibi yapılacak, başkomiserim. Görüyorsunuz, biz küçük insanlarız..." Sondersen adamın elini sıktı. "Teşekkürler! Bir şey olursa, telefon numaram müdürde." Norma'yla Barski'ye baktı. "Dışarı temiz havaya çıkalım artık. Bahçede de bekleyebiliriz, Bayan Thubold'un şu anda patolojide olması gerek. Sizin yüzünüz soluk biraz."

"Havadan," dedi Norma. "Buradaki hava iyi değil."

"Evet," diye Sondersen mırıldandı.

Yukarı çıktılar. Krematoryum yakınlarında bir sıraya oturdular. Biraz sonra sesler duyuldu. İki adamın taşıdığı küçük bir tabutun arkasında insanlar dışarı çıktı. Tabut siyah bir Mercedes'e yerleştirildi. Sonra üzerine bir sürü çelenk bırakıldı. Çok çiçek ve çok insan vardı. Siyah Mercedes hareket etti. İnsanlar peşinden yürüdü. Ağır ağır. İki yanı kırmızı renkli çiçeklerle süslü toprak bir yolda ilerlediler. Koskocaman mezarlık bir parkı andırıyordu. Norma yaşlı birçok ağaç gördü. Burada küçük havuzlar da vardı. Göz alabildiğine çimenler arasında derecikler akıyordu. Krematoryumun karşısında da faşizm kurbanlarının anısına bir anıt dikilmişti. Norma onu daha önce de görmüştü. 1949 yılında dikilen anıtın üzerindeki kırmızı mermer kavanozlarda yüz beş toplama kampından getirtilmiş toprak ve kül vardı. Ben bu anıtı bir yazıma konu etmiştim, diye düşündü. Tam yüz beş toplama kampı! Ne oldu? Neo-Naziler yine adam öldürüyor! Mezar taşlarını kırıyor, sinagogların duvarlarını karalıyorlar. Anıtlar dikip insanlara anımsatmak, onları uyarmak bir işe yarıyor mu? Dinleyen var mı? Sonra başkomisere dönüp konuştu. "Bay Sondersen, Doktor Steinbach'ı bu tabutun içinde bulamayacağınızı biliyordunuz. Cesedini birilerinin çaldığından çok eminsiniz. Öyle değil mi?"

"Evet." Sondersen başını eğdi. Genç yüzünde değişik bir ifade vardı. Yorgunluk ve iğrenme. Kötülükle hep savaşmayı düşünen ve bu savaştan hiç vazgeçmeyecek adam hüzünlüydü, Tıpkı babası gibi. Yıllarca önce Nürnberg'de. Sondersen'in neyi var? Sıkıldığı bir şey mi var, diye kendi kendine sordu Norma.

"Ben de çok emindim," dedi Barski. "Profesör Gellhorn'u, ailesini, oğlunuzu ve başkalarını öldürten kişi ya da kişiler Gellhorn'dan bir şey öğrenmek istemişti. Doktor Sasaki'yle yaptığımız o konuşmadan sonra buna iyice inandım." Mezarlığa gelirken Sondersen'e kısaca Nis'teki Kiyoshi Sasaki'nin düşüncelerinden söz etmişlerdi. "Gellhorn'dan bazı şeyleri öğrenmek istemiş olan bu kişiler, Tom ve Petra'yı değiştiren virüsle çok ilgileniyor. Biz Tom'un beyin hücrelerini inceleyecektik. Bu kişiler de aynı şeyi yapmak niyetinde. Tom'un cesedinin çalınmasının tek nedeni bu."

"Beyin hücrelerinin incelenmesiyle çok şey öğrenilebilir mi?" diye Norma sordu.

"Evet, çok şey öğrenilebilir," dedi Barski. "Belki virüsün DNA'ları da. Bu kişiler için hangi hücrelerin, nasıl ve nerede değişime uğradığını bilmek çok önemli sanırım."

"Ama neden?" diye Norma sordu.

"Bilmiyorum," dedi Barski. "Şimdi ne yapacağız, Bay Sondersen?" Başkomiser bakışlarını uzağa dikmişti. İlerde onları bekleyen otomobile bakıyordu. Yanında duran iki polis sıcaktan kapılarını açmıştı.

Sondersen, "Burada yatan adamın kim olduğunu bulmalıyız," diye yanıt verdi. "Akla gelen her yolu denemeli, her izin peşinden gitmeliyiz. Tabii Hess'i, şirketini ve adamlarını da gözden geçireceğiz."

"Tom'un anne ve babasına ne söyleyeceksiniz?" diye Barski sordu. Kocaman, yaşlı bir kestane ağacının gölgesinde oturuyorlardı. "O yaşlı insanlar son aylarda çok üzüldü. Şimdi bir de onlara, oğlunuzun cesedi kayboldu, diyemem. Neden kaybol-

213

duğunu da söyleyemem. Ben bunu yapamam, Bay Sondersen."
Yanında oturan başkomisere baktı. "Tom'u yıllardır tanırdım.
Anne ve babası bu akşam Hamburg'a geliyor. Harald... Doktor
Holsten onlarla telefonda konuşmuş. Havaalanından gidip ala-
cak. Tanrım, ne söyleyeceğiz bu insanlara şimdi?"
"Ben bir şey hazırlayabilirim," dedi Sondersen. "Önce Wies-
baden'deki merkeze sormalıyım. Ama onların kabul edeceğini
sanıyorum. Siz vicdan azabı çekmezseniz, başarabiliriz. Dindar-
sınız, değil mi?"
"Evet, yaşlı insanların acı çekmemeleri için her şeyi yapmaya
hazırım."
Norma söze karıştı. "Anne ve babaya gerçeği anlatmayaca-
ğız. Oğullarının külünü mezara götürebilirler. Ancak bu kül
Tom'un külü olmayacak. Böyle düşünüyorsunuz, değil mi?"
Sondersen başını evet anlamında salladı. "Buranın müdürü
Bay Norden'in böyle bir iyiliğe karşı çıkacağını sanmıyorum. Bi-
raz önce telefonda konuşurken bu izlenimi edindim. Tabii her-
kes çenesini tutacak. Sonra..." Sustu. Otomobilin yanında du-
ran polislerden biri onu çağırmıştı. Ayağa kalkarak otomobile
gitti, polis telsiz telefonu uzattı. Norma'yla Barski onun konuş-
tuğunu gördüler. Hiç kıpırdamadan oturuyorlardı. Başlarının
üstünde, kestane ağacının dallarında kuşlar cıvıldaşıyordu. Ey-
lüldü. Sıcak bir eylül günü.
"Bravka bu mezarlıkta yatıyor," diye Barski mırıldandı, "öte-
lerde..." Norma yanındaki adamın eline dokundu. Zavallı Bars-
ki! Zavallı insanlar. Mutlu Bravka. Mutlu Pierre. Mutlu oğlum.
Bu kirli yaşamla bütün ilişkilerini kesmiş bütün ölüler mutlu!
Sondersen geri geldi. Norma hemen elini çekti.
"Bayan Thubold'du. Bulmuşlar kadını. Kız kardeşinin evin-
de. Patolojiden beni aradı. Oradaki ceset yüzde yüz kocasının-
mış."
Gözlerini uzaklara dikti. Çimenler ve ağaçların ötesine. Bir-
den kendinden geçmiş, başka bir dünyaya gitmiş gibiydi.

"Biraz önce otomobile giderken·konuşmanızı yarıda bırakmıştınız," dedi Norma. "Sonra, diye başlamış, ama kesmek zorunda kalmıştınız. Ne diyecektiniz?"

"Evet. Nis'teki Doktor Sasaki'nin kliniğinde bir hain olduğundan emindiniz. Şimdi ben de şundan eminim, çok yakında siz de kliniğinizde bir hainle uğraşmak zorunda kalacaksınız."

15

"Sizlere her şeyi anlattım. Tak'ın kardeşi Kiyoshi'nin Bayan Desmond ve bana söylediklerini," dedi Barski. Saat 21.45'ti. Büyük beyaz bürodaki büyük beyaz masanın ucunda oturuyordu. Sağında Norma, solunda da Sondersen vardı. Akşamın bu geç saatinde herkesin büroda toplanmasını istemişti. Bu toplantı yapılmalıydı. Barski konuşmasının sonunda, Holsten'le birlikte Tom'un anne ve babasını havaalanından alıp eve götürdüklerini de söylemişti...

"Otopsinin bir gün daha süreceğini, sonra da cesedin hemen yakılacağını söyledik. Mikrop tehlikesi çok büyük, dedik. Mezarlıkta hepimizin bulunacağını söyledim. Çok teşekkür ettiler. Zavallı oğulları için daha önce yaptıklarımıza da. Annesi beni yanaklarımdan öptü. O anda kendimi çok kötü hissettim. Bay Sondersen de akşamüstü, bir başkasının külünü kavanoza koyabilme iznini aldı. Çok şükür!"

Dilerim her şey yolunda gider, dedi Norma içinden.

"Tak'ın kardeşi, kliniğinde bir hain olduğundan emin... Gellhorn'un şantajlara karşı koyup yaşamını yitirmesinden sonra, bizim aramızdan da bir hain çıkacağına inanıyor," dedi Barski. "Bu sözleri söylediğim Bay Sondersen, şimdi ve burada sizlere de aynı şeyleri iletmemi benden rica etmişti. Şu son olanlardan sonra, sanırım Tak'ın kardeşinin inancı hiç de yanlış değil. Durumumuz kötü."

"Hem de nasıl," dedi Holsten. Öfkeli ve yorgundu. Diğerleri onun kadar yorgun değildi. Ama çok heyecanlanmışlardı. Sadece Eli Kaplan arkasına dayanmış, piposunu tüttürüyordu. Barski'nin anlattıklarından hiç etkilenmemiş gibiydi. "Kiyoshi'nin böyle şeyler düşünmesini ayıp ve çirkin buluyorum." Holsten'le Gordon ona hak verdi. "Kardeşinin böyle konuşmaya ne hakkı var, Tak? Kendi sorunlarıyla ilgilensin! Nis'te bir hain olabilir. O da buna inanabilir. Bize ne! Orada olup bitenler onun sorunu. Ancak bizim aramızda da bir hain olduğunu söyleme hakkını kendinde nasıl buluyor?"

"Ama böyle düşünmesinin birçok nedeni var," dedi Barski. Norma başını çevirip ona baktı. Çok ciddiydi. Sonra Sondersen'e baktı. Zayıf, uzun boylu adam masanın çevresinde oturanları dikkatle izliyordu. "Bizim ne üzerine çalıştığımızı biri ihbar etmiş olmalı. Öyle olmasaydı Profesör Gellhorn'a şantaj yaparlar mıydı?"

"Ona şantaj yaptıklarını kim söylüyor ki?" diye Gordon heyecanla konuştu. "Bu sadece Tak'ın kardeşinin düşüncesi! Ve Bay Sondersen'in de. Öyle değil mi?"

"Benim böyle düşüncelerim yok, doktor hanım. Ben sadece bazı parçaları birleştiriyorum. Oyunu bitirebilmem için daha çok parça gerekli bana. Bu benim mesleğim. En küçük yardıma bile çok teşekkür ederim."

Holsten öfkeli öfkeli, "Teşekkür mü edersiniz?" diye sordu. "Teşekkür... Siz bizden ne bekliyorsunuz, Bay Sondersen? Birinin ötekini hain yerine koyduğu bir grup insandan ne gibi yardım bekliyorsunuz? İçimizden biri Profesör Gellhorn'un ve bir sürü insanın öldürülmesinden sorumlu! Şimdi herkes birbirinden şüphelenecek, casus gibi birbirini kollayacak! Biz bir zamanlar dostluk içinde çalışan bir grup insandık Bay Sondersen. Şimdi artık bu sona erdi... Senin kardeşin yüzünden, Tak!"

Norma, gözünün altındaki sinir atmıyor, diye düşündü. Holsten çok öfkeli olmalı.

"Kardeşimi rahat bırak. Anlaşıldı mı?" dedi Takahito Sasaki. "Birkaç saat önce kendisiyle telefonda konuştum. Söylediği şey benim aklıma çok yattı."

"Öyle mi?" diye Gordon sordu. "İki kardeşin anlaşması güzel! Ne de olsa birbirlerine destek olmalılar."

"Bu da ne demek, Alexandra?" Takahito ayağa kalkmıştı.

"Otur yerine ve bırak şimdi bunları," dedi Barski.

Takahito yerine oturmadı. "Ne demek istediğini bilmek istiyorum!"

"Aramızda bir hain olabileceğini düşündüğünü senden şimdi öğreniyoruz," dedi Gordon.

"Evet, bu doğru," diye Barski de söze karıştı.

"Kardeşimle telefonda konuştuktan sonra bu düşüncemi açıkladım."

"Ama kardeşinin kliniğine hırsızın girip önemli araştırma sonuçlarını çalması ilkbahardaydı. Şimdi Jan'la Bay Sondersen'den öğrendiğimize göre, klinikte hırsızlık yapan adamla, Bayan Desmond'u az kalsın öldürecek adam daha önce aynı kuruluşta görevliymiş." Gordon susmuyordu.

"Bunda ne var? Ne olmuş ki?" Takahito elinin içini masaya vurdu. "Ben her ikisinin de Genesis Two'dan geldiğini bilmiyordum! Bu şimdi ortaya çıktı."

Gordon, "Nis'te olup bitenlerle, burada olup bitenler arasında bir ilişki kurmak aklına gelmedi, öyle mi?" diye sordu,

"Hayır. Hayır. Hayır! Lanet olsun. Burada bir sürü insan öldürüldü. Nis'te ise birkaç disk çalındı. Bizde çalınan bir şey yok ki! Yeter bu kadarı! Böylesine pis bir oyuna gelmem. Jan başladı. Benim ve kardeşimin bazı dümenler çevirdiğinden emin. Hainlerden söz edilen yerde sonunda mutlaka bir hain ortaya çıkar. Öyle değil mi, Jan? Ben bu oyunu bilirim."

Kaplan pipoyu ağzından çekip konuştu. "Hiç de fena değil."

"Şimdi sen de benim üzerime geliyorsun, Eli! Öyle mi? Ben de seni en iyi dostum sanırdım. Gerçekten çok sevimlisin!" Sasaki birden bağıra bağıra konuşmaya başlamıştı. "Haydi, ne duruyorsunuz? İşte o adam karşınızda! Hain burada! Sayısız insanın ölümünden suçlu kişi burada!" Ellerini Başkomiser Sondersen'e uzattı. "Ne oluyor? Nerede kelepçeleriniz?" Soluk soluğaydı. Gözlerinde yaşlar birikmişti. "Tak," dedi Barski usulca. "Bırak bu saçmalıkları. Kapat çeneni ve yerine otur!"

"Umurumda bile değil!" Sasaki parmağını gözüne sokacakmış gibi Sondersen'e uzattı. "Size bir şey söyleyeceğim, başkomiser bey. Amerikalılar, tanrı bu iyi insanları başımızdan eksik etmesin, dünyanın ilk atom bombasını 6 Ağustos 1945 günü Hiroşima'ya attıklarında iki yüz altmış bin kişi ölmüş, yüz altmış bin kişi de yaralanmış ya da kaybolmuştu. O günlerde annem ve babam henüz tanışmamıştı. Hiroşima'da da değillerdi. Ben 1955 yılında dünyaya geldim. Yaralılardan çoğu o yıllarda ölmüştü. Radyasyon sonucu. Bugün bile özel hastaneler radyasyon hastalarıyla dolu. Ben niçin buradayım? Doktor olup kan kanseri ve diğer kanser hastalıklarıyla savaşmak için! O günlerde DNA'ların değişimiyle uğraşacağımdan haberim yoktu. Benim ve kardeşimin bütün istediği kanseri iyileştirecek bir ilaç bulmaktı. Radyasyon kalıtımsal hastalıklara yol açıyor. Kardeşim bu hastalıkları iyileştirmek istiyordu. Lanet olsun, biz ikimiz de insanlara yardım etmek istiyoruz. Yardım! Şimdi siz bizi insanlara zarar vermek, onları öldürmek isteyen hainler gibi görüyorsunuz!"

"Yeter!" dedi Sondersen. "Kapatalım bu konuyu. Siz de yerinize oturun, Doktor Sasaki!" Takahito sustu. "Oturun, lütfen!" diye Sondersen tekrarladı. Ufak tefek Japon yerine oturdu. "Burada bulunan herkes insanlara yardım etmek isteğinde. Nis'teki kardeşiniz gibi. Herkesin de kendine göre nedenleri var. Sizin ve kardeşinizin olduğu gibi. Ama şimdi burada herkes aynı ölçüde şüphe altında. Bu hiç de güzel bir şey değil. Çok kötü. Ama o insanların öldürülmüş olması çok daha kötü!"

"Heyecanlandığım için özür dilerim." Takahito Sasaki şimdi gerçekten ağlıyordu.

Kaplan onun omzuna dokundu. "Birbirimize destek olmalıyız. Yoksa hepimiz keçileri kaçırırız. Konuyu baştan ele alalım. Gerçekten uzaklaşmadan, Tom'un ölümünden sonra bizler ne yaptık? Her birimiz?"

"Belki hain Tom'du?" dedi Gordon.

Kaplan, "Belki? Ama öyle ise acı ödedi," diye yanıt verdi.

"Bence değildi," dedi Holsten. "Gellhorn, Tom'un hastalığa kapılmasından sonra öldürüldü."

"Ama Tom hastalanmadan önce de çalışmalarımız konusunda karşı tarafa bilgi vermiş olabilir," dedi Kaplan. "Her neyse, Tom'un ölümünden sonra ne yaptık? Yanında kim vardı? Harald'la ben. Ölümünden biraz önce Nis'teki Jan'a kim telefon etti ve derhal Hamburg'a gelmesini söyledi? Harald. Telefon ederken ben yanında duruyordum. Ölümünden sonra kâğıtları hazırlatan ve otopsi emrini veren kimdi?"

"Bendim," dedi Holsten.

Sinir yine atıyor, diye Norma bir an düşündü.

"Kartı yazıp Tom'un ayak başparmağına takan da bendim. Sıra şimdi yine sende, Eli."

Dışarıda sıcak, tertemiz bir eylül akşamı vardı. Norma gökyüzünde sayısız yıldız görüyordu. Masanın çevresinde oturuyorlar, diye düşündü. Hepsi namuslu. Hepsi insanlara yardım etmek istiyor. Ama yine de içlerinden biri insanların öldürülmelerinden suçlu. Dolaylı da olsa.

Uzun boylu, sarışın Yahudi doktor konuştu: "Tamam. Sıra yine bende. Harald kâğıtları hazırladıktan sonra bana verdi. Kartı da yazdı. Petra'nın yanına gidip onunla ilgilenmesini istedim. Yanımda birkaç doktor daha vardı. Tanıklıkları gerekirse, diye söylüyorum, Bay Sondersen."

Sondersen başını eğdi.

"Sonra iki hastabakıcı geldi. Tom'u kalın alüminyuma sarıp kurşun tabuta koydular. Hemen patolojiye götürmelerini söyledim. Otopsi için belgeyi de onlara verdim. Dehlizden geçtiler. Mikroplardan arınsınlar diye. Bulaşıcı hastalıklar bölümünü bodrum katından terk ettiler."

"Bölümü terk ettiklerini gördün mü?" diye Gordon sordu.

"Dehlize kadar gördüm. Sonrasını bilmiyorum."

"Hangi hastabakıcılardı?" diye Gordon sordu.

"Ben ne bileyim?" Kaplan piposundaki külü tablaya boşalttı. "Yine görürsem, mutlaka tanırım."

"Adları Karl Albers ve Charley Krohnen," dedi Sondersen. "Adamlarım ikisini de bulup ifadelerini aldı."

Kaplan, "Ne diyorlar?" diye sordu.

"Onların söyledikleri sizin söylediklerinize uymakta, doktor bey." Sondersen, Kaplan'a boş boş bakıyordu. "Tabutu bodrum katından geçirip patolojiye götürdüklerini söylediler."

"Gördünüz mü?"

"Ama bir saniye!" Sondersen'in ses tonunda hiç değişme olmamıştı. "Hastabakıcılar tabutu patolojide Doktor Kluge'ye verdiklerini söyledi. Oradan aldıkları imzalı kâğıdı da idareye teslim etmişler. Kluge'nin imzasıyla. Kendisine gösterdik. 'Benim imzam,' dedi."

"Peki, şimdi ne olacak?" Kaplan piposuna yeni tütün dolduruyordu.

"Dinleyin," dedi Sondersen. "Tabutun içindeki adamın bulaşıcı hastalıklar bölümünden çıkarken Thomas Steinbach olduğunu biliyoruz. Dehlizden çıkarken değil. Kluge'yle asistanının patolojinin morgunda tabuttan çıkardıkları adamın ise, Thomas Steinbach değil, kalp krizinden ölmüş Ernst Thubold olduğunu da biliyoruz."

Gordon, "Öyleyse cesetler, Tom'un mikroplardan arındırılması için dehlize girmesiyle çıkması arasında değiştirilmiş olacak," diye düşüncesini belirtti.

"Bu mümkün," dedi Sondersen.

Norma, "Başka bir olasılık var mı ki?" diye sorarak Sondersen'e baktı. Adam bakışlarını kaçırdı. Barski'ye baktı. O da başka yöne bakıyordu. Ne oluyor burada, diye düşündü Norma, içini birden hüzün kapladı. Sonra ansızın aklına gelen düşünceyle ürperdi. Barski'nin de suçlu olabileceğini düşünmüştü. Belki hain değildi, ama herhangi bir suçu olabilirdi. Bunu hiç düşünmemiştim. Çünkü onun da suçlu olabileceği bence mümkün değildi. Bugüne kadar neler yaşadın, neler gördün? O suçsuz olsun, diye içinden yalvardı. Lütfen! Kime söylüyorsun bunu? Barski suçlu olmamalıydı. Yoksa ben ne yaparım? Barski suçlu çıkarsa, bütün çalışmalarım boşuna olur. Yardım et bana!

"Başka olasılık mı?" diye Sondersen yineledi. "Tabii. Başka olasılıklar da mümkün. Bambaşka. Ama bizim onlardan henüz haberimiz yok. Çünkü haini tanımıyoruz."

"Ben bu söylediğinize karşı çıkıyorum," dedi Sasaki. Sondersen sözünü kesti. "Susun lütfen! Biz haini tanımıyor, onun ne yaptığını bilmiyoruz. Ne yapacağını da. Şimdi akşamın bu saatinde toplanmamızın nedeni bu. Bir dostlar grubunun ortasına bomba atan ben değilim. Bunu yapan içinizden biri. Şimdi diğerleri ona karşı çıkmalı. Daha başka kötülükleri önlemek için. Ama nasıl? Sizlerin desteğiyle bir sonuca varamayacağımı biliyorum. Hepinizin yardımı gerek." Bir an için sustu. Odada hiç kimse konuşmadı. Sonra yine devam etti. "Başka olasılıklar mı? Tabii var. Kalp hastalıkları bölümünden Ernst Thubold'un cesedini alan kim? Thomas Steinbach'ın cesedini hastaneden dışarı çıkaran kim? Aynı anda üçüncü bir erkek cesedini bulan kim? Bu üçüncü cesedin kim olduğundun henüz haberimiz yok."

"Virchow Hastanesi'nden değil," diye atıldı Alexandra Gordon. "Burada ceset eksik değil. Bütün bölümlere sorduk."

"Bir saniye," dedi Sasaki. "Senin patolojide ne işin vardı, Alexandra? Oradan buraya telefon edip bizleri alarma geçiren sendin. Niçin gitmiştin oraya?"

"Harald gitmemi rica ettiği için."

"Bu doğru," dedi Holsten ve Gordon'a baktı. "Petra'nın yanına gitmem gerekiyordu. Biraz sonra da Jan'la Bayan Desmond geldi. Alexandra'dan otopsi sonucu beyinden örnekler getirmesini istemiştim."

Sasaki sinirli bir tavırla araya girdi. "Patolojidekiler bu kadar çabuk çalışmaz ki... Tom'un kafatasını açana kadar orada bekleyecek miydin, Alexandra? Biliyorsun, otopsiye başka yerden başlarlar. Öyle değil mi?"

"Harald benden, bütün otopsi boyunca orada olmamı rica etmişti," diye konuştu kadın doktor. Öfkelenmişti, "Vücudun başka organlarının da değişme gösterip göstermediğini bilmem gerekiyordu."

"Ve orada yatanın Tom olmadığını görünce de hemen Jan'a telefon ettin, öyle değil mi?" diye Sasaki sordu.

"İyi ki öyle yaptı." Barski, Sondersen'e döndü. "Bizlerle burada konuşmak istemenizi çok iyi anlıyoruz, sayın başkomiser. Size yardımcı olmak için de elimizden geleni yapacağız."

"Bir kişinin dışında herkes," diye mırıldanan Kaplan piposunda yanan tütünü bastırdı.

"Evet," dedi Barski. "Bir kişi dışında. Bay Sondersen sizi çok zor görevler bekliyor. Herkesten şüphe etmek zorundasınız. Hastabakıcılardan da. Neydi adları?"

"Karl Albers ve Charley Krohnen."

"Bu hastanede yeraltı koridorlarına ve morga girip çıkan herkesten kuşkulanmalısınız, öyle değil mi?"

"Evet," dedi Sondersen.

Kaplan, "Tanrı size yardım etsin," diye mırıldandı. "Oralarda en aşağı elli kişi görevli."

"Biliyorum," dedi Sondersen. "Merak etmeyin, hepsiyle tek tek ilgileneceğiz. Hastane dışındakilerle de. İşe başladık, ama henüz bir sonuç elde edemedik."

"Yeterince adamınız var mı?"

"Başka adamlar vermelerini istedim, Doktor Kaplan. Sizler bana yardım etme kararını alırsanız gerçeği bulacağız. Günün birinde." Şimdi sesi sert ve güçlü çıkmıştı. Yüzü de savaşan bir insanın yüzünü andırıyor, diye düşündü Norma.

Sondersen, "Buradaki suçluları," diye devam etti. "Dışarıdaki suçluları da! Cinayetleri işlemiş olan katilleri ve onları görevlendirenleri."

Norma kendi kendine, ne büyük bir şans, bu adamın olması, dedi. Ona destek olacağım. Elimden geldiğince. O, adamları ve ben... Katilleri biz bulacağız. Elleri kanlanmış katilleri. Oğlumun kanı da ellerinde.

Sasaki, Barski'ye dönerek konuştu: "Aklıma bir şey geldi. Gellhorn ve ailesinin ölümünden sonra şu Hess'in firmasını cenaze töreni düzenlemekle görevlendiren sendin. Öyle değil mi?"

"Evet," dedi Barski. "Hess'e başka cenazeler de verdiğimiz olmuştu. Çok iyi bir firmadır. Niçin sordun?"

"Yok, öyle işte..." dedi Sasaki. "Şimdi Tom'un ortadan kaybolması olayında yine Hess'in adı geçiyor da... Toplu nakil yapan başka şirketler de var Hamburg'da. Tabii bu toplu naklin Hess'in şirketince yapılması rastlantı olabilir."

"Ne demek istediğini söylesene sen!" dedi Barski.

"Ne söyleyeyim?"

"Hainin ben olduğuma inandığını söylesene."

Sasaki, "Hayır. Kesinlikle böyle düşünmedim..." dedi. Aynı anda telefon çalmaya başladı.

Barski yazı masasına yürüdü. Telefonu açtı. Biraz dinledikten sonra, "Evet, burada," diyerek Sondersen'e baktı, "Adamlarınızdan biri. Hemen sizinle konuşmak istiyormuş."

Sondersen ayağa kalkıp telefona gitti. "Ne var? Ne zaman? Bir saniye!" Barski'ye baktı. "Bu konuşmayı dinleyicisiz yapmam mümkün mü acaba?"

"Tabii. Yandaki sekreterler odasına bağlayabilirim." Zayıf, uzun boylu adam yandaki odaya yürüdü, "Kapıyı kapatın. Ses

223

geçirmez. Telefonun üzerindeki kırmızı ışık yanınca açın ve konuşun."

"Teşekkürler," dedi Sondersen. Kapıyı arkasından kapattı. Barski telefona, "Alo, bir saniye!" dedi. Elindeki kulaklığı bıraktı. Olduğu yerde kalakaldı. Hiç kıpırdamadı. Odada hiç kimse konuşmuyor, yerinden kalkmıyordu. Hiç kimse birbirinin yüzüne bakmıyordu. Dışarıdan bir uçak geçti. Gürültüsü kapalı pencerelerden içeri girdi. Fuhlsbüttel Havaalanı'na iniyor ya da oradan kalkıyordu. Eli Kaplan elindeki pipoyu tablaya bıraktı. Sasaki yerinden doğruldu. Pencerenin yanına gidip durdu. Karanlıklara baktı.

But only yesterday.* Shakespeare'in sözleri aklından geçti Norma'nın. Dün, dün hepsi birbirinin dostuydu. Hayır, aralarından biri hainse, bu olamazdı. Hain dün de diğerlerinin düşmanıydı. İnsanın içini kim görebilir? Kim karşısındakinin ruhunu okuyabilir? Hiç kimse. Her insan tek başınadır, karanlık gecelerde.

Sekreterlerin odasının kapısı açıldı. Carl Sondersen içeri girdi. Hepsi ona bakıyordu.

"Thomas Steinbach geri geldi," diye açıkladı. Sesi ifadesizdi.

"Nereye?" diye Barski sordu.

"Ohlsdorf'a. Krematoryuma."

Norma birden, çok tuhaf, diye düşündü. Hiçbiri heyecandan ayağa fırlamıyor. Hiçbiri sevinmiyor. Neden acaba? Hiç kimse duygularını göstermek istemiyor mu? Korkuyorlar mı?

"Nasıl gelmiş oraya?" diye sordu pencerenin yanında duran Sasaki.

"Bilmiyorum," yanıtını verdi Sondersen.

Şimdi burada masanın çevresinde oturanları tek tek inceliyor, diye Norma düşündü.

"Krematoryumun müdürü Bay Norden'e gece nöbetçisi telefon etmiş. Müdür de şimdi beni aradı. Doğru Ohlsdorf'a

---

*   Ama yalnızca dün. (ç.n.)

224

gideceğini söyledi. Gece nöbetçileri bodrumdaki büyük odaya birkaç tabut almaya girdiklerinde, yerde duran bir tabut dikkatlerini çekmiş. Üzerindeki kâğıtta iki bin yüz bir numara yazıyormuş. Norden'e telefon eden adam listeye bakmış. Listede o numaranın soğuk hava deposunda durduğu ve hiç kimsenin ona dokunmaması gerektiği yazıyormuş. Benim emrettiğim gibi."

"Doğru. Ama adam depoya gidip iki bin yüz bir numaralı tabutu aramış. Tabut orada yokmuş. Kimliğini bilmediğim ve ayağındaki kartta Ernst Thubold yazan ölü kaybolmuş."

"Bir saniye," diye kalın enseli Holsten söze karıştı. "Daha önce de söylemek istemiştim, ama heyecandan unutmuş olacağım. Ben bir kart yazmıştım. Steinbach adına. Bu kartı da, daha sonra patolojinin morgunda eşinin Ernst Thubold diye teşhis ettiği adamın ayak parmağında görmüştüm." Holsten bağıra bağıra konuşuyordu, "Ben ikinci bir kart yazmadım! Ben tek bir kart yazdım! Yazarken Eli de görmüştü. Haydi Eli, söylesene!"

Kaplan, "Evet, görmüştüm. Bir kart yazmıştın," diye yanıtladı. Pek umursamazmış gibiydi.

"Ne demek istiyorsun?" Holsten bağırmaya devam ediyordu. Oturduğu yerden fırladı ve İsrailli doktorun yanına gidip omzunu yakaladı. "Sen bana baksana? Niçin böyle konuşuyorsun? Sonra ikinci bir kart daha mı yazdım sanıyorsun?"

"Bırak," dedi Kaplan.

"Ne demek bırak?"

"Omzumu bırak dedim. Hoşuma gitmiyor. Çek elini!"

Holsten geri çekildi, "Söylesene, ne demek istediğini!" diye homurdandı.

"Ben hiçbir şey demek istemiyorum. Senin tek bir kart yazdığını görmüştüm. Hepsi bu kadar! Artık yeter böyle bağırıp çağırman. Çok çirkin!"

Holsten olduğu yerde kalıverdi. Kolları iki yana sarkmıştı.

Masada oturanlara tek tek baktı. Herkes başını çevirdi. "Özür dilerim," diye mırıldanarak yerine gidip oturdu. "Tom'un cesedinin açılmış olduğunu soruyorum," dedi Kaplan.

"Evet," diye yanıtladı Sondersen. "Bütün iç organları alınmış. Kalp, ciğer, böbrekler, safrakesesi gibi. Omuriliğinden de örnek alınmış... Kafatası açılmış. Beyin çıkarılmış. Yüzüne zarar vermemişler"

"Çok saygılı hırsızlarmış," dedi Sasaki de.

"Kimliği tespit edilemeyen ikinci bir ceset için yapılacak soruşturmalardan kaçındıkları için olacak," dedi Kaplan. "Bu onlar için tehlikeli. Haklı değil miyim, Bay Sondersen?"

"Belki. Şu anda bir şey söyleyemem."

Gordon, "Bunu nasıl başarmışlar?" diye sordu. "Tom'un tabutunu getiren kişileri nasıl olmuş da hiç kimse görmemiş? Nasıl girmişler içeri?"

"Bunu ortaya çıkarmaya uğraşıyoruz," dedi Sondersen. Doktor Barski, Doktor Holsten, benimle Ohlsdorf Mezarlığı'na gelmenizi rica edeceğim. Oradaki cesedin yüzde yüz Thomas Steinbach olup olmadığını bilmek istiyorum.

Barski yanındaki Norma'ya dönüp usulca konuştu. "Sonra size uğrayabilir miyim?"

"Geç saatte mi? Kızınız..."

"O çoktan uyuyor. Olur mu?"

Norma başını evet anlamında salladı.

Barski, Holsten ve Sondersen hiç konuşmadan büyük odadan çıktılar. Biraz sonra da Eli Kaplan yerinden kalkarak odayı terk etti. Peşinden de Sasaki'yle Alexandra Gordon gitti. Hiçbiri konuşmamış, hiçbiri ötekinin yüzüne bakmamıştı. Hepsi tek başına dışarı çıkmıştı. Yalnız, diye düşündü Norma. *And only yesterday...*

16

"Bayan Norma Desmond?"

"Evet."

"Burası ülkelerarası telefon santrali. Sizi bir saattir aramaktayız."

"Beş dakika önce geldim."

"Moskova'dan bir telefon görüşmesi var. Bay Westen arıyor. Bağlamamızı istiyor musunuz?"

"Tabii, bağlayın." Norma oturma odasında, ayaktaydı. Yüzünü birden mutluluk kapladı.

"Sevgili Norma! Çok şükür! Nerelerdeydin?" Yüzlerce kilometre öteden geliyordu sesi. Çok yakınmış, yanı başında duruyormuş gibi.

"Ah, Alvin, bilsen ne kadar mutluyum yine sesini duyduğum için!"

"Ben de, Norma. Gazeteden, Nis'te olduğunu söylemişlerdi."

"Evet, Barski'yle. Biz orada..."

Westen sözünü kesti. "Çok şeyler öğrendiğinizi umarım. Benim de haberlerim var, Norma. Sowjetskaja Oteli'nde kalıyorum. Telefon numarasını yaz!"

İskemlenin üzerinde duran çantasını açıp kâğıt kalem çıkardı.

"Moskova'nın kodundan sonra 250 23 42. Yazdın mı?"

"Evet."

"İyi. Ben birkaç gün daha buradayım. Eski dostlarla görüşmekteyim. Sonra doğru New York'a uçuyorum. Oradan da Berlin'e geçeceğim. Senin oraya gelmeni istiyorum. Mümkünse Barski'yle birlikte gel. Olur mu?"

"Tabii olur." Norma'nın tüm ruhunu bir sıcaklık kapladı. Burası evim, diye düşündü. Neresi evim? Yalnız başıma olduğumda bunu bilmiyorum. Ama onun sesini duyunca, biliyorum. Nerede olursam olayım, orası benim evim. Sesini duymak yetiyor. "Ne zaman Berlin'e geleyim, Alvin?"

"Ben 24 Eylül'de oradayım. Çarşamba günü."

"Nerede kalacaksın?"

"Kempinski'de. Her zamanki gibi."

"Ben oda ayırtayım mı?"

"Buradan yaparım. Resepsiyondaki eski dostum Willi Ruof'a hemen telefon ederim."

"Ben geleceğim. Barski'nin de geleceğini sanıyorum. Öyleyse ayın yirmi dördünde Kempinski'de görüşmek üzere!"

"Çok sevindim. Seni merak etmeme gerek yok, değil mi?"

"Hayır, Alvin."

"Çok güzel. Bekle, bir şey daha söylemek istiyorum!" Westen'in güldüğünü duydu. Yüzlerce kilometre öteden.

"Müziği deli gibi sevdiğimi biliyorsun. Özellikle de Verdi'nin müziğini, operalarını. Hamburg'da sana söylemeyi unutmuştum."

"Neyi söylemeyi?"

Hâlâ gülüyordu. "Devlet Operası'nda ay sonunda çok ilginç bir şey var. 28 Eylül Pazar günü. Berlin'den döneceğimiz gün. 'Alınyazısının Gücü' eserinin ilk akşamı. Ama bir özelliği var. Werfel'in Almanca librettosuyla sahneye konuyor."

"Franz Werfel'in mi?"

"Evet. Bu operaya Almanca bir libretto yazdığından haberin yoktu, değil mi?"

"Evet."

"Werfel dört libretto yazmıştır. Hepsi de Verdi'nin operalarına. 1922'yle 1924 yılları arasında. Biliyorsun Verdi hep dramatik konulu operalar bestelemiştir. Schiller'den, Shakespeare'den, Victor Hugo'dan... Don Carlos, Macbeth, Othello, Rigoletto hep Verdi'nin dramatik eserleri. Karakterler güçlü, kişiler ihtiraslı..."

"Sen nereden telefon ettiğini biliyorsun, değil mi?" diye Norma sözünü kesti. "Bir dakikanın kaça olduğundan da haberin vardır umarım."

228

"Var tabii, sevgili Norma. Burada kendimi biraz yalnız hissediyorum. Seninle sohbet etmek istemiştim. Bırak da yaşlı adam biraz sevinsin!"

"Su gibi para harca! Sen tam bir sosyalistsin! Anlatmaya devam et bakalım!" dedi Norma gülümseyerek.

"Verdi'nin metin yazarları, Piave ve Ghislanzoni'ydi. Eserlerdeki psikolojik derinliği beğenmeyen Werfel, libretto yazmaya karar veriyor, işte bizim 28 Eylül'de gideceğimiz operanın özelliği de bu. Mutlaka orada olmalıyız."

"Mutlaka," dedi Norma da. "Ve mutlaka en iyi yerler, öyle değil mi? Ben seni iyi tanıyorum, sevgili yoldaş!"

Westen yine güldü. "Hamburg'da operalarda beşinci sıraya kadar orta yerler, konserlerde on birinciyle on üçüncü sıralar, balelerde de..."

"Balkonun en ön sıraları," diye tamamladı Norma. İkisi de güldü. "Bana bir defasında söylemiştin."

"Fena mı etmişim? Öyleyse biletleri ısmarla! Bir saniye... Kaç kişi? Barski'yi de alalım mı?"

Norma bir an sustu.

"Bana kalırsa onu da alalım," dedi Westen. "Barski canayakın bir insan. Öyle değil mi?"

"Ah, Alvin."

"Tamam. Öyleyse Barski de geliyor. Kızı? Opera için yaşı uygun mu?"

"Ona sorarım."

"İyi. Şimdiden seviniyorum. Seni merak etmeme bir neden yok değil mi?"

"Hayır, yok."

"Yarın yine telefon ederim. Hayır, ertesi gün. Çok geç saatlerde değil mi?"

"Evet."

"Bir şey olursa, beni hemen arayacaksın."

"Hemen."

"İyi geceler, Norma! Sevgiyle öperim." Telefon kapandı.
Barski hastanedeki iki odayı oldukça rahat döşettirmişti.
Norma, Park Caddesi'ndeki evinden eşyalarını almak fırsatını
bulamamıştı. Nis'ten yanında getirdikleri şimdi bu odada duru-
yordu. Bavulu yatağın üzerindeydi. O gün öğleden önce Ham-
burg'a dönmüşlerdi. Ama aradan sanki günler geçmiş gibiydi.
Norma bavulu açıp eşyalarını dolaba yerleştirmeye başladı. Son-
ra bavulu bir köşeye koydu ve yatağın üzerine oturdu. Dakika-
larca öyle oturdu. Hiç kıpırdamadan. Sonra yatağın kenarındaki
beyaza boyanmış metal masanın gözünü çekti. Gözde Pierre ve
oğlunun fotoğrafları vardı. Bu fotoğrafları evinden getirmişti.
Onları görmeye dayanamadığı halde, yine de bunlar onun ya-
şamla olan son bağlarıydı. Bir süre baktıktan sonra küçük masa-
nın üzerine yerleştirdi. Oğlu aynı babası gibi gülüyordu. Birbi-
rine bu kadar benzeyen iki insan, diye düşündü. Ama artık ikisi
de öldü. Sadece ben buradayım. Burada olmalıyım. Çocuğu-
mun katilini bulmak zorundayım. Ve sonra... Nis Havaala-
nı'ndaki boş restoranı, gerçek olmayan sessizliği ve rengi her an
değişen denizi düşündü. Sanki Barski karşısında oturuyordu ve
bütün bunlar bu sabah olmuştu. Bu sabah. Bunları düşünmek
istemiyorum. Hayır, istiyorum. Bütün bunlar benim şimdiye ka-
dar benzerini yaşamadığım olaylardı. Aynı şey Barski için de ge-
çerli, buna inanıyorum. Ne zaman, nerede onunla birlikte olsak,
onları düşünüyor ve fotoğraflarına bakıyorum. Acaba o da bun-
ları biliyor mu? Yoksa her şeyden habersiz mi? Ölüm bütün iliş-
kileri koparsa, anıları silse ne güzel olur. Hayır, güzel olmazdı.
Ben sadece Pierre'in ya da çocuğumun bir yerlerde olduğunu,
ikisinin de benim onları düşündüğüm gibi beni düşündüklerine
kendimi inandırabilirsem yaşayabilirim. Tıpkı Barski'nin Brav-
ka'yı düşünmesi ve Bravka'nın da kendini düşündüğünü umma-
sı gibi. Barski dindar. Tanrıya ve sonsuz yaşama inanıyor. Ken-
dinden emin. Bense hiçbir şeye inanmıyorum. Hayır, ben Pier-
re'e ve oğluma inanıyorum, onları içimde hissediyorum. Onla-

rın bütün iyi yanları içimde bir yerlerde. Yoksa sonsuz yaşam dedikleri bu mu? Hiç olmazsa ben kendimi buna inandırıyorum. Norma büyük pencereye doğru yürüdü ve dışarı baktı. Hastane binasına, boş otopark alanına, çim sahaya, çitlere, ağaçlara. Neon ışıklar geceyi aydınlatıyor, adeta gündüze çeviriyordu. Her şey bir sinema dekoru gibi, diye düşündü. Her şey aldatmacaydı, o an için hazırlanmış ve kamera stop edince hemen sona erecek bir aldatmaca. Her şey geçici, her şey ölümlüydü. Lanet olsun, diye düşündü. Keşke insanın ölmüş olan sevdiklerinin aslında ölmediklerine kendini inandırmak için harcadığı çabalar ve çektiği acılar bu kadar güçlü olmasaydı. Ama ölüler için her şey bitmişti. Kuşkusuz insan ölüleri sevebilir, bu sevgisini sürdürebilirdi. Ya ölüler? Onlar ne durumdaydı? Onlar da yaşamakta olanları sevebilirler miydi? Gerçekten bunu başarabilirler miydi?

17

Barski gece yarısına doğru geldi. O sırada Norma televizyonda son haberleri seyretmekteydi. Barski çok yorgun sürünüyordu.

"Özür dilerim, işler uzadı." Barski televizyona bakarak ekledi. "Yeni bir şeyler var mı?"

"Köln'deki Yazarlar Birliği binasına araba içine yerleştirilmiş bir bombayla saldırı yapılmış. Maddi hasar bir milyon mark dolayında. Ayrıca teröristlerin fabrikalara, trafo merkezlerine ve adliye binalarına yapacakları bombalı saldırılara ait kanıtlar ele geçirilmiş."

"Dünya her geçen gün daha güzelleşiyor."

"Her geçen gün," diye yineledi Norma, Sonra sordu. "Tom'du, değil mi?"

"Evet. Araştırmalar devam ediyor. Sondersen ve adamları henüz orada. Tom'un anne ve babasına yalan söylememize ar-

231

tık gerek yok." Bir iskemleye oturdu. "Neler düşündünüz toplantıda? Çok kötü konuşmalar oldu, değil mi?" Barski'nin gözlerinin altında mor halkalar vardı. Arkasına dayandı. "Ama böyle bir toplantı gerekliydi."

"Bayan Desmond..."

"Evet?"

"Size dikkat ettim. Benim de hain olabileceğimi düşündünüz, öyle değil mi?"

"Evet," dedi Norma.

"Size yalan söyleyebileceğimi sanıyor musunuz?"

"Bilmiyorum. Eğer hain siz olsaydınız, bunu itiraf etmezdiniz."

"Ama hain ben değilim, Bayan Desmond."

"Çok iyi," dedi Norma.

"İnanıyor musunuz bana?"

"Alvin Westen telefon etti. Moskova'dan. Birkaç gün daha orada kalacak. Sonra New York'a uçuyor. 24 Eylül'de de Berlin'e dönüyor. Benim mutlaka Berlin'e gelmemi söyledi. Önemli bir şey var gibi."

"Bayan Desmond, bana inanıp inanmadığınızı sormuştum."

"Sizin de Berlin'e gelmenizi istiyor. Acaba bu mümkün mü?"

"Peki, yapacak bir şey yok." Ayağa kalktı. Yorgundu. Odanın içinde ağır ağır yürüdü. "Tabii Berlin'e geleceğim. Bu sabah... Bu sabah Nis'te, havaalanının o lokantasında çok değişik duygular içindeydim."

Norma konuşmadı.

Barski masanın üzerinde duran resim çerçevelerini gördü. "Oğlunuz kaç yaşındaydı?"

"Kızınızdan üç yaş daha küçüktü."

"Yarın eşyalarınızı taşımanıza yardımcı olacağım."

"Ben yalnız başıma..."

"Buradan birkaç adam getiririm."

"Çok teşekkürler."

"Size bir şey sormak istiyordum... Ama bu durumda..."

"Buyurun sorun."

"Jeli adına soruyorum. Çoktandır istiyordu. Ama araya hep başka bir şey girmişti. Şimdi artık söz verdim. Pazar günü Alster Kanalları'nda bir gemi gezisi yapacağız. Ben... Biz çok mutlu oluruz, eğer siz de gelirseniz. İstek Jeli'den..."

"Ben de bu geziye katılacağım," dedi Norma.

"Teşekkür ederim," diye Barski mırıldandı, "iyi geceler!" Kapıya doğru yürüdü. Kapıyı açtı.

"Doktor bey," dedi Norma.

Arkasına döndü. "Evet?"

"Size inanıyorum."

18

Hubertus Stein yetmiş iki yaşındaydı, *Hamburger Allgemeinen* gazetesinin sahibiydi. Bundan elli dört yıl önce babasının gazetesinde sayfa bağlamakla mesleğe girmişti. Hitler yönetimi ele almadan bir yıl önce Hubertus Stein dizgide çalışmaktaydı. Üçüncü Reich'a karşı suç işlemekten tutuklanıp ölüm cezasına çarptırıldığında yıl 1940'tı. O yıllardaki genel yayın müdürü, Göring'in Birinci Dünya Savaşı'ndan silah arkadaşıydı. Onu arayıp yardım istedi. Üstünlük krizi geçirdiği ve kendini Sezar'a benzettiği anlardan birinde Göring, Stein'i ölüme mahkûm eden yargıçtan da nefret ettiği için adamı Celle'ye tayin ettirdi ve ölüm kararını da yaşam boyu hapse çevirtti. Hitler'e ve adalet bakanlığına hiç danışmadan bu işi yaparken; Almanya'ya kimin hükmettiğini de göstermek istemişti. Stein Wandsbek cezaevine konuldu. 24 Temmuz'la 3 Ağustos 1943 tarihleri arasında hava akınları arttı. Kentin yarısından çoğu yıkıldı. Lübecker Caddesi'ndeki gazete binasına da bombalar düştü. Savaş bitiminde Hubertus Stein cezaevinden çıktı. Bir yıl sonra da İngiliz askeri makamlarından gazeteyi yeniden çıkarma izni aldı. Yıllarca yıkıntılar içinde çalıştılar. Eski rotatif makineleriyle baskı yaparken, binanın duvarları sanki yıkılacakmış gibi oluyordu. Ve 1954 yılında gazete binası eski tarzda yeniden inşa edildi. Her şey savaştan önceki gibi yapıldı. Hubertus Stein'in bürosu en üst kattaydı. Duvarlar maun kaplandı, eski mobilya ve lambalar kondu. Tıpkı eski günlerde olduğu gibi. Yazı masasının arkasındaki duvara çerçeve içinde asılan bir yazı ise yeniydi. Büyük harflerle basılmış yazıda, Amerika Birleşik Devletleri Başkanı Franklin Delano Roosevelt'in 6 Ocak 1941 günü Kongre üyeleri önünde söylemiş olduğu "Dört özgürlük İlkesi" okunuyordu:

Güvenliği için çaba göstereceğimiz gelecek, insanlığın dört ana özgürlüğü üzerine kurulmuş bir dünya olacaktır.

Özgürlüklerden birincisi, bütün dünyada konuşma ve ifade özgürlüğüdür.

Özgürlüklerden ikincisi, her ülkede her insanın Tanrıya istediği gibi saygı duyabilme özgürlüğüdür.

Özgürlüklerden üçüncüsü, her ulusun insanlarına sağlıklı barış koşulları garanti edebilmesini sağlayacak ülkelerarası ekonomik anlaşma özgürlüğüdür.

Özgürlüklerden dördüncüsü, korku özgürlüğüdür. Bütün dünyanın silahlardan arındırılması, herhangi bir ülkenin komşusu ülkeye silahlı saldırıya geçebilmesini engelleyecektir.

Yazının altında bu sözlerin söylendiği günün tarihi ve başkanın imzası vardı.

1986 yılının çok sıcak eylül günlerinden birinde, sabahın erken saatlerinde zayıf, uzun boylu Hubertus Stein gazete binasının en üst katındaki bürosunda, masasında oturmaktaydı. Dar bir yüzü, açık renk gökleri, geniş alnı, sık kumral saçları vardı. Üzerinde de her zamanki gibi İngiliz kumaşından İngiliz stilinde dikilmiş bir takım.

Yazı masasının karşısında Londra kulüplerinde görebileceğimiz büyük deri koltuklarda üç kişi oturmaktaydı. Norma Desmond, Carl Sondersen ve Genel Yayın Müdürü Dr. Günter Hanske. Saat on bire geliyordu. Yetmiş iki yaşındaki gazete sahibi bu üç kişiyi odasına çağırmış, sabaha karşı bırakılmış bir yazıyı göstermişti. Gece nöbetçisi kapıcıya göre zarfı veren, trençkotlu ve başörtülü genç bir kadındı. Yine kapıcının söylediğine göre, her şey çok çabuk olmuş, kadın zarfı verdikten hemen sonra uzaklaşmıştı. Arkasından duyduğu motor gürültüsünden otomobille gelmiş olduğunu söylemişti kapıcı. Genç kadını sadece birkaç saniye gördüğü için de tarif edememişti.

Zarfın üzerinde Hubertus Stein'in adı yazıyordu. Büyük bir kâğıda, gazetelerden kesilmiş irili ufaklı harflerle şu metin yazılmıştı:

eğeR gazeteNiz moNdo sirKindEki OlaYın NeDenleRini oRtaYa ÇıkaRmAYa uĞRaşıRSa, GaZEte BİnaSı bir gün HAvayA UçURulaCaKtıR. BİRÇoK İNSan YaŞAmıNı YİTirE-CekTir. NoRma DesmoND ArAŞTırmaLarıNA HemEn Son VerMELİDir. ELİNdekİ MAlzeMEyi De bİZe yolLamALıdıR. ANLadığıNıZı BeLİRtmek içiN De CuMarTEsi «Çe-Şİt-lİ İlaNLAR» saYfaSınDa şU iLaNı BaSın: «CüZdAn KaYBol-MUşTuR. GÜZEl ManZAra CaddESinDe. GeTİRene Ödül ṼeRİlecEKtiR. TeLEfon...» Bu İLaNİ CuMArtesİ BAsMAz-SAnıZ BomBA PatLAyaCakTır!

Sondersen bu tehdit mektubunu okumuştu. Sonra Stein ona dönerek, "Sizde kalabilir," dedi.

"Teşekkürler." Sondersen ayağa kalkarak kapıya doğru yürüdü. Büyük kapıyı açtı. Elinde cımbızla tuttuğu mektubu dışarıda bekleyen adamlarından birine verdi. O da kâğıdı dikkatle naylon bir torbaya soktu. Hiç kimse konuşmuyordu. Sondersen kapıyı kapattı ve yerine döndü. "Herhangi bir parmak izi bulacağımızı sanmıyorum," dedi. "Ama yine de kâğıdın gözden geçirilmesi gerek. Elimizden gelen her şeyi yapmalıyız, Bay Stein, siz ne yapacaksınız?"

İyi bir terzinin elinden çıktığı belli ceketinin altına dar yakalı, çizgili bir gömlek giymiş olan adam, öne doğru eğildi. Masasında duran mavi beyaz parlak tütün kutularından birini açtı ve eline aldığı piposunu doldurmaya başladı. Sonra ağır ağır konuştu. "Biraz önce gazetenin işçi temsilcileriyle görüştüm. Tabii böyle büyük bir kuruluş, tehdit ve sabotaj ihtimallerine karşı bazı önlemler almıştır, Bay Sondersen." Başkomiser başını salladı. "Burada çalışan insanlar böyle durumlarda nasıl davranacaklarını bilir. Yılda birkaç defa da bomba ihbarı olmuş gibi bina boşaltılır. İşçi temsilcileri toplantıda, mektupta yapılan tehditleri önemsememiz gerektiğine karar verdi. Gazetemiz doğru bulduğu bütün haberleri şimdiye kadar basmıştır. Babam zamanında da böyle olmuştur, ben hayatta kaldıkça da böyle olacaktır. Tabii haberlerin dışında makaleler de vardır. Düşüncelerimizden bizi kimse döndüremez. Haberle makale arasında da ayrım yapmaya çok dikkat ediyoruz. Biz yolumuza devam edeceğiz."

Genel Yayın Müdürü Hanske, "Bay Stein," diye başladı. "Bayan Desmond'la Bay Sondersen arasındaki karşılıklı destek anlaşmasını biliyorsunuz. Araştırmalarında ortaya çıkardıklarını başkomisere verecek, o da öğrendiklerini ya da yeni ipuçlarını diğer yayın organlarına açıklamadan on saat önce Bayan Desmond'a iletecek. Hemen yayınlanması gereken bilgilerden benim de haberim olacak. İlerde zamanı geldiğinde, Bayan Desmond sirk olayını bütün ayrıntılarıyla açıklayacak bir yazı dizisi hazırlayacak."

Stein piposunu yaktı. Derin derin çekti, mavi duman büroyu kapladı.

"Siz bizim ne düşündüğümüzü duydunuz, Bay Sondersen," dedi Stein. "Bu gazeteyi çıkaranlar katillere ve şantajcılara hiçbir zaman ödün vermemiştir!"

"Bunu ben de hiç yapmadım," yanıtını verdi Sondersen.

Bu söylediğine inanıyorum, dedi Norma kendi kendine. Karşısında oturan adama dikkatle bakıyordu. Ama neden hep böyle hüzünlü bir görünüşü var?

Stein, "Bu binayı ve içinde çalışanları, şantajı yapanların isteklerini gerçekleştirmeleri ihtimaline karşı korumanız mümkün mü?" diye sordu. "Biliyorum, yüzde yüz bir koruma mümkün değildir."

Sondersen bir an yanıt vermedi. Sonra, "Burada çalışanları elimizden geldiğince koruyabiliriz," dedi. "Tabii sizin de söylediğiniz gibi, yüzde yüz koruma mümkün değildir." Norma başkomiserin yüzünün gittikçe ciddileştiğini gördü. "Bütün olanakları deneyebiliriz." Sondersen başını arkaya doğru attı. "Ancak alacağımız güvenlik önlemleriyle çalışanlarınızın bazı özgürlükleri oldukça sınırlanacaktır."

"Bunu herkes kabul edecektir. Şantajcılara hiçbir zaman ödün verilmemeli. Sanırım sizin mesleğinizde de böyledir, sayın başkomiser."

"Evet," dedi Sondersen. "Bazen ödün veriyormuş gibi yaparsak da..."

"Taktik gereği yapıyorsunuz." Stein başını salladı. "Ama gerçekte polis ödün vermez."

Bir an hiç kimse konuşmadı. Hepsi Sondersen'e bakıyordu.

"Hayır," dedi bakışları hüzün dolu adam. "Ödün vermeyiz."

"Ben hayatta kalmamı Göring'in üstünlük krizi geçirdiği bir ana borçluyum," dedi Stein de. "Hitler'in karşısında eğilmedim."

"Biliyorum," diye yanıtladı Sondersen.

"Sayısız insanı öldürmüş bu kişilerin Hitler ya da Göring'den daha kötü katiller olması mümkün mü, Bay Sondersen?"

"Bunu düşünemiyorum."

"Onlardan daha kötü katiller olsalar bile, davranışımızda yine de bir değişme olmayacak!" dedi Stein. "Şunu da unutmayın ki, bu kişiler, şu anda bildiklerimizden daha çok şey bildiğimizi sanıyor olmalılar. Yoksa Bayan Desmond'u çoktan öldürürlerdi, öyle değil mi?"

"Bu doğru," dedi Sondersen.

"Bayan Desmond'un bütün bildiklerini karşı tarafa vereceğini açıklayacağız," diye Stein devam etti. "Eğer şantajı yapanlar gerçekten binayı havaya uçururursa. Böyle bir açıklama sanırım, onları biraz olsun ürkütür!"

"Dilerim öyle olur..." Sondersen'in sesi hafif çıkmıştı. Ayağa kalktı. Diğerleri de ayağa kalktı. Stein, Sondersen'in yanına gelip elini uzattı.

"Size teşekkür ederiz." El sıkıştılar. Sonra kapıya doğru yürüdüler. Üçü odadan çıktı. Stein piposundan derin bir nefes çekti. Ağır ağır yazı masasına döndü. Durdu. Duvardaki çerçeveye baktı, Sık sık yaptığı gibi Roosevelt'in Dört Özgürlük İlkesi'ni okudu. "Güvenliği için çaba göstereceğimiz..."

Hubertus Stein piposunu eline aldı.

Üçü koridorda asansörlere doğru yürüdü. Hanske birden diğer ikisine veda etti. Bu katta bir büroya uğraması gerektiğini söyledi. Norma'yla Sondersen kapısız, durmadan inip çıkan asansörlerin yanına geldiler. Koridor bomboştu.

"Bay Sondersen," dedi Norma. "Sizi böyle hüzünlendiren şey nedir?"

Adam ona baktı. Sesini çıkarmadı. Boş bir asansör önlerinden geçti. Derinliklerde kayboldu. Bir başka asansör daha gelip geçti.

"Size bir şey sordum, Bay Sondersen?"

"Duydum, Bayan Desmond."

"Ama yanıt vermediniz."

Bir asansör daha geçti.

"Neden yanıt vermiyorsunuz, Bay Sondersen?"

Yıllar önce Norma'nın Nürnberg'de babasını tanımış olduğu genç görünüşlü bu adam, karşısındaki kadına uzun uzun baktı. Norma sabırla bekledi. Başka asansör kabinleri de gelip geçti. Derinliklerde gözden kayboldu. Yalnızdılar.

"Biliyor musunuz," diye Sondersen konuştu. "Woody Allen'in filmleri çok hoşuma gider..."

"Benim de," dedi Norma, "Ama bu..."

"Bekleyin!" Sondersen kollarını şöyle bir kaldırdı. Sonra yine indirdi. "Woody Allen filmlerinden birinde şöyle konuşur: 'Ben Yahudi'yim. Ama nedenini açıklayabilirim.' Bu sözü hiç unutmadım..."

"Çok korkunç bir söz!"

"Neden hüzünlü olduğumu sormuştunuz."

"Evet."

"Beni hüzünlendiren bir şey var," dedi Carl Sondersen alçak sesle. Ama nedenini açıklayamam."

19

"Güzel ayakkabılar, değil mi?" dedi Jeli.

"Çok güzel," diye yanıt verdi Norma.

"Benim en güzel ayakkabılarım bunlar."

"Gerçekten çok güzeller. Baban sana söylemeden almış değil mi? Bu sabah odanda buldun."

Çocuk mutlu mutlu güldü. "Evet! Bu ayakkabıları nasıl da istediğimi biliyordu. Beni okula götürürken bir ayakkabıcı dükkânının önünden geçeriz. Bu ayakkabılar vitrinde duruyordu. Biliyor musun, babama onları hep göstermiştim. 'Bak Jan,' demiştim. 'Şu üzeri beyaz fiyonklu mavi ayakkabılar var ya, ne kadar güzel...' Almasını hiç söylememiştim. Sadece ne kadar çok hoşuma gittiğini anlasın istemiştim. Ve bu sabah uyandığımda ayakkabılar odamda durmuyor muydu! Jan evde değildi. Çoktan enstitüye gitmişti. Mila da, Jan'ın ayakkabıları birlikte yapacağımız gemi gezintisinde giymem için aldığını söyledi. Bilseniz bu geziyi yapacağımız için çoktandır nasıl seviniyordum. Şimdi her iki isteğim de yerine geldi. Bakın ayakkabılar ayağıma nasıl iyi uyuyor."

239

Kara gözlü ve siyah saçlı küçük kız, Norma'nın önünde birkaç adım yürüdü.

"Hiç de acıtmıyor. Mila, Jan'ın benim başka ayakkabılarımı dükkâna götürdüğünü söyledi. Numarası uysun diye. Ne de olsa çok çabuk büyüyorum. Dünyanın en iyi babası benim babam, öyle değil mi?"

"Evet," dedi Norma. "En iyisi."

"Ama çok işi var. Her zaman da evde değil," dedi çocuk. "Neyse ki, Mila hep yanımda. Ben onu da çok seviyorum. Ama babamı daha çok seviyorum. Doğru değil mi?"

"Tabii, haklısın."

Hava güzel, güneşliydi, beyaz gezinti gemilerinin kalktığı Junfernstieg İskelesi'nin karşısındaki Alster pavyonunda oturuyorlardı. İnsanlar gelip geçiyor, herkes neşeli ve mutlu görünüyordu. İskeleye irili ufaklı gemiler yanaşıyor, yolcuları aldıktan sonra uzaklaşıyordu. Norma'yla Jeli yarım saattir Barski'yi bekliyordu. Barski enstitüden Norma'ya telefon etmiş, çalışmaları biraz uzun süreceği için Jeli'yi alması ricasında bulunmuştu. Ulmen Caddesi'ndeki eve gittiğinde kapıyı Bayan Krb açmıştı.

"Hep aynı şey," demişti küçük kız. "Şansım varsa sabahları görürüm. Ya da akşam henüz uyumamışsam. Çok iyi bir baba, ama evde oturduğu yok ki! Okuldaki bütün arkadaşlarımın anne ve babası var. Onlar ne iyi..."

"Ben de elimden geleni yapıyorum," demişti yaşlı Bayan Krb. Takma dişleri parıldıyordu konuşurken. Burnunu kaşıyıp devam etti. "Sayın bayan bana inanabilir. Jeli benim her şeyimdir. Ama yine de annelik yapmam mümkün değil. Neyse Jeli, bugün baban hep seninle olacak... Sayın bayan da!"

"Siz ne yapacaksınız?" diye Norma sormuştu.

"Ah, burada yapacak çok işim var," demişti saçlarına ak düşmüş kadın gülümseyerek. "Ortalığı toplamam gerek. Dikilecek ufak tefek şeyler var. Sonra da biraz okurum ya da televizyon seyrederim. Ben bazen yalnız kalmayı severim, sayın bayan."

"Nerelisiniz?"

"Brinn'li. Ben hep çocuklara bakmışımdır. Birkaç yıldır beyefendiyle zavallı hanımının yanındayım. Tanrı rahmet eylesin!" Jeli bu arada giyinmeye gitmişti. Yaşlı kadın fısıldar gibi konuşmuştu. "Sonunda dua ettim, zavallı bayan acılarından kurtulsun diye. Beyefendi hâlâ çok hüzünlü. Belli etmek istemiyor, ama anlıyorum. Her neyse, sizlere birlikte güzel bir gün dilerim," Sonra aşağı inmişlerdi. Norma'yla Jeli otomobile binip uzaklaşırken yaşlı kadın el sallamıştı. Küçük kız, "Bayan Krb yalnız kalmayı sever," deyip gülmüştü. Alster pavyonunda şimdi Barski'yi beklerlerken Norma bunları düşündü.

Jeli karşısında oturmuş, Coca Cola içiyordu. Norma'nın önünde bir fincan çay vardı, Saat on buçuğu geçiyordu, Barski görünürlerde yoktu. Diğer masalarda insanlar gülüyor, yüksek sesle konuşuyorlardı. Herkes neşeliydi. Müzik sesi geliyordu bir yerden. Kıyıda ağaçların arasından denizin pırıltısı görünüyordu.

"Sizlerle birlikte Berlin'e gideceğimi duyduğumdan beri öyle mutluyum ki!" dedi küçük kız. "Hamburg'a döndükten sonra da operaya gideceğimiz için çok sevinçliyim. Jan bana, Berlin'e sizin de geleceğinizi söylediği zaman bilseniz ne kadar sevindim." Küçük kız gülünce ön dişlerinin arasındaki boşluk göründü. "Berlin'e giden bütün çocukların yanında anne ve babaları var! Benimse bir tek babam var. Annem öldü. Şimdi sizin gelmeniz beni çok sevindiriyor. Benim yanımda da iki insan var, diğer çocuklar gibi."

Norma, "Anneni anımsıyor musun?" diye sordu.

"Hayır. Ne yazık ki, pek anımsamıyorum. O zaman çok küçükmüşüm. Mila, 'Şimdi o cennette,' diyor. Mila'ya niçin öldüğünü sorduğumda da, 'Tanrı onu çok sevdiği için,' diyor bana. Ben bunu çok kötü buluyorum. Tanrı niçin böyle yapıyor? Sevdiği için insanları öldürmesi doğru mu? Siz ne diyorsunuz?"

"Bence de doğru değil," diye yanıtladı Norma. "Sen Gorbaçov'la Reagan'a mektubunda neler yazmıştın?"

"Ben zavallı bir kaplumbağayım, demiştim. Kumda yürürken kendimi denizde sanıyorum ve günün birinde öleceğim, diye yazmıştım. Ölmeden önce de bu iki insandan silahlanmaya son vermelerini rica etmiştim."

"Bir kaplumbağa olduğunu mu yazmıştın?"

"Evet, bir deniz kaplumbağası," dedi Jeli ve Coca Cola'sından bir yudum aldı.

"Bu nereden aklına gelmişti?"

"Bir film görmüştüm," diye Jeli anlattı. "Televizyonda. Bu filmde bir deniz kaplumbağasını gösteriyorlardı. Sonra çok ağlamıştım. Jan'a filmi ve kaplumbağayı anlatmıştım. Filmde gördüklerim ve kaplumbağanın ölümü beni o kadar üzmüştü ki, Gorbaçov'la Reagan'a mektup yazmaya karar vermiştim. Jan da bana, 'İstiyorsan yaz,' demişti."

"Ne olmuştu kaplumbağaya?" diye Norma sordu.

"Filmde önce başka şeyler göstermişlerdi. Kaplumbağa sona doğru gelmişti. Filmde neler gösterdiklerini bilmek ister misiniz?"

"Evet," dedi Norma. "Anlat, Jeli!"

"Önce denizi gördüm... Çok büyük, ucu bucağı belirsiz bir deniz, üzerinde bembeyaz kelebekler yüzüyordu. Hepsi de ölmüştü. 'Milyonlarca ölü kelebek,' dedi spiker. Bembeyazdı bütün deniz. Filmde konuşan adam, 'Atol bikinisi çevresindeki deniz,' dedi."

"Bikini atolü, demek istiyorsun!"

"Nedir atol?"

"Küçük bir ada," dedi Norma. "Yusyuvarlak."

"Sonra spiker, yıllar önce bu Bikini atolünde atom bombası denemeleri yapıldığını anlattı. Siz biliyorsunuz değil mi?"

"Evet," diye yanıtladı Norma. "Biliyorum."

"O zamandan bu yana denizde radyoaktivite varmış. Onun için denizin üzerinde uçuşan milyonlarca kelebek ölmüş. İnanın bana, deniz bembeyaz kelebeklerden oluşmuş kocaman bir ha-

242

lıydı sanki. Sonra adayı gösterdiler! Mağaralardan dışarı çıkmaktan korkan kuşları. Düşünebiliyor musunuz? Güpegündüz kuşlar mağaralarda saklanıyor. Böyle bir şey hiç gördünüz mü?" "Hayır," dedi Norma. "Hiç görmedim." "Bikini'de kuşlar mağaralarda yaşıyor, küçük mağaralarda. Filmi anlatan adam söyledi. Eskiden kuşlar bu mağaralara yumurtalarını bırakırmış. Atom bombasından önce. Şimdi, yıllar sonra kuşlar dışarıda yaşamaya korkuyorlarmış. İçgüdüleri onlara, adanın tehlikeli olduğunu söylüyormuş. Büyük büyükbabaları ve büyük büyükanneleri patlamadan sonra yere düşüp ölmüşler. İnsanlar da ölebilirmiş. Ama o zaman adada hiç insan yokmuş. İnsanlar çok uzaklardaki gemilerden patlamayı seyretmiş. Radyasyon bugüne kadar kalmış, kuşların korkusu da. Onlar ancak bir şeyler yemek için mağaralardan çıkıyor, denize gidip balık yakalıyorlar. Ama deniz zehirli, balıklar da. Bu balıkları yiyen kuşlar ya hastalanıyor ya da çıldırıyor. Sonra filmde yumurtalar gördüm. Kumsallarda milyonlarca yumurta vardı. Başka kuşların bıraktığı. Martıların. Filmdeki adam, bu yumurtaların da ölü olduğunu söyledi. İçindeki kuşlar yumurtalar kumsala bırakılmadan ölmüş. Çünkü anneleri de radyasyondan zehirlenmiş. Ama martılar bunu nereden bilsin. Her akşam gelip yumurtaların üzerine oturuyorlarmış. Filmde gördüm. Oturuyorlar, ama yavrular çıkmıyor. Onlar doğmadan ölmüş. Martılar bunu bilmiyor."

İçgüdüleri onlara bunu söylemiyor, diye Norma düşündü. Tanrı da söylemiyor. Olup biteni seyrediyor ve susuyor. Pierre sen inanıyordun Tanrıya. Ya ben? Ben bir yaz günü bir sürü mutlu insanın arasında oturmuş, küçük bir kız çocuğunun Bikini atolünü ve 1946 yılında orada patlatılan atom bombalarını anlatmasını dinliyorum. O bombalara şimdi "bebek bombalar" diyorlar. Şimdi insanlar ellerindeki bombalarla dünyamızı arka arkaya birkaç bin defa havaya uçurabilir! Ve burada oturan, konuşup gülen, birbirleriyle flört eden, beyaz gemilere binip gezmeye giden insanlar, küçük insanlar bunu biliyor. Yalnız onlar mı? Bütün ülkedeki, bütün dünyadaki insanlar! Ve yanımda oturan şu küçük çocuk. Bikini atolündeki doğayı görmüş. Dehşetle bana anlatıyor. Bu çocuk henüz on yaşında. Bu dünya daha ne kadar yaşayacak? Bu çocuk kaç yaşına gelebilecek?

"Adadaki hayvanlar," diye Jeli devam etti. Coca Cola'sından bir yudum daha aldıktan sonra, "Her şeyden korkuyor. Havadan, topraktan ve sudan. Bu filmde balıklar gördüm, ağaçlarda yaşıyorlardı. Ağaçta balık! Eskiden suyun dışında birkaç dakika yaşayabilen balıklar. Aradan geçen yıllarda değişmişler. İnsanlar suyu, havayı, toprağı, bitkileri zehirlediğinde balıklar da zehirli sulardan korkup karaya çıkmış, ağaçlara tırmanmış. Birçoğu ölmüş. Ölmeyenler çoğalmış. Yavruları ve yavrularının yavruları öyle değişmiş ki, şimdi suda değil de ağaçlarda yaşayabiliyorlar. Ama çok çirkin bir görünüşleri var. Hiç balığa benzemiyorlar. Kurbağayı andırıyorlar. Gözleri sanki dışarı fırlayacakmış gibi görünüyor..."

Uzaklardan bir müzik sesi duyuldu. Eski bir melodiydi. Bu plağı ya da kaseti çalan adam duygulu bir insan olmalı, diye düşündü Norma. Belki melodi gibi o da yaşlıydı. Güzeldi Alster'in kıyısında o pazar günü her şey. Ama nasıl güzel olabilirdi? Güneş nasıl parıldayabilirdi. Bikini atolünde olup bitenlerden sonra? Orada da güneş ışınları...

"Sonra," diye Jeli konuştu. "Sonra deniz kaplumbağaları geldi." Norma karşısında oturan iri kara gözlü kız çocuğuna baktı. "Bu çok dehşet vericiydi. Bir deniz kaplumbağası denizden kuma çıktı. Yumurtalarını bırakmak için. Filmdeki adam, onların kızgın kumlara yumurta bıraktığını anlattı." Çevreden gülen insanların sesi duyuluyordu. "Bu kaplumbağanın kuma nasıl yumurta bıraktığını gördüm. Sonra üzerlerini kapattı. Denize geri dönmek istedi. Çünkü denizden gelmişti, orada yaşıyordu, öyle değil mi? Ama oraya gitmedi. Adanın içine doğru süründü, denizden uzaklaştı!"

Norma hiç sesini çıkarmadan küçük kıza bakıyordu. Tanrı, diye düşündü. Duyuyor musun? "Filmi anlatan adamın dediğine göre, deniz zehirli olduğu için, kaplumbağa da zehirlenmiş, beyni ve duyguları hastalanmış... Yönünü bulamıyormuş!" Hoparlörlerden şimdi hüzünlü bir melodi duyuyordu. Charlie Chaplin'in "Sahne Işıkları" filminin müziği. Bir erkek şarkı söylüyor. *"Whenever we kiss, I worry and wonder..."** "Deniz kaplumbağası yönünü bulamamış ve denize dönememişti. Kızgın kumlardan yanlış yöne doğru sürüklüyordu kendini." *"... your lips may be near, but where is your heart?"*** diye şarkıcı devam etti. Yandaki masada genç insanlar gülüyordu. "... ve soluk soluğaydı. Filmde bunu duydum," dedi Jeli. "Ayaklar ve büyük yüzgeçleriyle kendini yanlış yöne sürüklüyordu. Ne kadar acıdım o hayvana. Yarım gün sonra tekrar gösterdiler onu. Güçsüzdü. Kumlar sıcaktan yanıyordu. Kaplumbağa yüzgeçlerini hareket ettiriyordu yüzüyormuş gibi. Kendini artık denizde sanıyordu. Orada, öyle öldü. Kumlarda yüzerek."

Jeli sustu. Bardağındaki son yudumu içti.

"Bu deniz kaplumbağasından mı söz ettin mektubunda Reagan'la Gorbaçov'a?" diye Norma sordu.

"Evet," dedi Jeli. "Size bütün anlattıklarımı yazdım. Kaplumbağanın ağzından. Gorbaçov'la Reagan'a, denize ulaşamadığım için öleceğimi, beynimin hasta olduğunu, atom bombalarının her şeyi zehirlediğini yazdım ve her ikisinden de, Bikini atolündeki gibi başka kaplumbağalarla hayvanların, tabii insanların da ölmemesi için atom bombalarını kaldırmalarını rica ettim. Kaplumbağa ölümünden az önce her şeyi mağaradan yaşayan bir kuşa anlatmış, o da yazıp Gorbaçov'la Reagan'a yollamıştı..."

---

* Ne zaman öpüşsek, kaygılanır ve merak ederim... (ç.n.)
** Dudakların yakın olabilir, ama kalbin nerede? (ç.n.)

20

Bu kitaptaki Dr. Jan Barski adlı adamın teyp kayıtlarından:

O pazar günü enstitüde işlerim çoktu. Norma Desmond'la Jeli'nin beni beklemekte olduğu Jungfernstieg İskelesi'ne son anda gelmiştim. Saat 12.15'te kalkan Rodenbeck gezinti gemisine yine de yetiştik. Bereket, biletleri daha önceden ayırtmıştım. Çünkü o pazar bütün gemiler doluydu. Yerimiz pencere kenarındaydı. Jeli hemen birkaç arkadaş edinip onlarla ön tarafa, kaptanın yanına gitti. Gemimiz Lombard ve Kennedy köprülerinin altından geçip dış Alster'e çıktı. Norma'nın yanında oturuyordum. Masamız küçük olduğu için vücutlarımız birbirine değiyordu. Norma arada sırada kendini çekiyordu. İnce, zarif yüzünü çok yakından görüyordum. Güneşten yanmış parlak cildini, gülerken kırışan gözlerini. Bir an Bravka'yı anımsamıştım. Norma da mutlaka Pierre'i düşünmüştü. Uhlenhorst kıyılarında yaşlı ağaçların dalları sulara değiyordu. Dış Alster hafif dalgalıydı. Kanallara girdik. Büyük bahçeler içindeki beyaz villaların yanından geçtik. Parkları andıran bahçelerde rengârenk güz çiçekleri açmıştı. Küçük Rondeel Gölü'ne doğru ilerledik. Kendimi bir mutlu, bir hüzünlü hissediyordum. Hüzünlü ve mutlu, Bravka'nın ölümünden bu yana ilk kez böyle duygular dolduruyordu içimi.

Norma bana baktı: "Beni bu geziye davet ettiğiniz için teşekkürler."

Ben de: "Teşekkür etmesi gereken biziz. Jeli ve ben," dedim.

Yeni villalar, yeni bahçelerin yanından geçtik. Sütunlu balkonları, büyük pencereleri ve yüksek kapılara çıkan geniş merdivenleriyle beyaz villalar. Ve her taraf yeşil, yemyeşil. Yine Norma'ya baktım. Beyaz bluzunun yakası açıktı. Boynunda altın bir zincirde, iki cam arasına sıkıştırılmış dört yapraklı bir yonca sallanıyordu. Uğur getirsin diye mi?

"Çok canayakın ve çok düşünceli bir kız Jeli," dedi Norma. "Gorbaçov'la Reagan'a yazmış olduğu 'Kaplumbağanın Mektubu'ndan söz etti. Tabii bu mektubun bir yararı olmayacak." "Biliyorum," dedim. "Diğer iki yüz yirmi beş bin mektubun da yararı olmayacağı gibi."

Rodenbeck adlı gemimiz, küçük Rondeel Gölü'nde şöyle bir döndü, yine villalar ve bahçelerin yanından geçti, dış Alster'e doğru ilerledi ve soldaki Goldbek Kanalı'na girdi. Birçok köprünün altından süzülüp başka evlerin yanından, dalları sulara eğilmiş ağaçlara sürünerek ilerledi. Jeli geri geldi. Yanımıza oturdu.

"Annemin de hoşuna giderdi," dedi.

"Evet," dedim.

"Fakat şimdi Bayan Desmond yanımızda," dedi Jeli. "Ben Bayan Desmond'u çok iyi buluyorum."

"Ben de seni." Norma kızımın saçlarını okşadı. Kızım kaşını kaldırıp ona baktı. Sonra çok ciddi sordu. "Jan'la evlenecek misiniz?"

Ben ne diyeceğimi bilemedim. Sonra hemen Jeli adına Norma'dan özür diledim. O ise kızımın saçlarını okşamaya devam ederek, "Hayır, evlenmeyeceğim, Jeli," dedi.

Sonra gemimiz dar bir kanala girdi. Biraz sonra Büyük Park Gölü'ne varmıştık. Kıyıları yüksek çimenler, kocaman ağaçlar, rengârenk çiçeklerle kaplıydı. Çimenlerin üzeri güneşlenen insanlarla doluydu.

"Siz yalnız yaşıyormuşsunuz, Jan anlatmıştı," dedi Jeli.

Norma, "Doğru," diye yanıtladı. Çevremizde insanlar yüksek sesle konuşuyor, gülüyordu. Herkesin yanında bir başka insan vardı. Benim yanımda Jeli vardı. Benim olan. Norma'nın hiç kimsesi yoktu.

"Jan'la evlenecek misiniz, diye sorduğum için bana kızdınız mı?" diye Jeli sordu. "Hayır," diye mırıldandı Norma.

"Kötü bir şey söylemek istememiştim," dedi Jeli.

Norma, "Biliyorum," diye mırıldandı yine. Ve ben Bravka'yı andım. Onun şu anda çok yakınımızda olduğunu, her şeyi dinlediğini ve gülümsediğini hissettim. Sonra şöyle düşündüm: Belki şimdi yanımda oturuyordu, belki o Norma'ydı. Belki ben de Pierre'dim. Duygularım karmakarışıktı. Norma'nın yakınlığıydı düşüncelerimi karıştıran. Kıyıda, yaşlı ağaçların gölgesinde çiftler sevişiyordu. Öpüşüyorlardı. Bende kolumu Norma'nın omzuna koymak isterdim. Sonra gemimiz Park Gölü'nde döndü.

"Hep bizimle beraber mi kalacaksınız?" diye Jeli sordu.

"Hayır," dedi Norma. "Hep sizlerle beraber olamam. Bir süre sonra başka yerlere gitmem gerekecek. Mesleğimin ne olduğunu biliyorsun. Baban mutlaka anlatmıştır."

"Evet, anlattı," diye yanıtladı Jeli. "O da sık sık bir yerlere gidiyor. Size söylemiştim bu sabah, değil mi?"

Gemimiz Barmbecker Kanalı'nda ilerliyordu. Kıyıdaki ağaçlar ve bitkiler neredeyse bize değecekti. Bahçelerden gelen tatlı çiçek kokuları çevremizi sarıyordu.

"Yalnız kalmayı seviyorsunuz, öyle mi?" diye soru sormayı sürdürdü kızım.

"Hayır," dedi Norma.

"Hayır mı?"

"Hayır."

"Ah, öyle mi?"

Norma usul usul ve yavaşça konuşuyordu kızımla. Çok dikkatli ve canayakın. Yine Bravka'yı anımsadım. O da böyle konuşurdu. Usul, canayakın, sakin ve sevimli. Ve sevgi dolu! Tıpkı Norma gibi. Hoparlörlerden kaptanın sesi duyuldu. Birkaç dilde çok komik bir hikâye anlatıyordu. Birçok insan gülüyordu. Ne anlattığını pek anlamadım ve anlamak da istemiyordum. Uçan ineklerden söz ediyordu.

"Çok yazık," dedi Jeli. "Siz gideceksiniz. Jan hep gidiyor. Anlıyorum sizleri. Benim de gitmem gerek."

"Nereye?" diye sordum.

"Tuvalete." Jeli masadan kalkarak uzaklaştı. Gemimiz dış Alster yönünde ilerliyordu. Dakikalarca ne Norma ne de ben konuştuk. Birbirimize de bakmadık. Sonunda yine konuşan ben oldum. "Siz artık bir erkekle birlikte yaşamak istemiyorsunuz, öyle mi, Bayan Desmond?"

"Sanmıyorum," dedi. "Bana Norma diyebilirsiniz. Ben de size Jan diyeceğim. Doktor Barski ve Bayan Desmond artık komik oluyor!"

"Teşekkürler, Norma," dedim.

"Belki yine bir erkekle birlikte yaşayacağım. Bir süre için olabilir. Çok dikkat etmek zorundayım."

"Neye?" diye sordum.

"Âşık olmamaya. Bir keresinde âşık olmuştum. Hem de deli gibi. Çok güzel bir aşktı. Fakat sonu korkunçtu. Bu nedenle bir daha âşık olmak istemiyorum. Siz de, öyle değil mi, Jan?"

"Ben de," dedim, söylediğimin bir yalan olduğunu bilerek.

Rodenbeck, dış Alster'den geçti. Biraz sonra Jeli geri geldi. Merakla yüzüme bakıp geminin burnuna doğru yürüdü. Orada durdu. Tek başına. Yalnız. Ve küçücük.

Norma konuştu: "Ben bunları yaşadım ve öğrendim. Evet, aşk çok dehşet verici bir şey. Âşık olmak, kendine ve başkasına kötülük yapmak demek."

"Bilmiyorum," dedim.

"Başlangıç çok güzel. İlk yıllar unutulmaz anılarla dolu. Fakat bütün bu mutluluk ya, sonra her şeyi kötüleştiren. Sizin başınızdan geçti. Benim de. Şimdi yaşamınızda çocuk var. Jeli'yle uzun yıllar mutlu yaşamaya devam etmenizi dilerim! Mümkün olduğu kadar. Bütün acılara bir daha katlanabilir misiniz? Birincisinin acısı geçmeden, bir ikincisine?"

"Hayır," dedim. "Bu doğru."

"Görüyor musunuz? İnsanın elinde değil. Mümkün değil. Olsa bile, kişi istemez. Aşk sizi mutsuzluğa götürecektir. Başında ya da sonunda."

249

"Peki, ne yapmalı insan?" diye sordum.

"İlgisiz olmalı, boş vermesini bilmeli," dedi Norma. "Çok uzun düşündüm ve buna karar verdim. En iyisi hiçbir bağlantıya girmemek. Günün birinde kötü duruma düşmemek için."

"Fakat bu acınacak bir yaşam, değil mi?" dedim.

"Olabilir," diye Norma mırıldandı. "Fakat insan kısa yaşamı boyunca o kadar az mutlu yıl geçirir ki, mutlu olmaması bence daha iyi. Az mutluluk ve çok hüzün!"

Tekrar kente dönmüştük. Alster'de sayısız yelkenli gördük. Bembeyaz kelebekler gibi. Westen'in Atlantic Oteli'ndeki dairesinin balkonunda hep birlikte oturduğumuz akşam gördüğüm gibi. Norma'yla Nis'in tepelerinden Akdeniz'e baktığımız gün gibi.

"Côte d'Azur gibi," diye mırıldandı Norma, yelkenlileri göstererek.

"Evet," dedim. Jeli geminin burnunda duruyordu. Arkası bize dönük. Bizi rahatsız etmek istemiyor gibiydi. Biraz sonra yine konuşan Norma oldu. "Şimdi hüzünlüsünüz," dedi.

"Evet," dedim. "Siz de."

"Her zaman," diye Norma mırıldandı. "Biz birbirimize yakınlaşmamalıyız. Çok dikkat etmeliyiz. Bu bir felaketle sonuçlanabilir."

"Aşk mı, demek istiyorsunuz?"

"Evet, aşk felakete sürükleyebilir bizi," dedi Norma. "Ben böyle bir şeye dayanamam. Siz de. Benim ölülerim var. Sizin de. İnanın bana, yaşamanın tek yolu, âşık olmamaktır!"

Bakışlarımızı parıldayan sulara çevirdik. Gemimiz Eilbek Kanalı'na girdi, köprülerin altından geçti. Kuhmühlen Gölü'ne doğru gidiyorduk. Kıyılarda küçük bahçeler ve bahçeler içinde küçük evler gördük. Uzun uzun Bravka'yı düşündüm. Norma'nın da Pierre'i ve küçük oğlunu düşündüğünü biliyordum. Ve söylediklerinde haklı olduğunu da. Birçok konuda haklıydı. Acınacak bir dünyada acınacak bir yaşamımız vardı. Fakat ne kadar da güzeldi. Şimdi, diye düşündüm. Şimdi çok güzel. Böyle bir gemi gezintisi iki saat sürüyor. İki saat boyunca güzel bir yaşam.

Jeli masaya döndü. "Aklıma bir şey geldi."

"Ne geldi aklına?" diye sordum.

"Sen bana bu güzel ayakkabıları aldın," dedi.

"Evet. Ne oldu?"

"Sağ ayakkabıma Jan, sol ayakkabıma da Norma adını verdim."

"Bana da artık 'sen' diyebilirsin," dedi Norma.

"Çok güzel," diye Jeli mırıldandı. "Bu ayakkabıları hep giyeceğim, Tabii Mila izin verdiği zaman. Onları giydiğimde siz hep benim yanımda olacaksınız."

21

Televizyonun haberler bölümü şefi Jens Kander, "Hafta sonunu Düsseldorf'ta geçirdim," diye anlattı. "Lore Lorentz'in kabaresindeydim. Bu kadın her geçen gün daha iyi oluyor. Bütün metinler Martin Morlock'un. Hepsi birbirinden güzel. Seyrederken sırtımdan aşağı buz gibi terlerin aktığını hissettim. 'Bir çocuk doğduğunda,' diye Lorentz anlatıyor. 'Melek gelip dudaklarına dokunur...' Sen beni dinliyor musun?"

"Tabii dinliyorum, Jens," dedi Norma. Bürosunda oturuyorlardı. Norma, geçen gelişimdekinden daha bitkin bir görünüşü var, diye düşünmüştü. Yüzü de çok solgun. Bana telefon ettiğinde, çok önemli bir şey anlatacağını söylemişti. Şimdiyse o kabarenin yeni programından söz ediyor. Gerçekten iyi değil galiba! "Peki sonra?" diye sordu.

"'Melek çocuğun dudaklarına gerçekten unutsun diye dokunur,' dedi Lorentz. 'Çünkü her insan doğduğu anda, kendisi ve dünyası üzerine bütün gerçekleri bilir. Bütün yaşamı boyunca huzursuz olmasın ve bu gerçekleri unutsun diye de melek dudaklarına dokunur.' Bu beni çok etkiledi, biliyor musun? Sonra Lorentz, sanki çevresinde bir melek dolanıyor ve dudaklarına dokunmak istiyormuş gibi hareketler yaptı. Ondan korunmak istiyordu. Elleriyle sanki meleği uzaklaştırıyor, kovuyordu. *Fly homward, angel!* Çek git, meleğim! Masallar var yeteri kadar, bizlerin yaşamı çok kısa. Acelem var. Merak etme, biz sensiz de başımızın çaresine bakarız, melek! Git, git! Uzaklaş... Haydi...' İşte böyle diyordu Lorentz. Anlattıklarımla gerçekten ilgileniyor musun?"

"Tabii ilgileniyorum," dedi Norma. Başka ne söyleyebilirdim ki, diye düşündü. Tanrı, bu insan da mı... Sonra Jens'in yüzüne bakarak gülümsedi. "Sonra ne oldu?"

"Sonra... Melek hep üzerine gidiyor, dudaklarına dokunmak istiyordu. Lorentz kaçıp duruyordu. Sonunda, 'Bu dünya üzerine bazı gerçekleri yine de aklımda tuttum,' dedi Lorentz."

Birden kapı açıldı. Kel kafalı, şişman bir adam içeri girdi. Öfkeyle sordu. "Allah belasını versin, Wallmann'ı sen mi yapacaksın, Jens?"

"Yok canım."

"Çıldıracağım," diye şişko bağırdı. "Biri yapmalı onu! Üç kameraman orada!"

Kapı ardından hızla kapandı.

"Wallmann'a ne olmuş ki?" diye Norma sordu.

"Ne olacak, bugün Bonn'da açıklamada bulundu. Çernobil reaktör kazasından sonra Almanya'da gıda maddelerinde saptanan radyasyonun artık çok azaldığını söyledi."

"Evet. Ne var bunda?"

"Kimse ona inanmıyor. Her şey eskisi gibi henüz radyasyonlu. Her kafadan bir ses çıkıyor, kimse ötekinin ne yaptığını bilmiyor. Bizim televizyonda da durum aynı. Her neyse, nerede kalmıştım?"

"Lorentz'de. 'Bazı gerçekleri aklımda tuttum,' demişti."

"Evet, doğru." Kander'in yüz ifadesi değişti. Sanki birden çok ötelere gitmişti. "Aklında kalan gerçekler şunlardı: 'Bu dünyada insanları sürükleyen güç,' dedi. 'Budalalıktır. Hayır, bu sürüklemez, durdurur. Sonra kıskançlık, korku, kin ya da hırs... Ama onlar da gerçek sürükleyici güçler sayılmaz. Hatta sevgi bile. Bay Wojtyla ve uşağı Höffner de ona inanmıyor. Sevgi çok güzel, çok önemli, fakat sürükleyici değil,' dedi Lorentz. 'Bu dünyada insanları gerçekten sürükleyen güç, o bilinmez şey, bütün olup bitenin nedeni...'"

"Evet?" diye sordu Norma. "Söylesene!"

Kander, "Gördün mü?" dedi. "Seyirciler de senin gibi davrandı. Yüksek sesle sordular. Fakat Lorentz devam etmedi, söylemedi. Gücün ne olduğunu açıklamadı."

"Neden?"

"Çünkü... Elini yüzünde şöyle bir gezdirdi. 'Melek dudaklarıma biraz dokunmuş olacak,' dedi. 'En önemli şeyi aklımda tutamamışım...' Anlıyor musun, Norma? Yeni doğan çocuk gerçekleri bilmiyor. Bilseydi, ben de kim olduğumu, niçin bilmediğimi bilirdim. Kendini çok iyi tanıdığını söyleyen insan da onun için yalan söylüyor demektir."

Kander'in eski görüşleri, diye düşündü Norma. Hep o kötümser görüşler. Kendinin kim olduğunu bilememek. İnsan nedir? Neden böyledir? Kendini mutsuz etmesi için bir sürü neden vardır.

"Bence," diye zayıf, uzun boylu adam devam etti. "Yaptıklarımızı geriye döndürüp yeniden yapamamamızın nedenlerinden biri bu olabilir. Bu dünyadaki ve biz insanların içindeki huzursuzlukların da. Öyle değil mi?"

"Olabilir, Jens," dedi Norma. Elimde değil. Söylediklerine karşı çıkmam mümkün değil, diye düşündü.

"İşte bu dünyaya böyle dayanabiliriz. Melek dudaklarımıza dokunduğunda gerçekleri unuttuğumuz için."

"Doğru, Jens," dedi Norma ve şöyle düşündü: Bana kalırsa, bazı insanlar yaşamları boyunca bazı gerçekleri ortaya çıkarıyor ve mutsuz oluyor. Ben kendimi böyle hissediyorum. "Fakat," diye sözlerini sürdürdü Kander. "Öyleyse niçin yaşıyoruz? Yaşamak için neden bu kadar uğraşıyoruz? Gerçekleri bilmiyoruz, bilsek bile onlardan bir şeyler öğrenemiyoruz, akıllanamıyoruz. Niçin yaşıyoruz Norma? Niçin?"

"Ah, bunu ben de bilmiyorum, Jens. Hep böyle şeyleri mi düşünmen gerek? Biraz da başka şeyleri düşün!"

"Hayır." Kander karşısındaki kadına baktı. Hüzünlü. "Elimde değil."

"Fakat kendini harap ediyorsun," dedi Norma. "Yaptığın çılgınca. Biraz huzur bulmalısın! Lanet olası bir dünyada yaşıyoruz. Bunu hepimiz biliyoruz. Onu sen değiştiremezsin. Ben de. Hiç kimse!"

"Yine de buna çaba göstermeliyiz, Norma. Biz niçin yaşıyoruz?"

Norma: "Allahını seversen, ben nereden bileyim?" diye sesini yükseltti ve davranışından kendi de irkildi. "Özür dilerim, Jens. Kötü bir şey söylemek istememiştim. Tabii sen söylediklerinde haklısın." Her insanın kafası başka bir şeye takılır, diye düşündü. O kim olduğunu bilmek ve dünyayı düzeltmek istiyor. Bense oğlumu kimin öldürdüğünü bilmek istiyorum. Nasıl bir tutku! Jens de yıllarca muhabirlik yapmıştı. Bu dünyada olup bitenleri görmekle geçmişti yaşamı. Gerçeklerin içinde. Şimdi niçin böyle düşünüyor? Sanki hiçbir şeyden haberi yokmuş gibi.

"Fakat artık yeter, Jens," dedi. "Kendini üzdüğün yeter. Aklını kaçırmanın kime yararı var?"

Karşısındaki adam başını eğdi. Uzun süre sustu. Sonra: "Bağışla," dedi. "Bana katlanmak kolay değil, biliyorum."

"Sen benim dostumsun. Onun için sana üzülüyoruz. Başka şeyler düşünmelisin. Şimdi söyle, beni neden çağırdığını."

Kander ayağa kalktı. Bürosunda bir aşağı bir yukarı yürüme-
ye başladı. "Profesör Gellhorn ve ailesinin cenaze töreni filmi
çalınmıştı, anımsıyorsun değil mi?"
Norma dikkatle dinledi.
"O günden sonra buraya sık sık polisler geliyor. Sondersen
denen big boss* da! Birkaç kez buradaydı. Tabii sen onu tanı-
yorsun."
"Evet. Filmin çalındığını ona ben anlatmıştım."
"Tahmin etmiştim. Sondersen ve adamları bürodaki soruş-
turmalarında hiçbir şey ortaya çıkaramadı."
"Biliyorum."
"Evet. Fakat şimdi, aynı şeyin Paris'te de yapıldığını duy-
dum."
Norma kara gözlerini kıstı. "Nedir Paris'te yapılan?"
"Ülkenin iki büyük televizyon istasyonu, Première Chaine
ve Tele 2'dir. Haber yayınlarını yapanlar burada olduğu gibi
orada da birbirlerini iyi tanırlar. Première Chaine'de iyi bir dos-
tum var. Alain Perrier adında. Benim yaptığım görevi yapıyor.
Bizdeki aynı şey onlarda da olmuş. Söylediğine göre Tele 2'de
de. Filmler çalınmış."
"Ne filmleri?"
"Haber filmleri."
"Anladım. Fakat hangi haber filmleri?"
"Eurogen adında bir şirketi tanıyor musun?"
"Evet." Norma ayağa kalktı. Anımsıyorum, diye düşündü.
Eurogen. Barski bu kuruluştan söz etmişti. Steinbach'ın tanıdı-
ğı şu Patrick Renaud çalışıyor orada. Zavallı Tom hastalandık-
tan sonra araştırma sonuçlarını ona bildirmek istemişti. "Ne ol-
muş Eurogen'e?" diye sordu.
"Yanlış bir şey olmuş orada. Çok önemli bir yanlışlık. Aylar-
ca herkesten saklamak istemişler, fakat sonra biri kavga çıkarmış.

---

*   Büyük patron. (ç.n.)

Sonunda basın toplantısı yapıp açıklamaya karar vermişler. Bir sürü gazete ve televizyon muhabiri bu toplantıya katılmış. Première Chaine ve Tele 2 filme çekmiş. Uzun süren toplantıda sayısız sorular sorulmuş. Yayından biraz önce de iki televizyon istasyonunda filmler ortadan kaybolmuş. Fransa'da çıkan bütün pazar gazeteleri bu haberle doluydu. Bugünküler de. Daha okumadın mı?"

"Ne zaman okuyacaktım ki? Gazeteye gelir gelmez sen telefon ettin. Hemen buraya koştum."

"Öyleyse *Figaro* ve *Le Matin*'e bir göz at! Büyük olay. 'Hükümet de işe karıştı... Haberleri önlemek istiyor. Filmleri yok ediyor...' gibi başlıklar var."

"Eurogen'de ne olmuş, söylesene!"

"Laboratuvarları De Gaulle Hastanesi'yle aynı yerde. Bu hastane de önce olup biteni sakladı. Fakat sonunda dediğim gibi ortaya çıktı. DNA değişimleri üzerine çalışmalar yapan beş Eurogen uzmanı hastalanıyor. İçlerinden üçü bu arada ölüyor. Diğer ikisinin de yakında ölmesi bekleniyor."

"Hastalıkları neymiş?"

"Şu ana kadar bilinmeyen bir kanser türü," dedi Jens Kander.

22

Barski'nin bürosundaki masanın üzerinde Fransızca bir sürü gazete duruyordu. Kocaman başlıklar atmışlardı:

DE GAULLE HASTANESİ'NDE ESRARENGİZ OLAYLAR: GENLERLE OYNAMAK BEŞ KİŞİYİ ÖLDÜRDÜ MÜ? DE GAULLE HASTANESİ'NDE KANSER! RASTLANTI SONUCU MU, YOKSA BİLEREK Mİ? SENDİKALAR: GEN ARAŞTIRMALARI ÖLÜMLERİN NEDENİDİR!

HÜKÜMET NEYİ GİZLEMEK İSTİYOR? EURO-GEN LABORATUVARLARINDA NELER YAPILI-YOR?

Saat 13'tü. Gazetelerdeki haberleri okumuş üç insan hiç konuşmadan birbirlerine bakıyordu. Norma, Barski ve başkomiser Sondersen enstitüdeki odada oturmaktaydı. Sonunda konuşan Norma oldu. "Bay Sondersen, bu olaylardan ve insanların öldüğünden haberiniz var mıydı?"

"Hayır," diye yanıtladı Sondersen. Sesinde öfkeli bir hüzün vardı.

"Televizyonlarda basın toplantısının haber filmlerinin çalındığını da bilmiyordunuz, öyle mi?" Norma'nın sesi biraz yüksek çıkmıştı. "Burada Gellhorn ailesinin cenaze töreninin haber filminin çalındığı gibi."

"Hayır, bilmiyordum."

"Fakat çok ilginç değil mi?" diye üsteledi Norma. "Böyle konularda yabancı meslektaşlarınızla ortak çalışırsınız sanıyordum."

"Ben de böyle sanıyordum." Sondersen ayağa kalkıp pencerenin yanına gitti.

"Bu ne demek oluyor?" diye Barski sordu. Sondersen pencereden dışarı baktı. Yanıt vermedi. "Bay Sondersen!" diye Norma seslendi.

"Evet."

"Doktor Barski size bir şey sordu!"

Başkomiser arkası dönük, dışarı bakmaya devam ediyordu. "Tabii bana bazı bilgiler verilmişti. Fakat şimdi gördüğüm gibi, yeterli değilmiş. Beni dinleyin..." Hızla arkasına döndü.

"Dinliyoruz," dedi Norma. Sana acıyorum, diye düşündü. Fakat şimdi böyle olmaz. Ben sana yardım edersem, sen de bana yardım etmelisin. Yoksa vazgeçelim, herkes kendi hesabına çalışsın. Tek başına. Her zaman olduğu gibi.

"Ben... Ben..."

"Evet, dinliyoruz!" dedi Norma. Sert çıkış yapmalı, başka çare yok şimdi.

"Bir şeyim olup olmadığını sormuştunuz, Bayan Desmond."

"Doğru. Siz de, evet, demiştiniz. Fakat ne olduğunu söyleyememiştiniz."

"Evet. Söyleyemem de."

"Peki, sonsuza kadar, hiç yorulmadan savaşılması gereken kötülüklere ne olacak?"

"Bunu yapıyorum," dedi Sondersen. Yumruklarını sıkmıştı. "Yapıyorum."

"Fakat yine de kimin size engel olduğunu bana söyleyemeyeceksiniz, değil mi?" dedi Norma.

"Norma, lütfen..."

"Hayır, Jan. Şimdi bunu konuşmanın sırası!" Sondersen'e baktı. "Siz bana söyleyemezseniz, o zaman ben size söyleyeyim. Paris'te hükümet baskı yapıyor ve filmlere el koyuyor. Siz de araştırma ve soruşturmalarınıza başladığınızda, bizim hükümetten neleri yapabileceğiniz ve neleri yapamayacağınız konusunda gerekli talimatı almıştınız. Kimin peşinden gidebileceğiniz de size söylenmişti, öyle değil mi, Bay Sondersen? Ben uzun yıllardır bu meslekteyim, anlamamak için budala olmam gerek!"

Sondersen susuyordu.

"Yanıt vermenize gerek yok. Söylediklerimde haklı olduğumu biliyorum. İki hükümet de birbirine destek. Anladığıma göre, başka hükümetler de bu konuda karşılıklı destek olmakta. Yalnız Fransızlar biraz akılsızca başladı, o kadar. Bonn daha akıllı hareket ediyor. Bizimkilerin böyle yapacağını kim düşünürdü! Sizin gibi sadık insanlar var da ellerinde onun için, Sondersen! Sizin gibilerine güvenebilir Bonn." Seni öfkelendirip ağzından bazı şeyler almak istiyordum, dedi Norma kendi kendine. Fakat başaramıyorum. En son cümlem de yeterli değil. Çok müthiş bir şey olmalı gerçek! "Sizi çok iyi anlıyorum," dedi. "Zavallı Bay Sondersen! Sadık olmaya devam edeceksiniz, öyle mi?" Daha çok öfkelendirmem mümkün değil, diye düşündü. Bu kadarı yeter.

Sondersen ona baktı. Yüzü ifadesizdi. Kılı bile kıpırdamıyordu.

"Peki, nasıl isterseniz! Fakat bir şey daha söylemek isterim. Savaşan bir insan olduğunuz için sizi beğendiğimi belirtmiştim... Hayır, bırakın sözümü bitireyim. Siz bir savaşçısınız. Söylediğim gibi, sizi canayakın da buluyorum. Bonn'a sadık kalmaya devam ettiğiniz için! Fakat Bonn bana bir şey yasaklamadı. Yasaklamaya kalksaydı da, ben buna izin vermezdim. Benim durumum sizinkinden daha iyi. Beni öldürmedikleri sürece sirkteki cinayetlerin nedenini, geri planda kimlerin çalıştığını ve ne gibi emirler verdiğini bulmak isteyeceğim. Bunu başarmak için de çaba göstereceğim. Çünkü onlar benim oğlumu öldürdü. İşte bu nedenle, sizin durumunuzu da açıklığa kavuşturduktan sonra... Başkomiser Sondersen'in yapamayacaklarını ya da yapmasına izin verilmediği şeyleri artık ben izleyeceğim. İkinizin yanında buna söz veriyorum. Anlıyor musun, Jan? Max Planck'ın bir sözü vardır: 'Gerçek hiç kazanmaz. Yalnız ona karşı çıkanlar yok olur!' Güzel bir söz. Ancak biz karşı çıkanların yok olmasını bekleyemeyiz. Bu çok zaman alır. Ömrümüz yetmez. Gerçek kazanana kadar bekleyemeyiz. Fakat onu aydınlığa çıkarabiliriz! Ve suçluları bulabiliriz. Onları bir mahkeme karşısına çıkarabilir miyiz, işte bunu bilemem. Ancak kötünün adı ve adresi vardır. İşte ben onları bulacağım, Lanet olsun!"

"Söyledikleriniz güzel," diye mırıldandı Sondersen ve başını eğdi.

"Ah, boş verin!"

Kapı vuruldu. Yaşlı sekreter Bayan Vanis içeri girdi. Çekinerek konuştu, "Özür dilerim. Bir bay burada. Rahatsız edemeyeceğimi söyledim. Fakat beklemek istemiyor, doktor bey. Diyor ki..." Aynı anda yaşlı kadını bir kenara iten, iriyarı bir adam odaya daldı. Üzerinde gri bir işçi önlüğü vardı. Fransız şivesiyle Almanca konuşuyordu. "Dışarı çıkın ve kapıyı kapatın!" dedi kadına.

Bayan Vanis, Barski'ye ürkek ürkek baktı.

"Gidebilirsiniz," dedi Barski. Bayan Vanis dışarı çıktı. Kapıyı kapattı. "Siz kim oluyorsunuz?" diye Barski sordu.

Zorla içeri giren adamın kocaman bir başı, yassı bir burnu ve geniş omuzları vardı. Ağır sıklet güreşçisini andırıyordu. "Kim olduğum önemli değil," dedi, "siz Doktor Barski'siniz anladığım kadarıyla."

"Evet."

"Kimliğinizi gösterin!"

"Ne?"

"Kimliğinizi gösterin, dedim. Yoksa pasaport ya da ehliyetinizi!"

"Önce siz gösterin kimliğinizi!"

"Yok öyle şey," diye dev adam homurdandı. "Kimliğinizi göstermezseniz, dostunuz Patrick Renaud'un mektubunu veremem."

"Bir dakika." Sondersen adamın üzerine doğru gitti. "Ben Federal Polis'ten..."

"Sizin kim olduğunuz benim umurumda değil," dedi ağır sıklet güreşçisi. "Doktor bey, mektubu istiyorsanız, kimliğinizi hemen gösterin."

Barski ceketinin cebinden ehliyetini çıkardı ve karşısında dikilen adama uzattı. Patrick Renaud'dan haber getirmiş olan adam ehliyeti aldı. Sayfalarını çevirdi. Fotoğrafı Barski'yle karşılaştırdı. Sonra başını sallayıp, "Şimdi tamam," dedi. "Buyurun." Ehliyeti Barski'ye geri verdi. Elindeki zarfı da uzattı. "Madam, mösyö..." Odadakilerin bir şey söylemesine fırsat kalmadan da çıkıp gitti.

Barski zarfı yırtarak açtı. İçinden çıkan mektubu yüksek sesle okudu: "Paris, 14 Eylül 1986. Sevgili Jan. Bu mektubu getiren kişi dostumdur. Kendisine güvenebilirsin. Mektubu postayla yollamak istemedim. Sana telefon etmeyi de uygun bulmadım. Ancak seninle mutlaka konuşmam gerek. Mektup pazartesi günü eline geçecek. Lütfen en geç 16 Eylül Salı akşamına kadar Bayan Desmond'la birlikte Badenweiler'deki Römerbad Oteli'nde ol. Orada sizlerle konuşmak istiyorum. Ne konusunda olacağını anlamışsındır. Selamlar, dostun Patrick, Not: Bu mektubu okuduktan sonra lütfen yak." Barski diğerlerine baktı. Sondersen: "Hemen kapıya telefon edin ve adamın içeri nasıl girmiş olduğunu sorun," dedi. "Hastanenin önünde bekleyen adamlarım onu görmüş olmalı. Şimdi çıkarken yolunu kesebilirler."

Barski hemen telefonu açtı. Karşısına çıkan kapıcıya iriyarı adamı tarif etti. "Evet..." dedi sonra. "Ne dediniz? Acele ilaç getiren araçla mı? Peki nereye? Ameliyathaneye kan mı getirdi? Peki, geri geldiğinde dikkat edin... Birkaç saniye önce geçti mi? Fakat mümkün değil! Bu kadar çabuk... Hayır, hayır. Her şey yolunda. Teşekkürler." Telefonu kapattı. "Şu anda dışarı çıkmış. Kapıcı aracın plaka numarasına dikkat etmemiş. Ne olacak şimdi?"

Sondersen ağır ağır konuştu. "Dostunuzun mektubunu yakabilirsiniz, doktor bey. Ve hemen Badenweiler'e doğru yola çıkın, Bayan Desmond'la birlikte."

"Niçin Badenweiler'e?" diye Norma sordu.

"Patrick'in annesi Colmarda yaşıyor. Ren Nehri'nin öteki yanında. Sanırım o şimdi annesinin yanında," dedi Barski.

"Adamlarım sizi korumaya devam edecek. Tabii ·Renaud'yu da," diye açıkladı Sondersen. "Merak etmeyin."

"Teşekkürler," dedi Norma, "Siz elinizden geleni yapıyorsunuz. Bundan eminim."

"Teşekkürler," dedi Barski de.

"Ah, boş verin böyle şeyleri," diye Başkomiser Sondersen mırıldandı.

261

23

"Güney Karaormanlar'da küçük bir kaplıca kentidir Baden-weiler," diye Norma elindeki broşürden okudu. Barski'yle Römerbad Oteli'nin bal sarısı salonunda oturmaktaydı. "Baden-Baden gibi büyük bir tiyatronun yanında küçük bir oda tiyatrosudur. Alçakgönüllü ve de gururludur. Orman yollarından İsviçre'nin dağları ve Elsass'ın düzlükleri görünür... Ben çadırımı buraya kurdum." Norma elindeki broşürü bıraktı, "Bu satırları Rene Schiskele yazmış. 1920'den 1932 yılına kadar Badenweiler'de yaşamış. Sonra Nazilerden kaçmak zorunda kalmış. Güney Fransa'ya. 'Işığın dünyasına' diye yazmış..." Norma sustu.

Barski karşısında oturan kadına baktı. "Biz oradaydık," dedi usulca. "Siz ve ben."

Norma başını salladı. "Schickele 1940 yılında ölmüş. Nis'te. Sonra buraya getirip gömmüşler. Sevgili Badenweiler'ine. Küçük Lipburg köyünün mezarlığında yatıyor. Naziler en iyi insanları kovalatmış, kaçırtmış ve öldürtmüştü. Lanet olsun! O insanlar da Yahudi değildi ki!"

"Ah," diye Barski mırıldandı. "Sevgili Norma, biz Polonyalılar ne demeliyiz? Bazı şeyleri affetmek gerek. Unutmak olmaz. Fakat affedilmeli. Yoksa yaşayamayız."

"Jan, haklısınız," dedi Norma. "Ancak elimde değil."

"Öğreneceksiniz," diye yanıtladı Barski. "Öğrenmelisiniz. Benim de öğrenmem gerekmişti. Ben size yardım edeceğim. Kabul mü?"

"Kabul." Norma gülümsedi. Barski bir an için onun elini tuttu. "Haydi gelin biraz gezelim. Patrick'in gelmesine daha zaman var."

Ayağa kalkarak Römerbad Oteli'nden çıktılar. Günlerden 16 Eylül 1986 Salı'ydı. Saat 15'i geçiyordu. Hamburg'dan Stuttgart'a uçmuşlardı. Barski orada bir otomobil kiralamış ve Basel yönüne giden otoyoldan Badenweiler'e gelmişlerdi.

"Ne kadar güzel buralar," demişti Barski küçük kente girdiklerinde. Eski evleri ve parklarıyla gerçekten çok güzel bir yerdi Badenweiler. Kaldıkları Römerbad Oteli eski beyaz bir yapıydı. İçersi tabloları, halıları, eski mobilyalarıyla bir müzeyi andırıyordu. Kaldıkları odalar da bütün otel gibi çok güzel döşenmişti. Resepsiyondaki adamın söylediğine göre, bina yapılışından bu yana aynı ailenin malı kalmıştı. Sarı ve kahverengi eşyalar ve perdelerle döşenmiş büyük giriş salonu Barski'yle Norma'nın çok hoşuna gitmişti. Otelin her yanına vazolar içinde rengârenk çiçekler konmuştu.

Büyük bahçeyi geçtiler. Burası bir parkı andırıyordu. Yüzme havuzunun kenarında otel müşterileri oturuyordu. Masaların yanına mavi güneşlikler konmuştu. Tenis kortlarını ve burada oynayan insanları gördüler. Bahçenin temiz havasını ciğerlerinde hissettiler. Yan yana yürüdüler. Hiç konuşmadan. Norma, ne güzel bir dünya var burada, diye düşündü. Çok güzel... Her şeye rağmen.

Sonra otele döndüler. Mavi salona geçip çay içtiler. Açık pencerelerden çocuk sesleri geliyordu. Tenis oynayan insanların gülüşmeleri de. Huzur ve barış doluydu Norma'nın çevresi. Pierre'i düşündü. Onunla da böyle anlarım olmuştu. Dünyanın herhangi bir köşesinde. Birkaç saat ya da birkaç gün için. Kısa da olsa huzur ve barışı duymuştum. Sonra birden her şeyi düşünde görüyor sandı. Gerçek değildi çevresini saran sessizlik, huzur, güzellikler... Fakat bundan rahatsız olmadı. Daha çok mutluluk duydu. Sanki kendinden geçti. Karşısındaki koltukta Barski oturmuş, gazete okuyordu. Elindeki *New Yorker*'i Norma'ya uzattı. Bir fotoğrafı gösterdi. Siyah beyaz benekli iki küçük Panda ayısı birbirlerine düşünceli düşünceli bakmaktaydı. Altında: "Bizi yaşatmak istedikleri bu dünya, doğru dünya mı?" diye yazıyordu.

Barski başka gazeteleri de karıştırırdı. Ve birden, "Fransa, Ortak Pazar ülkelerinden ve İsviçre'den gelmeyenlere vize koymuş," dedi.

Norma, "Paris'teki terör olaylarından sonra mı?" diye sordu.
"Evet. Sanki teröristler sahte pasaport kullanamazmış gibi,"
dedi Barski de.

24

Bu otelde akşam yemeğine inerken şık giyinmek gerekiyordu.
Norma'nın üzerinde siyah ipekten bir pantolon ve kıpkırmı-
zı bir ceket vardı. Barski de koyu mavi bir takım giymişti. Lo-
kantadan çıkıp büyük giriş salonuna doğru yürürlerken, resepsi-
yondaki genç kız yanlarına geldi.
"Biraz önce bir bay bu mektubu sizin için bıraktı, Doktor
Barski." Elindeki zarfı uzattı.
"Nerede o bay?"
"Beklemedi, gitti. Çok acelesi olduğunu söyledi."
"Teşekkürler," dedi Barski. Norma'yla köşedeki büyük kol-
tuklardan birine doğru yürüdü. Oturur oturmaz zarfı açtı ve
ayaklı lambanın ışığında içinden çıkan mektubu alçak sesle oku-
du. "Sevgili Jan, bu mektubu getiren kişi dostumdur. Lütfen
yarın saat 10.30'da Bayan Desmond'la birlikte Breisach'daki St.
Stephan Kilisesi'nde ol. Sizi orada bekleyeceğim. Selamlar. Pat-
rick. Not: Bu mektubu okuduktan sonra hemen yak!"
"Bizi bir kilisede bekleyecek, öyle mi?"
"Orasını iyi bir yer sanıyor olmalı," dedi Barski. Cebinden
çıkardığı çakmakla mektubu tablanın içinde yaktı.
Norma: "Breisach'a giden yolu biliyorum," dedi.
"Ben de kiliseyi," dedi Barski.
"Ne zaman gitmiştiniz oraya?"
"Hiç gitmedim."
"Peki nasıl..."
Barski ayağa kalkıp, "Gelin," dedi. "Saat on oldu, fakat dışa-
rıda hava henüz çok güzel. Birazdan mehtap çıkacak." Büyük

bahçeye yürüdüler. Masalarda birçok insan oturuyordu. Norma ve Barski yanlarından geçip çimenlere doğru yürüdü. Orada yalnızdılar. Ay incecikti ufukta. Doğmak üzereydi. Üzerinde yaşadığımız şu dünya bir toz tanesi, diye Norma düşündü. Olup bitenler ne kadar önemsiz, ne kadar anlamsız, evrenin sonsuzluğunda bir toz tanesi olan dünyamızda! Gerçek dışı. Evet, bana hiçbir şey gerçek değilmiş gibi geliyor. Şurada, çimenlerin üzerinde durmam, Badenweiler'de olmam. Yanımdaki adam, söyledikleri, hiç gitmediği kiliseyi bildiğini anlatması... Büyük bahçeye yayılan çam kokuları. Düş mü? Hayır, düş değil. Fakat neden böyle anlar yaşıyorum? Neden bazı şeyleri birden gerçek değilmiş sanıyorum?

"Bakın," dedi Barski. "Şimdi çıktı ay."

Evet, ne güzel, dedi Norma içinden. Ay çıktı. Saatine baktı. Onu dört geçiyordu. "Düş kırıklığına uğramayız," diye mırıldandı. "Bu olağanüstü doğa olayı bile tam zamanında. Diğer günler ne zaman ayın doğacağı hesaplanabilir."

"Doğanın bazı olağanüstü olaylarını önceden bilmek mümkün," dedi Barski. "İnsan denen doğa olayı ise önceden bilinmez."

25

Hava çok rüzgârlıydı. Gökyüzünde bulutlar gelip geçiyordu. Sanki çok aceleleri var gibiydi. Barski'yle Norma Breisach'a gidiyordu.

"Siz daha önce buralara gelmiştiniz..."

"Hayır, gerçekten hiç gelmemiştim," dedi Barski. Otomobili sakin ve dikkatli sürüyordu.

Yol büyük üzüm bağlarının yanından geçmekteydi. Kütükler üzüm doluydu. Sonra büyük tarlaları ve koyu yeşil ormanları da gördüler. Uzaklarda, sislerin ardında dağlar vardı. Kaiserstuhl'un uzantıları.

"Breisach..." Barski'nin sesi sanki çok uzaklardan geliyordu. "Colmar veya Basel, Strasbourg ya da Freiburg gibi bir katedral kentidir. Keltlerden sonra burada Romalılar yaşamıştır. Tepeye, *mons bristacus*, bir kale kurmuşlar. Bakın, renkler nasıl da değişiyor. Güneşin bulutların ardında kaybolup yeniden çıkmasıyla doğa renkten renge giriyor. Ne kadar güzel değil mi?"

"Evet, çok güzel," diye Norma mırıldandı.

"İkinci Dünya Savaşı'nın son aylarında kent çok bombalandı. Binaların yüzde yetmişi yıkıldı. Ortaçağdan kalma katedral de büyük zarar gördü."

Norma yanındaki pencereyi açmıştı. İçeri giren ılık rüzgâr yüzünü okşuyordu. Yine Nis'teki o sessiz sabahı anımsıyorum, diye düşündü. Ruhum barış ve mutluluk doluyor. Ne kadar güvenli!

Yolun sağında üzüm bağları yükseldi. Soldaki yamaçlarda koyun sürüleri otluyordu. Küçük siyah bir köpek sürünün çevresinde dönenip duruyordu.

"Yeniden inşa edilen katedralde bütün dönemleri görmek mümkündür," diye konuşmaya devam etti Barski. Yüzünde hafif bir gülümseme, bir mutluluk vardı. Bir dizi askeri kamyon onları solladı. Tentelerin altında oturan neşeli Fransız askerleri el salladı. Norma da karşılık verdi. Sonra Barski'ye baktı. Sanki onu daha önce hiç görmemişti. Böyle konuştuğunu hiç anımsamıyordu.

"Şimdi gerçeği söyleyin bana," dedi Norma. "Buraya hiç gelmedim, demiştiniz. Bu anlattıklarınızı nereden biliyorsunuz?"

"Bir daha el sallayın! Askerler hâlâ size el sallamakta. Güzel bir kadını kim görmek istemez!" Norma el salladı. Kamyonlardaki askerler bağıra çağıra karşılık verdi. Mutlu ve sevinçli. Norma, bu kadar neşeli oluşuma ben de şaşırıyorum, diye düşündü. "Kimim artık bilmiyorum. Nereden geldiğimi, nereye gittiğimi de bilmiyorum. Fakat yine de bu kadar neşeliyim!" Angelus Silesius yazmıştı, diye anımsadı. Neşeli oluşuma şaşıyorum! Yoksa neşe değil mi? Özgürlük mü? Sonra yine Barski'ye baktı. Onu daha önce hiç görmemiş gibi.

"Ben size anlatmıştım, biz Polonyalılar çılgınızdır," diye Barski konuştu. "Kızıl ve de dindarızdır! Manastırlar, kiliseler, katedraller ve büyük ustaların tabloları benim daha okul yıllarında ilgimi çekmeye başlamıştı. İnsanın yarı ömrünü başında geçirdiği sanat eserleri..."

Nasıl da gülümsüyor, diye düşündü Norma. Sanki eski bir kilise duvar resmindeki kişilerden biri. Şaşırmış gibi yanındaki adamın yüzüne bakıyordu. Mesleğimde insanları tanımayı öğrenirsiniz. Ben aradan geçen günlerde Jan'ın nasıl bir insan olduğunu öğrendiğimi sanmıştım. Fakat şimdi yanımda oturan kişi bambaşka biri. Daha önce kişiliğinin bir bölümünü tanımışım.

"Bütün bu sanat eserleri ve diğer güzellikler üzerine bilgileri kitaplardan, sözlüklerden öğrenmem gerekmişti, Benim çocukluğumda bu kitaplar bulunmazdı Polonya'da. Anne ve babamı savaşta yitirmiştim. Onlardan kalan birkaç parça eşyayı sattım, sanat kitapları alabilmek için. Fakat her şey ne yazık ki Polonya'da kaldı... Şarap! Bakın şu tepelere, üzüm bağları dolu yamaçlara! Bura insanlarının geçim kaynağıdır şarap...

Evet, ben çılgın gibi okumuştum o kitapları. İşte Almanya, Fransa, İtalya, İspanya ve diğer Avrupa ülkelerindeki önemli manastır ve kiliseler üzerine bilgimi o kitaplardan edindim. Çoğunu hiç görmemişimdir. Breisach'a da ilk kez geliyorum. Benim çılgınlığım da bunlar..."

"Evet, biraz çılgınlık sayılır," dedi Norma.

"Ben size Cimiez'deki Saint Pons Manastırı üzerine de bir şeyler anlatmıştım. O gün Nis'te siz düşüncelerinizle uzaklardaydınız." •

Bir kavşaktan geçtiler. Norma şöyle düşünüyordu: Bir insan yakınındaki insanı gerçekten tanıdığına nasıl inanabilir? Bu çok yanlış! Ben Barski'yi tanıyor muyum? Hayır. Onu hiç tanımıyorum. Şaşıyorum...

Kendini birden yorgun hissetti. Gerçekdışı olan şeylerin yarattığı duygular, kişiliğini hiç tanımadığı bir insanın etkileyici sözleri, o yumuşak ışık, o güzel sıcaklık ruhunu doldurmuştu.

Barski'nin konuştuğunu duydu. Düşünürken ancak tek tük sözleri anlıyordu.

"Ünlü ressam Martin Schongauer... Yaşadığı yıllarda ona değişik adlar verilmiştir... 'Ressamların en ünlüsü'... 'Güzel Martin'... Karmakarışık dünya... yarılan, kapkaranlık uçurumlar... mezarlarından çıkan ölüler... cehennem tablosu... yükselen alevler... korkunç silahlar..." Korkunç, diye düşündü Norma. Kafası karmakarışıktı, "...eziyet... dehşet... nefret ve cennette mutluluklar... müzik çalan, şarkı söyleyen melekler... çiçekler ve yapraklar karışımı... oyma işlerini yapan üstün yetenekli HL... yüzyıllar boyu bir sır... kim bu HL? Bilinmiyor... Geldik."

Norma irkildi.

Kente girmişlerdi. Protestan kilisesini gördü. Orta yerinde Avrupa çeşmesinin durduğu pazar alanını, postane binasını, yeniden inşa edilmiş eski evleri de. Hepsi aynı renkteydi. Toprak renginde ve beyaz. Arkalarından büyük katedral yükseliyordu, gökyüzünün mavisine. Dar bir yokuşu çıktılar. Büyük bir kapıdan geçtiler. Sonra bir kapıdan daha. Norma, Barski'nin konuştuğunu duydu. Yine tek tük sözleri anladı.

"... değerli eşyalar 1939-1940 yıllarında gizlenmişti... Savaşın sonu... Yıkıntı... bütün kent gibi... para toplandı... her yerden yardım geldi..."

Yokuş yükseliyordu. Büyük bir dönemeçten aşağılarda parıldayan Ren Nehri'ni gördüler.

"... 15 Eylül 1945 günü kuzey kulenin iki çanı çalmaya başladı... 1966 yılına kadar restorasyon devam etti... Şu anda bile gerekli onarımlar var..."

Norma otomobilin durduğunu fark etti. Hiç kıpırdamadan Barski'ye bakmaya devam ediyordu.

"Ne oldu?" diye yanındaki adam sordu.

"Bir şey olmadı," dedi Norma.

Otomobilden inerken, az kalsın yere düşüyordu. Burada yüksekte çok güçlü bir rüzgâr vardı. Sendeledi, Barski omzundan tuttu.

"Fil taşlar," dedi Norma birden ve gülümsedi.

"Ne dediniz?"

"Ah, bir şey anımsadım da... Oğlum aklıma geldi. Bir defasında birlikte Johannesburg'a gitmiştik. Afrika üzerinden uçarken, bir ara ön tarafa pilotun yanına girmiştik. Uçak alçalmaya başladığında aşağıda büyük bir fil sürüsü görmüştük. Hayvanlar uçağın gürültüsünden koşmaya başlamışlardı. Çılgın gibi koşuyorlardı. Oğluma bu hayvanlar korkunç ve kocaman gelmişti. O günden sonra da fillere karşı korku dolu bir saygı beslemeye başlamıştı. Kiliselerin duvar taşlarına da 'fil taşlar' adını takmıştı." Katedralin büyük taşlarına dokundu, onları okşadı. Kocaman alanda birkaç otomobilden başka bir şey yoktu. Tek insan bile görünmüyordu.

Katedralin büyük kapısından içeri girdiklerinde Norma, Barski'nin yol boyunca anlattığı güzellikleri gördü. Soluğu kesilir gibi oldu. O güne kadar böyle etkisi altında kaldığı başka bir sanat eserini anımsamıyordu. Tahta oyma işçiliği kusursuzdu. Kubbeye kadar yükseliyor, sonra akar gibi tekrar aşağı iniyordu. Barski yanından uzaklaşmış, ilerde diz çökmüştü. Başını eğmiş, dua ediyordu. Norma, dün akşam ay doğarken kendimi şimdiki gibi hissetmemiştim, dedi içinden. Ay ne de olsa bilinmeyen evrende küçük bir parçaydı. Fakat burada insanların yaptığı kusursuz, hayran bırakan bir eserin karşısındaydım. Bu katedral gerçekten insanoğlunun olağanüstü yaratıcılığının en büyük eserlerinden biriydi. Dine inanan insanların eseriydi. İdeologların değil. Ben de Barski gibi olmak isterdim. O inanıyor. O inanıyor ve seviyor. İnancından yükselen güzelliği seviyor. Onun etkisi altında kalmaya başlıyorum. Bugüne kadar doğru dürüst tanımadığım bu adamın. O tanıyor mu beni? Ve her insan bütün bir evren, bütün bir dünya değil mi?

Katedralde birkaç kişi vardı. Sessiz sessiz yürüyen, sütunlar arasında süzülen, köşelerde dua eden. Barski yanına geldi. Öne doğru yürüdüler. Camları renkli yüksek pencerelere baktılar.

Barski birden durdu. "Patrick!"

"Nerede?"

"Şurada. Mihrabın loşluğunda," dedi Barski. "Gelin benimle!"

26

"Merhaba Patrick," diye Barski usulca konuştu. Mihrabın yanında duran uzun boylu adama elini uzattı. Patrick Renaud yirmi yedi, yirmi sekiz yaşlarındaydı. Kumraldı. Gözleri açık mavi, dudakları etliydi. Devamlı antrenman yapan bir sporcuyu andırıyordu.

"Teşekkürler madam, birlikte geldiğiniz için," dedi. "Siz Jan için gereklisiniz. Bizim için de." Almancayı Fransız şivesiyle konuşuyordu. "Çok kötü şeyler oldu."

Aralarında çok alçak sesle konuşuyorlardı. Gezinen insanların ayak sesleri, konuşanların fısıltıları duyuluyordu. Çok yukarıdaki bir açıklıktan içeri vuran güneş ışığı katedralin loşluğunu aydınlatıyordu.

Renaud, "Bir hafta tatilim var," dedi. "Colmar'da annemin yanındayım. Sizlerle orada buluşmak istemedim. Onların peşime adam takıp takmadıklarını bilmiyorum."

Barski, "Kim onlar?" diye sordu.

"Ben de bilmek isterdim!" dedi Renaud. "Hükümetin adamları olabilir. Bu tür olaylar için özel timleri vardır mutlaka. Onları acımasızca göreve sürerler."

Norma'yla Barski birbirlerine baktı. "Ne dedin?" diye Barski sordu.

Birden bir flaş patladı. İlerde, ayin sırasında papazın dua ettiği yerde duran adamın biri fotoğraf çekmişti.

"Onları göreve sürerler, dedim."

"Hayır, ondan önce."

"Daha önce mi? Hükümetin özel timleri vardır. Niçin soruyorsun?"

270

Barski ağır ağır konuştu. "Bayan Desmond'a yapılan suikasttan sonra bizde de aynı şey söz konusu olmuştu."

"Bana kalırsa her ülkenin böyle özel timleri var," dedi Renaud. "Aylardır telefonum dinleniyor, gelen mektuplar gözden geçiriliyor. Olay ortaya çıktıktan sonra da Paris'te peşimde bir adam dolaşıyordu."

"Evet," dedi Barski. "Bizde de durum aynı sayılır. Bizde de çok kötü şeyler oldu. Bir insan öldü, diğeri ağır hasta. Hiç iyileşmeyecek. Biz de bütün bunları gizli tutmaya çalışıyoruz. Multigen'e bildirdik. Bir de Profesör Lauterbach'ın haberi var."

"O kim?"

"Virchow Hastanesi'nin başhekimi." Barski omuzlarını silkti. "Tabii Federal Polis de biliyor. Sirkteki cinayetleri çözmekle görevlendirilen başkomisere -adı Sondersen- de bazı açıklamalarda bulunmak zorunda kaldık. Onun için hükümetine kızmaya kalkma. Bizimki de elinden geleni yapıyor. Bizde olanlar Tom'u ölüme götürdü. Sizde de insanlar öldü."

"Zavallı Tom," dedi Renaud. "Dostluğumuzu ve Paris'te geçirdiğimiz o güzel günleri düşündükçe..."

"İnan bana, ölüm onun için en iyi çıkar yoldu. Kurtuluşuydu. Şimdi acınacak, Petra'nın sağlık durumu. Onu tanıyorsun, değil mi?"

"Evet."

"Daha ne kadar yaşayacak, kimse bilmiyor. Tabii şimdiki yaşamasına da yaşamak denirse. Eurogen'de beş kişi kansere yakalandı. Bunlardan da üçü öldü demek, Première Chaine ve Tele 2 televizyonlarında da filmler çalındı. Basın toplantısının filmleri, değil mi? Bizde de bir film ortadan kayboldu. Fakat basının bundan haberi yok. İkisi arasında ortak bir yan olmalı. Ne de olsa siz ve biz aynı proje üzerine çalışıyoruz. Kansere karşı virüsler!"

"Doğru. Fakat siz tek bir grupsunuz. Bizim Eurogen'deyse birkaç grup var. Hepsi de ayrı ayrı projeler üzerine çalışma yapıyor. Hepimiz kansere karşı virüsler arıyoruz. Fakat son olayların ardından durum o kadar karıştı ki! Dayanılmaz oldu. Herkes birbirini kolluyor, herkes birbirinden şüpheleniyor. Kim kimin kansere yakalanmış olacağını bilmiyor. Kansere karşı virüslerin incelendiği iki laboratuvar kapatıldı. Son on yıl içinde orada iki yüze yakın insan çalışmıştı. Şu anda korku içinde yaşayan altmış bir kişiyiz! Çoğumuz aldatılmış olduğunu sanıyor. Çalışmalarımızın gerçek amacının başka şeyler olduğunu düşünenler var. Tıpkı sizdeki gibi. Ve hepsinin ardında bazı ülkelerin ya da çevrelerin adamları var bizce. Hükümetler o çevrelerden korkuyor ve onları koruyor. Senin anlayacağın, bulduğumuz şeyle müthiş ilgilenen birileri var. Tıpkı sizdeki gibi!"

"Evet, tıpkı bizdeki gibi," dedi Barski. "Sizin bulduğunuz şey nedir?"

"İşte en çılgını da bu ya!" diye Renaud yanıtladı. "Bilmiyoruz. Şu basın toplantısında tabii Profesör Robert Cajolle da vardı. Sen tanıyorsun onu, Jan. Eurogen yönetim kurulu başkanı."

Barski başını salladı. "Gellhorn'un cenaze törenindeydi. Onu en son orada görmüştüm."

"Bu basın toplantısında Cajolle şöyle konuştu: 'Yeni bir şey bulundu, fakat kimse ne olduğunu bilmiyor.'"

"Yeni bir şey..." diye Barski'yle Norma aynı anda tekrarladı.

"Evet. Hiç iz bırakmayan bir şey. Siz virüsünüzün ne olduğunu biliyorsunuz. Tom'u öldüren o virüsü tanıyorsunuz. Hiç olmazsa DNA'larından haberiniz var. Bu virüsün insana neler yapacağını da biliyorsunuz. Bizse... Biz hiçbir şey bilmiyoruz."

Katedrale bir grup Amerikan turisti girdi. Yaşlı erkekler ve kadınlar. Hepsi de rengârenk giyinmişti. Önden yürüyen rehberleri hiç çekinmeden yüksek sesle konuşuyordu. Birkaç kişi durmadan fotoğraf çekmekteydi. Flaşlar loşluğu aydınlatıyordu.

Nasıl da yorgun görünüyorlar, diye Norma düşündü. Tanırım böyle Amerikalıları. Orta halli insanlar. Ömürleri boyunca para biriktirip sonunda Avrupa gezisine çıkmışlardır. Biraz insafsız yapılan gezilerdir bunlar. Zavallı insanlar Paris'e ya da

Frankfurt'a gelir. Ve Avrupa'ya ayak basar basmaz da otobüslere bindirilip tura çıkarılırlar. Her gece başka bir yatak, her gün başka bir kent. Sabahın altısında kahvaltı. Yedide yola çıkış. Haftalarca sürer bu. Bazıları yollarda hastalanır. Kimisi de ölür. "Yeni bir binaya geçeceğiz," diye Renaud devam etti. "Saint-Sulpice-de-Favières'de. Paris'in güneyinde. Bizim hiçbir şeyden haberimiz yoktu. Bir mektup her şeyi ortaya çıkardı. İşte fotokopisi." Cebinden bir zarf çıkarıp içindeki iki kâğıdı eline aldı. "Ulusal Araştırma Merkezi'nden Eugene Dellanoy, Eurogen'in müdürüne yazmış."

"...Bayan Camberland, lütfen oraya oturup uyumayın! Hemen ayağa kalkın! Bayan Camberland hep böyle yapıyor," diye rehber yüksek sesle konuştu. Flaşlar yanıp sönmeye devam ediyordu. Amerikalılar sürekli fotoğraf çekiyorlardı.

"Bu kopya nereden geçti eline?" diye Barski sordu ve uzatılan kâğıtlara göz attı.

"Cajolle'un sekreteri Mimi'yle aram iyidir. O verdi bana. Siz de okuyun, madam!" Norma, Barski'ye sokulup kâğıtlarda yazanları okumaya başladı.

Paris, 10 Ağustos 1986

Eurogen Şirketi
Yönetim Kurulu Başkanı
Profesör Robert Cajolle'a
De Gaulle Hastanesi
25 rue Paul Vaillant
750015 Paris

Sayın Başkan,
Bundan bir buçuk ay kadar önce, kuruluşunuzun DNA'ların değişimi laboratuvarında görevli Bayan Josephine Breton'da bugüne kadar bilinmeyen bir kemik kanseri türü teşhis edilmişti. Bayan Breton dün, 9 Ağustos günü ölmüştür.

Yakın bir tanıdığım olan Bayan Breton ölümünden önce, hastalığının yukarda sözü edilen laboratuvardaki çalışmalarıyla ilgili olup olmadığını bulmamı benden rica etmişti. Bundan şüphelenmesinin nedeni açıktı. Çünkü kendinden önce aynı laboratuvarda ve bitişik laboratuvarda çalışan meslektaşlarından dördü daha bilinmeyen bir kanser hastalığına yakalanmıştı. Bu konuyla ilgili olarak şu bilgileri edindim:

1. Jean-Louis Medicin, 30 yaşında, Eurogen'in 1 no.lu laboratuvarında görevli, 11 Mart 1986 günü doktorundan yeni bir kemik kanserine yakalanmış olduğunu öğreniyor. Kendisi 11 Temmuz 19S6'da ölmüştür.
2. Freddy Naftary, 35 yaşında, Eurogen'in 2 no.lu laboratuvarında görevli, 2 Mayıs 1986 günü doktorundan bilinmeyen bir kemik kanseri türüne yakalanmış olduğunu öğreniyor. Kendisi 21 Temmuz 1986 günü ölmüştür.
3. Josephine Breton, 50 yaşında, Eurogen'in 1 no.lu laboratuvarında görevli, 7 Temmuz 1986 günü doktorundan yeni bir kemik kanseri türüne yakalanmış olduğunu öğreniyor. Kendisi 9 Ağustos 1986 günü ölmüştür.

"... bu pencerelerde Kızıldeniz'den geçişi ve Jericho'nun alınışını görmektesiniz!" diye yüksek sesle anlattı yine Amerikalı rehber. "Şurada da, Samson'un aslanı yenişi görülmekte. Hemen yanında Kral David, Kral Süleyman ve peygamberler. Bayan Camberland, lütfen artık kendinize gelin. Böyle devam ederseniz, Avrupa'yı hiç tanıyamayacaksınız!"

4. Isabelle Roux, 37 yaşında. Eurogen'in 1 no.lu laboratuvarında görevli, 31 Temmuz 1986 günü doktorundan değişik bir çene kemiği kanserine yakalandığını öğreniyor.
5. Maurice Clair, 32 yaşında, 2 Ağustos 1986 günü yeni bir kemik kanseri türüne yakalandığını öğreniyor. O da Eurogen'in 2 no.lu laboratuvarında görevliydi.

Kuruluşunuzun 1 ve 2 no.lu laboratuvarlarında çalışmış bu kişilerin kanser hastalıklarının rastlantı olacağını düşündükse de, yepyeni bir kanser türünün böyle kısa sürede ortaya çıkması ve çabuk gelişmesi, bizi bu düşüncemizden hemen vazgeçirdi. Yukarda adı geçen elemanlarınızın hastalıklarının meslekleriyle ilgili olduğu kanısına vardık.

Sizin de bunu kabul edeceğinizi umar, gerekli araştırmaları yapması için çok yakında bir komisyon kurulmasında aracılığınızı önemle rica ederim. Bu komisyon üyelerinin konudan anlayan uzman olmaları ve enstitü dışından gelmeleri gereklidir

En derin saygılarımla,
Eugene Dellanoy

"Bu mektuptan bir ay sonra," diye anlattı Patrick Renaud. "Hastanenin yönetim kurulu başkanıyla Eurogen Şirketi'nin yönetim kurulu başkanı büyük toplantı salonunda bir basın toplantısı düzenlediler. Tam bir ay sonra! Birkaç gün önce de karatahtaya asılan bir kâğıtta bizlere her şey açıklanmıştı. Neler olup bittiğini ancak o zaman öğrenmiş vs şoke olmuştuk. Üç meslektaşımızın hangi hastalıktan öldüğünü daha önce bilmiyorduk. Ölümlerinden sonra bize başka nedenler söylemişlerdi."

Norma başını iki yana salladı.

"Evet, evet," diye Renaud biraz öfkeyle devam etti. "Henüz ölmemiş olan iki zavallı da, resmen hasta raporuyla göreve gelmiyor. Hasta olduklarını biliyorduk; fakat neleri vardı, haberimiz yoktu. Sadece Josephine'e ölümünden önce sendikadan para yardımı yapıldığını bilmekteydik. Henüz hayatta olanlardan da, aynı sendikadan para aldıklarını öğrendik. Hastalıklarının meslekleriyle ilgili olduğu sendikaca kabul edilmişti. Sizin anlayacağınız, kansere çalışmaları nedeniyle yakalanmışlardı. İşte bizler arasında panik yaratan da bu oldu! Şimdi herkes kendi kendine soruyor: Ben de kanser miyim? Ne zaman kansere yakalanacağım? Nasıl bir kansere? Zavallı Josephine'in çok çekti-

275

ğini biliyorum. Hastalığın ortaya çıkmasından sonra birkaç ay yaşadı, fakat çok acı çekti. Henüz ölmemiş olanlar da acı çekmekte. Acaba bizler de mi aynı acıları çekeceğiz, geberip gitmeden önce? Nedir bu yeni şey? Laboratuvarlarda ne oldu? Bizi kim, ne üzerine ve neden çalıştırıyor?"

"...dördüncü ve beşinci pencerede, İsa'yı, İsa'ya saygılar sunulmasını, Ürdün kıyısında vaftizi, Kanaa'da düğünü..."

"Sonunda, Dellanoy şu mektubu yazdıktan tam bir ay sonra o iki herif basın toplantısı yapmaya karar verdi. Bu toplantı gecen cumartesi, 13 Eylül günü oldu. Bağımsız oldukları söylenen o uzmanlar komisyonunu da basına sundular. İki Fransız televizyonu dışında bir sürü haber ajansı muhabiri ve fotoğrafçısı da basın toplantısına katıldı. Önce Cajolle olup bitenler ve tehlikeleri üzerine cıvık bir konuşma yaptı. Daha önceki açıklamaların bir yanlış anlama olduğunu söyledi. Sonra öteki herif de, gerek hastanede gerekse Eurogen'de bütün çalışmaların kusursuz yapıldığını açıkladı. Olup bitenlerden de kendilerinin suçlu sayılacağını kabul etmediğini söyledi. Tam bir basın toplantısıydı! Tabii ortada suçlu yoktu! Ne de olsa Fransızların dörtte üçü kanserden ölüyor, dendi. Muhabirler üç ay içinde beş kişinin kansere yakalanmasının nedenlerini sorduğunda da sadece omuzlarını silktiler."

"... beşinci pencereye, Stephanus penceresi denir... Şurada diyakozların seçimi ve görevi, Stephanus'un dua edişi, taşlanması..."

"Çılgınlıklar sürdü gitti," diye Patrick Renaud konuşmasını sürdürdü. "Eurogen'in şefi, son on beş yıl içinde çok büyük dört devlet adamının kanserden öldüğünü söyledi: Pompidou, Bumedyen, Çu-en-lay ve İran şahı. Ameliyattan sonra iyileşen Reagan'dan ise söz etmedi. İşte böyle konuştu durdu. Soru: Sendika hastalara niçin ödemede bulundu? Yanıt: Bunu sendikaya sorun. Ayrıca bütün her şeyi komünistler ortaya attı ve büyüttü. Niçin? Çünkü Josephine Breton bir zamanlar Komünist

Partisi'ne üyeydi... Söylediklerinden kusacaktım neredeyse! Pazar günü gazeteler basın toplantısının filminin kaybolduğunu açıkladığında Felix'le beraberdim. Felix Lorand, Tele 2 istasyonunda çalışan kameraman bir dostumdur. Haberi okuduğunda çılgına dönecek gibi olmuştu. Her pazar olduğu gibi hastanenin yakınında, Danton Caddesi'ndeki meyhanede oturmuş, bir şeyler içiyorduk. Gazeteyi elinden bırakan Felix dedi ki...

"Belki filmdeki suratlardan birinin görülmesini istemiyorlar."

"Kimin suratını?" diye Renaud sordu.

Küçük meyhanede pencere yanındaki bir masada oturuyorlardı. Danton Caddesi terk edilmiş gibi sessizdi. Akşam olmuş, ışıklar yanmıştı.

"Ne bileyim kimin! Belki milyonlarca televizyon seyircisinden bazılarının yine tanıyabileceği birisinin! Belki buna mutlaka engel olmak gerekiyordu."

"Olabilir," dedi Renaud. Vermut içiyordu. Dostu da pernod. "Ulu Tanrım!" diye birden sesini yükseltti. Barda ayakta durmuş, duvardaki televizyonda bir serbest güreş karşılaşmasını seyreden birkaç doktor, taksi şoförü ve sokak kadını başlarını çevirip onlara baktılar.

"Bağırma öyle!" dedi kameraman. "Niçin ulu Tanrı?"

"Aklıma bir şey geldi de. Laboratuvarda bir Amerikalı var. Biyoşimist, canayakın bir adam. Jack Cronyn adı. Basın toplantısına hepimizin gelmesi zorunluydu. Şirket böyle istemişti. Cronyn kırk yaşlarında. On yıldır Eurogen'de çalışıyor, Çok iyi bir uzman. Komik..."

"Nedir komik olan?" Tele 2 televizyon istasyonunda görevli kameraman Felix barmene işaret etti. "Hey Gaston, bir kadeh daha! Evet, nedir komik olan?" diye de sorusunu tekrarladı.

"Hiç dostu yoktu. Bizim aramızda kimseyle yakın dostluk kurmamıştı Jack. Biz iyi bir gruptuk. Parti yaptığımızda Jack hiç gelmezdi. İşten sonra da hemen evine giderdi. Kız arkadaşı olduğunu da hiç görmemiştim."

"Eşcinsel filan mıydı?"

"Erkek dostu da yoktu!"

"Belki tek başına yaşamasını seviyor?"

Barmen yeni bir kadeh içki getirdi. Yanında da küçük bir sürahi su. İki genç sokak kadını masaya sokuldu. Sarışın olanı sırıtarak konuştu. "İster miydiniz?"

"Yok, özür dileriz," dedi Felix Roland gülümseyerek. "İşimiz var. Başka defa seve seve. Sakın kızmayın!"

"Niçin kızacakmışız?" dedi sarışın kadın. "Şöyle bir soralım dedik! Gel Claudine, biraz dolaşalım." Kalçalarını sallaya sallaya meyhaneden çıktılar.

"Sonra bu Jack Cronyn'e bir şey daha oldu," diye Patrick Renaud devam etti. "İlginç. Basın toplantısına katılmıştı. Fakat hemen ertesi gün telefon ettirdiği birisi, Jack'ın bütün hafta işe gelemeyeceğini söyledi. Bağırsak bozukluğundan yatıyormuş."

"Bütün hafta ishal mi?" diye Lorand sordu. "Çok..."

"Her neyse, şimdi aklıma geldi bunlar. Suratlardan birinin görülmesi istenmiyor belki dediğinde, Jack'ı düşündüm."

Lorand birden heyecanlanmıştı. "Nerede oturuyor bu herif?"

"Bilmiyorum. Fakat hastaneden öğrenebiliriz."

Birkaç dakika sonra hastane kapıcısından adresini almışlardı. Lournel Caddesi No. 16'daydı evi.

Kameramanın otomobilinde kent planına bakıp o caddeyi buldular.

"On beşinci bölgede," dedi Felix Lorand. "Buradan oldukça uzakta."

"Gidiyoruz! Ne zararı var ki! Hastalığını merak eden bir meslektaşı arıyor."

"Tamam. Yanımda kamera var. Gerekirse bu Amerikalının birkaç fotoğrafını çeker, ağzından da laf almaya çalışırız. Bakalım kimin nesiymiş, kötü bir niyeti var mıymış?"

Yarım saat sonra Lorand'ın Peugeot'su sessiz Lournel Caddesi'ndeki büyük bir apartmanın kapısında durdu. Kapıcının ziline bastılar. Biraz sonra kapıyı açan kadın öfkeliydi. Edebiyat yayını 'Apostrophess'i seyrederken rahatsız edildiğini söyledi. Çok aydın bir kapıcıydı!

"Biz Doktor Cronyn'in nerede oturduğunu soracaktık, madam," dedi Felix.

Kapıcı kadın uzatılan elli frankı cebine sokup gülümsedi. "Dördüncü kat, sol kapı Fakat evde değil."

"Evde değil, ne demek?"

"Yolculuğa çıktı. Dün. Tatil yapacağını söylemiş. Toulon yakınlarında bir yerde. Adresini bırakmış. Üç hafta sonra döneceğim, demiş. Bugün birisi geldi. Doktor beyin mektubunu gösterdi ve burada iki üç gün kalacağını söyledi. Katın anahtarları da yanındaydı."

Renaud'la Lorand birbirlerine baktılar. Televizyoncunun kamerası elindeydi.

"Bu kimse evde mi?" diye Renaud sordu.

"Sanıyorum. Asansörle çıkabilirsiniz, mösyö! Şimdi bana izin verin, "Apostrophes'i mutlaka görmek istiyorum. Yaşlı Duras'nın yeniden başarıya ulaşacağını sanır mıydınız? Kadın seksenine geldi. Başarısına sevindim. Hepimiz günün birinde yaşlanacağız, öyle değil mi? Yazarlar tek başına bir yaşam sürer." Kapı kapandı.

"Haydi!" dedi Lorand.

Her yanından sesler çıkaran eski model asansörle dördüncü kata çıktılar. Her katta olduğu gibi burada da iki daire vardı. Sağdaki kapıda "Menet" yazıyordu. Soldakinde de "Cronyn." Lorand fotoğraf makinesini hazırladı. Sonra başıyla işaret etti. Kapının ardından adım sesleri duyuldu. Renaud hemen zile bastı. İçerden ses gelmedi. Renaud yine zile bastı. Birkaç kez arka arkaya ve uzun uzun.

Sonra bir erkek sesi duyuldu. "Kim o?"

"Doktor Cronyn'e bir telgraf var," diye Renaud seslendi.

"Kapının altından sürün!" dedi içerdeki adam.

"Özür dilerim. İmza atmanız gerekiyor, mösyö."

"Bir saniye!" Sonra kapı aralandı. Karşılarında bir adam duruyordu. Elinde tabanca vardı. Omuzlarının üzerinden içeriyi gördüler. Karmakarışık bir odayı, çekmeceleri açılmış darmadağınık bir yazı masasını. Eşyalar devrilmişti. Her yer kâğıt parçalarıyla doluydu. Lorand'ın elindeki fotoğraf makinesinin flaşı patladı. Kapı çarpılır gibi kapandı.

"Kimdi bu?"

"Bilmiyorum."

"Sen burada kal," dedi Lorand. "Aşağı inip kapıcıdan polise telefon edeceğim."

"Herifin elinde tabanca var, görmedin mi? Ben burada tek başıma mı kalacağım?"

"Peki, peki. Gel öyleyse!"

Koşarak aşağı indiler. Kapıcının ziline bastılar. Kadın bu kez oldukça öfkeliydi, "*Merde, alors*! Yine ne var?"

İçeri girdiler. Televizyonda Apostrophes devam ediyordu. Oda tıka basa doluydu. Bir köşede televizyonun önündeki eski taburenin üzerinde kahverengi tüylü, tombul bir kedi uyukluyordu. Felix Lorand telefonu açmış, devriye polis karakolunun numarasını çevirmekteydi. Bu arada Renaud da üzerine kahverengi kırmızı bir sabahlık geçirmiş olan kapıcı kadını yatıştırmaya çalışıyordu. Yaşlı ve şişman kadın kedisini çok andırıyordu.

"Hemen apartman kapısını kilitleyin, madam. Lütfen!"

"Niçin?"

"Doktor Cronyn'in katında kalan adamın binayı terk etmemesi gerek."

"Niçin terk etmemeliymiş?"

"Size söylediğimiz için, madam."

"Sizin burada hiçbir şey söylemeye hakkınız yok! Hem siz kim oluyorsunuz?"

"Dinleyin beni madam, bu adamın elinde silah var. Tehlikeli!"

"Mösyö Cronyn'in arkadaşı olan o sevimli adam tehlikeliymiş! Güldürmeyin beni!"

"Devriye polis mi?" Lorand elindeki telefona bağırıyordu. "Hemen Lournel Caddesi 16 numaraya gelin! Tabancalı adamın biri burada ortalığı darmadağın etti. Her an kendini kaybedip çevresine ateş edebilir."

"Kiminle konuşuyorum?" diye karşısındaki adam sordu.

"Felix Lorand. Tele 2'nin kameramanlarından."

"Neredesiniz?"

"Kapıcının odasında. Kadın apartman kapısını kilitlemek istemiyor. Çılgın adam dışarı çıkmamalı, dedik, fakat söylediğimizi yapmaya yanaşmıyor."

"Verin onu bana."

"Bir saniye." Lorand kadına seslendi. "Madam, polis! Sizinle konuşmak istiyor!"

"Lanet olsun!" Kapıcı kadın terliklerini sürüye sürüye telefona geldi. "Ne var?" Söylenenleri dinledi. "Peki, peki, nasıl isterseniz. Fakat sizi şefinize şikâyet edeceğimden de emin olun! Bu bir skandal. Gece yarısı! O iyi bir adam. Kimseye zararı yok... Peki, peki, anladım. Kilitleyeceğim." Telefonu kapattı. "Ayaktakımı," diye öfkeyle homurdandı. "Pisler" Duvarda asılı bir anahtarı alıp yürüdü. İki adam peşinden gitti. Kadın kapıyı kilitledi. Odasına döndü. Adamlar da arkasından.

"Hayır, yeter artık. Siz dışarıda bekleyeceksiniz!"

"Özür dilerim, madam. Biz içeri gireceğiz." Lorand kadını şöyle bir itip odaya girdi. Renaud da arkasından. "Herif aşağı indiğinde bizi karşısında mı bulsun istiyorsunuz? Biz biraz daha yaşamak istiyoruz."

"Terbiyesiz adam! Polisler geldiğinde siz görürsünüz! Buna domuzluk..."

"Bizi affedin, madam."

"Siz başka bir şey yapabilirsiniz..."

"Özür dileriz, madam!"

"Tamam, yeter artık. Ne yaparsanız yapın." Kapıcı kadın koltuğuna oturdu. Tombul kedi kucağına atladı. Televizyonda, elinde kitap tutan yakışıklı bir adam, sevgi, yaşam ve ölümün gülünçlüğü üzerine düşüncelerini söylüyordu.

"Bu Milan Kundera," dedi Lorand.

"Kim?" diye Renaud sordu.

"Televizyondaki. Ben onunla bir röportajı çekmiştim. Çekoslovak. Yıllardır Paris'te yaşıyor."

"Boş ver şimdi şu Çekoslovak'ı! Yukarıdaki herif her an aşağı inip hepimizi kurşundan geçirebilir."

"Susun artık!" diye kapıcı kadın bağırdı. "Kundera çok iyi bir yazar. Şimdi yeni kitabını sunuyor. Bütün akşam bu yayını merakla beklemiştim."

"Gerçekten çok iyi, Patrick," dedi Lorand.

"Ne kadar iyi olursa olsun, bana ne! Herif aşağı inip de kurşunladı mı, onun iyiliği beni kurtarmaz!"

Fakat adam aşağı inmedi. Beş dakika sonra polis otomobillerinin sesi duyuldu. Kapıcı kadın küfreder gibi yerinden kalktı, kapının kilidini açtı. Lorand'la birkaç kelime konuşan polisler yukarı koştu. Zili çaldılar. Açan olmayınca, aşağıya seslenip kapıcıdan yedek anahtarı istediler.

Şişman kadın sinirinden ağlıyordu. "Ben hepinize göstereceğim. Doğru Başbakan Chirac'a çıkacağım. Siz burasını Şikago mu sanıyorsunuz?"

Getirdiği anahtarlarla kapıyı açtılar. Ellerinde makineli tüfeklerle içeri girdiler. Ve her şeyi boşuna yapmış olduklarını da hemen anladılar. Katta hiç kimseler yoktu. Adam ortadan kaybolmuştu. Binanın damına çıkmış, oradan da komşu binaların damlarına geçerek toz olmuştu...

Breisach St. Stephan Katedrali'nde, "Ve bu adamın izine rastlanmadı," diye anlattı Patrick Renaud. "Bizi sorguya çektiler. Sonra yüksek rütbeli palavracı bir polis de sorguya katıldı. Bize sanki katılmışız gibi davrandılar."

Barski, "Peki parmak izi filan?" diye sordu.

"Hiçbir şey yoktu. Bize böyle söylediler. Dostum sekreter. Cronyn'in dosyasının fotokopisini çıkardı. Felix de adamın kapıda çekebildiği fotoğrafını bastı. Fransız makamları bize zorluk çıkardığı için ben ve Felix şimdi sizlere bir danışmak istiyoruz. Belki siz yardım edebilirsiniz, Bayan Desmond..." Elindeki zarftan birkaç fotokopi daha çıkardı. "Dosyanın fotokopisi. Bu da Felix'in çektiği fotoğraf."

"... yılanın ağzından sular fışkırıyor, Tanrının kulları mükemmeliyete erişiyor," diye Amerikalı rehber açıklamasını sürdürdü.

Norma, Renaud'nun uzattığı fotoğrafa şaşkınlıkla baktı. Donuk yüzlü, yuvarlak gözlüklü bir adamı görüyordu. "Bu Horst Langfrost," diye mırıldandı.

27

"Kim bu?"

"Ara sıra Almanya'da da ortaya çıkan ve sonra kaybolan birisi," dedi Barski ve Langfrost konusunda bildiklerini Renaud'ya kısaca anlattı.

"Lanet olsun," dedi Fransız doktor. "Berbat bir işin içine girdiğimizi biliyordum. Konu çok yukarılara çıkıyor. Yoksa üç televizyon istasyonundan birden filmler çalınamazdı."

"Bir saniye," dedi Barski. "Horst Langfrost denilen adam basın toplantısına katılmış mıydı?"

"Hayır. Cronyn'in evinde karşılaştığımız adam basın toplantısında yoktu. Onu daha önce de hiç görmemiştim."

"Bizdeki filmlerin çalınmasının Langfrost'la ilgili olduğunu sanıyorduk. Böyle olsaydı Paris'teki filmlerin çalınmasına gerek

283

yoktu. Çünkü o filmlerde Langfrost yoktu. Belki bu Cronyn'in korunması gerekiyordu. Ne de olsa şimdi ortadan kayboldu."

"Her şey mümkün bence," dedi Norma. "Televizyonda cenaze töreninin filmini seyrederken birkaç saniye için resim silinmişti. Şimdi anımsadım. Belki bu teknik bir hata değildi de, bilerek yapılmıştı?"

"Şimdi size verdiğim bilgiler işinize yarar mı dersiniz?"

"Hem de nasıl," dedi Norma. "Ancak benim Alman polisiyle bir anlaşmam var. Soruşturmalardan sorumlu başkomiser bana yardım ediyor, ben de ona. İyi adam sayılır, değil mi Jan?"

"Evet, ona güvenilir, Patrick."

"Şimdi bize verdiğiniz bu bilgilerden bazı sonuçlar çıkarabilecek tek kişi odur. Anlattıklarınızı kendisine ileteceğim, Mösyö Renaud."

"Çok iyi. Ve teşekkürler. Kim önce gidecek?"

"Sen," dedi Barski. "Arkanda adam olduğundan eminim. Bizim arkamızda da koruyucu polisler var. Onların burada seni de koruyacakları bize söylenmişti. Haydi, iyi yolculuklar! Biz yirmi dakika daha burada kalacağız. Sonra otele dönüp eşyalarımızı alacak ve Hamburg'a yola çıkacağız."

Renaud başını salladı. "Eğer benimle konuşmak filan istersen, birkaç gün daha Colmar'da annemin yanında olacağım. İşte adresi. Sonra yine Paris'teyim. Fakat telefon etme. Dostlar aracılığıyla bağlantı kurabiliriz. *Salut*, sizlere!" Durdukları loşluktan çıkarak büyük kapıya doğru yürüdü.

"*Salut*, Patrick," diye Barski mırıldandı. Sonra Norma'ya dönüp "Zarfı bana verin," dedi. "Gömleğimin içine sokacağım..."

"... Jairus kızının ve Lazarus'un dirilmesini görüyorsunuz... Bayan Camberland, yine bir köşeye oturdunuz! Hemen gruba katılın. Sizin yüzünüzden her yere geç kalacağız..."

Barski'yle Norma biraz sonra katedrali terk etti. Önce çevresinde yürüdüler. Hiç kimse yoktu buralarda. Terk edilmiş gibiydi. Norma parmaklıkların yanında durdu. Barski de hemen onun yanında. Sıcak rüzgâr fırtınaya dönüşmüştü. Gökyüzünde bulutlar hızlı hızlı geçiyor, ışık da devamlı değişiyordu. Aşağıda Breisach'ın evleri bir aydınlanıyor, bir kararıyordu. Ötelerde üzüm bağları, Ren Nehri, tarlalar, ormanlar, küçük köyler, vadiler ve dereler de.

Norma, en son ne zaman uzakları böylesine berrak görmüştüm, diye düşündü. "Ne güzel!" diye yüksek sesle konuştu.

Barski başını salladı. Bir kolunu yanındaki kadının omzuna koydu.

Gölge ve güneş. Ne kadar güzel renkler! Nis Havaalanı... Lokanta ve o sessizlik. Niçin düşünüyorum onları? Buradaki sessizlik uğulduyor. Fakat her yer yine de huzur dolu. İçimde o sabahın huzurunu hissediyorum. Jan içinse Tanrının verdiği huzur olmalı.

Yan yana yürüdüler. Adamın kolu hâlâ omzundaydı. Rüzgâra karşı attılar adımlarını. Sallandılar. Birbirlerine sokuldular. Güneş bir çıkıyor, bir kayboluyordu. Yüz metre kadar arkalarından iki adam geliyordu.

Büyük katedralin kuytusunda durdular. Parmaklığın ardında bir taşın üzerinde şu sözler yazmaktaydı;

SAVAŞLARDA ÖLENLERİN VE 1945 YILINDA BOMBALANAN BREISACH'IN ANISINA. BU KENTİN İNSANLARININ ACISINDAN, BARIŞ İÇİN BİRLEŞECEK BİR AVRUPA İSTEĞİ DOĞMUŞTUR.

Evet, diye Norma düşündü. 1945. Ne kadar çok insanın, savaş sonrası yılların yaşamlarının en güzel yılları olduğunu söylediğini bilirim. Alvin de hep o günlerden söz eder. Açlık, yıkıntılar, soğuk ve yoksulluk yıllarından. Ve insanların düşündeki büyük umutlardan. Nazi belası geçmişti artık. Buna gerçekten inanıyorlardı. Ölmemişlerdi. Savaştan kurtulmuşlardı. Bugün anlatanlar, o yıllarda henüz gençti. Şimdi bizim zamanımız geldi, diye düşünüyorlardı. Yepyeni bir dünya kurmak istiyorlardı. İnançları sonsuzdu. Daha güzel, daha iyi bir dünya kuracaklardı. Yoksulluk ve korkunun olmadığı, barış dolu bir dünya! Ne kadar güzeldi o yıllar, demişti Alvin. Çünkü bütün insanlar yoksuldu. Çünkü bütün insanlar zengindi... İyi niyetlerle. Yıkıntılardan bu katedrali yeniden inşa eden insanlar gibi... "Yirmi dakika geçti," dedi Barski, "Gelin, gidelim!" Norma başını salladı. İnsanlar bugün de barışı istiyor, diye düşündü, Barski'nin yanında otomobile doğru yürürken. Bütün ülkelerde. Bütün dünyada. Fakat insanlar güçlü değil ki! Ben güçlü olanları tanıdım. Şimdi onları yine tanımaktayım!

28

Küçük bir kız yavaşça ve nazikçe konuştu. "Size bir şey sormak istiyorum. Atom silahları niçin bu kadar gerekli? Daha çok silah yaparsanız, daha çok savaş çıkmaz mı? Barış istediğinizi söylüyorsunuz, fakat silahlanmaya devam ediyorsunuz."

Başka bir küçük kız da sordu: "Bu dünyada bütün insanlar kardeş sayılır. Birbirlerine neden inanmıyorlar? Bunu hiç anlamıyorum. İnsanlar birbirlerine neden güvenmiyor, bu yüzden de daha çok silah yapıyor?"

Berlin Anı Kilisesi'nde iki yüz kadar çocuk toplanmıştı. Karşılarında büyükler oturmaktaydı. Beş erkek ve bir kadın. Anneler ve babalar yanlarda ayakta duruyordu.

Mimar Eiermann'ın eski Kaiser-Wilhelm Kilisesi yıkıntısı yanında inşa etmiş olduğu sekizgen kilisedeydiler. Savaşta bombalarla yıkılmış olan eski kilise öylece bırakılmıştı. O dehşetli günlerden kalma bir anıt olarak! Yeni kilise oldukça modern yapılmıştı. Dua edilen yer, altın rengindeydi. Kollarını iki yana açmış altın bir İsa uçuyormuş gibiydi. Şimdi bütün kilise projektörlerle aydınlatılmıştı. Hamburg televizyonu toplantıyı filme çekiyordu.

Jeli de oradaydı. Üzerinde çok güzel mavi bir elbise vardı. Oturduğu yerden o da heyecanla seslendi. "Silah yaparken, bir ülkeyi tahrip edecek kadar atom silahı yapmak yetmez mi? Neden daha çok yapılıyor? Bu parayla başka insanlara yardım edilebilir!" Erkek ve kız çocuklar hep birlikte alkışladı.

Bonn'daki savunma komisyonundan zayıfça bir adam gülümseyerek yanıt verdi. Bu Robert Hansen'di. "Bugün bütün dünyada elli bin atom başlıklı füze var. Gerektiğinden çok olduğunu biliyorum. Bunu kabul ediyorum da. Bu nedenle Cenevre'de, Viyana'da, Stockholm'de ve bütün diğer kentlerdeki konferanslarda bu silahları azaltmak için uğraşıyoruz ya. Bu ancak karşılıklı güvenle başarılabilir. Şu kentte gördüğünüz duvarı yapmış öteki ülke insanlarına, bizi barış ve özgürlük içinde yaşatacaklarına güvenebilir miyiz? Bunu çok iyi bildiğim an, tek bir silaha bile gerek olmayacağını da bileceğim."

Norma kilisenin sekiz duvarından birinde Barski'yle Westen'in arasında duruyordu. Elindeki küçük teyp çalışıyordu. Üzerinde ince beyaz pantolon ve beyaz keten ceket vardı. Westen de her zamanki gibi çok şık ve özenli giyinmişti. Kravat ve gömleği açık renk takım elbisesine uygundu. Kol düğmeleri, üzerine adının baş harfleri işlenmiş eski paralardı. Barski de ince bir takım giymişti. Günlerden 25 Eylül 1986 Perşembe'ydi. Saat de sabah 11.20. Bir gün önce Kempinski Oteli'nde buluşmuşlardı. Jeli o gün yaşamında ilk kez uçağa binmişti. Heyecanını henüz üzerinden atamamıştı.

Arka sıralarda oturan bir erkek çocuğu seslendi. "Artık yettiğini insanlar niçin anlamıyor? Neden daha çok savaş yapmak istiyorlar?"

Birçok çocuk alkışladı.

Berlin Senatosu üyesi Wilma Klarer biraz öfkeli konuştu: "İnsan iyinin ne olduğunu bilmesine karşılık hep kötüyü yapar da onun için! Bunu siz de... Ben yeteri kadar gördüm. İşte politikada güvenin yanı sıra önlemin de gerekli olmasının nedeni budur."

287

Birçok küçük el havaya kalkmıştı. Hepsi de bir şey söylemek istiyordu. Kalın gözlüklü bir kız çocuğu bağırdı: "Biraz önce elli bin atom başlıklı füze olduğu söylendi. Bana kalırsa hepsi de fazla!"

Bütün çocuklar alkışladı.

Bonn'daki savunma komisyonundan Bay Hansen gülümseyerek sordu: "Dünyada tek bir bomba olmasa insanlar birbirleriyle daha iyi mi anlaşacak sanıyorsun?"

"Evet! Evet! Evet!" diye çocuklar bağırdı.

Bonn'dan gelmiş olan Bay Hansen seslendi, "Fakat bu tam tersidir!" Hâlâ gülümsüyordu.

"Ooooh!" diye bağırdı çocuklar. Ellerini ağızlarına götürüp ıslık çalanlar da oldu.

"Özür dilerim," diye sesini yükseltti Bay Hansen. "Çünkü barış her zaman, insanlar ideolojilerini değiştirdiğinde gerçekleşmiştir!"

"İnanılmaz," diye Westen homurdandı.

"Konuşmasını bilmiyor," dedi Norma da.

Bay Hansen gülümseyerek, "... İnsanlar değişmelidir," diye devam etti. "İşte o zaman barış gelecektir."

Münihli fizik profesörü Werner Keller yanında oturan Bonnlu Bay Hansen'in söylediklerini başını sallayarak dinliyordu. Keller saçlarına ve sakalına ak düşmüş yaşlı bir adamdı.

"Peki, bir kız çocuğu atom ışınlarından etkilenirse, ilerde doğum yaptığında dünyaya gelen çocuk sakat olmaz mı?" diye büyükçe bir kız seslendi.

Çernobil faciası insanları ilgilendirmeye devam ediyordu.

Frankfurtlu çocuk doktoru Paul Schaefer yanıt verdi: "Evet, bu kız ilerde sağlıklı bir doğum yapamayacağını bilmelidir. Gebe bir kadın için de durum aynıdır. Radyasyon etkisinde kalmış gebe kadınlar, çocukları sakat doğmasa bile, ilerde kan kanserine yakalanacağını bilmelidir."

Berlin'den Rahip Wilhelm Korn söze karıştı: "Sizlerde korku duygusu mu var, yoksa birileri mi size korku veriyor? Ben anne ve babamı düşünüyorum. Sığınaklarda oturup düşen bombaları duydukça korkardım. Fakat annemle babam bana, 'Biz yanında oldukça korkmana gerek yok,' derdi. Şimdi ben de sizlere başkalarının aynı duyguları vermesini isterim. Bir Hıristiyan olarak da derim ki, İsa'ya karşı... Ah, hayır İsa'nın hepimizi koruyacağına inanmalıyız..."

"Ben," diye küçük bir kız çocuğu atıldı. "Ben Reagan'la Gorbaçov'dan korkuyorum. Bütün hepsinden!"

Berlin Senatosu'ndan Bayan Klarer, "Ben korkmuyorum," diye seslendi.

"Oooh!" Çocuklar bağırdı. Sonra güldüler de.

"Ben de," dedi Rahip Korn. "Tanrı istemezse, onlar hiçbir şey yapamaz!"

Münih Üniversitesi profesörlerinden psikanaliz uzmanı Peter Kant: "Yanıt verebilir miyim?" diye sordu. "Ben son savaşta Rus cephesindeydim. Henüz on dokuz yaşındaydım. Birliğimize bir papaz yollamışlardı. Büyük saldırıdan önce bize teselli ve ümit versin diye! Göğsünde gümüşten kocaman bir haç sallanıyordu. Bizlere, Tanrı ve İsa adına şimdi karşı tarafta Tanrıya inanmayan dinsiz Ruslara saldıracağımızı, onları yeneceğimizi söylemişti. Ben o günlerde, İsa adına Rusya'da milyonlarca insanı öldürmemiz gerektiği iddiasıyla acı duymuştum. O insanları öldüren Hitler değildi, sizlerin babaları ve büyükbabalarıydı. Ve şimdi biz burada oturuyorsak, bunu o yıllarda henüz atom bombasının bulunmamış olmasına borçluyuz."

Rahip, psikanaliz uzmanı profesöre öfkeyle baktı. Bonnlu Bay Hansen gülümsedi. Çocukların anne ve babalarının yüzleri taşlaşmış gibiydi. Hüzün ve öfke dolu.

Şişman bir erkek çocuğu Bay Hansen'e doğru seslendi: "Bir şey sormak istiyorum. Siz bir barış yürüyüşüne katıldınız mı hiç?"

Bonnlu Bay Hansen gülümseyerek yanıt verdi: "Barış yürüyüşü yapmayan, fakat barış için çaba gösteren tek kuruluş Alman ordusudur!"

"Oooooooohhh!" diye çocuklar bağırdı. Islık çalanlar da oldu. Bonnlu Bay Hansen gülümseyerek devam etti: "Özgürlük içinde barışı garanti eden ordumuzdur!"

Çocuklar karşı çıktı.

"Tabii böyledir," dedi Bonnlu Bay Hansen gülümseyerek. "Bayan Klarer." Yanındaki zayıf kadına döndü. "Bayan Klarer, ben Bay Kohl'u buradaki herkesten çok daha iyi tanırım. Başbakanımız gece gündüz barışı düşünüyor!"

Çocuklar heyecanlanmıştı. Projektörler çocuklara döndü. Televizyon kameraları devamlı çekiyordu. Kilisenin duvarlarına, çocukların Gorbaçov'la Reagan'a yazmış olduğu mektuplar asılmıştı. Dışarıdan caddenin gürültüsü içeri sızıyordu.

Küçük bir erkek çocuğu seslendi. "Evet, fakat savaş yapan da ordu değil mi?"

Bonnlu Bay Hansen, "Hayır," dedi gülümseyerek. "O savaşı önler. Bizlerin özgür kalmasını garanti eder. Eğer korumasız olsaydık, şimdi burada böyle neşeli ve mutlu sohbet edemezdik."

"Neşeli," diye Westen mırıldandı.

"Fakat savaşa hep ordulardan biri başlar!" diye bir kız seslendi.

Bonnlu Bay Hansen başını iki yana salladı. "Biz başlamayız," dedi ve gülümsedi. "Bir demokrasi ülkesi savaşa başlamaz!"

"Evet," diye seslendi sarı elbiseli küçük kız. "Fakat bir başka ülke savaşa başlarsa, demokrasi ülkesi de savaşır!"

"Toplum özgürlüğü istediği için!"

"Gördünüz mü," dedi kısa saçlı bir başka kız da. "Bizi korumaya kalksa da savaş olacak! Kim kime saldırırsa saldırsın, savaş hep yapılacak. Savaş savaştır!"

Sakalına ak düşmüş fizikçi Keller söze karıştı: "Benim bütün korkum nedir biliyor musunuz? Gelecek savaşın, kimse istememesine karşın yine de çıkacağı. Ülkeler hiç durmadan silahlanıyor. İstediğimiz kadar, demokraside yaşıyoruz, diyelim. Başbakanlar ve başkanların elinde mi ona engel olmak? İşte benim bütün korkum bu. Silahlanmayı durdurun, demenize hak veriyorum. Silahlanmayı durdurmakla korunmasız kalmayız ki!"

Bonnlu Bay Hansen bir an için gülümsemeyi bırakıp profesöre öfkeyle baktı.

"Batı ülkelerinin elinde şu anda tam yirmi beş bin atom başlıklı füze var. Bu mu korunmasız kalmak? İnsanlar, yeter artık, diyor!"

Çocuklar alkışladı. Bağırdılar da. "Bravo!"

Senato üyesi bayan sesini yükseltti. Heyecanlı ve öfkeliydi. "Nasıl etkili olabileceğinizi söyleyeyim size! Bir gün gelecek hepiniz büyüyeceksiniz. İşte o zaman partilerden birine girin, politika hayatına atılın. Orada düşüncelerinizi gerçekleştirebilirsiniz. Bence bu çok önemlidir!"

Fizikçi ve psikanalizci, zayıf kadına acır gibi baktı. Rahip memnun memnun başını salladı. Bonn'dan Bay Hansen gülümsedi. Aynı anda adamın biri Westen'in üzerine atılıp onu yere yuvarladı. Barski, Norma'yı kaptığı gibi yere uzandı. Makineli tüfeklerin uğultusu kiliseyi kapladı. Duvara kurşunlar gömüldü. Westen, Barski ve Norma'nın önünde durmuş olduğu duvara.

"Herkes yere!" diye Westen'i korumaya çalışan adam haykırdı. "Olduğunuz yerde kalın!" Bir duvar çıkıntısında duran bir başkası da elindeki makineli tüfekle, kilisenin arkalarındaki merdivenlere doğru koşmaya çalışan zayıf, uzun boylu bir rahibeye ateş ediyordu. Rahibe koşarken bir yandan da kurşun yağdırmaktaydı. Silahını uzun ve bol siyah önlüğünün altına saklamış olacaktı. Başını ve yüzünü beyaz keten bantlar örtüyor, göğsünde de altın bir haç parıldıyordu.

Çocuklar çılgınlar gibi bağırıyordu. Anne ve babaları gibi onlar da kendilerini yere atmıştı. Biraz önce uzun masada oturan altı kişi de masanın altına girmişti. O ana kadar hiç kimsenin fark etmediği yarım düzine adam ortaya fırlayıp ellerinde makineli tüfeklerle rahibenin peşinden koştular. Yerde yatanların üzerinden atlıyor, sendeliyor ve zikzaklar çizerek koşuyorlardı. Kurşunları rahibeye isabet etmiyordu. Duvarda asılı ve üzerinde kocaman altın harflerle TANRI SEVGİDİR yazan cam bir tabela büyük bir gürültüyle parçalandı. Ve çocuklarla büyükler haykırmaya devam ettiler. Televizyonun kameramanları da yere yatmıştı. Yalnız biri olanlar hiç umurunda değilmiş gibi çekime devam ediyordu. Norma yerdeki çantasından makinesini çıkarmış, deli gibi fotoğraf çekiyordu.

"Jan!" diye Jeli haykırıyordu. "Jan! Jan"

"Olduğun yerde kal!" diye Barski bağırdı. "Yat yerde, Jeli!"

Aynı anda, çıkış kapısına varmış olan rahibenin sağ baldırından vurulduğunu gördü. Bir sütuna doğru yıkıldı. Fakat hemen kendini toparladı ve çılgın gibi kilisenin içine doğru ateş etmeyi sürdürdü. Peşinden koşanlar kendilerini, yerde yatanların üzerine attılar. Rahibe sırtı kapıya dönük olarak dışarı çıktı. Kilisenin önünde bir otomobil motorunun gürültüsü duyuldu. Tekerlekler gıcırdadı. Araba yerinden fırladı.

Ve birden kiliseyi büyük bir sessizlik kapladı.

29

"Ne kadar çok korktum," diye Jeli konuştu. Sesi zor çıkıyordu. "Çok korktum. Fakat şimdi korkum kalmadı... Siz benim yanımdasınız... Yanımda kalacaksınız, değil mi?"

"Evet," dedi Barski.

"Norma da kalacak mı?"

"Ben de kalacağım," dedi Norma.

"Her zaman mı?"

"Evet," diye yanıtladı Norma.

Kilisedeki olayın üzerinden bir saat geçmişti. Rahibe kaçmayı başarmıştı. Kapının önünde bekleyen bir Porsche'ye binmişti. Üzerinde telsiz anteni gören polisler otomobili polis aracı, sürücüyü de Sondersen'in adamlarından biri sanmıştı. Kontrolden geçen otomobilde Wiesbaden plakası vardı. Sürücü, Federal Polis kimliğini göstermişti. Sahte kimlikte "Willbrand" yazdığını polisin biri anımsadı.

Rahibe biner binmez Porsche olay yerinden uzaklaşmıştı. Kurfürstendamm'a çıkıp Halen Gölü yönünde gitmişti. Peşine takılan dört polis aracı onu Neukölln semtinde gözden kaybetmişti.

Olaydan birkaç dakika sonra cankurtaranlar gelmişti. Tek bir insanın bile yaralanmaması bir mucizeydi. Çocukların çoğu şok geçirmişti. Bazı büyükler de. Üç kadın, dört erkek ve on iki çocuk yakındaki hastanelere götürülmüştü. Birçoğuna da doktorlar kilisede hemen sakinleştirici iğne yapmıştı. Jeli yerde oturmaktaydı. Barski ona sarılmıştı. Kızıyla usul usul konuşuyordu.

Başkomiser Olaf Tomkin'in emrinde çalışan polisler kilisedekilerin kimliklerini not ederken, diğerleri de iz tespiti yapmaktaydı. Bu kolay bir çalışma değildi, fakat başkomiser Tomkin, ateş eden rahibenin kilisede bir yardımcısı olacağını umuyordu.

Westen, Norma ve Barski'nin korunmasıyla görevli memurlar, bu üç kişinin mümkün olduğu kadar çabuk kiliseden çıkabilmesi için Tomkin'le pazarlık ediyorlardı. Bütün korkuları, yeni bir suikastın olabileceğiydi. Kilise ne de olsa henüz dopdoluydu.

Başkomiser, "Nerede kalıyorsunuz?" diye Westen'e sordu. Karşısındaki bu üç kişinin kim olduğunu ve neden sürekli korunduklarını biliyordu kuşkusuz.

"Kempinski'de." dedi Westen. Elbisesindeki tozları temizlemişti. Olaydan önceki gibi şıktı. Kendine hâkim olmasını da biliyordu.

"Biraz önce," diye Tomkin konuştu. "Başkomiser Sondersen'le bir telefon görüşmesi yaptım. Derhal Berlin'e geliyor. Sizleri polisler Kempinski'ye götürecek. Ancak Bay Sondersen'in izni olmadan otelden ayrılamazsınız."

Norma, Westen, Barski ve Jeli bir grup polisin ortasında dışarı çıktılar. Kilisenin önünde bekleyen meraklıların arasından otomobillere doğru yürüdüler. Burada her kafadan bir ses çıkıyordu. Kilisenin çevresindeki ikili polis kordonunu yarmak isteyen muhabirler oldu.

"Sayın bakan!" diye birisi seslendi. Çok uzun boylu ve güçlü kuvvetliydi. Yanında duran, elinde doktor çantası tutan ise zayıftı. Westen'e seslenmiş olan adam el sallıyordu.

Tomkin şaşkınlıkla, "Bu Kempinski'nin resepsiyonundan Bay..." diye başladı.

"Evet, Bay Ruof," dedi Westen.

"Yanındaki de Doktor Thuma," diye atıldı Norma. "Ben kendisini tanırım."

"Burada ne işiniz var?" diye Tomkin seslendi.

Ruof, "Sayın bakanla yanındakileri almaya geldik!" diye bağırdı. "Yanımda bir doktor da getirdim. Olayı duyar duymaz Doktor Thuma'ya telefon ettim."

"Ne olacak şimdi?" diye öfkeli polislerden biri sordu. Tomkin'e bakıyordu. "Karşıki binalardan birinden ateş etmelerini mi bekliyoruz?"

Tomkin daha fazla inat etmedi. Ruof'la yanındaki doktorun kordonun öteki tarafına geçip yanlarına gelmelerine izin verdi. Doktor Thuma, Barski'nin kucağında taşıdığı Jeli'yi şöyle bir gözden geçirdi. "Merak edecek bir şey yok," dedi. "Fakat burada daha fazla durmayalım!"

Tomkin, "Gidebilirsiniz," diye razı oldu... "Söylediklerimi de unutmayın. Başkomiser Sondersen izin vermeden hiçbiriniz..."

"Evet, evet," dedi polislerden biri. "Haydi gelin! Kurşun geçirmez otomobile bineceğiz. Bay Ruof'la Doktor Thuma diğer araçlardan biriyle bizi izlesin!"

Polislerin açtığı dar yoldan otomobiller yola koyuldu. Kurfürsten Bulvarı'na çıkıp hızla Kempinski'ye doğru ilerlediler. Otelin önünde durur durmaz, makineli tüfekli polisler araçlardan indi, arkalarından da koruma polisleri. Çevreyi gözden geçirdiler.

Sonra da Westen'le yanındakiler koşar adımlarla otele girip asansörle yukarı çıktılar. Jeli'yi şimdi Bay Ruof taşıyordu. Barski'nin odasında yatağa yatırdı. Westen de hemen odasına geçti. Norma, Jeli'nin yanındaydı. Kapıların önünde polisler nöbet tutmaya başladı.

"Ben otelde kalacağım tabii," dedi Ruof.

Doktor Thuma, "Saçmalık etmeyin," diye karşı çıktı. "Saat ikide göreviniz bitiyor. Eve gidebilirsiniz. Nasıl olsa ben buradayım."

"Hayır, eve gitmeyeceğim," diye itiraz etti Ruof, Bavyeralıydı. Norma onu yıllardır tanırdı. Her zaman canayakın ve yardımseverdi. Şimdi bu inatçı adamı bir kenara çekip kulağına fısıldar gibi konuştu.

"Bay Ruof, çok önemli bir şey var. Şu iki filmin çok çabuk Hamburg'a gitmesi gerek. Kilisede çektim. İlk uçak ne zaman?"

Ruof saatine bir göz attı. "On üç ellide bir Pan-Amerikan var. Bir saat sonra. Verin filmleri bana, Bayan Desmond." Norma'nın uzattığı film kutularını çabucak cebine soktu. "Hemen birisiyle havaalanına yollayacağım. Güvenebilirsiniz."

"Her zamanki gibi, biliyorum. Bay Ruof, uçak Fuhlsbüttel'e indiğinde gazeteden biri bekleyecek."

Norma hemen telefonun başına geçerek Hamburg'daki gazetesinin numarasını çevirdi. Doktor Thuma ve Barski, Jeli'nin yanındaydı. Norma telefonu açan kızdan Genel Yayın Müdürü Günter Hanske'yi bağlamasını rica etti. Sonra karşısına çıkan

Hanske'ye alçak sesle ve çabucak kilisede olup bitenleri anlattı. Sözlerini şöyle bitirdi: "İçerde tek bir fotoğrafçı bile yoktu, Günter. Bense iki film bitirdim. Buradan saat 13.50 Pan-Amerikan uçağıyla hemen yolluyorum. Ne zaman Hamburg'a ineceğine bak. Birisi havaalanına gidip onları alsın!"

"Tamam. Televizyon ne yaptı?"

"Bir kameraman çekti. Bütün olayı. Tabii akşam haberlerinde vereceklerdir. Yarın olayın fotoğraflarını basacak tek gazete biz olacağız, Günter!"

"Peki yazınız?"

"Bana bak, burada her an yeni bir şey olabilir! Polisler rahibenin peşinde. Vuruldu. Sondersen de Berlin yolunda. Basına ne gibi bir açıklama yapacak bilmiyorum. Yazı yazacak zamanım yok. Telefonda dikte ederim. Birisi sonra kaleme alsın. Yeni bir haber olursa, seni yine ararım."

"Peki."

"Westen'in kararlaştırdığı o buluşmaya gitmem gerek. Çok önemli birisiyle buluşacağız. Oraya gitmek zorundayım!"

"Anlıyorum."

"Şimdi Joe, Franziska ve Jimmy'i buraya yolla! Kempinski'ye gelsinler doğru!"

"Üçünü de yollayacağım!"

"Geldiklerinde otelde değilsem, ya bir haber bırakmışımdır ya da ben telefon edene kadar beklesinler. Sondersen basına açıklama yapmadan on saat önce ben en son haberi geçebilirim. Senin anlayacağın, ilk bizim gazete verecek! Şimdi bana haber alma bölümünü ver, lütfen!" Birkaç dakika içinde suikast olayının haberini steno yazan kıza dikte etti. "Teşekkürler," deyip telefonu kapattı. Diğerlerinin yanına gitti.

Jeli çok hafif sesle konuşuyordu. Sakinleştirici iğne etkisini göstermişti.

"Ayakkabılarım... Nerede ayakkabılarım?"

"Burada, Jeli." Barski kızının üzerine eğilmişti.

"Onları iskemlenin üzerine koy, lütfen! Yanımda dursunlar. Biliyorsun..."

Barski mavi beyaz ayakkabıları iskemlenin üzerine koydu. İskemleyi de yatağa yanaştırdı. Sonra telefona gidip Hamburg'daki evinin numarasını çevirdi. Karşısına çıkan yaşlı Mila Krb'a olup biteni kısaca anlattı. Kadıncağız çılgına döndü. "Ulu Tanrım! Sevgili efendim, küçüğe bir şey olmadı değil mi? Doğru mu söylüyorsunuz?" "Bir şey olmadı, Mila! Hiç kimseye! Jeli çok iyi. Fakat bizim burada çok işimiz var. Birisinin de Jeli'nin yanında kalması gerek. Lütfen ilk uçakla Berlin'e gelin. Evet, Kempinski Oteli'ndeyiz." "Ah, Tanrım! Şükürler olsun. Tabii geleceğim. Mümkün olduğu kadar çabuk orada olacağım. Fakat küçük kızımı sakın yalnız bırakmayın ben gelmeden. Beyefendi, lütfen!" "Hayır, Mila. Merak etme. Haydi, yakında görüşmek üzere!" Barski telefonu kapattı.

Thuma yanında duran Norma'yla konuşuyordu, "Neydi? Bakan beye suikast mı?"

"Mümkün."

"Fakat niçin?"

Norma sesini çıkarmadı.

"Bana söyleyemez misiniz?" Doktor başını salladı. "Kötü bir şey, öyle mi?"

"Evet," dedi Norma.

"Kötü bir şey..." diye kız çocuğu yineledi.

Barski yatağa sokuldu.

Doktor, Jeli'nin alnını okşadı. "Şimdi güzel güzel uyuyacaksın. Korkmana hiç gerek yok. Her şey yine düzelecek." Sonra yanında duran iki insana döndü. "Merak etmeyin, Bay Barski," diyerek kartvizitini uzattı. "Eğer bir şey olursa, hemen gelirim.

Evim otele çok yakın. Hiç çekinmeden telefon edin. O anda evde değilsem, eşime haber bırakın. Beni telsiz telefonla arayabilir. Dediğim gibi, merak edecek bir durum yok."

"Teşekkürler, doktor bey. Çok teşekkürler!"

"Ben görevimi yapıyorum."

Thuma'nın şivesinden Bavyeralı olduğu belli, dedi Norma kendi kendine. Willi Ruof gibi, Doktor Jeli'yi okşayıp, "Hoşça kal," dedi. Norma'nın da elini sıktı, Barski onu asansöre kadar götürdü.

"Ne kadar çok kötülük," diye kız çocuğu mırıldandı. Uykuya dalıyordu.

Norma, "Niçin Jeli?" diye sordu.

"Ateş ettikleri için... Daha söyleyecek o kadar çok şeyim vardı ki... Savaşın nasıl önleneceğini ben biliyorum..." Başı yana düştü.

Barski odaya döndü. Yatağın öteki tarafına oturdu.

"Katiller," dedi. "Yüzlerce çocuk vardı! Ya birkaçı vurulsaydı."

"Çocukların vurulduğu da olmuştur."

"Bağışlayın..."

"Çok acımasız katiller var karşımızda. Öyle bir yerde o kadar çok insan! Bunu önceden düşünmeliydim. Suikast için ideal bir yer..."

"Kapılarımızın önünde polisler sürekli duruyor. Üç saatte bir yenileri gelecekmiş. Şansımız varmış, demek gerek."

"Evet... Çok şansımız vardı!" Onun ve kızının, diye aklından geçirdi Norma. Ve bütün diğer çocukların. Fakat benim? Böyle düşünme. Alvin yanında. Birkaç saat sonra yeni şeyler öğreneceksin. Çok yeni ve çok önemli şeyler duyacaksın. Ve duyacağın o şeyler oğlunun katillerini ortaya çıkarmanda yardımcı olacak sana.

Bir süre ikisi de konuşmadı. Yatağın kenarında oturmuş, düşüncelere dalmışlardı. Arada sırada geçen bir uçağın uğultusu duyuluyordu.

298

Birden Norma elini bluzunun yakasına soktu ve boynundaki altın zinciri çıkardı. Pierre'in Beyrut'ta uğur getirsin diye armağan etmiş olduğu ve yıllardır boynunda taşıdığı dört yapraklı yoncayı. Yatağın üzerinden Barski'ye uzattı.

"Alın."

"Fakat... Fakat bu sizin uğurunuz!"

"Size armağan ediyorum şimdi." Norma karşısındaki adamın gözlerine baktı. "Alın! Belki size daha çok uğur getirir! Getirmesini arzuluyorum. Size ve Jeli'ye!" Erkek de onun gözlerine baktı. İri ve kara gözlerine.

Sonra zinciri aldı, boynuna taktı. Bakışlarını bir an bile Norma'nın gözlerinden çekmeden.

"Çok teşekkür ederim, Norma," dedi.

Jeli uykusunda mırıldandı. "Çok kötü bir şey..."

Norma başını çevirdi. Neden böyle yaptım? Neden? Boş ver şimdi kendimi daha rahatlamış hissediyorum. Yaptığım için memnunum.

"Eğer insanlar..." diye Jeli mırıldandı.

Barski elini uzatıp karşısındaki kadının elini tuttu. Norma elini çekti.

Otelin üzerinden bir uçak daha geçti. Odadaki iki insan birbiriyle konuşmadı. Birbirine bakmadı da. Saat üç buçuğa doğru kapı vuruldu. Barski kalkıp açtı. Mila gelmişti. En güzel elbisesini giymişti, başında da eski model bir şapka vardı. Koşar adımlarla yatağa gitti ve soluk soluğa, "Benim zavallı küçüğüm!" dedi. "Bak Mila geldi! Uçakta hep senin için dua etti durdu Mila. Tanrıya şükürler olsun," dedi. Seni koruduğu için... Beyefendiye ve sayın bayana da... Ne kadar merak edip üzüldüm. Fakat şimdi her şey yolunda, benim küçüğüm. Şimdi Mila senin yanında kalacak! O kötü insanların ulu Tanrı cezasını verecek. Evet, evet, cezalandıracak onları!"

30

Başkomiser Sondersen konuştu: "Adamlarımdan biri rahibeyi sağ baldırından vurmuş. Kiliseden otomobile kadar oldukça kan kaybetmiş. Sanırım yolda da kaybetmiştir. Berlin'in bütün hastane ve doktorları alarma geçirildi. Bütün sınır kapıları ve havaalanları da. Tabii böyle insanların elinde doktor da vardır. Aptal değil onlar, biliyorum. Berlin'den çıkmayacak. Burada saklanacak." Westen'in büyük dairesinde oturuyordu. Barski ve Norma da odadaydı. Sondersen'in yanındaki küçük masada duran bir telsizden sürekli konuşmalar duyuluyordu.

"Peki ama sizi ne yapacağız?" Sondersen karşısında oturanlara tek tek baktı.

"Şimdiye kadar olduğu gibi bizi korumaya devam ederseniz yeter," dedi Alvin Westen. Üzerinde yeni giysiler vardı. Dışarıda hava çok sıcaktı. Yaz sıcağı vardı. Ancak oturdukları salon serindi.

"Yeteceğini sanmıyorum. Otelden çıkmak istiyorsunuz, değil mi?"

"Evet. Bir dostumu ziyaret edeceğiz. Saat altıda."

"Şimdi beni dinleyin!" dedi Sondersen. "Dostunuzun kim olduğunu, nerede oturduğunu ve ne yaptığını biliyorum."

"Nereden? Benim koruma polislerimi Bonn vermiştir. Onlar konuşmaz."

"Evet," dedi Sondersen. "Bu nedenle de peşinize adam taktım ya. Size güvenmediğim için değil! Fakat elimden geldiğince bir şeyler öğrenmeye çalışmalıyım. Dostunuzun adı Lars Bellmann, kırk iki yaşında; İsveçli. Uluslararası anlaşmazlıkları araştırma uzmanı! Enstitüsü Stockholm'de. Bir yıldır burada yaşıyor. Araştırma yapıyor. Berlin'deki İsveç Başkonsolosluğu görevlilerinden birinin evinde kalıyor. Adresi, Dahlem, Im Dol 234 numara. Sizinle birlikte Washington ve Moskova'ya gitti, bazı kişilerle görüştü. Onların adlarını da vereyim mi?"

"Gerekmez," dedi Westen. "Tebrikler!"

"Teşekkürler. Neden ona telefon edip buraya gelmesini söylemiyorsunuz?"

"Gelmeyeceği için."

"Niçin gelmeyecekmiş?"

"Benim gibi tehlikede de onun için. Bu oyun berabere, Bay Sondersen!"

"Hayır. Size başka haberlerim de var, sayın bakan. Adamlarım Bay Bellmann'ın peşinde. Berlin'e döndüğü günden beri. Olağanüstü bir insan değilim, fakat budala da değilim!"

"Bunu iddia eden oldu mu?" Westen başını iki yana salladı. "Çok tuhaf düşünüyorsunuz, anladığım kadarıyla."

"Neden?"

"Adamlarınız Bellmann'ın peşinde. Bizim de. Onu ziyarete gitmemize izin vermiyorsunuz. Oysa onun buraya gelmesini istiyorsunuz. Onun hayatı sizce o kadar değerli değil mi?"

Sondersen karşı çıktı. "Yeter artık! Sizler oteli terk etmeyeceksiniz!"

Westen, "Ben size daha çok zorluk çıkarmak istemiyorum," dedi. "Başınızda yeterince dert var!"

"Bunu da nereden çıkarıyorsunuz?"

Westen, Norma'ya baktı.

"Ne?" diye sordu Sondersen. "Ne söyledi size?"

"Sizin... durumunuzun kolay olmadığını, sayın başkomiser. Bunu ilk gün de söylemiştim. Anımsıyorsunuz değil mi? İlk görüşmemizde özel timler olup olmadığını sormuştum. Siz de bana, yoktur, demiştiniz. Olsa da söyleyemeyeceğinizi açıklamıştınız. Sanırım şimdi ben sizi dertlerinizden kurtarmak üzereyim!"

"Bunu hiç kimse başaramaz. Siz de, sayın bakan."

"Kim bilir?" dedi Westen.

Masada duran telsizden sesler duyuldu.

Barski, "Rahibenin izini bulabildiler mi?" diye sordu.

Sondersen başını iki yana salladı. "Ona görev vermiş olan dostları o kadar güçlü ki! Paris'teki Eurogen'den kaçan Doktor Cronyn gibi. Bana verdiğiniz bilgilere tekrar teşekkür ederim, Bayan Desmond."

"Yeni bir şey elde edebildiniz mi?" diye sordu Norma. Sondersen başını önüne eğdi. "Evet. Bana yardım eden birkaç dostum var henüz. Bu sabah yeni bilgiler edindim. Jack Cronyn'in gerçek adı Eugene Lawrence. 1970'ten 1975'e kadar Amerikan hükümetinin Nevada çölündeki bir enstitüsünde görev almış."

"Nasıl bir enstitüymüş bu?"

"DNA'ların değişimi üzerine çalışmalar yapan bir laboratuvarmış. Cronyn'in Lawrence adına bir pasaportu da varmış. De Gaulle Hastanesi'ndeki basın toplantısından sonra bu pasaportla Rio'ya uçmuş. Şimdi o kentte izini kaybettirmiş."

"Peki, öteki adam kim? Şu Horst Langfrost? Ben size onun bir fotoğrafını vermiştim," dedi Norma.

"Ne yazık ki, henüz bir şey elde edemedim."

"Bu adamın kim olduğu ve kimler tarafından görevlendirildiği bir türlü ortaya çıkarılamıyor."

"Evet, olmuyor. Lawrence konusunda bildiklerimizi yazamazsınız. Buna karşılık polisin hiçbir şey bilmediğini yazabilirsiniz. Böyle yaparsanız bize destek olmuş olursunuz."

Norma başını salladı. "Peki. Kilisedeki olayın haberini gazeteye geçtim. Çektiğim fotoğrafları da Hamburg'a yolladım. Basılmalarının bir sakıncası yok, değil mi?"

"Olay radyo haberlerinde yer aldı. Akşama da televizyon verecek." Sondersen başını Westen'e çevirdi. "Size gelince sayın bakan, bu durumda Lars Bellmann'a gitmeyeceksiniz. Lütfen beni bazı önlemler almaya zorlamayın."

"Bay Sondersen," dedi Westen. "Ben Bellmann'a gideceğim. Bayan Desmond ve Bay Barski'yle birlikte. Gitmemiz gerekiyor. Artık işe karışmalıyız!"

"Neden karışmalısınız?" diye başkomiser öfkeyle sordu. "Dostum Rahip Niemöller bana şöyle anlatmıştı bir zamanlar: 'Naziler gelip de komünistleri götürdüğünde karışmamıştım. Çünkü ben komünist değildim. Sonra yine gelip sosyalistleri götürdüklerinde de karışmamıştım. Çünkü sosyalistlerle de ilgilenmiyordum. Gelip Yahudileri götürdüklerinde yine karışmamıştım. Ne de olsa Yahudi değildim. Gelip beni aldıklarında ise kimse karışmamıştı. Çünkü karışacak hiç kimse kalmamıştı.' İşte böyle demişti Niemöller bana bir zamanlar. Ben bu sözleri hiç unutmadım ve unutmayacağım da..."

Telefon çaldı.

Westen açtı. "Evet. Burada. Bir saniye." Norma'ya baktı. "Sana."

"Kim?"

"Hemen anlayacaksın."

Norma telefonu eline aldı. "Ben Norma Desmond. Buyurun!"

Tanıdığı o madeni ses karşısındaydı. Kulaklarını doldurdu. "İyi günler, Bayan Desmond."

"Nereden biliyorsunuz?"

"Biz her şeyi biliyoruz, Bayan Desmond." Ses hep aynı çıkıyordu. Bir bilgisayardan çıkar gibi. "Siz Bay Westen'in yanındasınız. Doktor Barski ve Başkomiser Sondersen de orada. Biraz sonra Bay Westen'in bir dostunu ziyaret etmek istiyorsunuz. Bu ziyaret çoktan planlandı. Fakat Bay Sondersen gitmenize engel olmak istiyor. Kilisede olup bitenlerden sonra haklı. Westen'in size ve Bay Barski'ye tanıştırmak istediği adamın adı Lars Bellmann. Kendisi İsveçli, kırk iki yaşında ve Stockholm'de bir enstitüsü var. Bir yıldır Berlin'de bir araştırma yapıyor. Dünyanın en başarılı 'anlaşmazlıkları araştırma uzmanı.' Sorun Bay Westen'e bu söylediklerim doğru mu?"

Ötekiler Norma'nın yanına sokulmuştu. "Kim?" diye Sondersen bilmek istedi.

303

"Madeni sesli adam. Daha önce iki kez beni aramış olan kişi," dedi Norma.

Westen, "Ne istiyor?" diye sordu.

"Lars Bellmann'ın dünyanın en başarılı anlaşmazlıkları araştırma uzmanı olup olmadığını sana sormamı."

"Bırak ben kendisiyle konuşayım."

"Mümkün olduğu kadar uzun konuşmaya bakın," diye Sondersen fısıldadı. "Herifin nereden telefon ettiğini bulmaya çalışacağız." Koşarak yatak odasındaki ikinci telefona gitti.

Norma konuştu. "Şimdi size Bay Westen'i veriyorum."

"Hayır, vermeyin," dedi madeni ses. "Ben zamanı gelince Bay Westen'le de konuşacağım. Önce sizinle konuşmalıyım. Bay Sondersen'le de ayrıca görüşeceğim. Bu konuşmamızı mümkün olduğu kadar uzatmanızı mı istedi? Benim nereden aradığımı bulmak istiyor, değil mi? Söyleyin ona, bunu hiç başaramayacak."

Westen, Norma'nın elinden telefonu almak istedi. Fakat kadın başını salladı. "Bay Lars Bellmann," diye madeni ses devam etti. "Berlin'de Dahlem, Im Dol 234 numarada kalıyor."

Sondersen yatak odasından döndü.

"Doğru," dedi Norma telefona.

"Görüyor musunuz? Bay Westen'in son zamanlarda Bay Bellmann'la ne görüştüğünü de biliyoruz."

"Kilisede onu niçin öldürtmek istediğinizi şimdi anlıyorum," dedi Norma.

"Bunu biz yapmadık. Ayrıca öldürülmek istenen yalnızca Westen değildi."

"Peki kimdi?"

"Siz, Bay Westen ve Doktor Barski! Birbirine karşı çalışan, fakat sonunda aynı şeyi isteyen iki tarafla birden savaşmakta olduğunuzu artık kavramışsınızdır."

"Peki, ne istiyorsunuz?"

"Bunu da anlayacaksınız, Bayan Desmond. Çok yakında."

"Ne diyor?" diye Sondersen merakla sordu.

"Bay Sondersen sabırsızlanmasın," dedi madeni ses. "Ona da açıklarım. Bay Westen'le Sondersen'e söyleyin, ne dediklerini işitiyorum. Beklesinler." Norma söylenenleri yanındakilere yüksek sesle iletti.

"Teşekkürler," dedi ses sonra. "Üçünüzün birden öldürülmesi gerekiyordu. Bay Bellmann'ın da. Karşı taraf ne yazık ki aceleci kimseler. Bay Bellmann'la Bay Westen'in bildiklerini açıklamalarına engel olmak istiyorlar. Bizse, Bay Bellmann'ın, Bay Westen'le birlikte Washington ve Moskova'da öğrendiklerini Stockholm'e gönderip bir kasaya koydurttuğunu bilmekteyiz. Eğer başına bir şey gelirse, her şey dünya basınına açıklanacak. Bay Bellmann da sizin gibi bir hayat sigortası yaptı! Bu nedenle kendisine bir şey olmayacak. Biz bu durumu karşı taraftan biraz önce öğrendik. Kötü değil mi, ne yaptığını bilmeyen acelecilerle uğraşmak?" Yandaki odada telefon çaldı.

"İkinci telefon çalıyor," dedi ses. "Sondersen'in adamları. Nereden telefon ettiğimi bulamadıklarını söyleyecekler kendisine."

Yandaki odadan gelen Sondersen başını iki yana salladı.

"Sizin anlayacağınız," diye ses devam etti. "Karşı taraf sorumsuzca davranmış olduğunu bu arada anlamış bulunuyor. Şimdiki durumda bazı şeyleri öğrenmeniz gerektiğini biz de kabul ediyoruz. Fakat hepsini değil. Profesör Gellhorn'dan istenen şeyleri sizlerden de istiyoruz! Şimdi iki taraf adına şunu açıklıyorum: Hiç çekinmeden Bay Bellmann'ı ziyarete gidebilirsiniz. Kılınıza bile dokunulmayacak! Kilisedeki olaya dönelim yine. Sizlere ateş eden rahibenin sağ baldırından yaralandığını biliyorsunuz."

"Evet, biliyorum."

"Bilmediğiniz bir şey var, o da rahibenin kadın değil de, erkek olduğu. Bay Sondersen adamlarını Lassen Caddesi 11 numaraya yollasın. Orada kırmızı bir Mercedes 220'nin park etmiş olduğunu görecekler. Bagajını açsınlar. İçinde rahibe adamı bulacaklar. 7.65 çapında bir Walther PP'yle şakağından vurulmuş. Bunu yapmak zorundaydık." Güldü. "İyi niyetimizi de göstermek istedik. Şimdi bana Bay Sondersen'i verin. İyi günler." Norma telefonu başkomisere uzattı. Sondersen karşısındaki adamın söylediklerini dinledi. Arada sırada başını sallıyor ve "Evet" ya da "Hayır" diyordu. Sonra telefonu Westen'e verdi. Masadaki telsizini alıp üç numaralı aracı aradı. "Derhal Grunewald'da Lassen Caddesi 11 numaraya gidin. Orada B-MC 3765 plakalı kırmızı bir Mercedes 220 bulursanız, hemen beni arayın. Otomobile dokunmak yok!" Bu arada Westen, bilinmeyen adamın anlattıklarını dinlemiş, telefonu kapatmıştı. Koltuğuna oturdu.

"Herifin söyledikleri doğru mu?" diye Sondersen sordu. "Hepsi." Westen başını salladı. "Bellmann'la benim Washington ve Moskova'da görüştüğüm kişilerin adlarını bile söyledi. Birinci sınıf profesyonel. Böylesine büyük ve korkunç bir olayda tam profesyonel kişilerle karşılaşacağımızı biliyordum. Her iki tarafta da böyle insanlar çalışıyor. Bay Sondersen, bugün büyük bir adam olacaksınız, Bayan Desmond'la bir anlaşmanız var. Bu akşam size Lars Bellmann'la yapacağımız görüşmeyi anlattığımda, henüz anlayamadığınız şeyleri kavrayacaksınız! Bay Sondersen, lütfen izin verin Bellmann'a gidelim. Çünkü bu adam benden daha çok şey biliyor. Ve bizimle buluşmak için başka zamanı yok. Yarın sabah Pekin'e uçacak. Onunla mutlaka bugün görüşmeliyiz." Westen sesini yükseltmişti. Norma ona baktı. Zorlukla soluk aldığını fark etti. Dostunun bu kadar heyecanlandığını hiç anımsamıyordu. Barski ve Sondersen merakla yaşlı adama bakıyorlardı.

Sondersen, "Böylesine büyük ve korkunç bir olay, dediniz biraz önce. Gerçekten o kadar korkunç mu?" diye sordu.

"Evet. Böyle korkuncunu hiç görmemiş, hiç işitmemiştim." Westen kendini toplamaya çalışıyordu.

Sondersen yine sordu: "Nedir bu olay?"

"Yeryüzünün geleceği. Çok yakın geleceği söz konusu. İşte bu nedenle işe karışmalıyız. Karışmak zorundayız. Çok az da olsa bir umut var. Onu yitirmemeliyiz. Bu bizlerin görevi. Savaşmalıyız. Bu savaşı yapacak kişiler de, yazdığı için Norma, olayın tam ortasındaki Doktor Barski ve yardımlarını rica edebilecek bazı önemli dostları olan benim. Tabii siz de başkomiser bey! Bizler yapmalıyız bu savaşı!"

"Söyledikleriniz çok dehşet verici," dedi Sondersen.

"Evet, dehşet verici. Biz şimdi bu dehşet verici gerçeğin karşısında duruyoruz."

31

Hepsi ona baktı. Yine telefon çaldı. Westen açtı. "Bir saniye." Norma'ya döndü. "Seninkiler. Biraz önce Hamburg'dan gelmişler."

Norma telefona gitti. "Alo, Franziska! Çok çabuk geldiniz. İyi. Aşağıda biraz bekleyin. Ne yapacağımızı henüz bilmiyorum. Ben telefon ederim... Hayır, yukarı gelmeniz mümkün değil... Biraz bekleyin... Teşekkürler." Telefonu kapattı.

Aynı anda telsizden bir ses duyuldu. "Araç burada, sayın başkomiser! Plakası, modeli ve rengi söylediklerinize uyuyor."

"Hemen caddeyi kapatın! Birkaç yardımcı daha çağırın. Otomobilin yakınında oturanlar evlerini terk etsinler. Ne olur ne olmaz. Bu bir tuzak da olabilir. Belki bagajda bir bomba var, belki de bir ceset?"

"Bir ceset mi?"

"Kilisede ateş eden rahibe. Bir erkek belki. Riske girmeyelim. Bomba uzmanını da hemen çağırın. Bagajı önce dışarıdan aletlerle gözden geçirsinler, ondan sonra açsınlar. Çok dikkat edin... Hayır, ben hemen oraya geliyorum!" Telsizi eline alıp

307

ayağa kalktı. "Buradan dışarı çıkmayacağınıza söz veriyorsunuz! Eğer yine de çıkmak isterseniz, koridorda duran adamlarım engel olacaktır."

"Bay Bellmann'la olan randevumuz, Bay Sondersen!" diye Westen uyarır gibi konuştu.

"Telefon edin ve durumu anlatın."

"Peki," dedi Westen. "Ya kilisedeki adam gerçekten bagajda yatıyorsa, o zaman Bellmann'a gidebilir miyiz?"

"Bazı koşullarım olacak. Fakat şimdi hemen Grunewald'a gitmem gerek. Ben sizi ararım." Kapıya doğru yürüdü.

"Bir saniye!" Norma ayağa kalkmıştı. "Aşağıda muhabirlerle bir fotoğrafçı bekliyor. Onlar da sizinle gelebilir mi?"

"Ne yazık ki, hayır!"

"Eğer bagajda bir ölü varsa, nasıl olsa bu akşam basına açıklayacaksınız, değil mi? Lassen Caddesi'nde oturanlar da ne olduğunu görecek. Lütfen, Bay Sondersen!"

Başkomiser bir an duraksadı. "Peki," dedi sonra. "Bir muhabirle, bir fotoğrafçı."

"Teşekkürler," dedi Norma. "Otomobilleri var. Peşinizden gelsinler."

"Fakat caddenin ağzına kadar! Daha ileri gitmek yok! Fotoğraflarını da oradan çeksinler. Ve siz bana, bu haberi yalnız *Hamburg* gazetesine geçeceğinize söz vereceksiniz!"

"Söz veriyorum."

"Görüşmek üzere." Kapı Sondersen'in ardından kapandı.

Norma telefona koştu. Santralden, aşağıda bekleyen üç gazeteciden birini telefona çağırmasını rica etti. Biraz sonra Jimmy'nin sesini duydu. "Ne var?"

"Jimmy, asansörden Başkomiser Sondersen çıkacak. Federal Polis'ten. Tanıyorsun onu. Sen ve Franziska peşinden Grunewald'a gideceksiniz, izin verdi. Lassen Caddesi'ne. Caddenin girişinden fotoğraf çekmenize de izin var. Sondersen'in söyleyeceklerini -başka şey yok- Franziska Hamburg'a hemen geçsin!"

"Tamam, Norma. Evet, asansörden iniyor. Eyvallah! Çıkışa doğru yürüyor."

Telefon kapandı.

Norma, Barski'nin yanına oturdu. Biraz sonra konuştu. "Hayvanlar. Vahşi hayvanlar."

"Nerede? Kim?" diye Westen sordu.

"Hepsi," dedi Norma. "Sirktekiler ve bugün kilisedeki katil. Vicdansızlar. Hiç çekinmiyorlar. Suçsuz insanlara acımıyorlar. Çocuklara da. Küçücük çocuklara, Alvin!"

Yaşlı adam susuyor ve yerdeki halıya bakıyordu. Birkaç dakika sonra ağır ağır konuştu. "En vahşi hayvanda bile, çok az da olsa vicdan vardır. Bende yok ve ben bir hayvan değilim!"

"Kimin bu söz?"

"Üçüncü Richard'ın. Shakespeare... Her şey senin sandığından daha da müthiş, sevgili Norma. Yakında bileceksin! Bizim uğraştığımız, savaştığımız kişiler, vahşi hayvanlar değil... İnsan onlar. İnsan, Norma! İşte en kötüsü de bu ya!"

Büyük odada yarım saate yakın hiç kimse konuşmadı. Sonra telefon çaldı. Westen açtı.

"Ben Sondersen. Otomobilin bagajında gerçekten kilisedeki adamın cesedini bulduk. Şakağından vurulmuş. Üzerinde rahibe giysisi vardı."

"Öyleyse..."

"Lars Bellmann'a gidebilirsiniz! Kurşun geçirmeyen otomobile bineceksiniz. Im Dol semtini adamlarım koruma altına alacak. Ve Bayan Desmond anlaşmamıza uygun olarak akşama bana her şeyi bildirecek!"

32

"Bu öylesine anlaşılmaz bir konu ki," diye Lars Bellmann söze başladı. "Tam bir çıkmaz, Amerikalılar diyor ki: 'Ruslar mı? Onlara karşı değiliz. Onlar da bizim gibi insan. Çok cana-

309

yakın, çok iyi niyetli insanlar. Kişilikleri, edebiyatları, konukseverlikleri. O zavallı insanlar neler çekmiştir! Onlara saldırmak mı? Lanet olsun, biz öyle bir şey düşünmüyoruz ki! Ne olursa olsun, böyle bir niyetimiz yok. Onlar Hitler'in ordularına karşı bizimle birlikte çarpışmış dostlarımızdır. Biz hiç kimseye saldırmak niyetinde değiliz. Biz herkesle barış içinde yaşamak istiyoruz. Ancak... tabii Ruslar bize karşı saldırı politikalarından vazgeçmeli. Fakat onlar bunu pek düşünmüyor. Tersine hiç aralıksız silahlanmaya devam ediyorlar. Çılgın gibi. Yaptıklarının boşuna olduğunu anlamalılar. Kapitalizmin ve Amerikan demokrasisinin tek gerçek olduğunu kavramalılar. Biz Amerikalılar dünyanın en büyük gücüyüz. Ancak onlar bunu kabul etmek istemiyor. Umutsuzluğa düşüyoruz. Tabii böyle bir durumda silahlanmaya, durmadan silahlanmaya devam etmekten başka çaremiz yok. Ruslardan daha çok silahlanmalıyız. Buna zorunluyuz! Yoksa inatçılıklarından vazgeçmeyip bize saldırmaya kalkabilirler.' İşte Amerikalılar böyle diyor. Şimdi Ruslara gelelim. Onlar da diyor ki: 'Amerikalılar mı? Onlara karşı değiliz. Kim diyor bunu? Bu çok çılgınca bir iddia! Niçin onlara karşı olalım? Tersine, biz onları severiz. Onlar da bizim gibi insan. Yardımı seven, iyi yürekli, canayakın. Ancak... Bize karşı saldırı politikalarından vazgeçmiyorlar. Hiç aralıksız silahlanıyorlar. Dünyayı kurtarmanın tek çıkar yolu olan sosyalizmimize karşı kinlerinden bir vazgeçseler. Fakat hayır, bunu yapmıyorlar. Umutsuzluğa düşüyoruz. Tabii böyle bir durumda da durmadan silahlanmaya devam etmekten başka çaremiz yok. Amerikalılardan daha çok silahlanmalıyız. Buna zorunluyuz. Yoksa bizim haklı olduğumuzu anlayamayıp, bize saldırmaya kalkabilirler! Alman Nazileri bize saldırmıştı. Ülkemiz Ural Dağları'na kadar çöle dönmüş, yirmi milyon insanımız ölmüştü. Yine bize saldıracağından korkmakta olduğumuzu çocuk bile anlar. Bizim inançlarımızda haklı olduğumuzu, onlarla eşit

310

sayılacağımızı ve hiçbir zaman ikinci güç olmayı kabul etmeyeceğimizi anlamalılar."

Lars Bellmann kırk, kırk beş yaşlarında, sarı saçları karmakarışık, devamlı sigara içen, çok hızlı konuşan biriydi. Almancası kusursuzdu. Hiç şivesiz konuşuyordu. Im Dol Caddesi uzun bir caddeydi. Bellmann'ın ikinci katında oturduğu bina, parkı andıran büyük bir bahçenin içindeydi. Evin çevresi kocaman, renk renk, güzel çiçeklerle doluydu. Lars Bellmann ziyaretçilerini kütüphane odasına almıştı. Odanın bütün duvarları tavana kadar kitaplarla doluydu. Bir duvar boşluğunda ressam Braque'un büyük bir litografisi asılıydı. Mavi zeminde beyaz dört kuş. Rahat koltuklar açık kahverengi deri kaplıydı. Masanın üzerinde büyük bir termosta buzlu çay hazırlanmıştı. Yanında fincanlar, şekerlik ve bir tabak kurabiye duruyordu. Dışarıda bahçeden kuş sesleri geliyordu. Hava kararmıştı. Sondersen'in sivil giyimli adamları bahçede dolaşıyordu. Birkaçı da caddede beklemekteydi.

Im Dol 234 numaradaki eve geldiklerinde, kendilerini bu hareketli ve heyecanlı İsveçli karşılamıştı. Westen onu Norma ve Barski'ye tanıştırırken şöyle demişti: "İşte bu en iyi savaş -barış uzmanı! Ondan iyisi yoktur. Gerek doğuda gerekse batıda tüm güçlü kişileri tanır. Her iki taraf da onu sever ve sayar. Seni bazı kimselerle tanıştıran da odur. Çok çok önemlileriyle de tek başına konuştu. Dünyamızın içinde bulunduğu durum üzerine gerçekleri bize anlatacak şimdi. Hamburg'daki enstitüde olanları ve ilerde olacakları o zaman daha iyi anlayacaksınız. Dünyamızı ve bizleri bekleyen şeyleri de. Sevgili Norma, bu buluşmanın gününü haftalar önce kararlaştırmıştım. Böyle olduğu iyi, çünkü Bay Bellmann yarın sabah Pekin'e uçacak. Bu iş ani çıktı. Ve dediğim gibi her şeyi ondan iyi..."

Bellmann hemen karşı çıkmıştı: "Hayır, öyle değil! Ben yıllarca Bay Westen'in öğrencisi olma mutluluğuna erişmiş bir kişiyim. Birlikte gittiğimiz, konuştuğumuz insanlar onun dostlarıydı. Sonraki yıllarda kendime, içinde bulunduğumuz durumları tam olarak açıklayabilecek güçlü kişileri seçtim. Biraz sonra sizlere açıklamaya çalışacağım şeyler, politikacıların, askerlerin, parti ideologlarının ve güvenlik danışmanlarının Washington ve Moskova'da anlattıklarının -hemen hemen aynı şeyler- bir özeti olacak..."

Sonra kütüphane odasına geçmişlerdi. Bellmann buzlu çayı incecik Japon porseleninden fincanlara doldurmuş, birazını da masaya dökmüştü. Norma'nın küçük teybi çalışıyordu. Bellmann buna razı olmuştu.

Sonra konuşmasına devam etti. "Sizin anlayacağınız, iki güçten hiçbiri savaşı istemiyor. Tersine, savaştan korkuyorlar. Çünkü bir atom savaşının dünyanın sonu olacağını her ikisi de bilmekte. Fakat ne yazık ki, atom savaşından çekinmelerine karşın, birbirlerine bir türlü güvenemiyorlar. Ve her şey böyle sürüp gidiyor. Şimdi bir Amerikan politikacısı gibi konuşayım: 'Dikkat!' diyor. 'Ruslar bizden çok daha başka şeylerin peşinde! Onlar dünya devrimini istiyor. Bütün dünyaya hükmetmek istiyorlar. Savaş istemediklerine inanmıyoruz. Onlar her an saldırabilir.' Gördünüz mü, korku hep var. Her kötülüğün kökü!" Bellmann soluk soluğa kalmıştı. Norma hayran olmuş gibi ona bakıyordu. "Amerikalı devam ediyor, 'Öyleyse,' diyor. 'Rusların bizi ortadan kaldırmaması için hep hazırlıklı olmak ve de silahlanmaya devam etmek zorundayız.' Tabii bu durum bir savaş tehlikesini sürekli artırıyor."

"Tabii," diye mırıldandı Barski..

"Evet, öyle değil mi? Şimdi de bir Rus politikacısını dinleyelim." Masaya uzanıp bir sigara aldı. Parmak uçları sararmıştı.

"Rus diyor ki: 'Bu Amerikalıların çılgınca düşünceleri vardır. Demokrasileri ve Coca Cola'larıyla bütün dünyayı mutlu edeceklerini sanırlar! Sanki bu dünyanın polisi onlar! Onlar çok iyidir, biz Sovyet Ruslar da çok kötü. Başkan Reagan hep böyle söylemiyor mu? Şimdi biz Amerikalılara, savaş istemediklerine nasıl inanalım? Hayır, bu mümkün değil. Hiç aralıksız silahlandıklarını da görüyoruz. Bu ne demek? İlk önce onlar saldırmak istiyor demek! Novgorotlu siyah Meryem duysun ki, biz savaş filan istemiyoruz. Fakat bu durumda bizim de silahlanmaya devam etmekten başka çaremiz var mı? Hep hazır olmalıyız. Saldırmaktan çekinsinler diye. İlk önce saldırmak için planlar yaptıklarını fark edersek, onlardan önce saldırabilecek durumda olmalıyız. İşte bütün bu düşünceler, bir savaş tehlikesini sürekli artırıyor, öyle değil mi?" Bellmann o akşam üzerine beyaz keten bir pantolon, beyaz keten bir ceket, mavi gömlek ve beyaz makosenler giymişti. "Buraya kadar anlaşıldı sanırım."

Norma başını evet anlamında salladı.

Bellmann birden sırıtmaya başladı. "Şimdi hem Amerikalıları hem de Rusları taklit edeceğim. Her ikisi de şöyle düşünüyor: İlk saldırı bizden mi? Hayır, mümkün değil. Bunu yapamayız. Ahlaki yanı önemli değil. Fakat saldırı sonunda her ikimiz de mahvoluruz. Bu da dünyanın sonu demektir. Bütün düşlerimizin, planlarımızın ve isteklerimizin de. Peki, şimdi ne yapacağız? Hiç sesimizi çıkarmadan, barış içinde mi yaşayalım? Bu mümkün mü? Hayır, mümkün değil. Eğer böyle yaparsak, ötekiler ne düşünür? Derler ki, seslerini çıkarmıyorlar, barış varmış gibi aldatıyorlar, ama bir gün ansızın saldıracaklar! Öyleyse? Öyleyse biz saldırıya hazır olmalıyız ve gerekirse ilk biz vurmalıyız. Ancak bizler bunu yapmak istemiyoruz ki! Bir dakika! Bunu yapmayacaksak, kendimizi çok saldırganmış gibi göstermeliyiz. Onlardan hiç korkmadığımızı, onlara önem vermediğimizi anlasınlar diye. Bu mümkün mü? Hayır, lanet olsun, bu da mümkün değil. Çünkü böyle yaparsak, ötekiler der ki, domuz herifler işte gerçek yüzlerini gösteriyor. Alarma geçmenin tam sırası! Derhal daha çok saldırgan olmalıyız, onlardan hiç korkmadığımızı daha çok göstermeliyiz."

Bellmann yeni bir sigara yaktı. Ve daha hızlı konuştu: "Böyle devam edemez, bu mümkün değil. Ne yaparlarsa yapsınlar, hep yanlış! Sonuç da hep aynı. Felaket! Korku ve güvensizlik içinde yaşama daha ne kadar sürecek? Onlar bunu anladılar. Belki beş yıl sürecek, belki de on yıl. Otuz veya elli yıl da sürebilir! Fakat bu çok uzun bir süre. İkisi de buna dayanamaz. Her geçen gün daha çok silaha gereksinmeleri var. Ve böylece ansızın savaş çıkma tehlikesi gittikçe büyüyor. Bu savaş istenmeden çıkabilir. Teknik bir arıza nedeniyle değil. Her an kötüye giden dünya politikasında öyle bir duruma düşülebilir ki, taraflardan biri şöyle demek zorunda kalır: 'Lanet olsun, elimizde yeterinden fazla füze var. İlk saldırıyı biz yapmalıyız, yoksa karşı taraf beş dakika sonra saldırabilir.' Görüyor musunuz, silah sayısı arttıkça, savaş çıkma olasılığı da artmakta!" Bellmann'ın yüzünü yine bir sırıtma kapladı.Norma dayanamadı: "Bu düşünceler sizi keyiflendiriyor mu?" diye sordu.

"Kesinlikle, hayır," dedi Bellmann ve yine sırıttı. "Ben çok umutsuzum, sayın bayan. Ufukta tek bir umut ışığı görmüyorum."

Öyleyse tik, diye düşündü Norma. Hiçbir umudu, gülecek tek şeyi olmadığı için böyle sırıtıyor. Tuhaf bir sırıtma.

Aşağıda bahçede yaşlı ağaçların arasında Sondersen'in adamları dolaşıp duruyordu.

33

Westen ayağa kalkarak masanın yanında durmuş, fincanına yeniden buzlu çay dolduruyordu. Norma'nın teybi çalışmaktaydı...

"Tabii her iki tarafın askerleri ve politikacıları katil kimseler değil," diye İsveçli konuştu. "İnanın bana, Bayan Desmond, dünyayı yok edecek insanlar da değiller. O ilginç ve güzel düşüncelerinizden bana söz etmişti Bay Westen."

"Nedir bu düşünceler?" diye Barski sordu.

"Önemli değil," dedi Norma. "Son yıllarda başımdan geçenlerden sonra, bir gün Bay Westen'e düşüncelerimden söz etmiştim. Demiştim ki: 'Eğer elimden gelseydi, on bin politikacıyla askeri duvarın önünde kurşuna dizdirirdim. İşte o zaman dünyada barış gerçekleşirdi.'" Norma dişlerini göstererek sırıttı. Aman Tanrım, diye düşündü. Bu adamın tiki bana da mı geçti?

"İşte," diye sözlerini sürdürdü Bellmann. "Her iki tarafın politikacıları ve askerleri, ayrı ayrı da olsa, şu karara vardılar: Bu atom sarmalı hiç durmadan dönüyor. Sonunda dünya felaketi kaçınılmaz. Bu nedenle efendiler dediler ki... Ne dediler sanıyorsunuz?"

"Bu sarmaldan kendimizi kurtarmalıyız," diye yanıtladı Norma.

"Bravo! Evet, böyle dediler. Bu sarmaldan kurtulmalıyız! Fakat nasıl?" Yine sırıttı. "Onlar, Amerikalılarla Ruslar yan yana yaşamayı bir kez denemişlerdi. Ortak yaşam! Bunu başarmışlar mıydı? Hayır, ne yazık ki olmamıştı. Niçin olmamıştı? Çünkü Amerikalılar Rusların, Ruslar da Amerikalıların bazı şeyleri hiçbir zaman kabul edemeyeceklerini kavrayamamışlardı. Her ikisi de kendini diğerinin yerine koyup başka türlü düşünmeyi beceremiyor. Her iki güç de, diğerinin ne yapmak istediğini bildiğini sanmakta. Bunu yaparken de çok budalaca, yanlış ve burnu Kafdağında davranıyorlar. İşte hiçbir zirve toplantısında elle tutulur ve olumlu sonuçlara varamamalarının nedeni de bu." Bütün dişlerini göstererek yine sırıttı. "Son yıllarda söyledikleri en güzel söz: 'Atom sarmalından kurtulmalıyız! Fakat bunu nasıl yapacağız? Yan yana yaşamayı başaramadık. Dolayısıyla barış da mümkün değil. Her çatışmanın sonunda bir yenen, bir de yenilen vardır. Yenilmeyi düşünemeyiz bile. Öyleyse yenmeliyiz! Ne gerek bunun için?'"

"Yeni, bambaşka silah sistemleri," dedi Norma.

315

"Örneğin SDI,"* dedi Barski de.

"Örneğin SDI," diye yineleyen Bellmann sırıttı. Yeni bir sigara yaktıktan sonra konuşmasına devam etti. "Yıldızlar Savaşı filmlerinin ardından ortaya çıkan bir düşüncedir. İlkokula gitmeyen çocuklar bile kavrayabilir. Füze füzeyi uzayda vurur. Gerçekte çılgınca bir düşünce. Neden mi? SDI denemelerini kabul eden kişi, SDI gerçekleştiğinde, füze savunma sistemlerinin kurulmasını da kabul etmek zorundadır. Ancak SDI'nın başarılı bir sistem olup almadığını bilmeden, ne bir Amerika başkanı ne de bir Sovyet meclisi şu anda kullanılan silahların geliştirilmesinden vazgeçebilir. Çünkü günümüzde bilinen silahlarla 'en kötü durumda on, seksen, hatta yüz altmış milyon Amerikan ya da Rus vatandaşının hayatı kurtarılabilir,' diyor uzmanlar. Şu anda karşılıklı korkutmayla savaştan korunabiliyoruz. Ancak SDI'nın gerçekleştiğini düşünelim, silahları azaltma ya da silahları azaltmanın kontrolü artık mümkün olamayacak. İki taraftan biri güçlenecek. SDI'nın başka bir kötü yanı da, barış süresince güvenilir olup olmadığının denenmemesi. SDI'nın geliştirilip başarıya ulaştırılması ancak bir savaşla mümkündür. Barış için önce savaş!" Yine sırıttı. "Ve SDI'yı uygulayan ilk saldırıyı yapmak zorunda. Karşı tarafa yolladığı füzelerden ancak yüzde beşi savunma sistemlerini geçse, günümüzde bu, atom başlıklı beş yüz füze demektir. İlk saldırıdan vazgeçilemez, öyle değil mi, doktor bey?"

"Evet. SDI'ya bir başlayan, bir daha vazgeçemez," dedi Barski de.

"İşte böyle. SDI'ya başlayan, füzelere karşı füzeler de yapmak zorundadır. Ve bunun sonu gelmez. Kendini biraz üstün görenin, ilk saldırı denemesi de kaçınılmaz olur. Sizin anlayacağınız SDI ve ilk saldırı Siyamlı ikizler gibidir!"

"Kısacası," diye Westen söze karıştı, "Amerikalılar SDI yaptı mı Sovyetler de yapmak zorunda. Hayatta kalabilmek için."

---

* Stratejik Savunma Şemsiyesi. (ç.n.)

"Doğru," diye Bellmann sesini yükseltti. "SDI diyen, müthiş bir silahlanmaya da 'evet' der. Şimdiye kadar olmamış bir silahlanma yeryüzünü kaplar. 'Son yengi' uğruna deli gibi silahlanma!"

"Bu 'son yengi'den ülkemiz ve diğer ülkeler nasiplerini almıştı," dedi Barski. "Kırk yıl sonra etkisini hâlâ hissetmekteyiz!"

"Sizin anlayacağınız, SDI diyen politikacılar, sonu olmayan bir silahlanma yarışına bile bile başlayacaktır. Bu yarış en az yirmi beş otuz yıl sürebilir. İlk saldırıyı yapabilmek için akla gelmedik silah sistemleri geliştirilebilir. Savaşı önlemek isteyen taraf, gerek kendini, gerekse karşısındakini, savaşı başlatacak ilk vuruşu son çare olarak görme durumuna düşürmemelidir. SDI'ya karşı çıkmak da, bugüne kadar olduğu gibi atom füzeleriyle karşı tarafı korkutmaya ve toplumları korunmasız rehineler gibi tutmaya devam etmekle olur. Ancak bu da savaşa sonsuza kadar engel olamaz. Tarihteki örneklerine bakarsak, böyle davranmakla savaş günün birinde gerçek olabilir. Gerek SDI gerek bugünkü silahlanma, sonunda ölüm tuzağına götüren iki yol için yapılan bir kavgadır." Lars Bellmann ağzı kulaklarında sırıttı.

34

Ve dışarıda büyük bahçede Sondersen'in adamları tur atıp duruyordu.

"Tabii bu arada," diye İsveçli devam etti, yeni bir sigara yaktıktan sonra. "Her iki tarafın en iyi uzmanları SDI'nın bir çılgınlık olduğunu anladı."

"Fakat Reagan hâlâ ısrar ediyor," diye Norma sesini yükseltti.

"Evet, Reagan ısrar ediyor," dedi Bellmann. "Fakat ben onun nedenleri üzerine konuşmak istemiyorum."

Barski: "Büyük endüstriye bağımlı olduğu için," diye söze karıştı.

"Bunu siz söylediniz! Reagan her geçen gün Yıldızlar Savaşı projesine daha çok karşı çıkanlarla uğraşmak zorunda. Amerika'nın yedi yüz elli en önemli bilim adamı SDI'yla ilgili her türlü araştırmayı sabote edeceklerini açıkladı!"

"Dostum Lars'ın beni tanıştırdığı askerler ve politikacılar," dedi Westen, "yeni bir uyuşmazlığın yepyeni olasılıklarından söz etti. Hem Moskova'da hem de Washington'da."

"Ve biz yepyeni bir şey duyduk. Bir deyim. İki sözcüklük," diye İsveçli söze karıştı. "Buna *Soft War* deniyor!"

"*Soft War*?"

"Evet, *Soft War*. Başka bir deyimle karıştırmamak gerek. *Software*, bilgisayar programlarında yazılım anlamına kullanılır. Bu yeni deyim *Soft War* ise yumuşak, durgun savaş anlamına gelir. Her iki taraf da şimdi biyolojik silahların bir çıkar yol olacağına inanmakta. Gizli laboratuvarlarda en mükemmel biyolojik silah aranmakta. Böyle bir silahın kullanılacağı savaşta ne insanlar ölecek ne de binalar yıkılacak. Bu öyle bir silah olacak ki, karşı taraf insanlarının kendilerini koruma olanağını ortadan kaldıracak. Çok sessiz, çok yumuşak bir savaş için çok sessiz, çok yumuşak bir silah! Günümüz savaşlarına son verecek bir silah. Çünkü onu ilk kullanan taraf sonsuza kadar kazanmış demektir. Dünyaya tek hükmeden o olacaktır." Sırıtma. "Yüzünüzün sarardığını görüyorum, Doktor Barski. Siz bunda çok haklısınız. Çünkü böyle bir silahı en çok sizin çalışmalarınızı yaptığınız alanda aramaktalar. Değişime uğrayan DNA'lar alanında! Belirli virüsleri arıyorlar. İnsanları istendiği gibi değiştirebilecek yöntemleri araştırıyorlar."

Norma, "Nis'teki Doktor Kiyoshi Sasaki'den bu nedenle mi bazı dosyalar çalındı?" diye sordu.

"Tabii!"

Westen söze karıştı: "Paris'teki Eurogen'de de öyle mi? Sondersen'den gerçek adının Eugene Lawrence olduğunu öğrendiğimiz şu Doktor Jack Cronyn'in yıllarca Amerikan hükümetinin Nevada çölündeki bir laboratuvarında çalıştığını da biliyoruz. Basın toplantısından hemen sonra kaçtı. Patrick Renaud'nun grubundaki hain mutlaka oydu. Cronyn-Lawrence kansere karşı savaşta yapılan DNA'ların değişimi deneyleri sonuçlarını kendisini görevlendirmiş olanlara bildiriyordu. Yeni maddenin neden olduğu o müthiş kazayı da tabii onlara haber vermişti. Bir iş kazasıydı. Sizin enstitünüzde de bir kaza olmuştu, Doktor Barski. Sizde olup bitenleri de hemen başkalarına bildiren bir hain var. Profesör Gellhorn'un şantaja karşı koymasından sonra böyle bir gelişme başlamış olacak."

"Nis'te Sasaki, Paris'te Eurogen, Hamburg'da siz?" dedi Bellmann. "İşte bu nedenle, iki gücün çok ilgilendiği konularda sizlere bilgi vermek doğru olacağı için bu görüşmemiz gerekliydi. Ancak en az bunun kadar, anlattıklarımın başkalarına duyurulmaması, herhangi bir yerde yayınlanmaması da gereklidir. Grubunuzdaki elemanlara tek tek bilgi verip vermemek sizin bileceğiniz şey, Doktor Barski. Bay Sondersen'e anlatıp anlatmamaya da siz karar vermelisiniz, Bayan Desmond ve Bay Westen. Bence bunu yapmanız doğru olur. Belki Sondersen çalışmalarının neden böyle sınırlandırıldığını daha iyi anlar. Siz Doktor Barski, çok yürekli bir insan olmalısınız, çünkü Profesör Gellhorn'un yerine geçmekle bütün sorumlulukları da üstlendiniz."

"Size göre Profesör Gellhorn enstitümüzde bir yanlışlık sonucu ortaya çıkan o tehlikeli virüs konusundaki bütün bilgileri vermeye yanaşmadığı için öldürüldü, öyle mi?" diye Barski sordu.

"Ben bundan eminim," dedi İsveçli "Bütün dünyada *Soft War* için yepyeni silah araştırmaları yapılmakta. Politikacıların bundan beş, altı yıl önce atom sarmalından kurtulmanın gerekli olduğunu kavramasından sonra bu araştırmalara başlandı. Olasılık kurallarına göre, günün birinde uzmanın biri herhangi bir ülkede bu savaş için on uygun virüsü bulacaktır. Sonra bir virüs daha, bir tane daha. Sizin bulduğunuz virüsün, güçlerden birinin tüm dünyaya hükmetmesini sağlayacak tek silah olacağını sanmayın. Sizin şanssızlığınız, böyle bir virüsü ilk bulan araştırma grubu olmanızdır, işte bu nedenle her iki taraf da sizinle müthiş ilgileniyor. Bütün şantaj ve baskı denemeleri sizlere yapılmakta." Bellmann yine çirkin çirkin sırıttı. "Çünkü elinizdeki virüs *Soft War* için çok uygun. Bana anlatılanlara göre bu virüsü kapan insan bütün kişilik özelliklerini yitiriyor. Hiç kimseye ve hiçbir düşünceye karşı koyamıyor, karşısındaki insanın görüşlerini benimsiyor. Şaka bir yana, bu virüsü kapmış olan bir Gorbaçov, Wall Street çıkarları uğruna savaşacak, 'Amerikan yaşam tarzı'nı ve Amerikan demokrasisini koruyacaktır. Bu virüsü kapmış olan bir Reagan da, dünya devrimi ve 'bütün ülkelerin işçilerinin birleşmesi' uğruna savaşacaktır. Bu virüs zekâya ve çalışma gücüne zarar vermiyor. Hatta belirli bir alana olan ilgiyi artırıyor. Bundan iyisi düşünülebilir mi? Durumunuzun ne kadar kritik olduğunu sanırım şimdi çok daha iyi anladınız?"

Barski başını önüne eğdi.

"Anlıyor musunuz?"

"Evet, Bay Bellmann,"

"Ama... sanki burada değilmiş gibisiniz. Ne düşünüyorsunuz?"

"Biyoşimist Emin Chargaff'ı," diye mırıldandı Barski. "Ve yazdıklarını."

"Kitaplarını ben de okudum," dedi Bellmann. "Hangi kitabını düşündünüz?"

"Bir kitabındaki şu satırları: 'Doğa araştırmalarından başka hiçbir şey böylesine karşıtlarla dolu değildir,' der Chargaff. 'Sanat, edebiyat ve müzik, hükmeden güçler sayılmaz. Eğer oratoryolar insan öldürebilseydi, Pentagon çoktan müzik araştırmalarını desteklerdi.'"

"*Soft War* öldüren bir savaş değil," dedi Bellmann.

"Fakat öldürmekten de kötü!"

"Bunda haklısınız." Bellmann sigarasından derin nefes aldı. Sırıttı. Yüzünü umutsuzluk kapladı.

ÜÇÜNCÜ BÖLÜM

1

Sandra ölmüştü.

Klein Flottbek parkında gezinenler cesedini bulmuştu. Vücudunda kırk sekiz bıçak yarası vardı. Sandra on yaşındaydı. Onu öldürenler Klaus'la Peter'di. Klaus on bir, Peter ise on dört yaşındaydı. 27 Eylül günü öğleden sonra cinayet masası polisleri onları sorguya çekmişti. Yaptıklarını okulda arkadaşlarına anlatmışlardı. Tutuklandıktan sonra da hemen konuşmuşlardı.

"Bir insan nasıl ölür, görmek istiyorduk," demişti Klaus.

"Bir kızı gebertmeyi çoktandır istiyorduk," diye eklemişti Peter de.

Hemen hemen aynı saatlerde ufak tefek Japon Takahito Sasaki şöyle dedi: "Sizlerin Jan'ın odasına gelmenizi ben rica ettim. Çünkü bir şey söylemem gerekiyor. Çok acil. Hemen bugün."

Virchow Hastanesi'nin büyük binalarından birinde Barski'nin 14. kattaki bürosunda oturuyorlardı. Harald Holsten, Alexandra Gordon, Eli Kaplan, Barski ve Norma. Son ikisi aynı gün sabah uçağıyla Berlin'den dönmüştü. Norma kendini çok yorgun ve bitkin hissediyordu. Bir akşam önce Başkomiser Sondersen'e Barski ve Westen'in de hazır bulunduğu bir görüşmede, 'uluslararası anlaşmazlıkları araştırma uzmanı' Bellmann'ın anlattıklarını açıklamıştı. Bunlardan Hamburg Enstitüsü'ndeki doktorlara söz etmemeye hemen karar vermişlerdi. Çünkü hepsi de bu gruptan birinin hain olduğuna artık inanıyordu. Sondersen çok suskundu. Norma, şimdi ne yapacak, diye düşündü. Çok şeyin nedenini artık anladıktan sonra nasıl davranacak? Barski'nin yanında otururken düşüncelerini toparlamaya çalıştı. Fakat aklında hep Berlin vardı. Orada olup bitenler, orada yeni öğrendikleri, ikide bir birkaç saniye için de olsa Berlin'i düşünüyordu. Ve insan birkaç saniyede çok şey düşünebilir.

Sondersen ona baktı. "Şimdi ne yapacağımı düşünüyorsunuz, Bayan Desmond," dedi.

"Evet."

Westen'in Kempinski Oteli'ndeki dairesinin büyük salonunda oturuyorlardı.

"Bilmiyorum," diye Sondersen devam etti. "Önce Wiesbaden'le bir telefon görüşmesi yapmam gerek. Aşağı inip otomobilimden telefon etmeliyim. Oradan beni dinleyemezler. Özür dilerim!" Odadan çıktı.

Barski boşluğa bakıyordu.

"İnsan toplulukları hep 'birinci' olmak için savaşmıştır," diye konuştu. "Güçlülerin büyük planları hep daha çok büyümüştür. Modern dediğimiz çağımızda kavimleri ortadan kaldırmayı başardık. Naziler milyonlarca Yahudi'yi ve Çingene'yi yok etmekle ne kadar güçlü olduklarını kanıtladılar. Fakat bunlar yetmemiş olacak ki, savaş sonrası güçlüler gelecek için yeni planlara el attı. Şunu da unutmamak gerekir: Soydaşlarıyla barış içinde yaşamasını beceremeyen insanoğlu, her geçen gün dünya nüfusunun sonsuza doğru artması altında sanki ezilmekte. Bu zorunlu. Yüz ya da beş yüz milyon insanın ortadan kaldırılması, sıcak taşa düşen bir su damlasından başka bir şey değil! Yeterince insanın kökünün kazınması atom, hidrojen, elektron ve nötron bombalarıyla bile mümkün değildir. İşte bunun için yeni parola, insanları öldürmemek, onları virüsler aracılığıyla değiştirmek! İşte ancak böyle 'birinci' olmak düşünü insan toplulukları belki gerçekleştirebilir. Akıllı insanlar... *Homo sapiens!* Hoşça kalın..."

"Güle güle, doktor!" dedi Westen. Barski odasına gittikten sonra Norma'nın yanına oturdu. "Abraham Lincoln haksızdı."

"Ne demek istiyorsun, Alvin?"

"Lincoln'ün bir sözü vardır. Der ki: 'Bazı insanları belirli bir süre için kandırabilirsiniz, bazılarını ise bütün yaşamları boyunca. Fakat bütün insanları her zaman kandıramazsınız!' Çok güzel söylemiş, değil mi? Ancak yanılıyor Lincoln. Bence bütün insanları bütün yaşamları boyunca kandırmak mümkündür."

Westen başını salladı. Sonra elini Norma'nın omzuna attı. Uzun süre hiç konuşmadan öylece oturdular. Arada sırada otelin üzerinden geçen uçakların uğultusu duyuluyordu.

Sonra Barski geri geldi. "Uyuyordu," dedi gülümseyerek. "Ben odaya girince hemen uyandı. Mila biraz yemek yediğini söyledi. Fakat henüz tam kendine gelmiş değil. Doktor Thuma da bir daha uğramış. İyi insanlar var henüz."

"Evet," dedi Westen. "Ne çare ki, bu iyi insanlar güçsüz!"

Biraz sonra Sondersen geri geldi. "Ne oldu?"

"Onlara durumu anlattım," dedi Sondersen. "Durum hiç de iyi değil. Umutsuz. Yeni bir şey de yok. Rahibenin parmak izleri yokmuş. Kim olduğu bilinmiyor. Belki ilerde bir şeyler öğrenebiliriz. Ancak unutmayalım, onu gönderenler her zamanki gibi çok akıllı davrandıklarını sanmıştı. Ancak değillerdi. Karşı taraf daha akıllıydı. İşte bu rahibe adamı ölü bulmamızın nedeni de bu ya! Federal Polis'in sözcüsü iki saat sonra... Korkmayın Bayan Desmond, yarınki sabah gazeteleri için geç olacak... Şu açıklamayı yapacak: Hiçbir ize rastlanmamıştır. Olayın nedeni bile bilinmemektedir. Üzerine alan bir grup da çıkmamıştır. Federal Polis son ayların terör olayları ve suikastlarıyla bu olay arasında bir bağlantı kurmaktadır. Teröristlerin yeni bir strateji geliştirdiği sanılmakta. Şimdiye kadar olduğu gibi politikacıları, yargıçları ya da sanayi kuruluşlarının patronlarını öldürmek yerine, bilim adamlarına, uzmanlara ve benzeri tanınmamış kişilere suikastlar düzenleyerek belirli çevrelerde korku yaratmakta, terörü yaymaktalar. Federal Polis'in sözcüsü ayrıca, bu yeni taktiğin başarısını kabul ettiklerini ve polisin elinin kolunun bağlı olduğunu da açıklayacak. Herkesi aynı anda korumamız mümkün değil. Yeni bir suikastın nerede ve kime karşı planlandığını bilmiyoruz. Bu durum bize zorluk çıkarıyor. Toplumun bizi desteklemesini, bize yardım etmesini bekliyoruz. Sözcü ayrıca kilise olayında kullanılan otomobilin plaka numarasını, modelini ve rengini de açıklayacak. Bu otomobilin nerede çalınmış ve kimin onu nerede gördüğünü soracak. Tabii sonunda hiçbir şey elde edilmeyecek. Çoğu zaman olduğu gibi."

"Fakat olayı yaratanlar, her şeyin neden olup bittiğinden bizlerin haberi olduğunu biliyor," dedi Norma.

Sondersen, "Tabii," diye yanıtladı. "Bildiklerimizi açıklarsak, toplumda panik yaratmaz mıyız? Onun için gazetenizde benim açıklamamı yayınlamanızı rica ediyorum. Eğer hemen bu haberi geçerseniz, yarın sabah tek sizin gazetenizde çıkar. Gelecekte gerçekleri yazarsanız... Tabii şansımız olur da, gerçekleri ortaya çıkarabilirsek!"

"Şansımız olacağına siz de inanmıyorsunuz, değil mi?" diye sordu Westen.

328

"Tabii inanmıyorum," dedi Sondersen. "Ağzımdan kaçtı. Bayan Desmond da ardından intihar etmek istemiyorsa, gerçekleri yazmayacaktır!"

Norma: "Bunu henüz bilmiyorum," diye mırıldandı.

"Neyi bilmiyorsunuz?"

"Günün birinde gerçeği yazıp yazamayacağımı, Bay Sondersen. Bugüne kadar her şeyi yazdım ve henüz hayattayım."

"Fakat böyle bir konuyu yazmadınız," dedi Sondersen. "Bu kadar büyük, bu kadar önemli bir konunuz olmadı hiç."

"İşte bunun için de yazmak istiyorum ya!"

"Siz kurtuluşu olmayan birisiniz," dedi Sondersen. "Her şeye rağmen anlaşmamız devam ediyor. Birbirimize karşılıklı bilgi vereceğiz. Ancak şunu hepimizin bilmesini istiyorum: Bu konu gün geçtikçe kötüye gidecektir. Hepimiz için. Elimden geleni yapmaya ve sizleri daha çok korumaya çalışacağım." Barski'ye baktı. "Bu artık kızınız için de söz konusudur, doktor bey."

"Benim yarın Bonn'a gitmem gerekiyor," dedi Westen.

"Ben de Wiesbaden'de olmalıyım."

Sondersen başını elleri arasına aldı. Düşüncelere dalmıştı.

"Yorgun gibisiniz," dedi Westen. "Yorgun, umutsuz ve ne yapacağını bilmez bir haliniz var."

Sondersen ona doğru döndü. "Bunu da nereden çıkardın? Kendimi çok iyi hissediyorum. Olayları açıklığa kavuşturup felaketi önleyeceğimizden de eminim."

Odada hiç kimse konuşmadı.

Sonra Sondersen, "Peki, peki," diye mırıldandı. "Sizleri biraz ferahlatmak istemiştim..."

Barski'nin bürosunda ışık yanıyordu. Dışarıda hava çoktan kararmıştı. Büyük pencerelere yağmur damlaları vuruyordu. Hiç aralıksız şimşekler çakıyor, gök gürlüyordu. Hamburg'un üzerinde fırtına vardı. Kenti kara bulutların kaplamaya başladığını, uçakları inişe geçtiğinde görmüşlerdi. Havaalanı binasında bir sürü muhabir onları soru yağmuruna tutmuştu. Ancak gazetedeki haberin benzeri şeyleri söyleyerek, Federal Polis sözcüsünün anlattıklarını tekrarlamışlardı.

Holsten, "Berlin'e niçin gitmiştiniz?" diye sordu. "Jeli'yle diğer çocukların Anı Kilisesi'ndeki toplantıları için. Bundan haberin vardı," dedi Barski.

"Peki Westen?"

"Bir rastlantı sonucu o da Berlin'deydi. Toplantıyı ilginç bulup dinlemek için bizlerle geldi."

"Buna inanmamızı mı istiyorsun?" dedi Holsten.

"İnanmıyor musun?"

"Yok inanıyorum. Tabii hepimiz sana inanıyoruz. Bütün anlattıklarına da."

"Sen bana baksana Harald, biz size yalan mı söylüyoruz sanıyorsun? İçinizde böyle düşünen biri var mı? Haydi, haydi söyleyin bakalım. Bilmek istiyorum!"

"Sakin ol, Jan!" dedi Eli Kaplan. "Elbette inanıyoruz sana ve Bayan Desmond'a. Bu budala Harald her zamanki esprilerini yapmaya çalıştı. Haydi, Tak, ne anlatacaksan anlat! Bizi neden topladın buraya?" Piposunu yeniden yaktı.

"Bayan Desmond da aramızda..." Sasaki eliyle gözlüğünü düzeltti. "Artık onun da bizden biri olduğunu ve yanında her şeyi konuşabileceğimizi Jan açıklamıştı. Bayan Desmond'a güvenebileceğimizi ve işittiklerini kendine saklayacağını biliyorum."

"Evet, bu doğru," dedi Barski.

Norma, "İsterseniz dışarı çıkabilirim," diye önerdi.

"Hayır, burada kalın." dedi Barski. "Ben her türlü sorumluluğu üzerime alıyorum. Bu yeter sanırım. Ne de olsa grubun başkanı henüz benim."

Japon doktorun çok çekingen bir hali vardı. "Kızacaksın..."

"Ne yaptın ki?" diye Barski sordu.

"Mümkün olduğu kadar çabuk açıklamam iyi olacak galiba," dedi Sasaki. "Alexandra'ya büyük bir kadeh konyak verin. Fırtınadan ne kadar korktuğunu bilirsiniz."

Saçlarını arkaya taramış İngiliz kadın doktorun sararmış yüzünden sinirli olduğu belliydi. Her şimşek ve gök gürültüsüyle irkiliyordu.

Barski dolaptan bir şişe Remy Martin ve bir kadeh çıkardı. Kadehi doldurdu.

"Hemen başına dik, Alexandra."

"Teşekkürler." Kadın titreyen elleriyle kadehi alıp bir dikişte boşalttı. "Böyle yaptığım için utanıyorum. Fakat elimde değil! Her fırtınada sanki öleceğim sanıyorum. Lütfen bir kadeh daha..."

Barski kadehi doldurdu. Sonra Japon doktora dönüp, "Haydi, Tak!" dedi.

"Zavallı Tom'un nisanda hastalandığından bu yana lanet olası şu virüse karşı bir aşı bulmaya uğraşıyoruz." Japon doktor sonra Norma'ya döndü. "Belli bir plana uygun çalışıyoruz. Herkes uzman olduğu alanda." Norma başını salladı.

"Bense ortak plana uygun çalışmadım," dedi Sasaki. "Daha doğrusu, yalnız ortak plana uygun çalışmadım, Tom'un yönteminin taslağını da uygulamaya çalıştım."

Çakan şimşeğin ışığında büro gündüz gibi aydınlandı. Arkasından gök gürültüsü duyuldu. Sanki yakına bir yere bomba düşmüş gibiydi. Alexandra elini başına götürdü.

"Tom öldü," dedi Kaplan. "Bu nasıl bir saçmalık!"

"Saçmalık filan değil," dedi Japon. "Tom ölümüne kadar deliler gibi çalıştı. Bir yöntem taslağı elde etmek için. Ben sık sık bulaşıcı hastalıklar bölümüne gidip camın arkasından bazen saatlerce kendisiyle konuşuyordum. Ne de olsa eskiden onunla bazı ortak çalışmalarım olmuştu. Neler düşündüğünü, nasıl bir taslak ortaya çıkardığını sizlere söyleyebilirim. Kusursuz, olağanüstü bir şey!"

"Sen çalışmalarında o taslağı mı uyguladın?" dedi Holsten.

"Evet."

"Bizlere hiçbir şey söylemeden. Jan'a bile anlatmadan."

"Evet."

"Fakat neden?"

"Bu saçma bir soru, Harald," dedi Alexandra. Holsten'e olan saldırganlığı fırtınadan korkmasını bile unutturuyordu. "Zavallı Tom'un taslağı, hepimizin çalışmalarından çok daha başarılı olduğu için herhalde. Tabii Tak da çalışmaları sonucu, aşıyı ilk bulanın kendisi olacağını umuyordu."

"Fakat meslektaşlarına karşı hiç de iyi bir davranış değil," dedi Holsten.

Sağ gözünün altındaki sinir yine atıyor, diye aklından geçirdi Norma.

İsrailli genç doktor, "Ah, Harald," dedi gülümseyerek.

"Ne demek oluyor 'ah, Harald?'"

"Tom'un taslağıyla kendine çıkar sağlayacak olsaydın, sanki sen de Tak gibi davranmaz mıydın?"

"Ne küstahlık!" Holsten öfkelenmişti. "Tabii onun gibi davranmazdım! Biz burada bir grubuz. Ortak çalışıyoruz. Eğer bir başarı elde edersek bu hepimizin başarısı olur!"

"Saçmalık," dedi Kaplan. "Herkes birinci olmak ister. Herkes hırslıdır. Bütün dünyada. Sen de böyle düşünmüyor musun, Jan?"

Dışarıda şimşekler çakıyor, gök gürlüyor, yağmur sağanak gibi yağıyordu.

Ne kadar da bağıra çağıra konuşuyorlar, diye düşündü Norma. Onlar artık bir grup değil. Belki bir zamanlar öyleydi. İçlerinden birinin hain olduğunu bilmeden önce. Fakat o andan sonra aralarında arkadaşlık filan kalmamış.

Barski, "Bana kalırsa Tak konuşmasına devam etsin," dedi. "Evet, sen çalışmalarında Tom'un düşüncelerinden yola çıktın."

"Evet, onun düşüncelerinden. Yazıp çizdiklerini aldım, mikroptan arındırdım, fotokopilerini çektim ve geri verdim. Ölümünden sonra da aynı şeyi onun en son çalışmalarıyla yaptım." Barski, Norma'ya döndü. "Size bir defasında söylediğimi sanıyorum. Hepimizin laboratuvarda birer bilgisayarı vardır. Elde ettiğimiz bütün bilgileri hemen ona kaydederiz. Çalışmalarımızı, formülleri ve sonuçlarını. Oradan da bir kodla otomatik olarak ana bilgisayara geçer. Ancak bu kodu bilen kişi oradan istediği bilgileri alabilir. Her olasılığı düşündüğümüz için de bir kopyasını banka kasasına kaldırırız. Herhangi bir felaket olursa elimizde bir kopya bulunsun diye!"

Norma başını salladı.

Holsten öfkeyle sordu, "Senin elde ettiğin sonuçlar ve aşı verileri nerede? Onları ana bilgisayara da geçtin mi?"

"Hayır," dedi Japon.

"Sadece senin bilgisayarında mı?"

"Evet."

"Bir şey buldun mu?"

"Yakında öğreneceksiniz. Tom'un taslağından yola çıkarak yaptığım çalışmaları gizli tuttum." Takahito'nun küçücük gözleri parıldıyordu. "Sanırım başarılı oldum."

Dışarıda yağmur yavaşlamıştı. Artık şimşek de çakmıyordu. Hava aydınlanır gibiydi.

"Aşıyı buldun mu?" Kaplan piposunu eline aldı.

"Evet, Eli. Bulduğumu sanıyorum. Aşı yapmış olduğum Susi, Coco, Annabelle, Rosi ve diğerlerinde başarı elde ettim. Bunu yüzde yüz kanıtlayabilirim. Aşı yapmadığım diğer gruptaki Mickey, JNI, Marlene, Magdalena ve diğerlerinde sonuç eskisi gibi."

"Bu gerçek mi?" Holsten soluk soluğa konuşmuştu.

Japon omuzlarını silkti. "İsterseniz laboratuvara gidelim, sizlere göstereyim!"

Kaplan ayağa kalktı ve eğildi.

"Bu da ne demek Eli?" diye Japon sordu.

"Senin karşında saygıyla eğiliyorum, budala herif!" dedi Kaplan. "Tebrikler! Bravo!" Norma. "Marlene, Jill. Susi, Coco, Rosi... Kim bunlar?" diye sordu.

"Fareler," dedi Barski, "Laboratuvarda bir sürü fare ve kobay vardır. Sırtlarındaki renklerden onları birbirlerinden ayırt edebiliriz. Bulduğun aşı hayvan denemelerinde başarılı oldu diyorsun!" "Yüzde yüz, Jan!" Sasaki o kadar heyecanlıydı ki, bir ara kekelemeye başladı. "Tü...tü...müyle başarı...rılı! Tom buldu aşıyı. Ben değil. Hepsi Tom'un düşüncesi, onun taslakları. Ben sadece denedim ve başarıya ulaştım. Buluşsa Tom'undur!"

Şimdi hepsi aynı anda konuşuyor, her kafadan bir ses çıkıyordu. Yağmur durmuştu. Bulutlar gitmiş, fırtına geçmişti.

Virüs bu insanların elinde, diye Norma düşündü. Şimdi karşı aşıyı da bulmuşlar. Durumları çok kötü. Jan'dan başka durumu kavrayan yok. Kendilerinden başka, dünyanın yarısının durumunun kötüye gideceğini de bilmiyorlar. Hayır, dedi sonra. Bu doğru değil. İçlerinden biri biliyor. Hem de çok iyi, o kim? Başarılan şeyi karşı tarafa kim bildirecek?

2

Barski ayağa kalkıp ışığı söndürdü. "Bütün verileri elde ettin mi Tak? Mümkün olan hepsi sende mi şimdi?"

"Hepsini elde edene kadar bekledim. Dün en sonuncusunu başardım. Bugün de sizlere açıklamak istedim. Senin Hamburg'a dönüşünü bekledim, Jan."

"Öyleyse şimdi hep birlikte laboratuvara gidelim," dedi Barski.

Kendine çok iyi hâkim oluyor, diye düşündü Norma. Karşısındakiler anlamasın diye. Her zamanki gibi hareket ediyor, konuşuyor. Davranışlarında bir değişme yok. Hain onun düşüncelerini anlayamaz şu anda. Jan'ın, Westen'in, benim ve Sondersen'in neler bildiğini de bilemez. Yoksa? Ulu Tanrım, hainin neler bildiğini de ben bilmiyorum. Hiç kimse bilemez. Her şey mümkün.

"Tebrikler, Tak!" Barski Japon doktorun elini sıktı. Gülümsüyordu. Omzuna şöyle bir vurdu. "Başarın gerçekten olağanüstü!"

"Tom'un başarısı," dedi Sasaki de. "Onun."

Norma, Tom öldü, dedi içinden. Tom rahat şimdi, Mutlu biri daha. Mutluluk ancak ölülere özgü. Mutlu ölüler ve lanet olası şu dünya! Hayır, lanet olası dünya değil, lanet olası şu yaşayan insanlar!

"Tabii," diye devam etti Barski. "Hayvanlarda yapılan deneme yüzde yüz insanlarda da başarılı olacak demek değildir."

"Evet, biliyorum," dedi Sasaki. Açıklamalarının böyle kabul edilmesinden rahatlamış gibiydi. Ona pek kızan olmamıştı. "Hayvanlar üzerinde yapılan denemelerden bazen vazgeçmenin doğru olacağına ben de inanıyorum. Kamuoyunu da düşünerek. En iyisi insanlar üzerindeki denemelerdir!"

Hepsi şaşkınlıkla ona baktı.

"Bakmayın bana öyle," dedi Sasaki, "Ben bu kadar ilerledim. Şimdi artık sona varmak istiyorum. Bana engel olamazsınız! Lütfen buna kalkışmayın! Beni bulaşıcı hastalıklar bölümüne sokacak ve aşıyı yapacaksınız. Sonra virüsü alacağım. Anlaşıldı mı?"

Hiç kimse konuşmadı.

"Anlaşıldı mı?" diye Sasaki sorusunu yineledi. Yalvarır gibiydi.

"Bunu yapamayız, Tak," dedi İsrailli.

Sasaki: "Neden yapamazmışsınız?" diye sordu. "Kahretsin, neden, Eli? Bu enstitüde kendisi üzerinde kaç kişi deneme yapmıştır? Tıp tarihinde bu yapılmıştır!"

"Sen böyle bir şey yapmayacaksın," dedi Kaplan.

"Fakat söz konusu olan benim hayatım," diye Sasaki karşı çıktı. "Benim sağlığım. Siz bana engel olamazsınız. Yoksa kaçıp bir yere gider, orada tek başıma deneyi yaparım."

Bir deli, diye düşündü Norma. Yoksa başarırsa alacağı ödülleri, ulaşacağı ünü mü düşünüyor? Böyle bir bilim adamının kafasından neler geçer? Araştırmalı ve bulmalı bunu. Hırs mı? Altında ezildikleri bir güdü mü? Zorlama mı? Otto Hahn 1938'de atom çekirdeğinin bölünmesini başardığında ve buluşunun sonuçlarını fark ettiğinde şöyle bağırmış: "Tanrı bunu istememişti!" Hahn yapmadan önce Tanrıya sormuş muydu? Tanrı da ona istemediğini söylemiş miydi? Şimdi de bir virüs ve karşı aşısı söz konusu. Bir *Soft War* olanakları çok yakın. Tanrı yine bir açıklamada bulunmuyor...

"Jan," dedi Kaplan yalvarır gibi. "Sen de bir şey söylesene! Onu bu çılgınca düşüncesinden vazgeçirmelisin!"

"Onu hiç kimse vazgeçiremez," dedi Holsten.

Holsten neden böyle konuşuyor, diye kendine sordu Norma.

"Bir önerim var," dedi Alexandra Gordon. "Oylamaya koyalım! Sen de oylamanın sonucuna uyacağına söz vereceksin, Tak!"

Sasaki: "Ben hiç kimseye ve hiçbir şeye uymayacağım," diye diretti. "Ya sizler bana yardım edersiniz ve ben deneyi burada, enstitüde yaparım ya da gizli bir yerde. İkisinden birini kabul edeceksiniz. Öldürmeye kalksanız bile vazgeçmeyeceğim."

Hain o olamaz, diye Norma bir an düşündü. Fakat niçin olmasın? Belki gerçekten o... Şimdi başarıya ulaşıp ulaşmadığını tam olarak bilmek istiyor! O kadar çılgın ki, bu amaç için hayatıyla oynamaktan kaçınmıyor! Beyrut'u düşünsene... Uluslararası terörizmi düşün. Onlarınki de sonu olmayan bir yol, bir çılgınlık değil mi? Nikaragua, İrlanda, Afganistan, Pakistan, Sri Lanka, Ürdün'de yeteri kadar örneği var. Lanet olası şu dünyamızda! Başını çevirip Barski'ye baktı.

O konuşmak için kendini zorladı. "Bir oylama doğru, Tak. Sen de sonucuna uymak zorundasın."

Sasaki sesini çıkarmadı.

"Tamam mı?" diye sordu Barski.

Sasaki susuyordu.

Alexandra, "Haydi yanıt versene!" diye öfkeyle sesini yükseltti.

"Kabul," dedi Sasaki. "Oylama kabul. Fakat ben de oyumu vereceğim. Bayan Desmond'unsa oy hakkı yok. Özür dilerim, size karşı değilim, fakat bunun grubumuz arasında yapılması gerek. Öyle değil mi?"

"Evet," dedi Norma. "Tabii kabul ediyorum." "Teşekkürler! Bir şey daha. Oylama gizli olacak. Kabul mü?"

"Kabul," dedi Holsten.

Norma, neden hemen kabul diyor, diye düşündü. Siniri atmıyor.

"Ya sizler?" Sasaki heyecanlıydı.

"Peki," dedi Alexandra da.

"Eli sen?"

"Niçin oylama yapacağız? Nasıl olsa deneyeceksin," diye Kaplan konuştu. "Bence oylamaya hiç gerek yok."

"Ben bir kahraman değilim," dedi ufak tefek Japon, gözlükleriyle oynayarak. "Korkuyorum da. Sizler istemezseniz yapmak zorunda kalacağım için. Nerede, bunu bilmiyorum. Fakat... Fakat burada, sizlerin yanında yaparsam kendimi daha rahat hissedeceğim. Klinikte bana yardım edersiniz... Her şeye rağmen deneyim başarılı olmazsa. Fakat olacak, çünkü virüse karşı aşı elimde. Göreceksiniz!"

"Yine de korkuyorsun," dedi Kaplan.

Sasaki, "Tabii," diye yanıtladı. "Ancak çoğunuz bana destek olursa kendimi güvende hissedeceğim."

"Peki," dedi Kaplan. "Önemli değil. Eğer seni rahatlatacaksa, oylama yapalım, Tak."

"Teşekkürler, Eli. Sen ne diyorsun, Jan?"

"Ben de Eli gibi düşünüyorum," dedi Barski. "Yapmak istediğini nasıl olsa engelleyemeyiz. Artık önemli olan senin kendini güvende hissetmen, Tak."

Sasaki bir yaprak kâğıdı alıp küçük parçalara böldü. "Alın! Herkes kâğıdına 'evet' ya da 'hayır' yazsın. Bayan Desmond toplayacak. Beş kişiyiz. Eşitlik olmayacak."

3

Murphy'nin yasası, diye düşündü Norma. Ben ona inanıyorum. Murphy'nin yasası der ki: "Herhangi bir işin ters gitmesi için en ufak bir olasılık bile varsa, o iş mutlaka ters gider." Norma pencerenin yanında ayakta durmuştu. Elindeki başörtünün içinde şimdi beş kâğıt parçası vardı. Hepsi Norma'nın yüzüne bakmadan kâğıtları örtünün içine bırakmıştı. Dışarıda fırtına bulutları çoktan uzaklaşmıştı.

Murphy'nin yasasına inanmasaydım, buradakilerden çoğunun denemeye karşı çıkacağını umut ederdim. Belki o zaman da Sasaki korkar ve denemeyi tek başına gizli bir yerde yapmaya kalkmazdı. Ama korkmuyorsa, o zaman istediğini yapsın, aşı da etkisini göstermesin! Hastalansın, Tom gibi! Böyle düşünmem çok kötü, ona dünyamızın yarısı değişeceğine bir insan hastalansın daha iyi. Virüse karşı bir aşı bulunmadığı zaman terör de sona erecek, buradakilerin hayatı tehlikeye girmeyecek. Ne var ki ben Murphy'nin yasasına inanıyorum. Şunu da biliyorum: Eğer bu virüs *Soft War* için uygun değilse, bir başkasını arayacaklardır. İstediklerini bulana kadar. Yine da bulamazlarsa, atom sarmalına devam edeceklerdir. Ondan kurtulamayacaklar. Belki günün birinde atom savaşı olacak. Lars Bellmann ne demişti: "Atom silahlarıyla karşı tarafı ürkütmeyi on ya da yirmi yıl başarabilirsiniz, ama daha uzun süre değil." Bu kadar uzun süre devam etsin mi? Ben yirmi, otuz yıl yaşamak istiyor muyum? Evet, Jan için. Hayır, bu duygusal bir palavra. Ben ondan hoşlanıyorum. Birçok insan birçok insandan hoşlanır.

Pierre'i sevdim. O öldü. Bense yaşamaya devam ediyorum. Kişi çok şeyin üstesinden gelir, yaşamını sürdürür. Ama bunun tersi de olabilir. Ben Jan'dan hoşlanıyorum, ancak yine de ölebilir, her şeyi unutabilirim. Belki böylesi daha iyi. Çünkü hayatta kalır ve birbirimize âşık olursak, hüzün ve mutsuzluk günün birinde gelir. Bu hep böyle olmuştur.

Sonra birden ürker gibi kendine geldi. Karşısında duran Sasaki, "Haydi verin kâğıtları açalım," demişti. Ufak tefek Japon titreyen elleriyle kâğıtları tek tek açtı. Yüzü birden aydınlandı. "Biliyordum!" diye sesini yükseltti. "Biliyordum!"

Dans etmeye başlamasın da, diye bir an aklından geçirdi, Norma.

"Dört 'evet' ve bir 'hayır' çıktı!" Sasaki gülümseyerek odadakilere baktı. "Dördünüz 'evet' dediniz!" Meslektaşları hiç ses çıkarmadan duruyordu.

"Şimdi burada, klinikte yapabilirim! Çok teşekkür ederim hepinize!" diye heyecanla konuştu Sasaki. "Bakın, dışarı bakın!" Pencerenin yanına gitti.

Fırtına geçmiş, kara bulutlar uzaklara gitmişti. Norma ötelerde gökkuşağını gördü. Eliyle ona dokunmak istedi.

"O bize mutluluk getirecek! Hepimize!" dedi Sasaki heyecanla.

Norma, işte, diye düşündü. Murphy'nin yasası.

4

"... ve onun boynuna atıldılar, öptüler. Sonra onu saraya götürdüler, çok güzel giysilere büründürüp başına taç koydular, eline asa verdiler. O kralları oldu, nehir kıyısındaki bu kenti yönetti," diye küçük kızının yatağının kenarında oturan Barski okudu. Oscar Wilde'ın masallarını elinde tutuyordu. Çocuk odasının loş bir köşesinde Norma oturmaktaydı. "Büyük adalet hüküm sürüyordu," diye yumuşak bir sesle okumayı sürdürdü. "Yeni kral kötü yürekli sihirbazları kovdu. Oduncuyla karısına büyük armağanlar yolladı. Çocuklarını da onurlandırdık Hiç kimsenin kuşlara ve diğer hayvanlara eziyet çektirmesine izin vermedi, herkese sevgiyi, iyilik yapmayı ve merhameti öğretti. Yoksullara ekmek, çıplaklara giysi verdi. Ve bütün ülke barış ve zenginlik içinde yaşadı... Ancak bu kral çok yaşamadı. Üç yıl sonra öldü. Ondan sonra gelen kötülük getirdi."

Barski elindeki kitabı bıraktı. Jeli gözlerini kapatmıştı. Yüzünde bir gülümseme vardı.

"Uyudu," diye fısıldadı Barski.

Norma da usulca... "Çoktandır," dedi. Adam ayağa kalktı. Küçük kızını alnından öptü. Yorganı düzeltti. Jeli'nin ince kolunu altına soktu. Her şeyi çok dikkatle yapıyordu. Norma da oturduğu iskemleden kalkmıştı. Barski'nin kızının alnında haç çıkardığını gördü. Odadan çıktı. Barski ışığı söndürüp kapıyı kapattı.

"Sonra kapıyı yine açarım," dedi. "Benim yatak odam şurada. Her iki odanın da kapılarını aralık bırakırım, eğer Jeli gece yarısı uykusunda seslenirse ya da kötü bir düş görüp uyanırsa duyayım diye. Odasında da bütün gece küçük bir ışık yanar."

"Çok güzel okudunuz masalı," dedi Norma. "Sevgi dolu."

"Jeli'yi çok sevdiğim için. O her şeyim benim."

"Ben de oğlumun odasının kapısını hep aralık bırakırdım. Ona sık sık masal okurdum."

Yazı masasının yanındaki koltuğa oturmuştu. Barski de karşısındaki koltukta oturuyordu.

"Bir sürü masal," diye Norma devam etti. "Yatılı okuldan eve geldiği günlerde bana hep masal okuturdu. Sonra da uyuyakalırdı. Oğluma elimden geldiği kadar sevgi vermeye çalışırdım"

Barski. "Evet," diye mırıldandı. Duvardaki yağlıboya tabloya bakıyordu. Yüksek gri binaların önündeki mor bluzlu kadına dalmıştı.

Norma, "Bağışlayın Jan," dedi. "Mila'nın bu akşam Çekoslovak dostlarını ziyarete gittiğini söylediğinizde, sizi Jeli'yle yalnız bırakmamak için teklif benden gelmişti..."

"Ama neden böyle konuşuyorsunuz?" dedi Barski. "Ben, ben bu akşam sizinle beraber olduğum için çok mutluyum. Sanırım kitap çalışmalarınızda size çok yardımcı olacak."

"Ben de size bir kitap getirdim," dedi Norma.

"Bana mı?"

Norma başını evet anlamında salladı ve büyükçe bir paketi uzattı. Barski kâğıdı hızla açtı.

"Ah," dedi hayretle. Breisach'taki St. Stephan Katedrali üzerine resimli büyük bir kitaptı. "Bunu düşündüğünüz için..."

"Birçok güzel kitabı Polonya'da bırakmak zorunda kaldığınızı söylemiştiniz de."

Yanına gelip candan kucakladı, "Teşekkür ederim! Çok teşekkür ederim!"

"Ben de size," dedi Norma. "Ama yarından sonra neler olacağını düşünüyorum da. Sondersen'le Alvin döndüklerinde. Ne olursa olsun ben yazacağım. Korkum yok. Hiç kimseden. Bildiklerimi yazacağım Yemin ederim! Ben oğlumu yitirdim. Yazmamı istemeyenler beni üç defa öldürmek zorunda! İnanın bana, Jan!"

"İnanıyorum. Sizi artık iyi tanıdım."

"Olup bitenleri yazarken okurlara DNA'lardan söz etmem gerekecek kuşkusuz. Mümkün olduğu kadar kolay anlaşılır bir dille. Onun için bu akşam bana yardım ettiğinize çok memnunum."

Üç saattir Barski'nin evindeydiler. Sasaki bulaşıcı hastalıklar bölümünde bir odaya kapanıp Barski ona aşıyı yaptıktan sonra - Sasaki vücuduna virüsü üç gün sonra vermek istiyordu- polis müdürlüğüne gitmişler, oradan Wiesbaden'deki Sondersen'le telefonlaşmışlardı. Barski başkomisere en son gelişmelerden söz etmiş, Sasaki'nin kendi üzerinde yaptığı denemeyi anlatmıştı. Sondersen önce yüksek sesle küfretmiş, sonunda da elinden başka bir şey gelmezmiş gibi gülmüştü. Ulmen Caddesi'ndeki eve geldiklerinde, Barski küçük kızıyla önce bir parti satranç oynamıştı. Norma da mutfağa girip bütün çocukların severek yediği patates salatasıyla sosisleri hazırlamıştı. Yemekten sonra Jeli yıkanmış ve yatağa girmişti. Barski "Yıldızların Çocuğu" adlı masalı okurken Norma anılarında eskiye dönmüştü. Küçük oğlunu, babasını, Beyrut'taki Yeşil Hat'tı, Commodore Oteli'ndeki o geceyi, Nis'teki sabahın ilk saatlerini, o sessizliği, sirkte makineli tüfeklerle ateş eden o palyaçoları, ölüleri, Breisach Katedrali'ni ve birçok olayı düşünmüştü.

Sesi birden kulağına geldi, "...siz mutfaktayken, kitaplıkta buldum. Bakın. Norma." Barski ayakta duruyordu.

Norma yerinden kalkıp yanına gitti. Yazı masasının üzerinde beyaz kapaklı küçük bir kitap vardı. Başlığını okudu. "*Biokit. Moleküler Biyolojiye Bir Yolculuk*. Metin ve resimler Joel de Rosnay'ın." Barski ona sokuldu, kitabın sayfalarını karıştırıp, "Bu en iyisi," dedi. "DNA'ların bütün hikâyesi resimlerle anlatılmakta. Bilimsel bir çizgi roman sayılır. Çalışmalarınız için bundan iyisi olamaz. Bakın..." Kolu yanındaki kadının koluna değiyordu. Norma geri çekmek istedi, ama sonra vazgeçti. Başını kaldırıp ona baktı. Gülümsüyordu. Sonra kitabın sayfalarını karıştırdı. Bazı resimler gösterdi, çoğunu açıkladı. Birden, "Çok güzel saçlarınız var," dedi.

"Hayır," diye mırıldandı, Norma.

"Çok güzel..."

"Hayır, böyle konuşmayın."

"Biliyorum..." İç geçirdi. Heyecanlıydı. Norma da. Vücutları birbirine ilk kez bu kadar yakın duruyordu.

"Eğer vücudunuzu, sevgili Norma, bir milyon defa büyütürsek," diye Barski açıklamalarına devam etti. "Düşünebiliyor musunuz? O zaman ortalama bin yedi yüz kilometre uzunlukta olursunuz. Şu resimdeki adam gibi dünyanın üzerine uzatılırsanız, Atina'dan Frankfurt'a ulaşırsınız."

"Gerçekten çok anlaşılır bir açıklama," dedi Norma.

"Öyle değil mi? Saçlarınızın kokusu çok güzel..."

"Konuşmayın böyle, Jan," dedi Norma.

"Niçin? Neden böyle konuşmayayım, Norma?"

"Nedenini biliyorsunuz. Daha önce sözünü etmiştik. Bir hafta önce pazar günü gezinti gemisinde. Anımsıyorsunuz, değil mi?"

"Evet," dedi Barski. "Hiçbir zaman mı?"

"Ne demek, hiçbir zaman mı?"

"Hiçbir zaman öyle şeylerden söz edemeyecek miyim?"

"Evet. Hiçbir zaman!" Norma kendini yine halsiz, bitkin hissetti. Sanki ateşi çıkmıştı. Ne güzel elleri var! Düşünme şimdi böyle şeyleri! Lütfen devam edin," diye mırıldandı.

Kapı vuruldu. Açılan kapıda yaşlı Mila duruyordu.

"İyi akşamlar, beyefendi, iyi akşamlar, Bayan Desmond. Döndüğümü söylemek istemiştim.

"İyi ettin, Mila? Nasıl geçti?"

"Güzel geçti, beyefendi. Dostlar bir arada olunca konuşacak çok şeyimiz var. Şimdi yatmaya gidiyorum. İyi geceler. Tanrı sizleri korusun!"

"İyi geceler, Mila," dedi Barski.

"İyi geceler, Bayan Krb," dedi Norma da.

Kapı kapandı. Barski kitabın sayfalarını karıştırıp açıklamaya devam etti. Moleküllerden, hücrelerden söz etti. Yirmi çeşit aminoasit olduğunu açıkladı. Hücrelerin biyolojik bilgileri aktardığını söyledi. "Hayat, bilgiler demektir. Aminoasitlerin uygun bir protein oluşturmaları için belirli bir bilgiler sırasına uymaları gereklidir. Yirmi aminoasit bilgilerin yazıldığı alfabe, aktarıldıkları koddur. Bu kod çekirdek özleri tarafından biriktirilir ve iletilir. Şimdi Bay Westen'in Atlantic Oteli'ndeki dairesinin balkonunda DNA'lar üzerine yaptığımız o konuşmayı anımsayın! Saçlarınızın kokusuna daha fazla dayanamayacağım."

"Öyleyse bir sigara yakın!"

"Sigara içmek istemiyorum ben. Saçlarınızın kokusuna dayanamamak istiyorum." Yanındaki kadının elini tuttu.

Norma elini hemen çekti. "Lütfen Jan! Bizim burada oynadığımız bir bulvar komedisi değil!"

"Hayır," dedi uzun boylu adam da. "Hayır, bu bir komedi değil."

Norma yanından uzaklaştı. "Yeter," diye öfkeli öfkeli konuştu. "Yeter artık. Böyle şeyleri istemediğimi daha önce de söylemiştim!" Gittikçe heyecanlanıyordu. Neden böyle heyecanlanıyorum, diye düşündü. Güzeldi elinin elimi tutması. Hayır. Heyecanlanmalısın, öfkelenmelisin. Böyle olmaz. "Ayrıca zevksizlik örneği de."

"Bunu da nereden çıkardınız?" Barski gözlerini gözlerine dikip baktı.

Norma karşısındaki adamın bakışlarına zor dayanıyordu. Ama dayanmalıyım, dedi kendi kendine. Şu anda kendime hâkim olmalıyım. Duygularımda yumuşama olmamalı. Duygularım bazen başıma yeteri kadar dert açmıştı. "Bir de soruyorsunuz," dedi öfkeyle. "Bütün olup bitenlerden sonra mı? Berlin'den bu yana ne olduğunu ve daha neler olabileceğini biliyoruz artık. Sasaki'nin aşısı gerçekten virüse karşı bağışıklık sağlarsa, felaketi artık bekleyebiliriz. Aranızdaki hain kimin hesabına çalışırsa çalışsın, bu başarıdan anında Amerikalılarla Sovyetler'in haberi olmayacak mı sanıyorsunuz? O çılgınca gizli haber alma servisleri iyi çalışır. Bir hain yeterlidir. Onun verdiği haberi karşı taraf da birkaç saat sonra bilecektir. Sanırım bunu size daha açık anlatmama gerek yok."

"Gerek yok. Norma."

"Öyleyse!" Karşısındaki adama sanki en büyük düşmanıymış gibi baktı. Ve sarılmak, evet sarılmak istiyorum sana, diye aklından geçirdi. "Her iki taraf da virüs ve karşı aşısı üzerine bilgileri yeni terör hareketleri ve şantajlarla elde etmeye çalışırsa neler olacak? Enstitünüzde akla gelmeyecek olaylar olabilir. Siz, iyi dinleyin beni, buluşunuzu hiçbir zaman gizli tutmayı başaramayacaksınız! Profesör Gellhorn karşı çıkmayı göze almıştı. Vurdular onu. Onu ve bütün ailesini. Hangi taraf bilmiyoruz. Ama bu o kadar önemli değil. Siz de gizli tutmaya çalışacaksınız. Sizi de vuracaklar. Tanrı bilir, daha başka kimleri de. Ve sonunda iki taraftan biri bu silahı ilk olarak ele geçirecek. Sonra? Evet, sonra, Jan?"

"Hepsini biliyorum." Ses tonunda hüzün ve umutsuz bir yalvarma vardı. "Bunun sonu felakettir, önüne geçilmesi mümkün olmayan, izin verirseniz Lars Bellmann'ın söylediklerini anımsatayım. Bizim şanssızlığımız, *Soft War* için en uygun virüsü ilk bulanlar olmamız. Bütün olasılık kurallarına göre günün birinde bir başkası da uygun virüsü bulacaktır. Bu bizlerin tekelinde değil ki! Evet, bütün dünyaya hükmetmek için tek olanak şu anda bizde. Ama bir gün gelecek, başkaları da benzerini ya da daha iyilerini bulacak. Artık geriye dönüş yok! Chargaff'ı düşünün: İşte bugün Sasaki'nin denemeyi kendi üzerinde yapması için oyumu kullandım. Çünkü onun bu deneyi ne olursa olsun yapacağını biliyordum. Hiç olmazsa şimdi biraz kontrolüm altında. Tek nedeni bu. *Soft War* planlanmıştır. O gelecek. Hiç kimse ona engel olamayacak. Ben buna inanıyorum."

"Durumun ne kadar kritik olduğunu biliyorsunuz... Şimdi kalkmış bana saçlarımın..." Sözünü yarıda kesti, Doğru dürüst konuşamadığının farkına vardı.

"Şimdi bunun tam zamanı," dedi Barski.

"Siz çılgınsınız!"

"Ben çok normalim. Ben sadece sizden daha mantıklı düşünüyorum. Ben böyle istiyorum. Siz de istiyorsunuz. Biliyorum. Görüyorum da. Gözlerinizde. Siz bana öfkeli değilsiniz. Böyle olmadığınızı çok iyi biliyorum. Tam sırası şimdi. Çok az zamanımız kaldığı şu günlerde, ancak bir erkekle bir kadının olabileceği kadar size yakın olmak istemem çılgınlık mı? Bu dünyanın en doğal şeyi değil mi? Norma, ben seni..."

"Hayır," diye bağırdı Norma. "Daha ileri gitmenizi yasaklıyorum size!"

"Çocuk," dedi Barski. "Uyandıracaksınız çocuğu."

"Ben karmakarışık bir durumdayım... Korku... Siz... Ve benim her şeyi yazmak zorunda olmam."

"Bırakın böyle düşünceleri!"

"Hayır, bırakmayacağım! Düşüncelerim değişmeyecek. Yaşadığım sürece. Umutsuz olsa da. Çabuk yazmalıyım, hem de çok çabuk. Sizin de bana tıbbi bilgilerle yardım etmenizi istiyorum. Ben yazmaya başladım bile. Her şeyi yazacağım. Ve yazdıklarım basılacak. Bütün dünya ülkelerinde..."

"Ve hiçbir işe yaramayacak!" dedi Barski.

"Öyle demeyin! Gazeteciler şimdiye kadar çok şey elde etmiştir. Ben yazacağım!"

"Hiç kimse basmayacak! Hiç kimse! Gazeteniz bile!"

"Gazetem basacaktır."

"Bay Stein'e basmasını yasaklayacaklardır!"

"Hayır. Akıllıca ele alırsak başarırız. Yazdığımı hiç kimse bilmeyecek. Ve ansızın bir özel baskı yaparsak, mahkeme kararıyla bile önüne geçemezler. Baskıya da el koyamazlar. Dağıtımını önleyemezler. Çünkü gazete çoktan bayilerde satılmakta. Benim hikâyem basılacak ve okunacak!" Derin bir soluk aldı. Sustu.

"Ben sizi korkutup umutsuzluğu düşürmek istemiyorum." Barski koltuğunu çekip yanına sokuldu. Bir an için elini omzuna koydu. "Şimdi size bu kitaptaki diğer şeyleri de açıklayayım. Bir daha da öteki şeylerden söz etmeyeceğim."

"Konuşun," dedi Norma. "Sizi dinliyorum, Jan."

5

"DNA'lar," diye anlattı Barski. "Anımsayacağınız gibi, her hücrenin çekirdeğinde vardır. Genetik bilgileri taşırlar. Çoğalma sırasında bu bilgilerin aktarılması mümkün olmalıdır. Atlantic'teki konuşmamızda DNA'ların üç boyutlu iç yapısından da söz etmiştim. Crick ve Watson adlı bilim adamları 'Çift Helix adını verdikleri buluşlarıyla Nobel ödülünü almışlardı." Yanında oturan kadının koluna dokunmamaya dikkat ediyordu. "Genetik bilgilerin nasıl aktarıldığını da biliyorsunuz. Solucan gibi birleşmiş iki DNA molekülü bir fermuar gibi açılır." Kitapta bazı resimleri gösterdi.

"Evet, anladım," dedi Norma.

"DNA molekülü gözle görülmeyen bir bilgiler programıdır. Bu program dört kimyasal bazdan oluşur. Bunları T, G, C ve A diye kısaltabiliriz. Örneğin DNA'larda insan üreme hormonlarının gizli kodu TTC CCA ACT ATA CCA CTA TCT olarak kısaltılır. Hepatitis B virüsünün programı bu dört harfin üç bin yüz seksen ikili birleşimidir. Bir gen ortalama bin harften oluşur. İnsan da ortalama üç milyar harften. Bakın şunlara!" Kitaptaki bir resmi gösterirken Norma'nın koluna dokundu. "Affedersiniz!" Sonra resmin altındaki yazıları okudu. "Genetik koddaki üç milyar harf, hepsi beşer santim kalınlığındaki bin tane kitap demektir. Bunlar üst üste konduğunda yirmi katlı bir binanın yüksekliğine erişir."

"Bu tek bir insanda," dedi Norma.

"Evet, tek bir insanda. Hep bu dört harf, hep ayrı bir sırada ve her insanda daha başka. Her hayvanda, her bitkide, her virüste de."

"Olağanüstü!"

"Evet. Bizim Alman alfabesini düşünün! Yirmi altı harflidir. Bu yirmi altı harfle bizler neler yazabiliriz. Şiirler, reçeteler, makaleler, kitaplar. Ne istersek. *İncil*'i ve *Kavgam*'ı da."

"Bu iyi bir karşılaştırma," dedi Norma. "Bir sorum daha var..."

Telefon çaldı. Barski açtı. "Hanni! Ne oluyor?" Bir an dinledi. "Tanrım! Ne zaman?" Yine dinledi. "Hayır... Hayır, Hanni! Şimdi kendine gel. Lütfen, sinirlerine hâkim ol! Böyle ağlarsan, söylediklerini anlayamıyorum..." Norma ayağa kalkmıştı.

Barski telefonun öteki ucundaki kadını sakinleştirmeye uğraşıyor, fakat doğru dürüst konuşamıyordu. Sonunda bağırdı. İlkyardımda bekle! Ben hemen geliyorum."

Telefonu kapattı. "Ulu Tanrım! Bir de bu çıktı!"

"Kimdi?"

"Hanni Holsten. Kocası şu anda ameliyat ediliyor. Öleceğinden korkuyor. Korkmakta haklı."

"Fakat akşamüstü sağlığı yerindeydi."

"Bir saat önce müthiş ağrılar gelmiş. Hanni hemen doktor çağırmış. Adam tam bir teşhis koyamadığı için derhal Virchow Hastanesi'ne kaldırılmasını sağlamış. Orada tam teşhis konmuş. Büyük atardamar! Her an patlayabilir. Hemen ameliyathaneye almışlar. Haydi, gelin! Nasıl olsa enstitüye geri dönmeniz gerekiyor. Mila'ya haber vereyim..."

6

"Bu kadar yeter yahu!" diye şişman doktor bağırdı. "Her şeyi bırak git, diyor şeytan! Domuz ahırından farkı yok burasının! Ne oluyor? Aynı hemşireyi ikinci bir defa gördüğüm yok. Hep başkalarını veriyorlar. Yeni gelenin de hastanın durumundan haberi yok! Ne olduğunu sorduğunuzda, 'Bayanın aybaşısı var!' diyorlar. Tabii dört, beş gün işe geldikleri yok!"

Danışmada oturan çok güzel bir hemşire, "Başhemşireye sormanız gerekiyor," dedi. "Burada bağırmanız hiçbir işe yaramaz."

"Ne demek, hiçbir işe yaramaz? Siz bana baksanıza, benimle nasıl böyle konuşabilirsiniz? Öğreniminizi nerede yaptınız? Dachau'da mı?"

Barski'yle Norma koşar adımlarla içeri girdiklerinde, güzel hemşire dudaklarını boyamaktaydı. Doktor çok iğrenç bir küfür savurup dışarı fırladı. Duvardaki elektrikli saat, sabaha karşı

01.14'ü gösteriyordu. Güzel hemşire elindeki aynaya bakarak işine devam etti.

Barski yüksek sesle ve çabucak konuştu. "Lütfen bakar mısınız? Doktor Harald Holsten iki buçuk saat önce buraya getirildi. Şu anda ameliyatta olmalı, Nerede?"

"Akrabası filan mı oluyorsunuz?"

"Hayır."

"Özür dilerim, fakat herhangi bir bilgi veremem."

Barski. "Ah, öyle mi?" dedi birden çok alçak sesle. "Bilgi vereceğinizi sanıyorum, hemşire hanım. Hem de çok çabuk. Üç saniye içinde Doktor Holsten'in nerede ameliyat olduğunu bilmezsem, yarın bu klinikten kovulacaksınız. Buna yemin ederim!" Güzel hemşire şaşkın şaşkın ona baktı. "Ah, Doktor Barski! Bilmiyordum..."

"İki saniye kaldı!"

Güzel hemşire masanın üzerinde bir şeyler aradı. "İşte burada, beşinci kat D bölümü. Elli dört numaralı ameliyathane."

"Haydi gelin!" Barski, Norma'yı elinden tutarak koşar adımlarla en yakın asansöre yürüdü.

"Çok affedersiniz. Doktor Barski!" diye hemşire arkalarından seslendi. Dışarıdan cankurtaran sesleri duyuluyordu. Gelen asansörün kapısı açıldı. Barski'yle Norma beşinci kata çıktılar. Burada mezar sessizliği vardı. Upuzun koridorlar bomboştu. Az ışık yanıyordu. Yerde çeşitli renklerde çizgiler vardı, Mavi çizgiyi izleyerek D bölümüne vardılar. Karşılarına iki adam çıktı. Sondersen'in memurları olacak, diye düşündü Barski.

"İyi geceler, doktor bey," dedi adamlardan biri. "Bayan Desmond..."

"Siz Doktor Holsten'i mi..."

"Evet," diye yanıtladı öteki adam. Omzunda bir telsiz asılıydı. "Doktor Holsten'i tabii burada da korumaktayız."

54 no.lu ameliyathanenin kapısında kırmızı ışık yanıp sönmekteydi. Bir tabelada da GİRMEK YASAK yazıyordu.

"Gelin, Norma!" Barski yürüdü, "Burada bir nöbetçi doktor odası olmalı..." Odayı buldu. Genç bir doktorla nöbetçi iki hemşire oturmuş, kahve içiyor, sohbet ediyorlardı. Köşedeki radyodan Edith Piaf'ın sesi duyuluyordu. "*Non je ne regrette rien...*" "Jan!" Genç doktor fırlar gibi ayağa kalktı. "Merhaba, Klaus." Barski tanıştırdı. "Doktor Klaus Goldschmied. Bayan Norma Desmond."

"Çok memnun oldum," dedi Goldschmied. "Seni bekliyordum. Tam yirmi saattir görevdeyim. Piaf ne güzel söylüyor, değil mi? Saat birden sonra üçüncü programda eski melodileri çalıyorlar. Frankie-boy, Dietrich, Doris Day..."

"Hanni nerede?" diye sordu Barski. Sonra Norma'ya dönüp, Klous'la yıllardır tanışırız," dedi.

Goldschmied, "Tabii ben de sizi, daha doğrusu yazılarınızı, yıllardır tanırım," dedi Norma'ya.

"Söylesene. Hanni nerede?"

"Burada değil." Goldschmied önden yürüdü. Yandaki odaya geçtiler. Küçük bir masa. Bir dolap. Karmakarışık bir yatak. Aşağıdan cankurtaran sesleri.

"Oturun!" Goldschmied masanın arkasındaki iskemleye bıraktı kendini. Yorgun olduğu belliydi. Gözlerinin altında mor halkalar vardı. Yüzü de soluktu. "Hanni psikiyatride," dedi. "Sinir krizi geçirdi. Bağırıp çağırdı. İğne yapıldı. Bir süre orada kalacak. Kendine gelene kadar, iyi bir evlilik miydi?"

"Evet. Çok iyi, Harald'ı kim muayene etti? Sen mi?"

"Ben. Tam yerini buldum. Yarım saat daha geçseydi damarı patlayabilirdi. Harnack yapıyor ameliyatı. Çok iyi bir doktordur."

"Biliyorum."

"İlk anda Hanni'nin burada olduğunu fark etmemişlerdi, Harald'ın kurtulma şansı üzerine konuşurlarken kadıncağız duymuş. Kriz ondan sonra geldi. Bağırıp çağırdı, etrafına saldırdı. Zavallı kadın. Hep birbirini sevenlerin başına gelir böyle şeyler."

"Kurtulma şansı var mı?"

"Çok az," dedi Goldschmied. "Tabii kalp-ciğer makinesine bağlandı. Buraya getirildiğinde şok durumundaydı. Ameliyattan az önce kalbin atışı hiç de iyi değildi. Atardamardaki o yere ulaşmak biraz zor. Harnack'ın iyi bir yöntemi vardır, bilirsin. Fakat orada da başarılı olur mu..."

"Lanet olsun," dedi Barski.

Norma, "Nedeni biliniyor mu?" diye sordu.

"Bunu hiç bilemeyiz," dedi Goldschmied. "Hepimizin başına gelebilir. Her an. Sizin, Jan'ın, benim. En önemlisi hemen ameliyat etmektir. Atardamar patlarsa sonunuz gelmiş demektir. Bu nedenle derhal ameliyat! Ur biçimindeki gevşeme şişkinliğinin -ki biz buna anevrizma deriz- olduğu yer kesilir..."

"Kesilir mi?" dedi Norma.

"Evet. Birçok operatör kesilen yeri diker," diye Barski açıkladı. "Fakat Harnack böyle yapmaz, plastik bağlantıları da kullanmaz. Vücudun yabancı bir parçayı kabul etmeme tehlikesi büyüktür. Harnack baldırdan aldığı bir parça damarı kesilen yere diker. Böylece hiç olmazsa vücudun kabul etmeme tehlikesi ortadan kalkar. Ancak ameliyat uzun sürer. En az üç saat."

"Dört saat de sürebilir. Harald'da olduğu gibi atardamardaki anevrizmaya zor ulaşılırsa," dedi Goldschmied. "Nesi var Harald'ın?"

"Niçin soruyorsun?"

"Çok bitkin. Hiç gücü kalmamış. Bu çok tehlikeli. Niçin böyle, Jan?"

"Terör olayından sonra hiçbirimizin durumu iyi sayılmaz. Hepimiz gerginiz, ruhen de iyi değiliz. Ancak senin çok bitkin demeni anlamıyorum. Bunun nedenini bilemem."

Acaba Holsten manen çok baskı altında mıydı, diye düşündü Norma. Kendi kendini ele vermekten mi çekiniyordu? O mu hain? O ise şimdi ne olacak?

"Beklemenizin hiç anlamı yok," dedi Goldschmied. "Ameliyat başarılı geçerse, tabii yoğun bakıma alınacak. Konuşmanız da mümkün olmayacak. Hanni de konuşacak durumda değil."

"Ben enstitüde kalacağım," dedi Barski. "Bayan Desmond da bir süredir orada kalmakta. Olaylar..."

"Haberim var. Şimdi en iyisi uyumaya çalışmanızdır. Ben sabah sekize kadar nöbetteyim. Harald mortoyu çekerse, hemen telefon ederim sana. Bağışlayın, Bayan Desmond. Bu meslekte insanın ahlakı bozuluyor. Kullandığım deyim için özür dilerim!" Goldschmied ayağa kalktı. "Ben sizleri asansöre kadar geçireyim." Aşağıdan cankurtaran sesleri.

Asansörün yanına geldiler. Tam kapı açılırken, nöbetçi doktor odasında oturan iki hemşireden biri koşarak yanlarına geldi.

"Doktor bey! Hemen ilkyardıma! Hasta getirdiler!"

"Peki, peki. Ben de sizlerle aşağı iniyorum,"

Asansöre bindiler. Barski en alt katın düğmesine bastı. "Berbat bir gece."

"Ah, öyle deme," dedi genç doktor. Asansörün duvarına dayanmıştı. Yirmi saattir nöbette olduğu gözlerinin altındaki koyu halkalardan belliydi. "Bugün burası cennet gibi sakin."

Asansör durdu. Kapısı açıldı. Hoparlörlerden bir kızın sesi duyuldu. "Doktor Goldschmied! Doktor Goldschmied! Lütfen derhal ilkyardıma! Doktor Goldschmied..."

"Benim ayrılmam gerek," dedi gene doktor. "Sizlere güle güle!"

"Telefonunu bekliyoruz. Ne olursa olsun, tamam mı?"

"Tamam." Goldschmied koşar adımlarla uzaklaştı. Barski'yle Norma neon ışıklarının gündüz gibi aydınlattığı büyük avluyu geçtiler. Yüksek binaların arasında yürüdüler. Hava ne güzel ılıktı.

"Çok yıldız var gökyüzünde," diye mırıldandı Barski.

Norma susuyordu.

"Ne kadar çok yıldız!"

"İnşallah kurtulur," dedi Norma.

"Evet... İnşallah."

"Jan?"

"Efendim?"

"Yok bir şey."

"Anlıyorum."

"Gerçekten mi?"

"Evet." Barski yanındaki kadının elini tuttu. Yavaş yavaş yürüdüler. "Bu kadar çok yıldızı hiç görmüş müydünüz?"

7

"Doktor Holsten nasıl?" diye Başkomiser Sondersen sordu. "İyi değil," dedi Barski. "Bu sabah yanındaydım. Tabii yoğun bakımda. Beni tanımadı. Önce doktorlar doğru dürüst bir şey söylemek istemedi. Sonra iyi tanıdıklarımdan biri, 'Durumu kötü,' dedi."

Alvin Westen, "Kurtulacak mı dersiniz?" diye sordu.

Barski omuzlarını silkti.

"Aramızdan biri daha öteki dünyaya..."

"Eşinin durumu nasıl?" diye sözünü kesti Sondersen.

"Onun da yanına gittim. Yaptıkları iğne o kadar kuvvetli ki daha saatlerce uyuyacak."

27 Eylül 1986. Günlerden cumartesi. Saat sabah onu üç geçiyor. Sondersen, Barski'ye telefon etmiş. Norma'yla birlikte müdüriyete gelmesi ricasında bulunmuştu. Westen de orada olacaktı. En son olup bitenlerden söz edeceklerdi. Sondersen bu konuları konuşmak için polis müdürlüğünün en iyi yer olduğunu söylemişti. Odası 16. kattaydı.

Cumartesi olduğu için koridorlarda çok az insan vardı. Barski'yle Norma birçok kapıyı geçip üzerinde MONDO SİRKİ ÖZEL KOMİSYONU yazan kapının önünde durdular.

353

İçeri girdiler. Gömleğinin kollarını kıvırmış bir memur daktilonun başına oturmuş, iki parmakla bir şey yazmaya uğraşıyordu. Başını çevirip baktı. "Ne var?"

"Bayan Desmond ve Doktor Barski. Bay Sondersen bizi bekliyor."

Memur yerinden kalkarak yandaki bir kapıyı açtı.

"Bayanla bey geldi, başkomiserim."

Sondersen kapıda göründü. O gece hiç uyumamışa benziyordu. Zorla gülümsemeye çalıştı. "Geldiğinize memnun oldum. Bay Westen de biraz önce geldi. Buyurun..." Az eşyayla döşenmiş büyükçe bir odaya girdiler. Odada birkaç kartoteks dolabı, bir yazı masası, bir köşede dört iskemle, yuvarlak bir masa, öteki köşede bir kanepe vardı. Pencerede yaprakları cansız bir bitki duruyordu. Jaluziler odaya güneş girmesin diye kapatılmıştı.

Westen ayağa kalktı. "Sevgili Norma!" diyerek ona sarıldı. Üzerinde arduaz mavisi bir takım, açık mavi gömlek ve koyu mavi kravat vardı. Sağlıklı ve dinlenmiş gibiydi. Masanın üzerinde o günkü gazete duruyordu. BÜYÜK MİLLET MECLİSİNDE KAVGA. CATTENOM ATOM REAKTÖRÜ ÜZERİNE TARTIŞMALAR.

"Yine ne oldu?" diye sordu Norma.

"Meclis ve eyaletler meclisi dün Fransız atom reaktörünün çalışmaya başlamasını ele almıştı. Oldukça büyük tartışmalar olmuş," dedi Westen.

Norma, "Peki sonuç?" diye sordu. "Eyaletler meclisi, iki ülke arasındaki son görüşmelerden sonra bu atom reaktörünün güvenliğinin sağlanmış olduğunu kabul etti. İşte bu kadar."

"Aman ne güzel," dedi Norma.

"Daha ne sorunlar var ülkede! Fabrika bacalarından çıkan sülfürik asitli dumanlar her yere yayılıyor. Ciğerlerimize çektiğimiz havada şimdi radyasyon da var. Yiyeceklerde zehir, toprakta zehir, çöp depolarında zehir. Ozon tabakasında delik var. Ku-

354

zey denizi ölmekte. Nehirler, göller, balıklar, kuşlar da. Ne olmuş ki? O kadar önemli mi? Suda balıkların yaşaması gerektiği de nerede yazıyor? Yeni *Soft War*'a silah aramak için bu kadar çabaya ne gerek? Nasıl olsa yakında kendi kendimizi yok edeceğiz." Norma çantasına el attı. "Teybi kullanmayın lütfen," dedi Sondersen. Norma omuzlarını silkti.

"Sizinle tanışmadan önce Bonn'da bazı görüşmeler yapmıştım, Doktor Barski," dedi Westen. "O günlerde kimse doğru dürüst bir şey söylememişti. Sadece Bayan Desmond'un Mondo Sirki olayından elini çekmesini istemişlerdi. Anımsıyorsun değil mi, sevgili Norma?"

Karşısındaki kadın başını evet anlamında salladı. Şimdiyse bir dostum sonunda ağzını açtı. Tabii adını veremem. Bay Sondersen de Wiesbaden'de bazı şeyler öğrenmiş. Ne de olsa biz dördümüz olayın nasıl gelişeceğini bilmeliyiz değil mi? Hele Bay Bellmann'ın Berlin'deki açıklamalarından sonra... Kim anlatmaya başlayacak. Bay Sondersen. Siz mi, ben mi?"

"Siz," diye yanıtladı uzun boylu başkomiser. Alvin Westen bacak bacak üstüne attı. "Dostumla Bonn dışındaki evinde buluştuk," diye anlatmaya başladı. "Bellmann'dan öğrendiklerimizi ona doğrudan doğruya söylemenin en iyisi olduğuna karar verdim. Dostum dinledi, bir an hiç sesini çıkarmadı. Sonra, 'Sana yalan söylemeye çalışmamın hiç anlamı yok, Alvin,' dedi..."

"... hiç anlam yok Alvin," dedi dostu. "Yararı da yok. Evet, atom sarmalından kurtulmamız gerektiği doğru."

"Bizim mi?"

"Evet, bizim de! Hepimizin! Gerek NATO, gerekse Varşova Paktı ülkelerinde durum aynı. Bütün generaller ve savunma uzmanları 'daha çok atom silahıyla orduları donatmaya son verelim,' görüşünü savunuyor artık. Şimdi yeni silah sistemlerinin gerekli olduğuna inanıyorlar. Ülkemizdeyse çok sayıda uzman, 'Atom silahlarına devam,' diyor. Onlara kalsa, her tarafı tenis topu büyüklüğündeki atom bombalarından kıtalararası füzelere kadar silahlarla doldurmak gerek."

Westen başını salladı. "Şu 'sıfır çözüm' aklıma geldi. Eğer yanlış bir şey söylersem, hemen düzelt lütfen. NATO bu 'sıfır çözüm'ü uzun süredir öneriyor. Buna göre, batı ülkelerine yerleştirilmiş bütün orta menzilli füzeler kaldırılacak. Ancak Sovyetler'in de aynı şeyi yapması isteniyor. Tabii NATO savaş uzmanları bu öneriyi yaparken, Sovyetler'in kabul etmeyeceği umu.rundaydı. Onlar belki kabul edecekler, fakat Alman politikacıları hemen yaygarayı kopardı ve Amerikalılara yalvardı. 'Orta menzilli füzeleri kaldıramazsınız! Eğer bunu yaparsanız denge kalmaz ve Sovyetler bize hemen saldırır. Çünkü onlar ellerindeki kısa ve uzun menzilli füzelerle ülkemize ulaşabilir."

"Doğru," dedi dostu. "Bunun üzerine Amerikalılar da şöyle dedi: 'Sevgili Almanlar, hiç korkmayın! Geri dönmemiz mümkün olmazsa, o zaman orta menzilli füzeleri yerden alır, havaya çıkarırız. Biz onları uçaklara koyarız. Denizlerde de denizaltılarımıza yerleştiririz. Hem de karadakilerden daha çoğunu.'" Soğuk soğuk sırıttı.

"Sen de tıpkı Bellmann gibisin," dedi Westen.

"Neden?"

"Onun da gülümsemesi yüzüne donmuş."

"Bu herifler ve mantıkları insanı çıldırtır! Atom silahları karşı tarafı korkutmanın tek yoludur, diyorlar. Peki, daha çok yeni atom silahı yapalım! Hiç durmadan. Karşılıklı korkutma dengeli olmalı! Bu bize şu güne kadar Avrupa'daki en uzun barışı getirmiştir! Kırk yıldan fazla. Ne güzel! İki büyük gücün, iki süper ülkenin *Soft War*'a çoktan karar verdiğinden haberleri yok. Bu herkese anlatılmıyor. Çok az insan bu yeni savaştan haberdar."

"Senin gibi, örneğin."

"Bellmann'la birlikte Washington'la Moskova arasında mekik dokuduğundan da haberdardım."

"Ve buna engel olamadın."

"Uçağınızı düşürmek elimizdeydi," diye dostu alay eder gibi konuştu. "Fakat yapmadık. Çünkü Bellmann, *Soft War* üzerine bildiklerini ve tahmin ettiklerini yazılı olarak bir yerde saklamakta. Senin ya da onun yaşamı ansızın son bulursa hemen açıklanacak..."

"Dostumun adını ve dış görünüşünü tabii açıklayamam," dedi, Alvin Westen. Başkomiser Sondersen'in Hamburg Polis Müdürlüğü'ndeki bürosunda. "Kimin bana neler anlattığı ve bildiklerimi onayladığı ortaya çıkarsa, dostum ve onun dostlarının başı belaya girer. Yaşamı tehlikede olan bu tür kişiler televizyonda konuşurken yüzleri kapalı, sesleri değiştirilmiş gösterilir. Ben de sizlere onu tarif etmeyecek, konuşmanın ne zaman ve nerede yapıldığı konusunda bilgi vermeyeceğim. Burada söz konusu olan bir edebiyat eseri değil, birkaç insanın yaşamı. Dostuma dedim ki, 'Amerikalılar, *Soft War* için bir silah bulunana ve Almanya'yla özgür dünyanın korunmasını böylece garanti edene kadar, Federal Almanya'nın ormanlarına hiçbir ülkeye yerleştirmediği sayıda kısa ve uzun menzilli füzeyi yerleştirmek hakkını kendilerinde görüyorlar. Bundan başka *Soft War* için yararlı olacak bütün çalışma ve deneylere karışabilmek amacıyla her yolu da deniyorlar. Söylediklerim doğru mu?'"

"Evet, söylediklerin doğru?" dedi Alvin Westen'in dostu.
"Doğuda da başka türlü olmadığını sanırım. Oradaki ülkelerde de Sovyetler benzeri şeyleri yapmak hakkını kendilerinde görüyordur," dedi Westen.
"Doğru."
"Bir zamanlar Nazi Almanya'sına karşı ortak savaşmış bu iki güç," diye Westen devam etti. "İkiye bölünmüş Almanya kendilerininmiş gibi davranıyor. Amerikalılar Federal Almanya'ya, Sovyetler de Demokratik Almanya'ya 'bizim' gözüyle bakmakta. Hem de hiç vicdan azabı çekmeden. Niçin çeksinler? Bu ül-

kelerle aralarında barış anlaşması yok ki! Henüz geçerli olan bir 'işgal yönetmenliği' var. Kısacası, işgal ordularının toprakları Almanya toprakları! NATO, Varşova Paktı, koruyucu güçler ve silah arkadaşlığı hep güzel şeyler... Biz ve Doğu Almanlar söylenenleri yaptıkça. İnsan haklarına boş ver! Bağımsız iki devlet gibi davranmaya kalktığımızda da Amerikalılar ve Sovyetler biz Almanlara gülüp geçecektir. Onlara göre biz hiçbir zaman, hakkını arayan, bağımsız Alman devletleri olamayacağız."

"Hepsi doğru, fakat pek büyük bir rolü yok," dedi dostu. "Çünkü 1949 yılından bu yana Federal Almanya'da bütün hükümetler her şeyi kabullenmişti. Amerika'yı dost saymış, ona bağlanmıştı. Demokratik Almanya'da da bütün hükümet başkanları Sovyetler'e bağlanmayı kabul etmişti. Bu iki güç bizleri saldırının, özür dilerim savunmanın demek istemiştim, en ileri cephesinde savaşacak çok sadık iki ülke olarak düşünmekte. Bir Almanya öteki Almanya'nın en büyük düşmanı. Askeri bakımdan. Fakat her iki Almanya oynadıkları rolü benimsemiş ve kabullenmiştir. Hükümetleri tabii..."

"Evet, gerçek bir barış anlaşmasını 1949 yılından günümüze dek hiçbir hükümet istememiştir. Çünkü böyle bir anlaşma - gerçekten başarılırsa- Almanya'nın bölünmesini belgeleyecektir. O günden sonra da 'Almanya bölünemez' palavralarına ve 'Alman halkı barış içinde ve bağımsız kendi yolunu çizecektir saçmalıklarına politikacılarımız artık son vermek zorunda kalacaktır. Fakat yine de görmek isterim, hükümetlerden birinin kalkıp da şöyle demesini: 'Tamam! Yeter artık! Daha çok çekmeyeceğiz! Biz bağımsız bir ülke sayılmayız, ama bütün füzeleri topraklarımızdan çekmenizi istiyoruz. Kimyasal silahları ve askerlerinizi de. NATO'dan ya da Varşova Paktı'ndan da çıkıyoruz.' Acaba o zaman neler olur Avrupa'da?"

"Bu çok güzel bir oyun, Alvin. Çünkü bizler güçlülerin bütün isteklerinden hoşnutuz, onları yerine getiriyoruz. Kendimizi rahat hissediyoruz. Biraz önce konuştuklarımızı düşünsene...

Bazı silahların kaldırılması istendiğinde -şu 'sıfır çözüm'- hemen karşı çıkıp, kalsın onlar, diyoruz. *Soft War* için silah arayan Sovyetler ve Amerikalılar da ellerini kollarını sallaya sallaya laboratuvarlara giriyor, istedikleri bilgileri elde ediyor. Bütün ülkelerde. Bütün dünyada. Ne yapıyor hükümetler? Gördün. Paris'te Eurogen olayından sonra hükümet her şeyi örtbas etmeye çalıştı. Filmleri yok ettirdi. Bizde olduğu gibi. Hatta güçlüler bizde daha da rahat çalışıyor. Çünkü biz sesimizi daha az çıkarıyoruz. Casusluk yapıyorlar, karşı çıkan bilim adamlarını ortadan kaldırıyorlar ve Hamburg'da olduğu gibi terör yaratıyorlar. Biz hiç sesimizi çıkarmıyoruz. Politikacılarımız, daha doğrusu *Soft War*'ın çok gerekli olduğuna inandırılmış önemli politikacılarımız, atom sarmalından kurtulmamızı istiyor ve onun için de olup bitene karışmıyor. Çünkü *Soft War* için gerekli silahı mutlaka önce Amerikalılar elde etmeli, diye düşünüyorlar. Yoksa bizler mahvoluruz. Doğudakiler de aynı şekilde düşünmekte. Yeni silah önce Sovyetler'de olmalı, yoksa ülkelerimiz mahvolur."

"Lanet olası bir oyun bu!" dedi Westen. "Fakat bu hep böyle," diye dostu konuştu. "Her yerde. Bütün dünyada. Bilim adamları bütün ülkelerde izlenir. Casuslar ve hainler her yerde vardır. Yeni bir silahlanma yarışı... Yeni bir silah... Bu yeni silahı önce bulan, bütün dünyaya hükmedecektir. Ve Hamburg'daki o insanlar yeni silaha çok yaklaşmış olmalı!"

"Yaklaşmış olmalı değil," dedi Alvin Westen. "Buldular. Hiç İstemeden, bir iş kazası sonucu, *Soft War* için en uygun virüsü buldular. Şu günlerde bilim adamlarından biri virüse karşı aşıyı kendi vücudunda denemekte. Daha önce bu aşı farelerde başarılı oldu. Eğer insan üzerindeki denemede başarı elde ederlerse, her şey hazır sayılır, öyle değil mi?"

"Evet, her şey hazır sayılır." Dostu başını salladı. "Bütün dünyaya hükmetmek isteyen iki güç en acımasız yolları deneyerek amaca ulaşmaya çalışıyor. Hiçbir şeyden yılmıyorlar. Ölen insanların sayısı da önemli değil. Hamburg'daki sirk olayı en iyi örnek buna."

"Kimin parmağı var sence?" diye Westen sordu. "Söyle gerçeği. Amerikalıların mı?"

"Bilmiyorum. İnan bana! Olayda Amerikalılar gibi Sovyetler'in de parmağı olabilir. Aynı şey Nis'te Doktor Sasaki'nin kliniğindeki hırsızlık, Norma Desmond'a suikast ve Berlin'deki kilise olayı için de geçerli. Arada sırada telefon eden ve her şeyi bildiğini söylediğin adam kim? O da Amerikalı veya Rus olabilir. Yoksa bir defasında Amerikalılar, bir defasında Sovyetler mi olayların arkasında? Bilemiyorum. Bunu resmen bilmek mümkün değil. Böyle olsaydı bir dünya skandalı çıkardı!"

"Ve her iki ülke de bu yeni silaha kavuşmayı umuyor. Terör olaylarından ve cinayetlerden kim sorumlu önemli değil. Ancak ülkemizde bütün bu olup bitenleri kabul etmeyen bazı kişiler de var."

"Evet, var böyleleri," dedi dostu. "Benim gibileri. Ve daha birçok kişi."

"Birçok ülkede olduğunu bildiğim özel timleri düşünmek yerinde sanırım. Bizde de böyle bir 'özel tim' olduğu doğru mu?"

"Evet, böyle düşünmekle haklısın," dedi dostu. "Ancak bunu senden, Doktor Barski'den ve Bayan Desmond'dan bir başkası duyar ve de kanıtlamaya kalkarsa, hayatta kalmazsınız. Ne olursa olsun hiç kimse özel timlerin varlığından söz etmeyecektir."

"Evet. Ben bu söylediklerini daha önce de duymuştum," dedi Westen. "Başkomiser Sondersen'den. Böyle timlerin olup olmadığını kendisine sorduğumda, bilmediğini söylemişti. Bilse de açıklamayacağını belirtmişti."

"Sondersen bilenlerden. Bu özel timlerin ne yaptığını bilmiyor, fakat onun çalışmalarına bazen engel olduklarından haberdar. Ve bu da onu çok üzüyor. Şu sıralar Wiesbaden'de ona açıklamalarda bulunuyorlar. Benim sana bulunduğum gibi. Federal Polis, Hamburg'daki terör olaylarını açıklığa kavuşturmanın ve suçluları mahkeme karşısına çıkarmanın Sondersen'in çabalarıyla mümkün olamayacağını kavramış durumda. İçinde bulunduğumuz politik durumda Amerikan ve Sovyet hükümetlerini cinayetlerle suçlayabilir miyiz? Federal Polis, Sondersen'i böylesine üzen özel timlerin çalışmalarından haberdar. Bu adamın nasıl bir doğruluk çılgını olduğunu da biliyorlar. Sondersen üzülmeye devam edecek, özel timlerin neler yaptığı kendisine açıklansa da."

"Peki, neler yapıyor bu insanlar?"

Dostu neşesizce gülümsedi.

"Sırıtmaya değer bir şey mi?" diye Westen sordu.

"Tanrı bilir," dedi dostu, "özel timlerdeki insanlara çılgın, hatta sapık denilebilecek bir görev verilmiştir. Ancak içinde bulunduğumuz durumda bu, mümkün olan en iyi ve akıllıca çıkar yol sayılmakta."

"Nasıl bir görev bu?"

"Nasıl bir görev mi? Sovyetler'in bu virüs silahını Amerikalılardan önce elde etmesini engellemeliler. Bu uğraşı sırasında daha çok insanın yaşamını yitirmesini de. Ayrıca her türlü paniğe engel olmak zorundalar. Anlayacağın, Amerikalılara yardım ederken, Sovyetler'e engel olmak, yaşam kurtarmak ve de panik çıkmamasını sağlamakla görevliler."

"Peki, bütün bu görevleri nasıl yerine getiriyorlar?"

"Bu onların bileceği iş. Onlardan biri olmak istemem. Kimse onları zorla bu özel time sokmamıştır. Hepsi de gönüllü olarak orada görev almıştır. Onlar profesyonel kişilerdir. Daha iyilerini bulmak mümkün değil."

"Peki, neden bu işi yapıyorlar?" diye Westen sordu, "İdealizm olamaz. Adalete ve özgürlüğe inanıyorlar da diyemeyiz."

"Tabii böyle düşünemeyiz," dedi dostu. "O insanlar senin dediklerinle zerre kadar ilgilenmiyor. Onlar bambaşka bir şeye inanıyorlar. İçlerinden biri bir zamanlar bana ne demişti, biliyor musun? 'Hepsi katil onların,' demişti. 'Bu dünyanın bütün önderlerine ve diktatörce yönetim sistemlerine lanet olsun. O do-

361

muzlar için bütün savaşlar, çıkar sağladıkları ticarettir. Bir yandan barış, özgürlük ve dürüstlük üzerine palavralarını atıp öte yandan kirli işler çevirirken, her şeyin hamallığını da bizlere yüklerler. İnsanlık onların umurunda mı? İnsanları gerçekten düşünen hiçbir düzen yoktur!' İşte böyle demişti adam. Ne kadar kötü, değil mi?"

"Hayır, hiç de değil."

"İnandıkları bir şey vardır. Hem de çok. Onun için hayatlarını tehlikeye atarlar."

"Para için," dedi Westen.

"Çok para için," diye dostu yanıtladı. "Pek çok para için."

"İşte durum bu," dedi yaşlı adam. Sondersen'in Hamburg Polis Müdürlüğü'ndeki bürosunda bir cumartesi günü öğleden önce. Sonra devam etti. "Ülkemizin böyle bir durumda olduğunu da düşünmemiz gerekir. Ben kendimden ve neslimden şikâyetçi olmalıyım. Birçok insan Nazilere karşı çıkmıştı. Demek yeterli değilmiş. Bizim adımıza ve bizim hoşgörümüzle başka insanlara yapılan haksızlıklar ve kötülükler, ülkemizin o duruma gelmesine neden olmuştu. Şimdi yıllar sonra bunları hissediyoruz. Ve gelecekte çok daha büyük bir dehşet yaşayacağız. Belki şöyle düşünen vardır. İnsanlar insanlara saldırabilmiş, milyonlarcası altı milyon Yahudi'yi ve binlerce vatandaşını öldürebilmişti. Altı yıllık savaş, sonunda yirmi milyonu Rus olmak üzere tam altmış milyon insana hayatını kaybettirmiş, sonsuz toprakları mahvetmiş ve buralardaki insanlara yaşlı gözlerden başka hiçbir şey bırakmamıştı geriye... Ve bütün bunların sonunda insanlar sanki bir şey olmamış gibi davranmışlardı." Westen derin bir soluk aldı, "Pek dindar sayılmam. Fakat eşitliğe inanırım. Günün birinde gerçekleşir. Eskinin hesabını bir gün bizden sorarlar. Hatta sormaya başladılar bile."

Norma, Sondersen'e doğru döndü: "Anımsıyor musunuz, sizinle gazete binasındaki asansörün önünde durup konuşmuştuk."

"Evet, Bayan Desmond, çok iyi anımsıyorum. Siz bana niçin böyle hüzünlü olduğumu sormuştunuz."

"Siz de nedenini bana açıklamayacağınızı söylemiştiniz."

"Evet, açıklayamazdım da. Biraz önce Bay Westen'den işittiklerinizden sonra beni artık daha iyi anladığınızı sanırım."

"Wiesbaden'de, Bay Westen'e Bonn'da anlatılanların benzeri şeyler duydunuz. Hâlâ çok üzgün müsünüz?" diye Norma sordu.

Ne kadar uzun hüküm sürerse sürsün kötünün değil, sonunda gerçeğin ve eşitliğin kazanacağına inanan bu adam şöyle konuştu: "Üzüntüm devam ediyor, ancak artık o kadar değil..."

"Artık o kadar çok değil mi?"

"Evet. Bay Westen bizlerin suçundan söz ettiği ve günün birinde eskinin hesabını bizden soracaklarını söylediği anda üzüntüm azaldı. Bu sözler düşüncelerimi değiştirdi. Çok sarsıldım. Nazi dönemini yaşamadım. Başbakanın 'Sonra doğanlar affedilmelidir,' sözü benim için çok anlamsızdı. Biz sonra doğanlar tabii bütün olup bitenlerin suçunu yüklenemeyiz. Ancak babalarımızın bize ve bizden sonrakilere yüklemiş olduğu bir sorumluluk var. Endüstrileştirilmiş insan kıyımını hemen hiç karşı çıkmadan kabullenmiş ve yarım yüzyılda iki dünya savaşına neden olmuş bir toplum damgalanmıştır. Yeni başlangıç ve barışma, Auschwitz'i unutturmaz. Bizler, bizlerin çocukları ve çocuklarımızın çocukları böylesine bir dehşetin yeniden olmaması sorumluluğunu taşımakta. Bunu iyice düşünmeli ve her türlü başlangıca karşı çıkmalıyız. Toplumumuzda eski Nazilerin henüz yaşadığını, son yıllarda yenilerinin de ortaya çıktığını, ülkemizde ve kardeşlerimizin yaşadığı öteki ülkede füzelerin bulunduğu ve 1945'ten sonra dünyada politik gelişmenin çok kötü olduğunu da düşünmeliyiz. Bay Westen, biraz önce bizlere anımsattığınız şeylerin benim için ne kadar büyük anlamı olduğunu bilemezsiniz!"

"Sizin de benim gibi düşündüğünüzden emindim."

"Şimdi her şeyi çok daha iyi kavrıyorum," dedi Sondersen.

"Terör olayını açıklığa kavuşturma ve katilleri bulma olanaklarımın niçin sınırlı olduğunu anlıyorum. Bundan sonra ne olacak bilmiyorum. Başaracak mıyız? Belki. Fakat hiç olmazsa 'zararın neresinden dönsek kârdır' deyip, hep birlikte çaba göstermeliyiz. Ben çalışmalarıma devam edecek, hak ve hukukun gerçekleşmesine uğraşacağım. Eskinin hesabı bizden sorulacak. Bundan kaçınılmaz. Bay Westen, anlattıklarınızın benim için anlamı çok büyük. Bunu lütfen kabul edin."

"Tamam, yeter artık!" dedi Westen.

"Hayır, size her zaman teşekkür edeceğim. Çünkü artık öfke duymadan, kinlenmeden ve çok acı çekmeden görevimi yerine getireceğim. Bunu biliyorum. Ve böyle düşünmem bana artık destek olacak."

Odada bir süre hiç kimse konuşmadı. Sonunda Norma, Sondersen'e bakarak sordu, "Özel timdeki insanlar ne yapıyor? Bana küçük bir örnek verebilir misiniz?"

Sondersen bir an düşündü. Sonra yazı masasının çekmecesini açıp bir fotoğraf çıkardı. "Bakın..." Fotoğrafta genç bir kadın görülüyordu. Kumral saçlıydı. İri gözleri, çıkık elmacık kemikleri vardı. Yüzü çok boyalıydı. Üzerindeki ince elbise yanları yırtmaçlıydı. Dekoltesi de oldukça açıktı.

"Bu Reeperbahn'daki kadın," dedi Norma hemen.

"Otomobilimize binmiş olan kadın," diye ekledi Barski de.

"Evet, sizi durdurmuş ve otomobile binip sizinle gelmek istemiş olan sokak kadını. Adamlarım yetiştiğinde de kaçıp gitmişti. Fakat bu kadın sokak kadını değildi ve sizinle gelmek de istemiyordu."

"Peki, bu fotoğraf sizin elinize nasıl geçti?" diye Norma sordu.

"Adamlarımdan biri çekmişti. Raporu için. Gördüğünüz gibi kadın kaçmak üzere."

"Evet, kaçmıştı. Peşinden giden adamınız geri döndüğünde yakalayamadığını söylemişti. Evlerden birinde gözden kaybetmiş."

"Böyle olması gerekiyordu."

Barski, "Böyle olması mı gerekiyordu?" diye şaşkınlıkla sordu.

"Kadın özel timde görevli de onun için," dedi Sondersen.

"Gördüğünüzde çok makyajlıydı ve saçları da takmaydı. Onunla bir daha karşılaşsanız, tanıyamazsınız. Sizi koruyan adamlarımın neden geç kaldığını sormuştunuz, Doktor Barski."

"Evet, anımsıyorum."

"Geç kalmaları gerekmişti. Otomobilinize binmiş o kadını işinde rahatsız etmemeleri istenmişti."

"Neydi o kadının işi?" diye Norma sordu.

Sondersen, "O kadın sizlerin hayatını kurtarmıştı," dedi.

8

"Ne dediniz?"

"Ben de yeni öğrendim. Wiesbaden'de. Bu kadının yaptığı pek önemli bir şey değildi. Gerçekte bu kişilere çok daha zor ve önemli görevler verilir."

"Peki, ne olacaktı da, bu kadın hayatımızı kurtarmıştı?" diye Norma sordu.

"Doktor Barski'yle Atlantic Oteli'ne gittiğiniz ve onun enstitüde bütün olup bitenleri anlattığı akşamı anımsıyor musunuz?"

"Tabii anımsıyorum."

"Şimdi olduğu gibi çantanız o akşam da yanınızdaydı. İçinde küçük teybiniz ve fotoğraf makineniz vardı."

"Evet. Bunun ne önemi var?"

"Otelin karşısında, park yerinde duran otomobilde bırakmıştınız çantanızı. Öyle değil mi?"

Barski, "Evet. Konuşmamızı teybe almamasını Bayan Desmond'a rica ettiğim için," diye söze karıştı.

"Anlıyorum, doktor bey." Sondersen odada oturan diğer kişilere döndü. "Şimdi anlatacaklarımı ancak dün öğrenebildim. Doktor Barski'nin neler söyleyeceğini biri bilmiş olmalı. Çünkü bunu hemen iki taraftan birine iletmiş."

"Bunu nasıl iddia edebilirsiniz?"

"Bekleyin, doktor bey! Bu kişi karşı tarafa haber vermiş olacak. Çünkü Bayan Desmond otelden çıkar çıkmaz öldürülecekti."

"Gerçekten," dedi Norma, "Eve gelir gelmez telefon eden o kişi tarafından ölümle tehdit edilmiştim. Hemen arkasından da Genesis Two'nun adamı Antonio Cavaletti ateş etmişti. Diğer tarafın adamı Horst Langfrost onu vurmamış olsaydı, şu anda hayatta değildim."

Sondersen başını evet anlamında salladı.

"Cavaletti birinci suikast başarıya ulaşamadığı için size ateş etmişti. Tanrıya şükür, ikincisi de başarılı olamadı. Şimdi bakın... Doktor Barski'yi koruyan adamlarımız, sizler Bay Westen'in dairesinde konuşurken, Atlantic Oteli'nin önünde otomobillerinde bekliyorlardı. Park dolu olduğu için yer bulamamışlardı."

"Evet, ben de çok zor park etmiştim," dedi Barski, "Adamlarım otel girişinin hemen yanında durmaktaydı. Ancak buradan otomobilinizi pek iyi göremiyorlardı. Her neyse, karşı taraftan bir adam ya da bir kadın gizlice Doktor Barski'nin Volvo'suna girip Bayan Desmond'un çantasındaki teybin kasetini değiştirmeyi başarmış."

"Peki, fakat neden?"

"Doktor Barski yanınızdan ayrılır ayrılmaz sizi öldürebilmek için. Doktor Barski öldürülemezdi. Ondan ve meslektaşlarından virüsle ilgili her şeyi öğrenmek istiyorlardı. Tabii şimdi de karşı aşı konusunda. Fakat siz Bayan Desmond, mümkün olduğu kadar çabuk öldürülmeliydiniz!"

"Otelden çıktığımda her şeyi bildiğim için, öyle değil mi?" diye sordu Norma. "Başkasına söylemem önlenmeliydi." Sondersen başını eğdi. "Bay Westen de her şeyi öğrenmişti. Ancak onun özel koruyucuları vardı. Yanına yaklaşmak kolay değildi. Yine de Berlin'de az kalsın başarıyorlardı. Fakat siz Bayan Desmond, o akşam henüz koruyucusuzdunuz. Karşı taraf bu şansı kaçırmak istemiyordu."

"Otelde bana neler anlatıldığını biri biliyor olmalı."

"Ben de bunu söyledim ya," dedi Sondersen. "Şimdiye kadar size üç kez telefon etmiş olan o madeni sesli adam neler yaptığımızı, nerede olduğumuzu nasıl biliyor? Bunun içinden bir türlü çıkamıyorum. Sizin de dikkatinizi çekmedi mi?"

"Evet," dedi Norma. "Fakat kim olabilir?"

"Hemen bulmamız mümkün değil... Devam edeyim. Teybinizin kasetini biri değiştirdi. Benim adamlarımsa bunu fark edemedi. Ancak özel timden biri bunu görmüş olacak. Adamlarıma telsizde belirli bir kod verilerek özel timin işine karışmaları engellenir. Siz Doktor Barski'yle otelden çıkmadan az önce adamlarım böyle bir kodu almışlar. Bay Westen size otelin önünden el sallamıştı, değil mi?"

Yaşlı adam başını evet anlamında eğdi.

"Doktor Barski, siz Bayan Desmond'u Park Caddesi'ndeki evine götürdünüz, değil mi? Oraya giderken de Reeperbahn'dan geçtiniz. Bir ara çok hızlı bir otomobil sizi solladı. Doğru mu?"

"Doğru. Ona çok öfkelenmiştim," dedi Norma.

"Otomobili bir kadın kullanıyordu. Fotoğrafını biraz önce yaktığım kadın. Otomobilinizi durduran ve kapıyı açıp kendini arka koltuğa atan o sokak kadını. Sizi öpmek istediği için şöyle bir itmiştiniz, doktor bey. Kadın da bu arada Bayan Desmond'un çantasını yere düşürmüştü. Çanta açılıp içindekiler dökülmüştü Sokak kadını da dökülenleri yine çantaya yerleştirmişti. Öyle değil mi, doktor bey?"

"Evet," diye Norma söze karıştı.

"Biraz önce değiştirilmiş olan kaseti bu arada yine değiştirdi."

"Fakat neden?"

"Atlantic Oteli'nin önünde çantanıza konan kasette plastik bomba olduğu için," diye açıkladı Sondersen. "Siz yalnız kalır kalmaz bu bomba uzaktan kumandayla patlatılacaktı. Ancak o sokak kadını kaseti değiştirdiği için başaramadılar. Genesis Two'dan Antonio Cavaletti bunun üzerine yollandı. Fakat o da başarılı olamayınca karşı tarafın adamı ikinci kez telefon ettiğinde, siz bir çeşit 'hayat sigortası' yapmayı akıl ettiniz, Bayan Desmond. Telefondaki adama, öldürüldüğünüzde bütün bildiklerinizin açıklanacağını söylediniz."

Norma: "Ölümden son anda kurtuldum desenize," diye mırıldandı.

"Evet, son saniyede," dedi Sondersen de. "Bir Reeperbahn sokak kadını olmayan o kadının akıllılığı ve el çabukluğu sayesinde şu anda henüz hayattasınız."

9

Alvaro sevdiği kadının karşısında duruyor.

Saygısının ve iyi niyetinin bir belirtisi olarak kılıcını ve tabancasını çıkarıp atıyor. Yere düşen tabanca patlıyor ve yaşlı marki vuruluyor. Ölmekte olan adam kızına beddua ediyor. Umutsuzluğa kapılan Alvaro, Leonore'ye sarılıyor. Kaçıyorlar...

Yanakları kıpkırmızı, gözleri ışıl ışıl. Jeli, babasıyla Norma'nın arasında oturuyordu. "Alınyazısının Gücü" operasının birinci perdesi sona ermişti. Norma'nın sağında Alvin Westen oturmaktaydı. 28 Eylül 1986. Hamburg Devlet Operası'nda çok güzel bir ilk akşam. Westen ve Barski smokin giymişti. Norma'nın üzerinde çok şık yeşil bir tuvalet vardı. Küçük kız da yakası altın işlemeli kırmızı kadifeden bir elbise giymişti. Hemen arkalarında oturan dört koruma polisi de smokinliydi. Norma, Westen'in istediği yerlerden dört bilet almıştı. O gün Jeli'ye operanın konusunu biraz olsun açıklamışlardı. Seyrederken zorluk çekmesin diye. Bu görevi Westen üzerine almıştı.

"Operanın konusu 1750'lerde İspanya ve İtalya'da geçer. Bir babanın, Leonore adında çok güzel bir kızı vardır."

"Adamın adı nedir?"

"Calatrava markisi..."

"Komik bir ad."

"Calatrava mı?"

"Hayır, marki! Böyle bir adı hiç duymadım."

"Bu ad değildir, Jeli. Bir unvandır, biliyor musun?"

"Peki, sonra?" dedi Jeli. "Sonra ne oluyor?"

"Bu adamın kızı Leonore bir melez olan Alvaro'yu sevmektedir."

"Melez nedir?"

"Anne ve babası değişik soylardan gelen insanlara melez denir. Bir beyazla bir Kızılderili'nin çocuğu örneğin, melezdir."

Melezler, diye Westen düşündü. Sana onlar üzerine çok şey anlatabilirim, küçük kız. Naziler dönemindeki Yahudi melezleri... Birinci ve ikinci derecedeki melezler... Anne ya da babası Yahudi olan çocuklar... Baba Alman, anne Yahudi ise bütün aile savaşı kazasız belasız atlatmıştı. Fakat anne Alman, baba Yahudi ise aile korumasız kalmıştı. Eğer hemen başka bir ülkeye kaçmamışsa, babanın hayatı tehlikeye girmişti. Tabii ailenin diğer üyelerinin de. Yahudi melezlerine Führer pek dokunmamıştı. Ne de olsa aralarında bir sürü önemli kişi vardı. Askerler, bilim adamları, sanatçılar. Bu melezler savaş süresince ülkeye gerekliydi. Anlatmasını sürdürdü. "Baba kızına, Alvaro'yla evlenmesine hiçbir zaman izin vermeyeceğini açıklar..."

Jeli, "Bu melezle mi?" diye sordu.

"Evet, bu melez Alvaro'yla. Bunun üzerine de birbirini seven iki insan ne yapar?"

"Kaçar," diye yanıtladı Jeli.

"Çok doğru! Leonore babasına iyi geceler diler. Daha doğrusu şarkı olarak söyler bunu."

"Niçin?"

"Operalarda her şey şarkıdır da onun için."

"Niçin?"

"Çünkü... Operada şarkı söylenir. Ve sen söylenenleri pek anlamayacağın için de bütün konuyu anlatıyorum ya."

"Evet. Teşekkür ederim. Fakat çok komik."

"Nedir komik olan?"

"Operalarda her şeyin şarkıyla anlatılması. Gerçek hayatta ise şarkı söylemiyorlar, konuşuyorlar. Düşünsenize gerçek hayatta herkes konuşacağına şarkı söylese ne komik olur," Jeli güldü. Sonra birden sustu. "Affedersiniz, Bay Westen. Terbiyesizlik etmek istemiyorum."

"Fakat sen haklısın. Ancak şunu da bilmelisin ki, bir opera gerçek yaşamı pek yansıtmaz. Opera bir sanat eseridir." Ulu Tanrım, bu küçük kızla neler konuşuyoruz! "Sen hiç operaya gittin mi?"

"Hayır, hiç gitmedim. Onun için de şimdi çok heyecanlıyım. Tıpkı ilk kez uçağa binişimden önce olduğu gibi. Sonra... Sonra Leonore şarkı söyleyerek babasına iyi geceler diliyor."

"Sevdiği bütün şeylere de büyük hüzünle veda ediyor."

"Şarkı söyleyerek mi?"

"Evet, şarkı söyleyerek. Sonra da açık pencerenin önüne yanan bir mum koyuyor."

"İşaret olarak!" Jeli anlamış gibi başını salladı.

"Evet, işaret olarak. Alvaro geliyor. Ancak Leonore kaçış için bir gün daha beklemesini rica ediyor."

"Neden?" diye Jeli sordu. "Pencereye mumu neden koyuyor, hemen kaçmak istemiyorsa?"

"Çünkü..." diye anlatmaya devam etti Westen. Ve anlatırken de Piave'nin bu metni hazırlarken pek başarılı olmadığını düşündü. Werfel'in yeni bir libretto yazmaya kalkması normaldi. Küçük kıza yanılmalardan, aldanmalardan, çelişkilerden, ümitsizliklerden ve ölümden söz etti. Konuşurken de, bunlar olmadan yaşamın anlamı olur mu, diye aklından geçirdi. Jeli her şeyi dikkatle dinlemiş, bir sürü de soru sormuştu.

Şimdi operanın birinci sırasında babasıyla Norma'nın orasında oturmuş, heyecandan alt dudağını ısırarak sahnede olup bitenleri izlemeye çalışıyordu. Alvaro'nun büyük maceralardan sonra -hepsi şarkılarla anlatılmıştı- Roma yakınlarındaki İspanyol-İtalyan birliklerine katıldığını biliyordu. Çok yürekli olduğu için de kısa sürede yüzbaşılığa terfi ettirilmişti. Fakat çok üzüntülüydü. Leonore'nin öldüğünü sanıyordu.

Umutsuzluk içinde şarkısına başladı. Ay ışığı bütün sahneyi aydınlatıyordu. Alvaro bir taşın üzerine oturmuş, hüzünlü şarkısını söylüyordu. Müzik de giderek şiddetlenmekteydi. "Dünya cehennemin bir düşüdür!" diyordu Alvaro. "Her şey boş, her şey yalnız. Leonore! Sevgilim! Sen öldün. Ah! Aşkın bana ıstırap... Artık yaşamak istemiyorum!"

Jeli başını çevirip heyecanla Norma'ya ve babasına baktı. Her ikisinin de ellerini tutup sıktı. Norma ona döndü. Gülümsedi. Babası da başını çevirdi. O da gülümsedi. Sonra Jeli yine sahneye baktı. Küçük kızın başı üzerinden Norma'yla Barski bakıştılar.

"*La vita e un infemo all'infelice...*"

Werfel şöyle çevirmişti: "Dünya cehennemin bir düşüdür!"

10

"İşim o kadar başımdan aşkın ki!" diye Petra Steinbach konuştu. "Gerçekten ne yaptığımı bazen ben bile bilmiyorum. Şu günlerde yeni kürkler piyasaya çıkıyor, değil mi? Sonra 1987 ilkbahar koleksiyonları da hazırlanıyor. Bütün gün yazıyor, çiziyor ve telefon ediyorum. Hayatımda bu kadar çok çalıştığımı anımsamıyorum."

Sarışın, mavi gözlü, ufak tefek kadının üzerinde çok şık bir elbise vardı. Hafif makyaj yapmıştı. Bütün çalışmasına karşın dinlenmiş ve sağlıklı görünüyordu.

Norma biraz önce Kaplan ve Alexandra Gordon'la bulaşıcı hastalıklar bölümündeki Sasaki'nin yanına gitmiş, hep birlikte hayvan deneylerinden, laboratuvarlarda bu gibi deneylerin gün geçtikçe azaltıldığından söz etmişlerdi.

Sasaki, "Sadece kamuoyu artık karşı çıkmaya başladığı için değil," demişti.

"Siz gazetecisiniz, Bayan Desmond," diye konuşmuştu Kaplan. "Fakat en önemli neden, yine de kamuoyu. Hayvanlar üzerinde yapılan deneyler konusunda kamuoyunun ne kadar duyarlı olduğunu çok iyi bilirsiniz. Öyle değil mi?"

"Evet," demişti Norma da.

"Hayvanlar üzerinde yapılan deneylerden söz eden gazete haberlerinin ne gibi tepkilere yol açtığını da biliyorsunuz," diye Kaplan devam etmişti. "Skandallar da ortaya çıktı. Kamuoyu çok öfkelendi. Zavallı, korumasız hayvanlar! İşkence yapılıyor! Onlara acı çektiriliyor! Tüyler ürpertici bir sürü fotoğraf yayınlandı. Amerikalılarla Ruslar toplama kamplarındaki insanları serbest bırakırken çektikleri fotoğraflar daha ürperticiydi. Altı milyon Yahudi'nin öldürülmesi insanları ne kadar öfkelendirdi? Avusturya'da ise yirmi resus maymunu yüzünden az kalsın hükümet bunalımı olacaktı. Bir bakan istifa etmek üzereydi. 'Kozmetik sanayisinin yeni buluşları uğruna zavallı hayvanlara müthiş eziyet çektiriliyor,' dendi."

"Fakat Yahudileri resus maymunlarına benzetmeyin," diye Japon doktor karşı çıkmıştı, "Sonra Alman olmayanları da unutmayın! Hiroşima'da ölen iki yüz altmış bin insan ne olacak? Amerikalıların düşmanı diye üzerlerine atom bombası mı atmak gerekliydi? Küçük çocuklar, bebekler, yaşlı insanlar öldürülmeli miydi? Kendini koruyamayan zavallı insanlar! Fakat onları da resus maymunlarına benzetmiyorum. Alaycı biri de değilim, Bayan Desmond. Ancak yayın organları neyin kamuoyunu etkileyeceğini çok iyi biliyor ve bundan yararlanıyor. Hayvanlar, kamuoyunu insanlardan bin defa daha çok etkiler."

"Bırak bunları artık!" demişti Kaplan. "Ne hayvanlara ne de insanlara eziyet çektirmeli, onları öldürmeli. Fakat sen, ben ve buradaki herkes -generallerle politikacıları da unutmamak gerekir- bilir ki, eziyet çektirmeden, öldürmeden olmaz, insanları ve de hayvanları..."

Şimdi Norma, Petra Steinbach'ın karşısında tek başına duruyordu. İki kadını büyük bir cam ayırıyordu. Ufak tefek kadının odası eskisinden daha karışıktı. Pencerenin yanında, üzeri moda dergileri dolu masada bir yazı makinesi duruyordu. Yerlere de bir sürü dergi saçılmıştı. Norma odanın bir köşesinde dikiş makinesi gördü.

"Çok iyi görünüyorsunuz, Bayan Steinbach," dedi Norma. Barski, Takahito Sasaki'nin bugün, 29 Eylül 1986, saat 11.00'da virüsü kendine vereceğini söylemişti. Bunu mutlaka görmek isteyen Norma biraz erken gelmişti. Barski henüz klinikte değildi. Sasaki de onu bekleyeceğini söylemişti. Norma, Petra Steinbach'ın yanına geldiğinde, kadının ne kadar canlı ve hareketli olduğunu görmüş, hayret etmişti.

"Üzerinizdeki elbise," dedi Norma, "gerçekten çok güzel."

"Kendim diktim." Petra güldü. "Ne de olsa terzilik öğrenmiştim. Moda yüksekokulundan diplomam var." Olduğu yerde şöyle bir döndü. "Sanırım iyi başarmışım." Konuşma camdaki mikrofonlar ve hoparlörler aracılığıyla oluyordu. "Bana en çok yakışan renk mavi. Kırmızı da fena gitmez. Kendime yeni bir kostüm dikiyorum. Kırmızı kumaştan. Bitince mutlaka görmelisiniz." Petra birden sesini alçalttı. "Başkası duymasın, çünkü Yves St. Laurent'ten kopya ettim." Sonra mutlu bir çocuk gibi güldü. "Modeli en son *Vogue*'da gördüm. Ve hemen ona âşık oldum. Sakın hiç kimseye anlatmayın!"

"Tabii anlatmayacağım," dedi Norma. "Sizin bir fotoğrafınızı çekebilir miyim?"

"Memnuniyetle!"

Norma fotoğraf çekerken, Takahito Sasaki'nin de fotoğrafı gerekli, diye düşündü. Burada çekebildiğim kadar çok fotoğraf gerekli bana. Klinikteki olaylarla ilgili bütün insanların fotoğrafını elde etmeliyim. Hep böyle yapmıştım. Yazdığım her konuda sayısız fotoğraf kullanmıştım. Bütün mesleğim boyunca, bütün olaylarda, birçok ülkede. Katillerin, öldürülenlerin, yananların, işkenceyle öldürülmüşlerin, boğulmuşların, yaşlı insanların ve çocukların, ölmekte olanların, ölecek hastaların, aç insanların, parçalanmış insanların, kolların, bacakların, kafaların... Bebek tutan bir küçük çocuk eli bütün dünya basınında yayınlanmıştı. Güzel insan fotoğrafları da çekmiştim. Mutlu, gülen, dans eden, sevinçli, şarkı söyleyen insanların. Her şeyin. Ben bir fotoğraf makinesiydim. Bir yazı makinesi de. Şu anda karşımda duran, mutlu mutlu gülümseyen, fakat günün birinde ölecek bir kadının fotoğrafını çekiyorum. Bu insana hiç kimse yardım edemez. Biliyorum. "Şimdi bir de yandan çekelim," dedi. "Evet, böyle. Çok güzel. Teşekkürler." Karşısındaki kadına acımadan, ona üzülmeden çalışmaya çabalamıştı. Bir an için böyle olmak zorundaydı. Sonra yanındaki duvara dayandı. Kesik kesik soluk aldı. Hep böyle olurum, diye düşündü. Kötü şeylerin fotoğrafını çekmek için kendimi hep zorlamam gerekiyor... Bayılmamaya çabaladı.

"Kendinizi iyi hissetmiyor musunuz?" Petra ona endişeyle bakıyordu.

"Yok, hayır." Kendine gel! Norma toparlandı. Pierre'i düşün. Fotoğraf çekerken buz gibi olmalısın, derdi. O anda fotoğraf makinesi sensin. Yoksa fotoğraflar berbat çıkar. Sen ölümü, sefilliği, kötülüğü, savaşı, iğrençliği, açlığı göstermelisin. Ve yazıların da fotoğrafların gibi olmalı! Sen şikâyet etmemeli, heyecanlanmamalısın, öfke ve çaresizlik seni yıkmamalı! Sen haber vermelisin. Belgelerle, kısa cümlelerle, anlaşılır sözcüklerle. Mümkün olan her yerde sıfatları atmalısın cümlelerden. Dünya kötü. Sen bunu göstermelisin. Sen bir muhabirsin. Gelmiş geçmiş en iyi ve en büyük muhabiri, Hemingway'i düşün. Sen de Norma Desmond'sun. Gördüklerin, duyduklların seni yıkarsa, dayanamadığın için ağlamak istersen, çok güvendiğin biriyle dertleş. O insan söylediklerini başkasına anlatmayacaktır. Senin duyguların seni seveni ilgilendirir. Ya da senin sevdiğini. Her insanın başkasına ihtiyacı vardır. Hiç kimse tek başına yaşayamaz, savaşamaz.

"Yeni kürklerin dikişi rahat ve modern," diye Petra hızlı hızlı anlattı. "İpek gibi samurdan, Kanada tilkisinden ya da vaşaktan." Kalın bir moda dergisinin parlak sayfalarını karıştırıp Norma'ya bazı fotoğraflar gösterdi. "Bana bu dergileri hemen yolluyorlar. İlk baskılarını. Sonra yazdıklarımı da Almanya'da, Avusturya'da ve İsviçre'de birçok gazete basıyor. Çizdiğim modellere de bakın, size bazılarını göstereyim." Petra masanın yanına gidip birkaç büyük kâğıt getirdi.

"Çok güzel," dedi Norma. "Şu ikisini şöyle bir tutar mısınız? O kadar kaldırmayın... Tamam. Stop!" Çizdiklerini gülerek tutan Petra'nın fotoğrafını çekti. "Harika. Demek bu da geliyor elinizden!"

"Söyledim ya, moda yüksekokulunu bitirdim. Orada her şeyi öğreniyorsunuz. Tom böyle çalışmama engel olmak istemişti. Fakat şimdi o öldü. Benim çalışmam çok iyi. Tak da böyle söylüyor."

"Tak mı?"

"Doktor Sasaki. Sık sık buraya gelip hatırımı soruyor, benimle konuşuyor. Onun desteği olmasa, bu kadar çok çalışamazdım." Güldü. "Çok çılgın değil mi? Buradan hiçbir zaman çıkamayacağım! Fakat Tom da bu durumda çalışmayı başarmıştı biliyorsunuz. Tak'ın söylediğine göre çok da iyi, olağanüstü bir şey bulmuş."

"Evet, duydum."

"Ölümünden önce böyle başarılı olması ne güzel, değil mi? Ne de olsa çok yetenekli biriydi! Herkes böyle söylüyor. Çizdiğim başka şeyleri de görmek ister misiniz?"

"Hayır, teşekkürler. Çalışmalarınızı dergilere nasıl iletiyorsunuz?"

"Tanıdığım biri var. İtalyan moda dergilerine çiziyor. Roma'da oturuyor. Evi Sylt adı."

"Sizi ilk ziyaret ettiğimde burada karşılaştığım bayanı düşünmüştüm. Kızıl saçlı, yeşil gözlü o güzel kadını."

"Ah, Doris'i mi?" dedi Petra. "O artık gelmiyor. Beni çok sinirlendiriyordu. Her geldiğinde ağlıyordu. Anımsıyor musunuz, siz buradayken de ağlayıp durmuştu? 'Neden ağlıyorsun, yeter artık!' dedim ona, 'Senin başına gelen kötülüklere ağlıyorum,' demişti. Ne kadar saçma değil mi? İyi bir insan Doris, fakat çok duygulu ve de biraz sinirli. Hep dikkati üzerine çekmek ister. 'Hangi kötülükler?' diye sormuştum. 'Sen buradasın, zavallı Tom da artık yaşamıyor,' demişti. Evet, doğru. Tom öldü. Birlikte güzel yıllar geçirmiştik. Birçok insan birlikte güzel güzel yaşar. Sonra birinden biri ölür. Diğeri de bir süre tek başına kalır. Haklı değil miyim?"

"Çok haklısınız," diye yanıtladı Norma.

"Biri demişti ki, en iyisi hiç dünyaya gelmemek! Fakat bunu kim başarabilir?" Petra güldü.

Haydi, sen de gül, dedi Norma kendi kendine ve gülen Petra'nın fotoğraflarını çekti. Çabucak.

"Bunun üzerine Doris'e artık gelmemesini söyledim. Roma'daki Evi'yle sık sık telefonlaşıyorum. Tabii çok pahalı, fakat Tak işi yoluna koydu. Enstitü bütün telefonlarımı ödüyormuş. Ne de olsa ben burada kendi isteğimle kalmıyorum! Tom da kapatılmıştı. Biz insanlar için tehlikeyiz. Olur böyle şeyler. Onun için telefon faturalarını ödesinler. Öyle değil mi?"

Bırak konuşsun, diye düşündü Norma. Hep konuşsun!

"Evet, bu Evi bütün çizdiklerimi birçok dergiye yolladı. Hepsi çok beğenildi. Çocuk felci hastalığına tutulduğum için bu klinikte kalmam gerektiği açıklandı. Bu Tak'ın düşüncesi. Ne kadar akıllıca değil mi? Okurlarda acıma duyguları uyandırmak için." Petra güldü. Ve Norma birden Lars Bellmann'ın sırıtmasını anımsadı. "Siz de bilirsiniz, Bayan Desmond, çocuklar, hayvanlar, zavallı insanlar okurlar için hep çekicidir! İyileşmesi mümkün olmayan hastalığa tutulmuş benim gibi genç bir kadın... Yürekli ve çalışkan. Elinden çok şey de geliyor. Öyle değil mi? Sizin anlayacağınız işim başımdan aşkın burada!" Petra çabuk çabuk konuşuyordu. "Herkes bana çok iyi davranıyor. Çok da yardım ediyorlar. En başta da Tak. Ne istersem hemen buluyor. Eskisine göre üç kat daha verimliyim. Ne kadar güzel değil mi?"

"Evet, çok güzel," dedi Norma. "Düsseldorf'taki butiğinize ne oldu?"

"Ah, o mu?" Petra elini şöyle bir salladı. "Satıldı. İçindeki bütün mallarla. Şimdi orası bir şekerci dükkânı. Tabii herifin iç ettiği bir milyonu bulamadım. Bu nedenle katımızı da sattım. İçindeki eşyalarla. Böylece milyonu tutturdum. Hatta biraz da bana kaldı." Petra memnun memnun gülümsedi. "Böylesinin en iyisi olduğunu Tak da söyledi. Bütün dertlerimden kurtuldum. Kata ihtiyacım yok ki. Tom öldü. Ben de burada öleceğim. Öyleyse mala mülke ne gerek var? Tak böyle söyledi. O söylediği için de yaptım." Petra gülümseyerek Norma'ya bakıyordu. O söylediği için yaptım! Gerçekten *Soft War* için harika bir virüs, diye düşündü Norma.

Petra sözlerini sürdürdü: "Buradan hiç çıkmayacağım için bilseniz ne kadar mutluyum. Burada başım dinç. Ne istersem getiriyorlar. İstediğim gibi rahat rahat çalışıyorum. Bir sürü para da kazanıyorum. Dertlerim yok. Alışveriş yok, yemek pişirme yok, temizlik yok. Benim için her şey yapılıyor. Çok da iyi davranıyorlar. Bütün ömrüm boyunca şimdiki kadar rahat ve mutlu olmamıştım. Tak'a da söyledim bunları." Norma, hırslı Tak, diye aklından geçirdi. Çok iyi çalışan Tak. Üzerinde deneyler yapabileceği bir insan bulmuş. Önce iki insandı. Biri bu arada öldü.´ Virüsün bütün etkilerini bilmek istediği belli. Tom'da gördü. Şimdi de Petra'da görüyor. Karşı aşı üzerine ilk bilgileri de Tom'dan almıştı.

"Buradan çıkıp dışarıda yaşamaya şimdi korkuyorum," diye Petra devam etti. Bu insan için çekici şeyler yok, dedi Norma kendi kendine. Onlar olmayınca da isteği yok. Tıpkı ömür boyu hapse mahkûmlar gibi. Onlar da bir zaman sonra artık dışarı çıkmak istemez. Röportaj yaptıklarım tıpkı Petra gibi konuşmuştu. Yaşadıkları hayattan memnunlardı. Çünkü özgürlüğün çekici yanlarını uzun yıllar tatmamışlardı. Ve aramıyorlardı da. Cezaevinde kendilerine yeni uğraşlar edinmişlerdi. Resim yapıyorlardı, kitap okuyorlardı ya da kanarya yetiştiriyorlardı. Özgür bırakılmasına karar verilenlerse, dışarıda kendilerini bekleyen yaşamdan çok korkuyordu. Özgürlük onları ürkütüyordu.

"Tabii," diye Petra konuşmasını sürdürdü. "Tom'la yaşadığım yıllarda da mutluydum. Fakat yaşamımız hep heyecan doluydu. Bir huzursuzluk, bir koşuşturma. Şimdi Tom öldü. Ben buradayım ve Tak ilgileniyor, bana yardım ediyor. Söylediklerinin benim için doğru olduğunu biliyorum. Kısacası ben burada eskisinden çok daha mutluyum."

11

Norma geç kalmıştı.

Koridora çıktığında Barski'yle karşılaştı. Onun da üzerinde koruyucu yeşil giysi vardı. Doktor Takahito Sasaki'nin odasının önünde durmaktaydı.

"Özür dilerim, Jan. Petra'yla sohbetim biraz uzun sürdü."

"Tak önden gitti."

378

"Nereye gitti?"

"Kendine virüsü vermeye."

"Nasıl?"

"Fareler üzerinde yaptığı deneylerden elde ettiği virüsü püskürtülen sıvı şekline getirmişti. Biliyorsunuz, virüsü Tom'un vücudunda bulmuş ve çoğaltmıştık. Bir karşı aşı bulmak için de sıvı şekline getirmiştik sonra. Tak da bundan bir sprey geliştirdi. İçinde virüsün olduğu kutuyu şimdi laboratuvardaki buzdolabından alacak ve hepsini ağzına püskürtecek. Virüsün bütün vücuda yayılması için en iyi yol budur. Birkaç dakika sonra buraya gelir."

Sonra Barski sustu. Birkaç adım yürüdü. Koridorun duvarına yaslandı. Yüzü dönüktu

Norma dikkatle ona baktı. Ne düşündüğünü biliyorum, dedi kendi kendine. Ben de aynı şeyleri düşünüyorum. Tak için ne arzu etmeliydi? Ne olmalıydı umudu? Karşı aşının Tak'ı koruması ve böylece virüsün etkisinin sıfıra inmesi...

Barski hiç kıpırdamadan duruyordu. Donuk bakışlarını karşısındaki kapıya dikmişti.

Tak'ı yıllardır tanıdığını bana anlatmıştı, diye düşündü Norma. Hep birlikte çalışmışlar. Gülmüş, sevinmiş, lanet okumuş, geceleri laboratuvarda geçirmişler. Saatler, aylar, yıllar. Şimdi karşı aşının etkisi ve Tak'ın sağlıklı kalması için dua mı etmeliydi? Tak başarırsa ne olacaktı? Bakışlarını Barski'den çekmiyordu. Adam bunu fark etti. "Ne var?"

"Şimdi ne düşündüğünüzü kafamdan geçiriyorum da."

"Sizin aklınızdan neler geçiyor?"

"Aynı şeyler," dedi Norma.

Barski yanıt vermedi.

Evet, diye Norma düşünmeye devam etti. Tak başarırsa ne olacak? Ötekiler omzuna vurup tebrik edecek. Herkes onun başarısına sevinecek. En çok sevinecek de hain olacak. Peki, bu hain, ya Tak'ın kendisiyse? Her kim olursa olsun, şimdiye kadar yaptığı gibi, adamlarına hemen haber verecek. Tak deneyiyle başarıya ulaşırsa ve sağlıklı kalırsa, karşı aşının etkili olduğunu kanıtlayacak. İşte böylece *Soft War* için gerekli silah bulunmuş olacak!

Norma, Barski'nin yanına gidip sırtını duvara dayadı. O da bakışlarını karşıdaki kapıya dikti.

Peki, karşı aşı etkisini göstermezse ne olacaktı? O zaman Tak da Tom gibi hastalanacak ve klinikten dışarı hiç çıkamayacaktı. Petra gibi. O da her şeyden memnun olacak, hiç şikâyet etmeyecekti. Tıpkı ömür boyu hapse mahkûm insanlar gibi yaşamını sürdürecekti, ölene dek. Hiç üzülmeyecek, hiç özlem çekmeyecek, hiç öfkelenmeyecekti. Çalışıp duracaktı... İstekleri en azına inmiş bir insan olarak... Lanet olsun! Karşı aşıyı bulmalılar! Buradaki herkese o aşı yapılmalı. Şu ana kadar Tom'la Petra'dan başkasının virüsü kapmaması bir mucize. Her türlü koruma ve önleme karşı içlerinden biri ya da birkaçı -hatta ben de- bu virüsü kapabilir. Karşı aşı bulunduğunda ise, dünyamızdaki güçlere, *Soft War* yapma ve insanlığın yarısını kendi isteklerine uydurma olanağı doğacak. Yaşamından memnun, ne denirse yapan yüz milyonlarca "tutuklu" yaşayacak yeryüzünde!

Barski'nin dönüp baktığını hissettiyse de, donuk bakışlarını karşısındaki kapıdan çekmedi.

İki olasılık vardı demek: Ya büyük ya da küçük facia! Küçük facia, karşı aşı bulunamazsa, Tak'tan başka burada çalışan diğer insanların da virüsü kapması ve ölmesi demekti. Belki başka insanların da. Fakat yine de insanlığın yarısının değil. Bir saniye, diye düşündü. Kim karar verecek buna? Büyük ya da küçük facianın nasıl olacağına? Böyle bir şey düşünülebilir mi? Jan'ın kafasından hangisi geçiyor? İki olasılıktan birini isteyebilir, onun için dua edebilir mi? Tanrıyla tek bir insanın sağlığı için pazarlığa girebilir mi? Berlin'de Bellmann neden söz etmişti? Her ikisi de öldürücü tuzağa giden yollardan.

Barski'ye bakmadan koluna dokundu. Onu sıkıca tuttu. Yanındaki erkeği kendine çekti. Her insanın bir başka insana ihtiyacı vardı. Herkesin.

"Merhabalar!" diye birden Sasaki'nin sesini duydular. Ufak tefek Japon odasına geri dönmüştü. Camın arkasında durmuş, ellerini ovuşturuyordu, "Hepsini ağzıma sıktım." "Başarılar dilerim!" dedi Barski. Ve gülümsemeye çalıştı. Zavallı adam, diye düşündü Norma. Lanet olsun, kim zavallı değildi bu berbat dünyada? Büyükler ve güçlülerden başka! Hepsine lanet olsundu sonsuza dek.

"Başarman için dua edeceğim," dedi Barski.

"Hiç de fena olmaz. Farelerimi unutma. Onlara geçmemişti hastalık. Bence başardım sayılır. Şampanyayı soğutabilirsin."

"Büyük laf etmeyelim!" dedi Barski.

Sasaki yanındaki masaya üç defa vurdu. "Öğleden sonra uğrar mısın?"

"Tabii. Şimdi Harald'ın yanına gideyim. Bir şey olursa bana hemen telefon et."

"Merak etme. Sizlere iyi günler. Kendinize dikkat edin! Uslu da olun!" El salladı. Norma'yla Barski de ona el salladı. Sonra uzun koridorda yürüdüler.

Barski birden durdu.

"Ne oldu?"

"Aklıma bir şey geldi," dedi Barski. "Bir süre önce seyretmiş olduğum filmi anımsadım. Bu filmde akıllı bir delikanlı bulduğu bir kodla tüm Amerikan askeri savunmasının ana bilgisayar sistemine girmeyi başarır. Bir atom savaşının bütün olasılıklarını hiç durmadan deneyen bu bilgisayar, delikanlıya birlikte oynamayı teklif eder. Tıpkı bir satranç gibi. Ve delikanlı oyunu başlatır. Sadece başlatır, başka bir şey yapmaz. Bunu yapmakla bütün dünyayı kaplayan bir atom savaşının senaryosunu da harekete geçirdiğinin farkında değildir. Her iki süper güç de bilgisayarın verilerini gerçek sanınca olay büyür. Tabii atom savaşı çıkması en son anda önlenir. Bilgisayarda şu sözler görünür: 'Oyunu kazanmanın tek yolu, onu oynamamaktır.'" Barski omuzlarını silkti. "Fakat biz oynamaya çoktan başladık."

12

"Artık çok dikkatli oldum," dedi Alvin Westen. "Baksana seninle aşağıda barda bile buluşamıyorum." Norma'yla Atlantic Oteli'nin ikinci katındaki dairesinin salonunda oturuyordu. Norma enstitüden doğru buraya gelmişti. Saat öğleden sonra üçtü. Hamburg'da hava çok sıcaktı. Bunaltıcı. Westen'in dairesindeyse rahatlatıcı bir serinlik vardı.

"Telefonda sadece, hemen bana gelmelisin, demiştin."

"Evet. Telefonun dinlendiğini sanıyorum da."

"Tabii dinleniyor," dedi Norma. "Kim bilir kimler telefonlarımızı dinlemekte? Bu onların hakkı değil mi? Senin telefonundan hemen sonra enstitüden ayrıldım." Genç kadının üzerinde rengârenk benekli beyaz bir elbise vardı.

"Şimdi beni iyi dinle, sevgili Norma," diye Westen konuştu. "Bellmann'la yaptığım geziler sırasında Washington'da bir biyoşimist tanımıştım. Doktor Henry Milland. Çok iyi bir uzman. Çok da tanınmış. Cambridge Üniversitesi'nin gen enstitüsünde çok iyi bir görevi varmış. Varmış diyorum, çünkü altmış beş yaşında bu adam ve birkaç yıl önce eşiyle kızını bir otomobil kazasında yitirmiş. Bunun üzerine görevinden ayrılıp her şeyden elini ayağını çekmiş. Manş Denizi'ndeki Guernsey adasında bir evi olduğunu anlatmıştı. Balıkçı köyü Bon Repos'da. Kıyıya yakın. Arada sırada Amerika ya da Fransa'ya gidip eski meslektaşlarıyla buluştuğunu söylemişti. Ancak bu Milland kadar hüzünlü bir başkasına rastlamış olduğumu anımsamıyorum. Bellmann'la ne araştırdığımızı, niçin sağa sola gittiğimizi kendisine anlatmıştım. Bu hüzünlü adam da bir çıkar yol görmüyor. Pek umutlu da değil. Günde iki şişe Chivas Regal içiyormuş. Bir çıkar yol bulsam bütün hafta gece gündüz içerim, demişti. Guernsey adasındaki evi içki doluymuş. Bir gün gelecek, sizi benimle birlikte içmeye çağıracağım, bütün haftayı sarhoş geçireceğiz, demişti. Ben de, sizinle sarhoş olmak isterim, yanıtını vermiştim. Bak bugün 'özel ulak'la şu mektup geldi!" Elindeki kâğıdı Norma'ya uzattı. Daktiloyla yazılmıştı mektup.

Angels Wing,
27 Eylül 1986

Sevgili Bay Westen,

Bana göre birlikte viski içmemizin zamanı geldi. 1 Ekim Çarşamba gününe ne dersiniz? Frankfurt'tan her gün saat 13.25'te bir Lufthansa kalkıyor. Saat 15.20'de Guernsey'desiniz. Sizi havaalanında karşılamak isterdim. Fakat şu sıralar bel ağrısı çekiyorum. Lütfen bir taksiye binin. Yol uzak değildir. Sizi birkaç kadeh viskiyle bekliyorum. Selamlar.

Henry Milland

Norma elindeki kâğıdı bıraktı. "Bir çıkar yol buldu mu sence?" Sesi kısık çıkmıştı.
"Evet," diye yanıtladı yaşlı adam. "Bence Milland bir çıkar yol buldu, sevgili Norma."

13

Hemen hemen aynı anda Barski karşısındaki kadına şu sözleri söylüyordu: "Doktorunla görüştüm, Hanni. Henüz çok zayıfsın. Kendine gelmedin. Fakat biraz dolaşman yararlı olabilir. Aşağı koridorlardan geçerek Harald'ın yanına gideceğiz."

Hanni Holsten, psikiyatri bölümündeki tek kişilik odasında oturuyordu. Otuzunu geçmiş, güzel bir kadındı. Kumral saçları, kahverengi gözleri, kalın dudakları ve erkekleri baktıran hatları vardı. Hanni çok güzel bir kadındı. Yaşını göstermezdi. Bilmeyen, onu daha genç sanırdı. Ancak şu anda yetmiş yaşında bir kadını andırıyordu. Saçları karmakarışıktı. Gözlerinin altı morarmıştı. Bakışları cansız, yüzü çok çöküktü. Üzerine bir sabahlık giymiş, ayaklarına da terlikler geçirmişti. Çok bakımsızdı bu güzel kadın.

"Ben oraya kadar yürüyemem," dedi.

"Asansörle aşağı ineceksin. Ben sana yardımcı olacağım. Harald'ı görmek istiyorsun, öyle değil mi?"

"Tabii istiyorum. Durumu iyi değil... Dua etmekten başka bir şey, gelmiyor elimden... Onu görmeliyim."

"Ben de bunu söylüyorum ya. Haydi gel!"

"Fakat şu halime baksana..."

"Şimdi bu önemli değil, Hanni. Şimdi sorun başka, Yoksa önce berbere mi gitmek istiyorsun?"

Hanni'nin yanına gelmeden önce görüştüğü doktoru, kadının henüz iğnelerin etkisinde bulunduğunu ve bunun hiç de fena olmadığını söylemişti. Gerçeklerin pek farkına varmaz, demişti. Birçok şeyi bir sisin gerisinde görür. Doktora göre, eşini göstermenin tam zamanıydı. Eğer Harald ölürse, bu Hanni için ani olmaz, büyük bir şok da geçirmezdi.

"Haydi, gel!" dedi Barski. "Gidelim artık!"

"Sen gerçek bir dostsun, Jan."

"Bırak şimdi bunları!"

"Lütfen bir saniye dışarı çıkar mısın? Hiç olmazsa kendime biraz çekidüzen vereyim."

Barski odadan çıktı. Birkaç dakika sonra Hanni yanına geldi. Saçlarına ipek bir eşarp bağlamıştı. Türban gibi. Soluk dudaklarına da ruj sürmeye çalışmıştı. Elleri titrediği için biraz bulaştırmıştı.

"Çok güzelsin şimdi, Hanni," dedi Barski. "Bir saniye." Celbinden mendilini çıkarıp dudaklarından taşan ruju elinden geldiğince temizledi. "Bak şimdi ne güzel oldu. Fotoğrafçıların karşısına bile çıkabilirsin. Parfümün de ne güzel kokuyor!" "Harald'ın hediyesi. Dior'un Poison'u." Dudakları titriyordu. "Bana sık sık böyle şeyler hediye ederdi. Bazen çiçek, bazen de parfüm ya da kitap. Bu parfümü perşembe günü getirmişti. Bir gün sonra da..." Hıçkırmaya başladı. "Lütfen," dedi Barski. "Ağlama, Hanni! Lütfen ağlama!" Elindeki mendille gözyaşlarını silmeye çalıştı. Bu iki insan birbirlerine nasıl da uyardı, diye düşündü bir an. Onlarla birlikte olmak güzeldi. Norma haklıydı. İki insanın birlikte mutlu olması, birbirini sevmesi yeterliydi. Mutlaka ikisinden biri ya hastalanır ya da ölürdü. "Şimdi iyi," dedi. "Kendini toparla, Hanni. Sen yürekli ve güçlü bir kadınsın. Harald seni böyle görmek ister. Gel, artık gidelim. Yavaş yavaş yürüyelim. Çok zamanımız var..."

Alt kat koridorları serindi. Bir sürü odanın önünden geçtiler. Bir koridordan diğerine girdiler. Doktorlar, hastabakıcılar kadın doktorlar ve hemşireler gelip geçti yanlarından. Sedyelerde yatan hastalar da. Koridorların neon ışığında bütün insanlar hastaymış gibi görünüyordu. Hasta olanlar da ölü kafası taşıyor gibiydi.

Hanni yürümek için kendini çok zorluyor, arada sırada durup dinleniyordu. Konuşmuyorlardı. Sadece bir defa dudakları orasından şu sözler çıkmıştı: "Neden Harald? Bu neden Harald'ın başına geldi?"

Neden Bravka, diye Barski de düşündü. Fakat bırak şimdi bu düşünceleri! Geçmişi o kadar çok düşünmemeye karar vermiştin. "Bilmiyorum, Hanni," dedi. "Bunu hiç kimse bilemez." Başka şey söyleme. Küçük bir kurtulma umudu olduğunu söyleme. Psikiyatrideki doktor gerçekten akıllı. Henüz ilaçların etkisi altında. Eğer bir şey olursa büyük şok geçirmez. Her şeye lanet olsun!

Beyaz bir kapının önünde durdular. Barski zili çaldı. Kapı açıldı. İçeri girdiler. Duvarda bir düzine beyaz önlük asılıydı. Büyük bir rafta da büyük beyaz ayakkabılar duruyordu. Duvardaki tabelada önlükleri ve ayakkabıları giymenin şart olduğu yazmaktaydı.

"Bir saniye, Hanni!"

Duvarda asılı önlüklerden birini aldı ve genç kadının giymesine yardım etti. Sonra da ayakkabıları ayağına geçirdi. Kendisi de giyindi. Yüzünün teni güneşten bronzlaşmış, çekik gözlü genç bir Asyalı hemşire kapıyı açtı.

"Merhabalar," dedi Barski. "Bu Bayan Holsten. Ben de Doktor Barski. Telefon etmiş ve geleceğimizi söylemiştim. Doktor Harnack'ın da haberi var."

"Evet, biliyorum, o da haber verdi," Hemşire kız Almancayı zor konuşuyordu. Büyükçe bir odaya girdiler. Beyaz önlüklü iki adam nezaketle selam verdi. Barski onları tanıyordu. Sondersen'in buraya koyduğu adamlardı.

Şişmanca yaşlı bir hemşire içeri girdi. "Buyurun?"

"Tamam, Agathe hemşire," dedi adamlardan biri. "Doktor Barski ve Bayan Holsten'i tanıyoruz."

Odadan uzun bir koridora çıktılar. Bir sürü kapının yanından geçtiler. Sonra büyük bir camın karşısında durdular. Bir havaalanında kılavuzların çalıştığı bölümü andırıyordu. Burada üç hemşire yeşil ekranların başına oturmuş, rakamlara, yazılara ve çizgilere dikkat ediyordu.

"Nasıl bir yer burası?" diye Hanni ürperir gibi konuştu.

"Harald buradan her saniye kontrol ediliyor. En küçük değişmede hemen doktor çağrılıyor. Lütfen şuraya biraz otur, dinlen!"

Hanni: "Tanrım," diye mırıldandı. "Sevgili Tanrım."

Hemşireler gidip geliyor, bir şeyler konuşuyor, sonra yine dışarı çıkıyordu. Ekranların başında oturanlarsa yerlerinden hiç kıpırdamıyorlardı. Sonra kapılardan biri açıldı. Beyaz önlük ve büyük beyaz ayakkabılar giymiş Eli Kaplan koridora çıktı. Barski'yi görür görmez yanına geldi. Bir şey söylemek istiyormuş gibiydi. Barski başını salladı ve Hanni'yi işaret etti. Kaplan kadını selamlamak istedi, fakat Hanni onun farkına varmamıştı.

Kaplan, Barski'yi bir kenara çekerek alçak sesle konuştu: "Hanni'yi içeri sok, sonra da yine psikiyatriye götür! Ve hemen buraya geri gel!"

"Bir şey mi oldu?"

"Evet."

"Ne oldu?"

"Hemen bir şey yapmamız gerek."

"Haydi, söylesene!"

"Hayır. Önce Hanni buradan uzaklaşmalı. Acele et. Seni burada bekleyeceğim."

Barski, Hanni'nin yanına gitti. "Haydi, gel benimle. Lütfen!" Genç kadın ayağa kalktı. Birlikte üç numaralı odaya girdiler. Ve Hanni kocasını gördü. İrkildi.

Harald Holsten'in belinden yukarısı çıplaktı. Göğsüne bir sürü kordon tutturulmuştu. Yatağın kenarında ve arkasında sayısız alet durmaktaydı. Harald'ın yüzü kireç gibiydi. Elmacık kemikleri çıkmıştı. Burnuna bağlı ince bir hortum, duvardaki bir düzene gidiyordu.

Barski'ye tutunmuş olan Hanni birden yere düşer gibi oldu. Barski kadını son anda tuttu ve bir iskemle çekip oturttu.

"Harald!" diye hıçkırmaya başladı Hanni. "Harald!"

Kocası gözlerini açmadı. Onu duymuyordu.

"Harald!"

"Çok dik!" dedi Holsten birden. "Siz çıldırmışsınız!" Vücudundaki bir sürü kordon yatağın üzerindeki bir diskte toplanıyordu.

"Harald, sevgilim! Bak, ben geldim." Hanni kocasının yüzüne eğildi.

"Ne yaptığını kim biliyor?" dedi Holsten. Sol gözünün altındaki sinir atıyordu. "Yoldan çıkacak o. Niçin çilekler? Hayır, ben istemiyorum... Çilek istemiyorum... Ne olursa olsun çilek istemiyorum."

"Harald, Tanrım! Harald!"

"Tıpkı bir teğet gibi," dedi Holsten. "Yedi, üç, bir, dokuz, dokuz, üç. Niçin hepsi yeşil?" Holsten bu sayıları söylediğinde, Barski'nin yüzüne bir donukluk geldi. Yatağın kenarına tutundu. "Ah, Harald! Harald!" diye Hanni bağırdı.

"Reagan da söylemişti... Su yok... Evet, biz karşı aşıyı bulduk... Her şey kodlandı... Gel kalbim benim... Sana bir daha kavuşacağım. Şimdi şarkı söylüyorlar... Tıpkı mayısta gibi... Kusursuz bu teğet... Yedi... Üç... Bir..."

Barski, "Bir saniye, Hanni," dedi. "Bir şey denemek istiyorum." Holsten'in üzerine eğilerek usulca ve dikkatle konuştu. "Doktor Holsten, kodlama nasıl?"

"Teğet kusursuz. İdeal. Yedi, üç, bir, dokuz, dokuz, üç," dedi Holsten rahatlıkla. Sonra yine karmakarışık konuştu. "Fakat hemen bugün yola çıkmalıyım. Londra'ya... Londra'ya geldiğimde size her şeyi göstereceğim... Hayır, aralıkta. Aralık sonunda... Sonra bir uçak... evin içine... her şey yanıyor... kar... kestaneler çiçek açıyor... kışın..."

"Harald!" diye Hanni yalvarır gibi bağırdı.

"Anlamı yok," dedi Barski. Birden çok huzursuzlaşmıştı. "Ne söylediğini bilmiyor. Sözleri birbirine karıştırıyor."

"Sen ona ne sordun?"

"Bir test yaptım... Durumu iyi değil... Sana da söylemiştim ya..."

"Harald'ın burnundaki ince hortum nedir?" diye sordu Hanni. Barski'nin elini tutmuş sıkıyordu. "Şu şeyler..."

"Oksijen. Daha rahat soluk alabilmesi için."

"Veuve Cliquot brut..." dedi Holsten. Ve hemen arkasından da, "Altın saatle..." diye mırıldandı.

"Peki, şu kutuya giden kordonlar?" diye Hanni sordu yine. Yatağın kenarında tekerlekli bir masada kırmızı bir düzen durmaktaydı.

"Kalbi destekliyor," diye açıkladı Barski.

"Bu da ne demek?"

"Ameliyat sırasında Harald'ın kalp atışları normal değildi. Kritik durum da bu, Hanni. Şimdi bu düzen kalbin normal atışını sağlıyor."

"Ben hele bir... Hayır, o zaman da olmaz," diye Holsten mırıldandı.

"Beni dışarı çıkar!" Hanni çabucak ayağa kalktı. "Dayanamayacağım!"

14

Barski yirmi dakika sonra döndü. Holsten'in odasından çıktıklarında Hanni bayılmıştı. Tekerlekli iskemleyle psikiyatriye götürmek zorunda kalmışlardı. Sonra Barski koşar adımlarla Kaplan'ın yanına dönmüştü. Şimdi bir köşede konuşurlarken soluk soluğaydı. Odanın öteki köşesinde duran Sondersen'in adamlarının duymaması için fısıltıyla konuşuyorlardı.

"Harald bana, merkezde gizlenen diskin kodunu verdi," dedi Barski. Yine beyaz önlükle beyaz ayakkabıları giymişti.

"Bana da," diye yanıtladı Kaplan. "Harald daha başka şeyler de söylüyor. Ben birkaç şey sordum. Saçma sapan şeyler konuşuyor, fakat bilimsel sorulara tam yanıtlar veriyor. Soran kim olursa olsun. Hiç kimseyi tanıdığı yok. Beni tanımadı."

"Hanni'yle beni de!"

"Gördün mü! Hiç sormamama rağmen bankadaki kasasının şifresini verdi. Kim bilir ne zamandan bu yana böyle şeyleri sayıklıyor."

"Tanrım!" dedi Barski. "Ulu Tanrım!"

"Bırak şimdi Tanrıyı filan! Onun olup bitenle ilgilendiği yok ki! Benden önce Alexandra, Harald'ın yanındaydı. Kodu ona da vermiş olabilir mi? Fakat Alexandra bundan hiç söz etmedi. Sorulara yanıt verdiğinden de. Konuşmadı mı dersin?"

"Olabilir."

"Saçma."

"Niçin olmasın!"

"Peki, peki," diye Kaplan mırıldandı. "Fakat bizlerden başka doktorlar da girip çıkıyor Harald'ın yanına. Ben hiçbirini tanımıyorum. Bir sürü de hemşire. Onları da tanımıyorum. Hemen her gün yeni hemşirelerle karşılaşıyorum."

"Evet, bunu ben de fark ettim."

"Harald'ın yanına kaç kişinin girip çıkmış olduğundan ve onlarla nelerden söz ettiğinden haberimiz yok... Kodu kaç kişi duydu... Duysa bile dilerim bir şey anlamamıştır!"

"Burada bir tanıdığım var," dedi Barski. "Klaus Goldschmied. Cumayı cumartesiye bağlayan gecede nöbetçiydi. Belki o bize yardımcı olabilir. Belki ancak çok iyi tanıdığı kişilerin Harald'ın yanına girip çıkmasını sağlayabilir."

"Günümüzde insan kimi çok iyi tanıdığını iddia edebilir? Sen insanları tanıyor musun? Çok iyi tanıdığın biri var mı?"

"Sanıyorum var," dedi Barski. "Örneğin, sen. Hain sen değilsin. Hiçbir zaman da olamazsın."

"Belki bir kez deneyebilirim," yanıtını verdi Kaplan. "Çok para karşılığında. Ya da bana şantaj yaparlarsa. Lütfen suratıma öyle bakma! İçimizden biri neden hain olmasın? İçerde yatan Harald, bulaşıcı hastalıklar bölümündeki Tak, ben, Alexandra, seni de unutmayalım. Bu mümkün, öyle değil mi?"

"Evet, haklısın. Lanet olsun! Fakat şimdi ne yapacağız?" Benim ne bildiğimden senin haberin yok, diye de düşündü Barski. Felaket, tam bir felaket. "Hemen kodu değiştirmemiz gerek. Düzeni kurmuş olan elektronik şirketinin programcısı bunu yapabilir ancak. Hemen telefon edeyim."

Koşar adımlarla yandaki odaya geçti. Kaplan onun telefon ettiğini gördü. Biraz sonra geri geldi.

"Ne oldu?"

"Yarın sabah birisini gönderiyorlar. Fakat Harald bir sürü şeyden söz ediyor. Kim bilir şu anda kim, ne biliyor?" dedi Barski.

"Evet. Fakat her an yanı başında duramayız ki! Hemşirelerden ya da doktorlardan birinin duyduğunu düşünelim. Bir yabancının onları konuşturması kolay."

Bir an ikisi de sustu. Sonra Barski başını kaldırdı.

"Neler olabileceğinden haberin yok senin," dedi alçak sesle.

"Sen beni budalanın biri mi sanıyorsun? Neler olduğunu görüyor ve duyuyorum. Neler olabileceğini de düşünüyorum. Ben her şeyin farkındayım, Jan."

Barski sesini çıkarmadı.

"Şimdi ne düşündüğünü de biliyorum," dedi İsrailli.

"Söyle öyleyse!"

"Çoktandır düşünüyorum bunu. Korkunç, fakat bizim için başka çıkar yol yok!"

"Söyle düşündüğünü!"

"'Harald'ın yaşama şansı nedir?' diye doktorun birine sordum. Adam dedi ki: 'Burada çok mucize gördüm.' 'Peki, bu mucize ne zaman gelebilir?' diye sordum. 'Bilemem,' dedi. 'Çok uzun sürebilir.' 'Haftalar mı?' diye sordum. 'Haftalar,' dedi. 'Mucize olmaması ise çok mümkün,' diye ekledi. 'Hastanın kalp atışları ameliyat sırasında iyi değildi. Henüz de devam ediyor. Son her an gelebilir. Birkaç hafta da sürebilir.' Duydun mu? Harald'ın sonu her an gelebilir, dedi adam!"

"Yapamayız," diye mırıldandı Barski.

"Biz yapmazsak, kim yapacak?"

"Bilmiyorum."

"Anlamıyor musun?"

"Onu susturmalıyız, öyle mi?"

"Evet," dedi Kaplan.

"Çok müthiş."

"Evet, Jan. Çok müthiş. Böyle konuşmaya devam ederse, bir felaket olacak. Kodu öğrenip her şeyi ele geçirecek kişi ya da kişilerin neler yapabileceğini bir düşünsene! Haklı değil miyim?"

"Haklısın..."

"Harald'ın yanına bir sürü insan girip çıkıyor," dedi Kaplan. "Doktorlar, hemşireler, hastabakıcılar, temizlikçi kadınlar. O konuşmamalı! Nasıl olacağını biliyorum. Yüreğini destekleyen düzen... Düğmesini çevirdin mi, en geç yirmi saniye sonra Harald ölü! Sen de aynı şeyi düşündün, öyle değil mi?"

"Evet," dedi Barski. "Fakat Tanrım, o bir insan. Eli! Onun da bir şansı var! Mucize..."

"Çok küçük bir şansı var. Her şeyi açıklayıp bir felakete neden olmasını mı bekleyelim?"

"Yine de... Ben yapamam. Eli."

"Öyleyse ben yapacağım."

"Hayır, bunu istemiyorum. Ben... Ben biliyorum Harald'ın söylediklerinin ne gibi büyük bir felakete yol açabileceğini..."

Bir zil çaldı.

Yaşlı hemşire Agathe gidip kapıyı açtı. Dışarıda uzun boylu, iriyarı, çarpık suratlı bir adam duruyordu. Üzerine beyaz önlük giymiş, ayağına beyaz ayakkabıları geçirmişti.

Barski ve Kaplan adamın hemşireyle konuştuğunu duydular. "Merhaba. Benim adım Wilhelm Holsten. Kardeşiyim. Profesör Harnack'ın yanından geliyorum. Harald'ı görmeme izin verdi..."

"Buyurun, girin içeri, Bay Holsten! Profesör buraya telefon etti. Münih'ten mi geliyorsunuz?"

"Evet. Zavallı kardeşim..."

Sondersen'in adamları yaklaşıp kimliklerini gösterdiler. "Federal Polis," dedi biri. "Siz de kimliğinizi gösterir misiniz?"

"Tabii, buyurun. Sürücü ehliyetim."

Polisler adamın uzattığı ehliyeti şöyle bir gözden geçirdiler. "Peki. Profesör Harnack bize de haber vermişti."

"Hangi odada kalıyor?"

"Üç numarada," dedi Agathe hemşire. "Fakat on dakikadan fazla kalamazsınız yanında. Durumu iyi değil. En çok on dakika izin var."

"Teşekkürler, hemşire hanım." Adam gösterilen kapıya doğru yürüdü.

Barski önüne atıldı. "Dur!"

"Çıldırdınız mı?" İriyarı adam ona öfkeyle bakıyordu.

"Ne oluyor?" diye polislerden biri sordu.

"Doktor Holsten'in erkek kardeşi filan yok," dedi Barski. Ve aynı anda 9 mm.lik otomatik bir tabancanın namlusunu karnında hissetti.

Agathe hemşire çığlık attı.

Yabancı adam tabancalarını hemen çekmiş polislere dönerek, "Derhal yere atın onları!" dedi. "Ellerinizi başınızın üzerine koyun! Burada bulunan herkese söylüyorum. Haydi! Yoksa şu herif kurşunu karnına yer!"

Polisler tabancalarını yere attı. Odadaki diğerleri gibi ellerini kaldırdılar.

"Şimdi herkes geriye gitsin. Biraz daha! Duvarın yanına!"

Odadakiler iriyarı yabancının söylediğini yerine getirdi.

"Agathe hemşire! Hemen kapıyı açın!" Yaşlı kadın titreyerek kapıya yürüdü. "İçinizden biri kıpırdarsa, bu herifi ölmüş bilin!"

"Kapı açık," dedi Agathe hemşire.

"Şimdi siz de diğerlerinin yanına gidin! Çabuk! Siz de, dedim!" Yabancı Barski'yi itti. "Tek kişi şöyle bir kıpırdasın vururum!"

Sonra yere eğilip polislerin tabancalarını aldı. Beline soktu. Büyük tabancasını iki eliyle tutup geri geri gitti. Koridora çıktı. Kapısı açık asansörün yanında ikinci bir adam bekliyordu. O da silahlıydı. Koridordaki birkaç kişiyi tehdit ediyordu. İriyarı adam asansöre vardı. Öteki de içeri girdi. Kapılar kapandı. Asansör aşağı kaydı.

Koridorda ve odalarda panik baş gösterdi. İnsanlar bağırıp çağırmaya başladı. Bazı hemşireler ağlıyordu. Polislerden biri asansörün kapısına koştu. Diğeri elindeki telsizle konuşuyordu. "Mayday! Mayday! Mayday! On ikinci katta, D bölümüne silahlı iki kişi baskın yaptı! Şimdi asansörle aşağı iniyorlar. Binanın çevresini sarın! Giriş çıkışları yasaklayın! Dikkat, adamlar silahlı. Biri iriyarı. Üzerinde beyaz önlük, ayağında beyaz ayakkabılar var. Sarışın. Diğeri kısa boylu, tıknaz. Daha genç. Gri elbise, mavi gömlek. Kravatı yok."

"Asansör inmeye devam ediyor!" diye diğer polis arkadaşına seslendi.

"Asansör inmeye devam ediyor," dedi arkadaşı telsize.

"Şimdi bodrum katta durdu!" diye diğeri seslendi.

"Bodrum katta durdu," dedi ikinci polis telsize. "Bütün bodrum çıkışlarını tutun." Aynı anda arkadaşının ikinci asansörle aşağı indiğini gördü. "Birimiz hemen aşağı geliyor. Ben burada kalıyorum. Tamam."

Yaşlı hemşire Agathe bayılmıştı. Diğer hemşireler heyecanla bağırıp çağırmaya devam ediyordu. Doktorun biri yaşlı kadının yanına gitti. Dışarı çıkmak isteyenler oldu. Polis onları engelledi. "Herkes burada kalacak!" diye bağırdı.

"Fakat biz..."

"Kimse çıkmayacak, dedim!"

Koridorda da insanlar heyecanla sağa sola gidiyor, birbirlerine bir şeyler söylüyordu.

"Doktor Gross! Doktor Gross!" Birden hemşirenin biri koşarak yaklaştı. "Lütfen gelin!" Birlikte üç numaralı odaya koştular. Kapı arkalarından kapandı. Camlı odadaki altı telefondan beşi çalıyor, hemşireler karmakarışık konuşuyordu.

"Ne yapacağız şimdi?" diye Barski sordu.

"Bekleyeceğiz," dedi Kaplan.

Beklediler. Altı dakika. Sonra Doktor Gross'la hemşire üç numaralı odadan çıktı.

"Doktor Barski, Doktor Kaplan değil mi?" diye Gross sordu.

"Evet," dedi Barski.

"Buradaki lanet olası panik! Nicole hemşire ekrandaki kalp atışlarının azaldığını geç fark etmiş. Yanına girdiğimizde Doktor Holsten ölmüştü."

15

"Burası neden böyle karanlık?" diye Alvin Westen sordu. Norma irkildi. Yanındaki yaşlı adama baktı. Fuhlsbüttel Havaalanı'nın apaydınlık büyük salonuna girmişlerdi. Koruma polisleri yanlarındaydı.

"Ne oluyor, Alvin? Neyin var?"

"Birden başım döndü. Lütfen tut beni, yoksa yere düşeceğim! Hay Allah!" Yanındaki kadına yaslandı.

Norma polislerden birine işaret edip, "Doktor," diye fısıldadı. "Çabuk!" Adam kalabalığı yararak uzaklaştı. Havaalanının büyük salonu doluydu. İnsanlar gidip geliyor, hoparlörlerden uçakların inişi ya da kalkışı bildiriliyordu. Danışmaya çağrılan insanların adları da duyuluyordu. Hava çok sıcak, bunaltıcıydı.

Westen hafifçe inledi.

"Ağrın var mı, Alvin?"

"Hayır."

"Miden mi bulanıyor?"

"Bozuk bir şey yemiş olmalıyım. Burada oturacak bir yer var mı?"

Norma yaşlı adamı kenardaki sıralardan birine götürdü. Westen'in bavulunu taşıyan diğer koruma polisi ona yardımcı oldu.

"Lanet olsun!" dedi yaşlı adam. "Gözlerime de ne oluyor? Tabii karanlık değil burası. Çok aydınlık olmalı." Bayılacak gibi olmasına rağmen dimdik oturmaya çabalıyordu. Konuşmak için de kendini zorluyordu. "Şimdi başıma bir şey gelmesin. Hele burada. Kalabalığın, gürültünün ortasında. Daha rahat ve sakin bir yerde geleceğini sanırdım."

"Alvin!"

"Yalan mı? Böyle de ölüm olur mu?"

"Kendini o kadar kötü mü hissediyorsun?"

"Ah, boş ver. Şaka yapıyorum," dedi. Sonra birden döndü ve yanındaki çöp kutusuna kustu. Norma onu omuzlarından tuttu. Westen biraz sonra doğruldu. "Gerçekten çok utanç verici," diye mırıldandı. "Bağışlayın... Ben..." Sonra yine kustu. Biraz önce uzaklaşmış olan koruma polisi, yanında bir doktor ve iki hastabakıcıyla kalabalığın arasından koşarak geliyordu. Adamlar yanlarında portatif bir sedye getirmekteydi. "İyi günler, sayın bakan," dedi doktor. "Benim adım Doktor Schreiber."

"Sizi kim, çağırdı?" diye Westen sordu. "Hiç de gerekli değildi. Lütfen gidin, Doktor Schreiber! Kendimi yine iyi hissediyorum." Sonra oturduğu yere yığıldı. Gelip geçenler merakla durup baktı. Öldürme onu, diye yalvardı Norma. Lütfen! N'olur, Öldürme onu...

Biraz sonra havaalanı ilkyardım istasyonunda oturuyordu. İki koruma polisi yanındaydı. Büyük pencereden uçaklar görünüyordu. Çok ilerlerde de, çayırlarda otlayan koyunlar. Kalkan ve inen jet uçaklarının sesi, duvarları sarı, eşyaları mavi bu odada pek duyulmuyordu. Ses geçirmeyen camlar, diye düşündü Norma. Eğer ölürse ben ne yaparım? Onsuz ne yaparım ben? Seksen üç yaşında. Hayır, o ölmemeli. Bana gerekli Alvin. Herkese gerekli o. Her zaman ve her yerde kötüler, reziller ve köpekler hayatta kalıp, onların yerine iyiler, yürekliler ve akıllılar ölmekteyse de, kısacası yanlış insanlar bu dünyadan göçüp gitmekteyse de, ne olur bir defa, tek bir defa bunun tersi olsun, Alvin yaşasın!

396

Yandaki odanın kapısı açıldı. Dost yüzlü Doktor Schreiber dışarı çıktı.

Norma yerinden fırladı. "Nasıl?"

"İyi, Bayan Desmond!" Schreiber rahat ve sakin konuşuyordu. Yumuşak bir sesi vardı. İnsanı rahatlatıyordu. "Hiç merak etmeyin. Sayın bakanın durumu şimdi iyi."

"Ne oldu öyle birden?"

"Ani tansiyon düşüklüğü," dedi Schreiber. "Son günlerde çok mu uçmuştu? Heyecanlandığı şeyler de olmuş muydu?"

"Her iki sorunuzun da yanıtı, evet."

"İğne yaptım," dedi Schreiber. "Bir süre yatmasını söyledim. Hemen ayağa kalkmak istedi. Bana kızdı."

"Dışarı çıkmasına izin vermediğiniz içindir." Norma başını salladı. Teşekkürler, diye düşündü. "Hep böyle yapar. Bu konuda onunla konuşulmaz. Çünkü kabul etmez."

"Siz kendisini çoktandır tanıyorsunuz, öyle mi?"

"Evet. Milletvekilliği yıllarında kırk dereceyle yatarken kalkarak kendisini önlemek isteyenleri eliyle şöyle bir itip otomobiline bindiğini ve meclise gittiğini anımsıyorum. Sonra orada kürsüye çıkıp notlarına falan bakmadan iki saat konuşmuştu. Anımsadığım en güzel konuşmalarından biriydi. Aradan geçen yıllarda benzeri başka davranışları da olmuştur. Her defasında çok korkmuştum. Sanırım şimdi de benimle İngiltere'ye uçmak isteyecektir."

"Evet," diye yanıtladı doktor. "Fakat mümkün değil. Yaptığım iğneler tansiyonunu düzeltmek için. En az on gün bir hastaneye yatması ve kontrolden geçmesi gerek. Bunu yapmasını ben istiyorum. Şu anda uçmasına izin verirsem büyük sorumsuzluk etmiş olurum. Bayan Desmond, lütfen benimle gelin, sayın bakanı söylediklerime inandırın!"

"Elimden geleni yapacağım."

"Teşekkür ederim."

"Koruma polisleri nerede?"

"Yanındalar."

"Mutlaka Frankfurt'a gitmeliyim," dedi Alvin Westen. Aradan altı dakika geçmişti ve aynı şeyi dördüncü kez söylüyordu. Dar yatağa oturmuştu. Koruma polisleri, Doktor Schreiber ve Norma karşısında durmaktaydı.

"Bu mümkün değil," dedi, konuşması insanı rahatlatan Doktor Schreiber. O da hep aynı şeyi söyleyip duruyordu.

"Genç bir delikanlı değilsiniz, sayın bakan."

"Çok gönül okşayıcı bir söz."

"Kendinizi öldürmenize izin vermeyeceğim."

"Bu sizin hayatınız mı?"

"Lütfen Alvin, böyle konuşma!" dedi Norma.

"Ben ne söylediğimi biliyorum."

"Hayır. Çok anlamsız konuşuyorsun. Ve inatçısın da. Uçmana ben de izin vermeyeceğim."

"Lütfen beni öfkelendirme," dedi Westen. Yataktan indi. Bir an için olduğu yerde sallandı.

Doktor Schreiber tutmak istedi. "Bakın ayakta duramıyorsunuz!"

"Niçin duramıyormuşum? Hiçbir şeyim yok. Nerede bavulum?"

"Burada, sayın bakan," dedi koruma polislerinden biri.

"Güzel, öyleyse gidebiliriz!"

Schreiber önünü kesti. "Çıkamazsınız."

"Görürüz," dedi Westen.

"Sayın bakan," diye doktor konuştu. "Son zamanlarda ne kadar çok çalıştığınızı duydum."

"Kimden?"

"Bayan Desmond'dan."

"Neler anlattın ona?"

"Son günlerde çok yorulduğunu."

"Bu hiç de güzel bir şey değil," dedi Westen. "Senden bunu beklemezdim. Şimdi karşımdan çekilin, doktor!"

Schreiber: "Hayır!" diye diretti. "Çekilmeyeceğim, Birkaç gün hastanede yatmanız gerekli, dedim. İsterseniz bir sanatoryuma. Ben ilgileneyim. Kimsenin sizi rahatsız etmeyeceği bir yer bulayım. Ne isterseniz yaparım. Evet, söyleyin ne istediğinizi?"

"Ölmek," dedi Alvin Westen.

"Anlamadım?"

Norma. "Fakat Alvin, bunlar güzel şeyler değil," diye söze karıştı. "Utanmalısın!"

"Evet, çok utanıyorum," dedi Westen. "Viski içmeye davetliyim. Bu davete mutlaka gitmeliyim."

"Bu da ne demek oluyor?" diye Schreiber sordu. "Viski mi içmek istiyorsunuz?"

"Günde iki şişe," dedi Westen. "Bütün bir hafta."

Schreiber hiçbir şey anlamıyordu. Norma'ya baktı.

Genç kadın başını salladı. "Telefon et, Alvin! Gelemeyeceğini söyle. Haftaya gelirim, de. Nedenini söyleyebilirsin. Bir haftanın şimdi anlamı mı var?"

"Senin hiçbir şeyden haberin yok! Bir saat bile geçirmemeliyiz. Doktor bey, burada kavga çıkarmak istemiyorsanız, size son bir kez söylüyorum. Benim bu odadan çıkmama izin vereceksiniz! Uçağa yetişmem gerek!"

"Uçak yirmi dakika önce havalandı," dedi Norma.

"Öyleyse küçük bir uçak kiralayacağım. Bay Warner?"

"Buyurun sayın bakan!" Koruma polislerinden biri yanına yaklaştı.

"Lütfen hemen ilgilenin. Uçuşa hazır bir şey bulun."

"Sayın bakan, yalvarırım size..." diye doktor söze başlamak istedi.

Fakat Westen onun sözünü kesti. "Haydi, haydi, Bay Warner!"

Koruma polisi yerinden kıpırdamadı, "Özür dilerim, önce Bay Sondersen'i aramalı, ondan direktif almalıyım."

"Sondersen'i hiç ilgilendirmez bu. Size bir uçak kiralamanızı söyledim, hepsi o kadar. Lanet olsun!" Adı Warner olan koruma polisi sesini çıkarmadı, Westen odada bulunanlara döndü. "Şimdi beni dinleyin! Ben yaşlı bir adamım. Bir süre önce Tanrıya, bırak biraz daha yaşayayım, dedim. Bazı nedenlerden. Gördüğünüz gibi, o da beni şu ana kadar hayatta bıraktı."

"Eğer uçarsanız ölebilirsiniz," dedi Schreiber.

"Bir zaman sonra nasıl olsa öleceğim. Yukarıdaki beni yaşattığı sürece, çok önemli ve çok gerekli şeyleri halletmeliyim. Ben bütün ömrüm boyunca böyle yaptım. Sonuna geldiğimde düşüncelerimden vazgeçeceğimi mi sanıyorsunuz? Günün birinde gerçekten sonum gelirse, yapmam gereken her şeyi halletmiş olarak bu dünyadan ayrılmak isterim. Her insan böyle davranmalı."

"Ben de doktor olarak bir sorumluluk taşıyorum."

"Evet, bu doğru. Fakat bu konuyu artık kapatalım, doktor bey. Getirin bir kâğıt imzalayayım. Sizin karşı çıkmanıza ve bir hastaneye yatmamı istemenize rağmen uçağa bindiğimi ve bunun sorumluluğunu da taşıdığıma dair. Kâğıdı imzalarsam beni hâlâ burada tutabilir misiniz?"

"Hayır," dedi Schreiber.

"Gördünüz mü?" Westen elini karşısındaki adamın omzuna koydu dostça. "Daha önce de hep böyle kavga etmem gerekmişti. Siz doktorlar böyle istersiniz. Bana yardım ettiğiniz için de teşekkürler!"

"Fakat sayın bakan, ne olabileceğini düşününce huzursuzlanıyorum..."

Norma söze karıştı. "Bir saniye! 'Şu anda en yürekli karar, anlaşmadır!' Alvin Westen'in büyük millet meclisindeki veda konuşmasından... Öyle değil mi?"

"Şimdi bunu da nereden çıkardın?"

"Ben bir anlaşma öneriyorum."

"Neymiş o?"

"Ben de seninle geleceğim. Sanırım böyle yaparsak herkes kabul eder. Siz Doktor Schreiber, ben ve Alvin birlikte gideceğiz. Anlaştık mı?"

Westen bir şeyler homurdandı.

"Geliyorum öyleyse!"

"Sen çokbilmişin birisin," dedi yaşlı adam. "Çantanda diş fırçan bile yok."

"Hemen alırım."

"Gelmek senin hep kafandaydı, öyle değil mi?"

"Evet, aklımdan geçmemiş değildi. Ancak bir türlü bir neden bulamıyordum. Bereket versin sen fenalaştın!"

"Siz ne diyorsunuz, doktor bey?" diye Alvin şaşkın şaşkın dinleyen doktora sordu. "Peki, ben kabul ediyorum. Verin şu kâğıdı da, imzalayayım Ve siz Bay Warner, artık gidip şu uçağı kiralayın! Bu kadar sinirlenip öfkelenmeye ne gerek vardı? Görüyorsunuz, benimle anlaşmak çok kolay..."

Bir telefon konuşması:

"Hayır, başkomiserim. Uçmasına engel olmamız mümkün değil. Her yolu denedik. Bayan Desmond birlikte uçuyor. Ancak bunu kabul etti."

"Ne yapalım, bırakalım uçsun. Ben onu iyi tanıdım. Vazgeçiremeyiz. Haydi gidip şu uçağı kiralayın. Bayan Desmond'un koruma polisleri de birlikte uçmalı. Kendisi yanımda demiştiniz. Verin, bir şey söylemem gerek."

"Başüstüne. Bir saniye." Koruma polisi Warner telefonu Norma'ya uzattı. Havaalanına geldikleri, camları kurşun geçirmeyen Mercedes'te oturuyorlardı. Otomobil telefonundan yapılan telefon görüşmeleri dinlenemezdi.

"Norma Desmond. Buyurun."

"Şu anda Virchow Hastanesi'ndeyim. Baskın olayının soruşturmasını yapıyorum."

"Ben uçak kiralamaya gideyim," dedi, adı Warner olan polis ve otomobilden indi.

"Ben elimden geleni yaptım," diye Sondersen devam etti. "En iyi adamlarım Guernsey adasına uçtu. Sanırım özel timden

401

de en iyileri oraya yollandı. Hiçbir şey olmamalı. Kimsenin başına bir şey gelmemeli. Eğer Henry Milland bir çıkar yol bulmuşsa, bunu hemen öğrenmeliyiz."

"Peki, Bay Sondersen ve aramızdaki anlaşmayı da unutmayın."

"Evet. Teşekkürler. Yanımda biri var, sizinle konuşmak istiyor."

"Hoşça kalın, Bay Sondersen. Alo! Jan?"

"Evet, Norma. Birlikte uçmanıza çok sevindim."

"Alvin'i yalnız bırakmam olmazdı. Ve tabii bu arada mesleğimi de düşünmem gerekiyor!"

"Size başarılar diliyorum. Ne yazık ki, ben burada kalmak zorundayım. Soruşturmalar... Sonra Holsten'in eşi. Bir cenaze töreni daha hazırlamam gerek. Bay Hess halledecek. Bana hiç olmazsa şu Milland'ın adresini ve telefon numarasını bırakın."

"Bir saniye, bir yere not etmiştim. Evet. Guernsey'in güneyinde, Corbiere körfezindeki küçük balıkçı köyü Bon Repos'ta kalıyor. Evinin adı Angels Wing. Telefon numarası da 38432. Alvin'le oraya varır varmaz sizi arayacağım. Lütfen Genel Yayın Müdürü Hanske'ye telefon eder misiniz? Nerede olduğumu o da bilmeli."

"Hemen edeceğim, Norma. Sonra..."

"Evet?"

"Siz biliyorsunuz."

"Fakat söyleyemem."

16

Lufthansa'nın 072 sayılı uçuşunda az yolcu vardı. Türbin pervaneli küçük uçak 44 kişilikti. Koltukların yarısı boştu. Norma, Westen'in yanında oturuyordu. Dört koruma polisi de arkalarında. Uçak Normandiya'nın üzerinden geçiyordu. Işıl ışıl

402

bir havada aşağılar güz güneşinde parıldıyordu. Kiraladıkları uçakla Frankfurt'a tam zamanında varmışlardı.

"Kendini nasıl hissediyorsun, Alvin?"

"Çok iyi, sevgili Norma" Yaşlı adam gülümsedi. Yanındaki kadın, bu gülümseme, bu canayakınlık hiç kimsede yoktur, diye düşürdü, "Daire kapanır," diye Westen devam etti. "İnsan yaşlanınca bir daire kapanır. İnsan başlangıcına döner. Gençliğimde okuduğum ve o günlerde beni çok etki altında bırakmış olan bir roman aklıma geldi, şimdi Guernsey'e uçarken. Bana dünyanın en güzel beş kitabını sorarsan, içlerinde mutlaka bir Hemingway vardır, bir de gençliğimde okuduğum o eser."

"Hangisi?"

"Victor Hugo'nun *Denizin İşçileri* eseri." Westen gülümsemeye devam ediyordu. "Okudun mu? *Les travailleurs de la mer.*"

"Hayır. Ben de Victor Hugo'nun bütün eserlerini bilirim sanıyordum. Kültür eksikliği, değil mi?"

"Hem de nasıl! Ben o yıllarda bu eseri okuyup bitirmiştim. Şimdi biz, onun yazıldığı adaya uçuyoruz. Biliyorsun, Hugo Paris'te solcu düşünceler yaymaktaydı çevresine. İkinci kraliyetin kuruluşundan sonra ülkeden kaçmak zorunda kalmıştı."

"Evet," dedi Norma. "Yirmi yılı ülke dışında geçmişti. 1850'den 1870'e kadar. Ve bu sürenin çoğunu... Tabii Guernsey'de geçirmişti!"

Westen başını salladı. "Gördün mü?" Norma şöyle düşündü: Onu ne kadar seviyorum. Ona nasıl da saygı besliyorum. Dünyanın en temiz kalpli insanı. "En verimli yıllarını Guernsey'de geçirmiştir," diye sözlerini sürdürdü Westen. Başını çevirmişti, uçağın penceresinden aşağıdaki ışıl ışıl doğaya bakıyordu. "Ve burada geçirdiği yıllarda *Denizin İşçileri*'ni yazmıştı. Hugo bu romanında tek başına bir erkeğin denizle savaşmasını konu almıştır. Bu müthiş bir savaştır. Fırtınalarla, dalgalarla haftalarca süren savaş. Tek başına bir insan. 'İnatla savaşını verenler çok

yücedir,' der Hugo. 'Ve bu insanlardır, dünyada gerçekten ya-
şayanlar..."

Norma yanındaki adamın elini tuttu. Bu insan öldüğünde,
diye düşündü, onunla birlikte bir dönem de ölecek. Hugo'nun
romanındaki kahraman o. Hiç aralıksız, hiç yorulmadan savaşan
o. Ve ölümüne kadar da savaşmaya devam edecek... Sonsuz hü-
zün ve hayranlık duygusu ruhunu doldurdu.

Uçağın türbinleri uğulduyordu. Altın sarısı ve koyu yeşil tar-
lalar, kara topraklar, köyler ve küçük kentler üzerinden geçip
gittiler. Westen susuyordu.

Bir süre sonra hoparlörlerden hostesin sesi duyuldu. "Sayın
yolcularımız, birkaç dakikaya kadar Saint-Malo'yu geçip, Manş
Denizi'ne varacağız. Sırasıyla Jersey, Alderney ve Sark adalarını
göreceksiniz. Saat tam 15.20'de Guernsey'e inmiş olacağız. Te-
şekkürler"

"Biliyor musun, kitabı çıkıp da büyük bir başarı elde edince
Hugo'yu en çok sevindiren ne olmuştu?" diye Westen birden
konuştu. "Çok zor yaşamlarını roman konusu etti diye, İngiliz
denizcilerinin kendisine mektup yazması. Hugo da onlara he-
men yanıt vermişti." Westen'in sesi yavaşladı. "Sana bu mektup-
tan da söz edebilirim. Çünkü gençliğimde onun da çok etkisi al-
tında kalmıştım! Hugo şöyle yazmıştı: 'Ben de sizlerden biri-
yim. Ben de bir denizciyim. Uçurumun kenarında bir savaşçı-
yım. Başımın üzerinde kuzey fırtınaları. Savaşıyor ve gülüyo-
rum. Ve sizler gibi acı bir şarkı söylüyorum... Ben elimdeki pu-
sulaya inanıyor, okyanusla savaşıyorum...'" Evet, dedi kendi ken-
dine Norma. Bu sensin, Alvin. "Dayanıyor ve direnç gösteriyo-
rum..." Evet, evet, Alvin. "...ben zorbalara karşı çıkıyorum...
Çevremdeki kurtların karanlıkta ulumasını duyuyor ve görevimi
yerine getiriyorum..." Evet, sen böylesin. Senin bütün yaşamın
böyle geçti. Westen sustu. Norma yaşlı adamın elini tuttu. Uçak
Saint-Malo'yu geride bıraktı. Norma aşağıda denizi gördü. Dal-
galarını, köpükleri. Gözlerini kapattı...

404

17

Uçaktan indiler. Havaalanı binasına yürüdüler. Pasaport kontrolü biraz uzun sürdü. Sonra dışarı çıktılar. Hafif bir güz rüzgârı esiyordu. Norma limon ağaçları, Japon gülleri, küpe çiçekleri ve ortancalar gördü. Parkı andıran alanda mantar ağaçları da vardı. Nis'i, oradaki çiçek ve ağaçları anımsadı. Côte d'Azur kentlerinin o güzel ışığını düşündü. Kendini birden güneyde hissetti. Yine o tatlı baş dönmesi geldi. Çılgın kadın, dedi kendi kendine. Burada her şeyi yetiştiren Golf akıntısı. Akdeniz kıyılarının o güzel, o anlatılmaz güzelliği, renkler karışımı burada.

Havaalanı binası önünde duran erkekler Fransızları andıran kasketler giymişti. Burada Fransızca ve İngilizce konuşuluyordu. İngilizcelerinde Fransız şivesi belirgindi.

Yaşlıca bir adam yanlarına geldi. "Bir otomobil gerekiyor sanırım," dedi. Çok canayakın birine benziyordu. Üzerinde haki renkli bir giysi vardı. "Isuzu Trooper Ranger'im tam size göre. Hepinize yer var!" Sonra Westen bavulunu aldı ve az ilerde duran büyük kapalı cipe doğru yürüdü. Sürücü uçları yukarı kıvrılmış bıyıklarıyla tam bir İngiliz subayını andırıyordu. Angels Wing'e doğru yola çıktıklarında "Roger Hardwick," diye kendini tanıttı. "Mister Milland'ı ziyaret etmek istiyorsunuz demek," dedi, bir eliyle bıyığını burarak.

Havaalanı bölgesini terk etmiş, güneybatıya giden yolda ilerliyorlardı. Norma burada da bir sürü palmiye, katırtırnağı, böğürtlen ve eğreltiotu gördü. "Dostunuz mu oluyor?"

"Evet," diye yanıtladı Westen. "Bizleri davet etti. Bu adada resmen hangi dil konuşuluyor?"

"İngilizce," dedi Hardwick. "Fakat bir süre öncesine kadar Fransızca resmi dilmiş. Bugün konuşulan dilde birçok Fransızca sözcük vardır. Kiliselerde İngilizce duadan sonra Fransızca dua da okunur."

"Peki, burada bazı kişilerin konuştuğu o şive nedir?"

"Patois," yanıtını verdi Hardwick, "Ada halkının Normandiya dükünün emrinde yaşadıkları dönemden kalmış bir dil. Norman Fransızcası, Ortaçağ Fransızcasıdır. Adada özellikle barlarda çok duyarsınız. Son yıllarda eski dili canlandırmak isteyenler ortaya çıktı. Eski kültür ve geleneği yaşatmak amacındalar. Bir şeyler yapmak isteyen insanlar her zaman, her yerde vardır. Siz Alman mısınız?"

"Evet," dedi Westen.

"Savaşta Almanlarla başımız dertteydi," diye Hardwick devam etti. "Burada Alman askerleri vardı. 1944'ün sonuna doğru zavallılar yiyecek sıkıntısı çekmeye başladı. Kızılhaç, adayı işgal etmiş Alman askerlerine 1945 Mayıs'ına kadar yiyecek yardımı yapmak zorunda kaldı. Avrupa'dan onlara yiyecek gelmesini İngilizlerle Fransızlar engelliyordu. Böyle konuştuğum için size hakaret etmiyorum umarım?"

"Hayır," dedi Westen. "Şimdi buraya bir sürü Alman turist geliyor, değil mi?"

"Bir sürü. Burada yaşayanlar da var. Gelir vergisi sadece yüzde yirmidir. Bir sürü şirketin de adada şubesi var. Az vergi ödedikleri için."

Küçücük bir kilise göründü. Kulesi dört köşeliydi. Üzeri kemerli kapısı taştandı. Çevreye serpiştirilmiş gibi duran köy evleri de aynı taştan yapılmıştı. Yeni biçilmiş çayırlardan tatlı bir koku havaya yükseliyordu.

"Richard Heaume," diye anlattı sevimli sürücüleri, "Bir yaşındaydı, savaş sona erdiğinde. Bu savaş birçok ülkeyi yitirmemize yol açtı. Size ise ikiye bölünmüş bir ülke bıraktı geriye. Sonra da ekonomi mucizesini getirdi. Bana kalırsa bu savaşı kazananlar, yitirenler oldu. Adamızda hiç kimse Almanlara kin duymaz. Çünkü aradan çok zaman geçti. Dünyada en kötü şey savaştır. Brecht gibi çok büyük bir yazarınız var. Onu tanıdığıma şaşırdınız mı? Evet, bu Brecht der ki: 'Savaş yağmur gibi gelmez! Savaş hazırlanır. Kendi çıkarlarını isteyenlerce.' Büyük adam şu Brecht!"

"Evet, evet," dedi Norma.

"Şurada gördüğünüz çok eski bir çiftliktir. Le Bourg denir oraya. Biraz ilerde bir tabloyu anımsatan küçük köyün adı da Le Variof'tur."

"Bu Richard Heaume'a ne oldu?" diye Westen sordu.

"Ah, ona mı?" diye Hardwick devam etti. "Daha çocukluğunda Almanlardan kalma silahları toplamaya başladı. Adamlar adanın birçok mağarasında, kaya altlarında silah saklamış. Yeraltına inşa ettikleri bir hastane de bulundu. Richard orada da çok silah ortaya çıkardı. Şu kilisenin ötesindeki mezarlığın yanında şimdi Alman İşgal Müzesi var. Richard buraya 37 mm.lik uçaksavar getirdi. Bir de top. Renault yapısı."

"Renault mu?" diye Westen sordu. "O nasıl gelmiş buraya?" Hardwick güldü. "Almanlar, Fransa'dan alıp adaya getirmişler. Burada Fransız ordusundan ele geçirdikleri bir sürü silah bulunmuştur, Şimdi hepsi müzede. İnsanlar çok tuhaf değil mi?"

Norma, "Çılgın da," diye ekledi.

"Evet, çılgın da," dedi Hardwick. "Bana ne!"

Biraz sonra kıyıya vardılar. Karşılarında deniz ışıl ışıldı. Güneşte çok güzeldi görünümü.

"Ne güzel, değil mi?" diye Hardwick yine konuştu. "Buna güzel denmez mi?"

Küçük balıkçı limanı Bon Repos'un üzerinde sayısız martı uçuşup duruyordu. Çığlıkları havayı dolduruyordu. Limanın biraz ötesinde Almanlardan kalma savunma duvarları ve kuleleri görünüyordu. Norma bir an için irkildi. Westen bunu fark etti. Yanındaki kadının elini tuttu. Birbirlerine baktılar. Norma yaşlı adamın elini yanağına götürdü. Onu ne kadar seviyorum. Çok az zamanı var. Bizlerin de. Yaşam ne kadar kısa. Ve bizlerden bazıları bu az sürede ne kadar çok kötülük yapabiliyor!

407

Küçük balıkçı köyünün evleri taştandı. Norma kayıklarında çalışan erkekleri, oynayan çocukları, daracık sokaklarda hızlı hızlı yürüyen siyah giysili, siyah başörtülü kadınları gördü. Sokak kahvelerinin küçük masalarında balıkçılar zar atıyordu. Burada da palmiyeler, güller, katırtırnakları ve karanfiller vardı. Hardwick balıkçı köyünden geçti. Batıya doğru gidiyordu. Çevre yine ıssızlaştı.

"Şu kıyılarda," dedi Westen usulca. "Victor Hugo'nun romanı geçer. Mont Herault tepesine çıkıldığında aşağılar çok güzel görünür. Hugo'nun anlattığı kıyılar."

"Evet, geldik," dedi Hardwick birden. "İşte Angels Wing." Dik damlı, yüksek bacalı tipik bir İngiliz villasının önünde durdu. Büyük bahçesinin çevresinde çit yoktu. Burada da renk renk bir sürü çiçek... Kocaman üç meşe villanın yanında yükseliyordu. Sanki onu korumak istermiş gibi. Dalları üzerini örtmüştü.

Evin önünde birkaç otomobil gördüler. Polisler ve sivil giyimli adamlar bahçede dolaşıp duruyordu. Bazılarının elinde makineli tüfekler vardı.

"Ulu Tanrım!" dedi Westen heyecanla.

Büyük cipten indiler. Westen önden yürüdü. Norma ve koruma polisleri de peşinden. Makineli tüfek tutan polisler yeni gelenlere yaklaştı. Evin üzerinde martılar uçuşuyordu. Çığlık çığlığa. Hardwick hiç konuşmadan cipi kenara çekti. Evden çıkan iki erkek Westen'le Norma'ya doğru yürüdü.

"Çok şükür geldiniz," dedi Başkomiser Carl Sondersen.

Yanındaki adam da, "Merhaba, Norma!" dedi.

"Jan!" diye bağırdı Norma şaşkınlıkla. "Hastanede çok işiniz var sanıyordum. Bay Sondersen, sizin de! Nasıl geldiniz buraya böyle çabuk?"

"Federal Polis'in bir uçağıyla," dedi Sondersen. "Hamburg'dan doğru geldik. Sizinle konuştuktan yarım saat sonra. Bayan Desmond."

"Milland," diye Westen söze karıştı. "Bütün korumaya rağmen... Ona bir şey mi oldu?"

"Evet," dedi Sondersen. "Vuruldu." Çok öfkeli ve çok da çaresiz bir görünüşü vardı. "Burada, meşelerin altında. Evinin önünde."

18

Büyük salona geçtiler. Koruma polisleri dışarıda kalmıştı. Norma güzel ve eski dolaplar, konsollar, kocaman şöminenin karşısında rahat koltuklar, Amerikan bar ve duvarlarda bir dizi renkli gravür gördü. Büyük pencerelerden içeri giren güneş ışığı salonu aydınlatıyordu. Bütün dolaplar açılmış, çekmeceler yere atılmıştı. Salon kâğıtlar, zarflar ve dosyalarla doluydu.

Westen'in rengi attı. Yüzü kireç gibi oldu. Kendini hemen kanepeye bıraktı.

"Alvin!" diye bağırdı Norma heyecanla. "Kendini yine iyi hissetmiyor musun?"

Yaşlı adam gülümsedi. "Şu Hamburglu doktorun verdiği ilaçlardan alayım. Fakat suyla değil. Viskiyle lütfen! Bak şurada, barda birkaç şişe Chivas Regal Salut görüyorum. Milland onları ikimize hazırlamış olacak." Norma Amerikan bara doğru gitti. Raftan bir şişeyle bir bardak aldı. Yarısına kadar viski doldurup Westen'e uzattı. "Biraz daha sevgilim," dedi yaşlı adam. Alnı ter içindeydi. "Daha çok doldur, lanet olsun!" Norma isteneni yaptı. Bardağı uzattı. Çantasından çıkardığı birkaç ilacı da. Westen ilaçları ağzına attı. Ardından da viski bardağını başına dikti. Sonra alnındaki teri sildi. Odada bulunanlar biraz endişeyle ona bakıyordu.

"Bir dakika," dedi Westen. Derin derin soluk almaya çalıştı.

Sondersen, "Yaptığınız çok sorumsuzca," diye söylendi. "Sizin hemen bir hastaneye gitmeniz gerek."

"Çok haklısınız. Çok sorumsuzca." Hiç kıpırdamadan oturuyor, ağır ağır soluk alıyordu. Odada hiç kimse konuşmadı. Birkaç dakika sonra yüzünün rengi geldi. Yaşlı adam odadakilere dönerek eski canlılığıyla konuştu. "Anlatın şimdi, nasıl böyle bir şey olabildi?"

"Adamlarım buraya gelmeden öldürülmüş Doktor Milland."

"Bu nasıl mümkün? Siz ne zaman yola çıktınız?" diye Norma sordu.

"Bav Westen'le Sir Henry arasındaki randevudan haberimiz olur olmaz. Bu sabah."

"Sonra?"

"Buraya vardığımızda Henry Milland öldürülmüştü. Hizmetçisi kadın -aşağıda köyde kalıyor- dün sabah buraya geldiğinde bulmuş. Şurada meşelerin altında. Polis doktoruna göre, Milland bir gece önce saat yirmi birle yirmi dört arasında vurulmuş olmalı. Sizin anlayacağınız. hizmetçi kadın onu bulduğunda Milland en az dokuz saattir ölüydü. Bayan Desmond, siz bana haber vermeden çok daha önce bir başkasının bu randevudan haberi vardı. Çok kötü."

"Ne?"

"Bay Westen'e mektup gelir gelmez bana haber vermemeniz."

"Bunu ben yasaklamıştım," dedi Westen.

"Niçin?" Sondersen birden öfkelenivermişti.

"Dostumun hayatını kurtarmak için. Bu randevu ortaya çıkarsa, hainin hemen dostlarına haber vereceğinden ve Milland'ın öldürülebileceğinden korktuğum için."

"Pek iyi bir şey yapmadınız," dedi Sondersen.

"Tanrım! Fakat bu hainin her şeyden haberi olacağını nasıl düşünebilirdim! Milland'ın mümkün olduğu kadar geç koruma altına alınmasının doğru olacağını sanıyordum. Çünkü ancak polisler buraya geldiğinde dikkati çekecek ve hain adamlarına haber verecekti. Milland'a yaklaşmaları çok zorlaşacaktı. Bu ha-

410

in... Nasıl oluyor da, her zaman her şeyi bilebiliyor? Bunu bir türlü anlayamıyorum!"

"Bunu hiçbirimiz anlayamıyoruz," dedi Sondersen de. "Fakat gerçek, sizin de söylediğiniz gibi. Adamlarım buraya gelip de ne olduğunu görünce bana telsizle hemen haber verdiler. Siz çoktan yola çıkmıştınız. Koruma polisleriniz hep yanınızdaydı. Sizi havaalanından buraya getiren de bizdendi."

"Roger Hardwick," dedi Norma. "O da mı sizin adamınızdı?"

"Evet."

"Fakat bu mümkün değil! Adam Guernsey adasını avucunun içi gibi tanıyor. Bize adanın tarihi, dili ve Alman askerleri üzerine birçok şey anlattı."

"Adadaki Alman askerlerinden biriydi o," dedi Sondersen. "3 Temmuz 1940'da buraya çıkarılmıştı. 12 Eylül 1946'da da buradan ayrılmıştı. Sanırım bir adanın insanlarını, dilini, gelenek göreneklerini ve tarihini tanımak için altı yıl yeterlidir. Öyle değil mi?"

"Öyleyse adı da Hardwick değil," dedi Norma.

"Tabii değil. Bu adam sizler için en uygunuydu. Hamburg'a telsiz geldiğinde Doktor Barski'ye, hemen Guernsey'e gitmem gerektiğini söyledim. O da, kendisini de götürmemi rica etti."

"Fakat siz neden geldiniz?" diye Norma sordu.

"Sizin için," dedi Sondersen. "Başka ne sanmıştınız?"

"Jan," diye Norma kekeler gibi konuştu. "Siz kliniği ve Bayan Holsten'i yalnız bırakıp..."

"Evet."

"...ve Tak'ı da bulaşıcı hastalıklar bölümünde?"

"Evet."

"Cenaze töreni?"

"Yarın. Eli ve Alexandra orada. Burada size de bir şey olacağından çok korktum. Yanınızda bulunmalıydım."

"Fakat yine de her an bir şey olabilir," dedi Norma usulca.

411

"Tabii olabilir. Fakat o zaman ben yanınızdayım. Ve ayrılmayacağım. Ben..." Barski diğerlerine baktı. Yüzünü birden büyük bir sıkılganlık kaplamıştı. "Affedersiniz, Bayan Desmond bana... Çok yakındır."

"Bana da, dostum," dedi Westen. "Sizin yerinizde olsaydım, ben de aynı şekilde davranırdım. Her şeyi yüzüstü bırakır, mümkün olduğu kadar çabuk buraya gelirdim. Af dilemenize hiçbir neden yok."

"Teşekkürler," diye mırıldandı Norma. Söylediği zor duyuldu. "Teşekkürler. Jan."

19

"Peki, olup biteni lütfen bir daha konuşalım," dedi Westen Sondersen'e dönerek. "Bugün 1 Ekim. Çarşamba öğleden sonra." Saatine baktı. "Tam 16.30. Polis doktoruna gere, Milland pazartesiyi salıya bağlayan gecede, saat yirmi birle yirmi dört arasında vurulmuş. Doğru mu?"

"Evet, doğru."

"Milland bana yazdığı mektubu 27 Eylül'de 'özel ulakla' yollamıştı. 29 Eylül pazartesi günü mektup elime geçti. Aynı gün öğleden sonra Norma'ya gösterdim." Kadın başını salladı. "O gün öğleden sonra Doktor Holsten öldü. Ve o günün gecesinde de Milland öldürüldü. Hain her kimse, adamlarına benim bugün Milland'la buluşacağımı haber vermişti. Çünkü dostum bir çıkar yol bulduğunu sanıyordu. Sizin anlayacağınız, çok müthiş ve kusursuz çalışan bir örgüt var karşımızda."

Sondersen, "Karşımızda ABD ve Sovyetler Birliği var," dedi.

"Bunu ben de biliyorum. Özel timlere de bu nedenle görev verildi ya. Peki, neden başarılı olamadılar? Onlar gibi tam profesyonel adamlar!"

"Neler olup bittiğinden benim de haberim yok ki," diye yanıtladı Sondersen, "O adamlarla ilişki kurmak olanağım da yok!

Bu bana yasaklanmıştır. Eğer isterlerse onlar beni arıyor. Şu ana kadar aramadılar." Uzun boylu, zayıf adam yutkundu. "Ben bazı şeyleri kabul ediyorum. Çalışma alanımı kısıtlamalarını. Yeterince çalışma özgürlüğü vermemelerini. Birçok şeyi. Fakat bu kadarı da fazla... Bazı şeyler dayanılmaz."

"Ve yine de kabul etmek zorundasınız," dedi Westen, "Şimdi izin verin de, olayın bir özetini yapmaya çalışayım, Bay Sondersen! Ne diyordum, 29 Eylül'ü 30 Eylül'e bağlayan gecede Milland öldürüldü. Villasının önünde. Peki, fakat niçin içerde değil de dışarıda"

"Belki bahçede biraz geziniyordu."

"Fakat sağlığı iyi değildi. Bel ağrıları çekiyordu. Beni havaalanında karşılayamayacağını yazmıştı. Yürürken mutlaka zorlanıyordu."

"Belki dışarıdan gürültüler duyduğu için bahçeye çıktı. Ne olduğunu merak ettiği için. Ada polisi olayın soruşturmasını yapıyor. Ancak henüz hiçbir şey elde etmiş değiller."

"Henry Milland en az kırk saattir ölü."

"Evet," dedi Sondersen. "Morga kaldırıldı. Otopsi yapıldı. Kurşunlar bulundu. Eski bir Alman ordusu karabinası, Model 98 k. Kurşunlar göğse, kalbe ve karna girmiş. Üç metre uzaktan ateş edilmiş. Ada polisi için olay tabii normal bir cinayet. Şu anda, Londra polisiyle adamlarım olaya el koydu. Bütün adada yapılıyor soruşturmalar. Fakat hiçbir sonuç alınmış değil. Katil ya da katiller cinayet ortaya çıkana kadar tabii adayı terk etmişlerdir."

"Evin içi karmakarışık..." Westen yerlerdeki çekmecelerle kâğıtlara baktı.

"Bodrumundan tavan arasına kadar bütün villa bu durumda," dedi Sondersen.

"Peki, fakat katil ya da katiller ne aramış olacak?"

"Milland bir çıkar yol bulduğunu sandığı için sizi buraya çağırmamış mıydı?"

"Evet."

"Belki bazı düşüncelerini kaleme almıştı?"

"Hiç sanmıyorum."

"Fakat burada bir şeyler aramış olan kişiler sizin gibi düşünmemiş. Tabii umdukları şeyi bulamamış da olabilirler."

"Parmak izleri var mı?" diye Norma sordu.

"Bir sürü Milland'ın, hizmetçi kadının, papazın..."

"Hangi papazın?"

"Milland çok içine kapanık bir insandı. Bana böyle söylediler," diye Sondersen açıkladı. "Haftada birkaç kez aşağı köye iner, barda birasını içer ve limanda balıkçılarla sohbet edermiş. Onu çok severlermiş. Günlerini villasında geçirirmiş. Pek dostu yokmuş. Arada sırada St. Peter Port'tan avukatı, Creux Mahie'den bir deniz biyoloğu, Ville Amphrey'den bir ressam ve yakındaki kilisenin papazı Gregory gelirmiş. Sanırım yolda o kiliseyi gördünüz?"

"Evet," dedi Norma. "Anımsıyorum. Hardwick bize göstermişti. Küçük mezarlığın arkasındaki Alman İşgal Müzesi'ni de."

"Milland Papaz Gregory'yle satranç oynardı. Dediğim gibi, onun parmak izlerini saptadık. Diğerlerini de. Ancak burada bir şeyler aramış olan kişiler ya eldiven giymiş ya da parmak uçlarına özel bir sprey püskürtmüş. Böyle durumda parmak izi bulunmaz."

Telefon çaldı. Sondersen bir sürü dosya ve kâğıdın arasından geçip XV. Louis döneminden kalma çok güzel bir konsolun üzerinde duran telefona gitti. Açtı.

"Alo!" Norma'ya doğru baktı. "Sizin adamınız! Yine! Konuşmak istiyor!"

Kadın ayağa kalkarak Sondersen'in yanına gitti. Uzatılan telefonu aldı.

"Norma Desmond," dedi ve yine o madeni sesi duydu.

"İyi günler, Bayan Desmond. On beş dakika önce villaya geldiniz. Bay Sondersen, Bay Westen ve Doktor Barski'yle yaptığınız konuşmada sizi rahatsız ettiğim için özür dilerim. Doktor Milland'ı öldürmek zorunda kaldığımız için de bizi affedin."

"Biz mi dediniz?"

"Evet, Bayan Desmond... Fakat her söylediğimi tekrar etmeyin. Yanınızdaki baylar konuşmamız bitene kadar sabretsinler. Neler söylediğimi sonra anlatırsınız onlara."

Norma salondakilere döndü. "Ne söylediğini size sonra anlatmamı istiyor."

"Teşekkürler," dedi telefondaki adam. "Evet, Bayan Desmond. Biz, dedim. Ortak çalışma yapmak zorunda kaldık. Doktor Milland konusunda karşı tarafı ortak çalışmanın gerekliliğine inandırmayı başardık."

"Neden ortak çalışma?"

"Bayan Desmond, rica ederim. Biliyorsunuz, Doktor Milland Bay Westen'e bir mektup yollamıştı. Neler yazdığını siz biliyorsunuz. Tabii biz de."

"Nereden?"

"Bilgi toplama olanaklarımızın ne kadar olağanüstü olduğunu hep tekrarlamam mı gerekiyor? Biz her şeyi biliyoruz. Her zaman her kişi üzerine bilgimiz var. Ancak şunu da bilmenizi isterim, kan dökmekten nefret ediyoruz. Fakat şimdi bu adamı ortadan kaldırmaları için karşı tarafı harekete geçirmek zorundaydık."

"Peki, fakat niçin?"

"Bayan Desmond, siz beni delinin biri mi sanıyorsunuz!"

"Söyleyin, neden! Duymak istiyorum!"

"Doktor Milland bir çıkar yol bulduğunu yazmıştı. Doktor Barski'yle arkadaşlarının sorununa bir çıkar yol! Bunu açıklamak için de Bay Westen'i viski içmeye davet etmişti. Ancak bizlerin ortak amacı, son anda gerçekten bir 'çıkar yol' bulunmasını engellemekti. Çok üzgünüm, işte bu nedenle değerli bir bilim adamının ölmesi gerekti. Madam, şimdi izninizi rica ediyor, size ve baylara Guernsey adasında güzel günler diliyorum."

Norma telefonu kapattıktan sonra adamın söylediklerini diğerlerine çabucak anlattı. Barski oturduğu yerden kalktı. Şöminenin önünde bir aşağı bir yukarı yürümeye başladı. "Bu adama her an bilgiler veren, onun neler olup bittiğini öğrenmesini sağlayan hain kimdir?" diye mırıldandı.

"Herkes olabilir," dedi Sondersen.

"Nasıl?" Barski anlamamış gibi ona baktı.

"İçimizden biri bu hain olabilir. Buluşmadan az önce birimiz ona bilgi verebilirdi. Siz, Bayan Desmond, Bay Westen, ben."

"Siz de mi?" dedi Norma, "Siz hain olacak bir insan değilsiniz!"

"Sevgili Bayan Desmond, insanların yeteneklerini küçük görmeyin."

Telefon yine çaldı. Sondersen açtı. "Buyurun?" Gülümsedi. "Ah, Peder Gregory siz misiniz? İyi günler!" Dinledi. "Evet, biliyorum. Dostunuzdu. Olup bitenler için çok üzgünüm... Sayın peder, telefonunuzun dinlendiğini sanıyorum. Tabii bu telefonun da... Sizin için önemli değil mi? Neden? Anlatacaklarınızı herkes dinleyebilir..." Karşısındaki adamın sözlerine kulak kabarttı. "Sizin kilisenin mezarlığına mı gömülmek isterdi. Evet. Sonra?" Dinledi. "Tuhaf bir yazı... Mezar taşına mı? 'Şeytanın İşi.' Evet." Barski başını kaldırıp Sondersen'e baktı. "Ben de anlamıyorum, sayın peder. Tabii size gelebilirim... Siz mi buraya geleceksiniz... Çaya, tabii! Fakat bisikletle değil! Ben sizi alacağım. On beş dakika sonra... Teşekkür ederim..." Telefonu kapattı. "Mutlaka buraya gelmek istiyor. Mezar taşına yazılacak sözler içinmiş. Milland seçmiş o sözleri. Çok tuhaf. Mezar taşında adı yazılmayacak. Sadece: 'Burada şeytanın işini yapmış bir insan yatıyor' sözleri olacak. Her neyse, ben ciple Gregory'i almaya gidiyorum. Adamlarım burada kalacak. Sizinkiler de, Bay Westen. Hiç kimse villayı terk etmeyecek. Belki Bayan Desmond hepimize çay hazırlar?"

"Memnuniyetle," dedi Norma.

"Biraz sonra döneceğim. Hoşça kalın." Sondersen kapıya doğru yürüdü.

"Oppenheimer," dedi Barski.

Sondersen olduğu yerde kaldı. "Ne dediniz?"

"Çok ünlü bir sözdür."

"Neden söz ediyorsunuz siz?"

"İlk Amerikan atom bombasını geliştirmiş insanlardan biri olan Robert Oppenheimer'den. Chargaff gibi Oppenheimer de buluşundan ve ortaya çıkan sonuçlarından umutsuzluğa kapılmıştı." Barski, Norma'ya ve Westen'e döndü. "Atlantic Oteli'nde sohbet ettiğimiz akşamı anımsıyor musunuz? Komünist avcısı Senatör McCarthy'nin araştırma komisyonu karşısında Oppenheimer'in yaptığı konuşmadan söz etmiştim. Profesör Gellhorn öldürülmesinden kısa bir süre önce komisyon tutanaklarını okuduğunu bana söylemişti. Bu konuşmadaki acı verici sözlerden biri de, 'Biz yaptık şeytanın işini!' sözüydü."

20

"Lütfen benimle mutfağa gel, Alvin," dedi Norma, "Orada yalnız kalmak istemiyorum." Oturduğu yerden kalkarken gözü, masada gümüş bir çerçeve içinde duran fotoğrafa ilişti. "Karısı ve kızı olacak. Otomobil kazasında yitirdiği."

"Herhalde..." Westen uzun uzun fotoğrafa baktı. "Her şeyden elini eteğini çekip burada yaşamasının nedeni, sevdiği insanların ölümüydü. Kendi ölümünü de hasretle bekliyordu."

"Bunu sana söyledi mi?" Norma büyük mutfağa doğru yürüdü. Bahçeye açılan kapının önünde bir polis beklemekteydi.

"Evet. Bir defasında ölüm üzerine konuşmuştuk. Çiçero'nun *Yaşlı Cato* adlı eserini, benim gibi o da çok beğenirdi. Bu eserde yazar, ölümden sonra gelen bilgelikten söz eder. 'O anı ne kadar çok özlüyor ve seviniyorum,' der Cato. 'Ölüme yaklaştıkça da, denizlerde yaptığım uzun yolculuklardan artık limana varacağımı sanıyorum.' Şimdi Milland bu limana vardı. Bak, çay kutusu şurada duruyor!" Westen kutuyu alıp Norma'ya uzattı.

Barski de mutfağa gelip Norma'ya yardım etti. Dolaptan bir tepsi alıp fincanları içine koydu. Westen pencerenin yanına giderek dışarısını seyretti. Mavi açan bir sarmaşığın ve sonbahar çiçeklerinin kokusunu içine çekti. Çok güzel bir gündü. Ve sonsuz denizin üzerindeki bu cennette yaşayan adam kırk saat önce öldürülmüştü.

Westen, "Ben Çiçero'nun bu eserini çok beğenirim," diye sözlerini sürdürdü. "Yolculuğumun yakında sona ereceğini de biliyorum. Fakat yine de Tanrıya dua ettim, yolculuğumu biraz daha sürdürmesini istedim. Kendim için değil. Senin için, Norma. Biliyorsun..." Yanında duran kadın uzanıp hafifçe öptü. "Siz yanımızdasınız, doktor. Bu çocuğun arada sırada iyi yemek yemesine dikkat edeceksiniz, değil mi?"

"Sen hiç ölmeyeceksin," dedi Norma.

"Bazen kendimi çok yorgun hissediyorum."

"Biliyorum, ben bazen çok bencilim. Fakat unutma doksan ya da doksan beşine kadar yaşayan bir sürü insan var. Jan'a rağmen sen bana gereklisin. Sen ona da gereklisin. Daha birçok in sana da!"

"Birçok insana da mı?" diye yaşlı adam sordu. "Bu çok müthiş olurdu. Bereket, gerçek değil. Sen beni istiyorsun, Norma. Ya, başka kim? Her neyse, *voila*, işte şekerlik!" Sanki çok büyük bir zafer elde etmiş gibi kutuyu dolaptan alıp tepsiye koydu. "Siz ilginç birisiniz," dedi Barski'ye. "Görmediğiniz birçok kilise ve manastır üzerine çok bilgiye sahip olduğunuzu Norma anlattı. Bu adadaki kilise ve manastırları da tanıyor musunuz?"

"Evet," diye çok ciddi bir tavırla yanıt verdi Barski. "Sondersen'in gittiği kilise, adadaki en eski kiliselerden biridir. Sanırım 1048 yılında inşa edilmiş. Kuzey kapısından girince demirden bir kutu..."

Norma gülümseyerek Barski'ye baktığını fark ketti. Gülmenin sırası değil, dedi kendi kendine. Bütün mutsuzluk, bir insanı sevmeye başlama saçmalığıdır. Unutma bunu.

"Manş Denizi'ndeki adalarda birçok güzel kilise vardır," diye Barski devam etti. Bahçeye açılan kapıya yaslanmıştı. "Örneğin, Alman ordularının yerin altına bir hastane yaptıkları Les Vauxbelets'de *Küçük Şapel* vardır. Minyatür bir kilisedir. Bu kilisenin ünü nereden gelir biliyor musunuz? Boyutlarından değil, içini ve dışını süsleyen rengârenk midye kabuklarıyla cam ve porselen parçalarından." Çekingenlikle gülümsedi. "Ya da Millbrook'daki cam kilise. Jersey adasındaki bu kilisede her şey camdandır..."

Barski'nin arkasından sarmaşığın çiçekleri sarkıyordu. Çiçekler ortasında Jan, diye Norma düşündü. Tıpkı eski bir tablodaki gibi. Hayır! Yeter bu kadarı! Bütün mutsuzluk saçmalıklarla başlar.

Çaydanlık ötmeye başladı. Su kaynamıştı.

Tabii her zaman saçmalık değildir, dedi Norma içinden. Evet, her zaman değil.

21

"Buraya gelmek istememin nedeni, mezar taşına yazılacak sözler değil tabii," diye Peder Gregory açıkladı. "Bunu anladınız sanırım?"

Hep birlikte şöminenin karşısında oturmuş çay içiyorlardı. Peder Gregory şişmanca, ak saçları epey dökülmüş, pembe yüzündeki kırmızı burnu arada sırada içki içtiğini ele veren canayakın bir insandı. Çayına birkaç damla viski rica etmişti. Ancak o birkaç damla pek az değildi. Aynı miktar viskiyi ikinci fincana da koydurtmuştu Peder Gregory, Westen'dcn en az beş yaş büyüktü.

419

"Bugün öğleden sonra bana geldiler," diye devam etti, Charles Dickens'in romanlarındaki tipleri andıran papaz. Sonra üzerindeki siyah uzun cüppeyi şöyle bir kaldırıp ayak ayak üstüne attı. Ve güzün sıcağına karşı aldığı önlem belli oldu. Üzerinde sandaletler ve cüppeden başka bir şey yoktu. "Tabut ısmarlamak için limana indiğimde... Biliyorsunuz Milland'ın akrabası yoktu."

"Kimdi size gelen?"

"Burada her şeyi karıştıranlar," diye yanıtladı Peder Gregory, "Katiller. Benim evimde de bütün dolapları ve çekmeceleri karıştırmışlar, her şeyi yere atmışlar. Evin içi bir deprem sonrasını andırıyor. Bereket versin, hizmetçi kadın şu sıralar Fransa'da annesinin yanında. Herifler tavuklardan başkasını korkutamamış. Çok lezzetli bu çay. Acaba bir fincan daha alabilir miyim? Oh, çok teşekkür ederim, sayın bayan. Yine biraz... Çok iyisiniz. Teşekkür ederim, kızım. Tanrı sizden razı olsun! Üç düzine tavuğum var," dedi Peder Gregory gururla. "Her sabah taze yumurta. Birçoğunu satıyorum. Bir sebze bahçem de var. Biliyor musunuz, pazara giden bir köylü gelip bütün domatesi, yeşil salatayı ve lahanayı, kısacası ne varsa satın alıyor." Peder Gregory biraz karışık konuşuyordu. "Burada şeytanın işini yapmış bir insan yatıyor... Bu söze karşı mı çıkayım?"

"*Nullus diabolus, nullus redemptor,*" dedi Westen.

"Çok doğru!" Gregory memnun memnun başını salladı. "Şeytanın olmadığı yerde kurtarıcı da yoktur! 'Tek başına Auschwitz'e neden olmuş canavar insanı, Tanrı mı yaratmıştır?' diye Regensburg Piskoposu Graber sorar. Hayır, Tanrı böyle şey yapmamıştır. Çünkü o iyilik ve sevgi doludur.'"

İyilik ve sevgi, diye düşündü Norma. Bunu yirmi yıldır sürekli duyuyorum.

"'Şeytan yoksa Tanrı da yoktur,' der Regensburg Piskoposu Graber."

Çok akıllı, dedi Norma içinden. Hepsi çok akıllı. Hele şu Papa Wojtila! Şimdi şeytanın varlığını kabul ediyor. Nedeni belli.

Peder Gregory, "Biraz sarhoş sanıyorsunuz beni değil mi?" diye sordu.

"Evet, sayın peder," dedi Westen.

"Evet, biraz sarhoşum. Fakat nedeni başka. Dostumun arzusunu yerine getirdiği için Tanrıya teşekkür ediyorum. Onu şimdi yanına aldığı için. Dostum çok mutsuzdu... Alman bayanın yaptığı çay ne kadar nefis! Tam İngilizlerinki gibi olmuş... Dostum Henry umutsuzluğa kapılmak üzereydi."

"Peki, adamlar evinizde hiçbir şey bulamadı, öyle mi?" diye Norma sordu.

"Hayır, hiçbir şey bulamadılar! Aradıkları şey evimde değil!"

"Burada mı?" dedi Barski.

"Bunu nereden çıkardınız?"

"Mutlaka bu eve gelmek istediğiniz için. Öyle değil mi?"

"Tebrikler, çok akıllısınız!" Peder Gregory sarhoş değildi. Beyninde kireçlenme vardı. "Tabii çok üzgünüm," diye devam etti ve birden çok ciddileşti. "Aklınızın alamayacağı kadar... Henry çok iyi bir dosttu. Ne kadar iyi satranç oynardı! Ve evinde hep iyi viski bulunurdu."

"Aranan şey nedir?" diye sordu Norma.

"Bilmiyorum," dedi Peder Gregory. "Benim bütün bildiğim, Henry'nin uzun süredir çok mutsuz olduğu."

Westen, "Kazadan sonra mı?" diye sordu.

"Karısı ve kızını yitirdikten sonra, demek istiyorsunuz, değil mi?"

"Evet."

"Nedeni bu değildi." Peder Gregory başını salladı. "Daha doğrusu tek nedeni bu değildi. Her şeyden elini eteğini çekerek Guernsey adasına gelip yerleşmesinin gerçek nedeni başkaydı."

"Bunu nereden biliyorsunuz?"

"Bana anlatmıştı," dedi papaz, "tanışmamızdan az süre sonra. Çok umutsuzluğa kapılmış biriydi. İnsanlardı bunun nedeni. 'Peder,' demişti bana. 'Nietzche'den iğrenmeme rağmen o bir

421

dâhidir. İnsanlar tek başına çılgınlık yapmaz, diye yazar. Ancak bir araya geldiler mi, her türlü çılgınlığı yaparlar. Gruplar, toplumlar.'"

"Çok doğru," dedi Westen. "Gruplar ve toplumlar..."

"Henry'nin en büyük şansızlığı mesleğiydi," diye yaşlı papaz devam etti.

"Size bunu da söyledi mi?" dedi Barski.

"Evet. Ancak yıllar sonra. Daha doğrusu yeni. Birkaç gün önce. Burada dinlenmediğimizden emin misiniz?"

"Çok eminim. Adamlarım saatlerce bütün evi aradı."

"Henry bana, size mektup yollayacağını ve buraya davet edeceğini söylemişti. Bay Westen, size açıklayacağı şey o kadar önemliydi ki, siz gelmeden öldürüleceğinden korkuyordu. Ben kendisine, polis korunması istemesini söylemiştim."

"Sonra?"

"Henry şöyle demişti: 'Her insanın son saati önceden belirlenmiştir. Hiç kimse kaçamaz.' 'Peki,' demiştim ben de. 'Önemli olduğunu söylediğiniz şeyi kaleme alın. Sonra bana verin, saklayayım.' Henry, 'Sizin de hayatınız tehlikeye girebilir,' demişti. 'Bunu yapamam.' 'Öyleyse yazın ve burada bir yere saklayın. Nereye sakladığınızı da bana söyleyin,' demiştim."

"Bunu kabul etmişti, öyle mi?" dedi Sondersen.

"Evet, kabul etmişti." Peder Gregory yerinden kalkarak çekmeceleri yere atılmış olan XV. Louis stili konsola doğru yürüdü.

"Her şeyi aramışlar orada," dedi Norma.

"Fakat gizli yeri bulamamışlar." Peder Gregory cüppesinin eteklerini topladı ve ıkına sıkına çömeldi. "Adamızda biri var, eskiden Paris'te kuyumcuların hizmetinde çalışırmış. Gizli kasalar ve alarm düzenleri yaparmış. Bazen hâlâ çağırdıkları olur. İşte bu adam Henry'ye gizli bir bölme yaptı." Peder Gregory en alt çekmecenin üzerinde durduğu tabanı işaret etti. "Bir şey dikkatinizi çekiyor mu?"

"Hayır," dedi Westen.

"Görünüşte tahta bir zemin değil mi? Ancak belirli bir yerine dokundunuz mu..." Yaşlı papaz bir köşesine dokundu, "...tahta zemin kalkar." Gerçekten de tahta kalktı. Bir boşluk ortaya çıktı. Peder Gregory eğilip bir deste kâğıdı eline aldı. Sondersen oturduğu yerden fırladı. Yaşlı papaz elindeki kâğıtları ona uzattı. Başmüfettiş de Westen'e verdi. Sonra kapıya doğru koştu. "Hemen döneceğim. Adamlarım evin çevresini saracak. Kâğıtlarda yazanları hemen okumamız gerek." Sondersen dışarı çıktı. Adamlarıyla hızlı hızlı konuştuğunu duydular. Motorlar çalıştı. Otomobiller evin çevresini sardı. Ellerinde makineli tüfek tutan polisler dikkat kesildi. Norma bir sürü fotoğraf çekti.

"Sevgili Bay Westen!" diye yaşlı adam ağır ağır ve dikkatle okudu, Henry Milland'ın yazdıklarını.

"Bu satırları 29 Eylül günü akşam saat 20.55'te yazmaya başladım. Korkuyorum. Birbirimizi görmeden önce başıma bir şey gelmesinden korkuyorum. Küçük kilisenin papazı sevgili dostum Peder Gregory yarım saat önce yanımdan ayrıldı. Bu yazdıklarımı saklayacağım yeri bilen tek kişi kendisidir. Eğer korkumda haklı çıkar ve siz ertesi gün geldiğinizde ben artık hayatta olmazsam, Peder Gregory yazdıklarımı size verecektir.

İçinde bulunduğumuz durumdan kurtulmak için sanırım bir çıkar yol buldum. Ancak daha önce sizlere, iki gücün *Soft War*'ı nasıl gerçekleştirmeyi planladıklarını açıklamayı doğru buluyorum. Her şeyi yüzüstü bırakıp buraya çekilmemin tek nedeninin sevgili eşimi ve sevgili kızımı yitirmem olmadığını bilmenizi isterim. Bana gizli açıklamalarda bulunan o kişiden, biz insanları bekleyenleri öğrendikten sonra her şeyden iğrenmiş ve müthiş bir korku duymaya başlamıştım. Bu durumda daha fazla çalışmam mümkün değildi. Politikacılarla askerlerin ahlaksızlığına daha uzun süre dayanamazdım."

423

Westen bir an için sustu. Şöminenin çevresinde toplanmış olan diğerlerine baktı. Hepsi susuyordu. Yaşlı adam devam etti:

"En uygun virüsü bulma savaşı yıllardır sürüyor. İşlenen kanlı cinayetlere bakılırsa, Hamburg'daki enstitüde çalışan insanlar onu buldu. Bana anlattığınıza göre de, uzmanlardan biri karşı aşının denemesini kendi üzerinde yapmakta. Tabii her güç hem virüse hem de karşı aşıya sahip olmak ister. Karşı aşı hemen bulunmasa bile, virüsü mutlaka elde etmek isterler. Çalışkan biyoşimistler karşı aşıyı bulur. İki güçten birinin virüsü ele geçireceğinden eminim. Ve virüse sahip güç -hangisi olursa olsun- bakın neler yapacak: Etkinliklerine güz aylarında başlayacak. Çünkü o aylarda, gerek doğuda, gerekse batıda yüzlerce milyon insan gribe karşı aşı olur. Politikacılar, yüksek rütbeli askerler, tabii silah altındakiler ve okullardaki öğrenciler de. Her yıl ortaya çıkan yeni grip virüslerinden korkan toplumlar seve seve aşı olmaktadır. İşte bu dönemde toplumun büyük bir çoğunluğuna *Soft War* virüsüne karşı aşı da verilebilir. Tabii bu ancak, gribe karşı aşı olanlara uygulanabilir. Askerlerle politikacılar, toplumun yüzde yirmiyle yirmi beşinin korumasız kalacağını bilmekte. Ancak bu onların seve seve kabul ettiği bir orandır. Çünkü bir atom savaşı sırasında yüzde doksana yaklaşan kayıplara uğrayacaklardır. Hem virüsü kapacak bu insanlar ölmeyecek ki! Onların kişiliği değişecek, hepsi o kadar. Onlar artık 'işçi arı' olacak. İşte süper güçlerin ahlak görüşü böyle...

Önemli bütün gruplar ve toplum aşı olduktan sonra hareket başlayacaktır. Virüsü vücudunda taşıyan tek bir insanı düşmana göndermek, oradakilerin peş peşe hastalanmasına yetecektir. Bu savaşta çok aşıya, fakat az virüse·gerek vardır. Bana bütün bu açıklamalarda bulunan kişi, 'karşılıklı değiştirilen şu casusları düşünün,' dedi. 'Virüsü elinde bulunduran güç, serbest bırakacağı casusun vücuduna virüsü verip ülkesine yollar. Bu kişi ülkesine döndüğü zaman kısa zamanda hastalığını yayacak. Ve son böyle başlamış olacak.

Tabii her şeyin daha çabuk gelişmesi için karşı taraftan bir sürü insana virüs aynı anda verilecek. Örneğin, ülkeyi ziyaret etmekte olan gruplara. Tiyatro ve bale gruplarına, orkestralara, bir kongreye katılmış kişilere...

Haftalar, en geç aylar sonra kıtalara yayılacaktır virüs. Anlayacağınız iki, üç ay içinde *Soft War*, yumuşak ve sessiz savaş, insanlığın yarısını, hiç karşı koymayan, ne istenirse yapan ve hiçbir şey istemeyen varlıklar yapacaktır.

Sizinle karşılaştığım günlerde ne yapacağını bilmeyen çok umutsuz biriydim. Sanırım şimdi bu felaketten kurtulmamızı sağlayacak bir çıkar yol buldum. Benim şu düşüncemi lütfen Hamburg'daki dostlarınıza da iletin..."

Westen elindeki kâğıtları bıraktı. "Hepsi bu kadar," dedi. "Milland'ın yazdıkları burada sona eriyor. Belki bir gürültü duydu, belki de kapı vuruldu. Çok ilginç, kâğıtları saklayacak zamanı olmuş. Korktuğunu ve birilerini beklediğini biliyoruz. Dışarı çıktıktan birkaç dakika sonra da evinin önündeki üç meşenin altında yatıyordu. Ölü olarak."

Bir an için hiç kimse konuşmadı. Sonra Barski, "Bulduğu çıkar yolun ne olduğunu öğrenemeyeceğiz," dedi.

"Evet, öğrenemeyeceğiz," diye yineledi Alvin Westen de. "Kim bilir, neydi?"

22

Beau Sejour Oteli, Cambridge Parkı'nın sonunda, Akdeniz ülkelerini andıran ağaçlar ve çiçeklerle dolu Candie bahçesinin arkasındaydı. Bir sürü koruma polisi arasında Norma, Barski ve Westen büyük parkı geçmişti. Batmakta olan güneşin ışığında bitkiler ne güzeldi! Parkta Kraliçe Victoria'yla Victor Hugo'nun büstleri vardı. Hugo'nun kaidesinde şu sözleri okumuştu Norma:

Özgürlüğün ve konukseverliğin kayası
bu eski Normandiya topraklarına!
Denizin o değerli insanlarının yaşadığı,
beni şimdi barındıran ve günün birinde
mezarımın bulunacağı Guernsey adasına!

Westen bu sözlerin *Denizin İşçileri* kitabının girişindeki ithaf olduğunu söylemişti.

Henry Milland'ın villasını terk etmeden önce Sondersen kâğıtları şöminede yakmıştı.

"Eğer bir çıkar yol olsaydı, hain öğrenmeden şimdi biliyorduk," demişti. "Fakat şu anda, ne yazık ki, felaketi önleme olanaklarımız eskisi gibi çok az. Akşam olmak üzere. Ben sizlerin güvenliğinden sorumluyum. Dönüş uçağı yok. Guernsey'de konaklamak zorundasınız. Ancak bu villada değil. En iyisi kentte bir otelde. Orada koruma daha kolay olur. Kim bilir şu anda adada kimler var? Özel timin adamları da burada olmalı, fakat onlardan şimdiye kadar hiçbir şey duymadık."

"Belki Milland'ı vuranlar onlardan biriydi," dedi Barski. "Felakete nasıl engel olunabileceğini Bay Westen açıklayamasın diye."

"Niçin böyle düşünüyorsunuz?" diye Sondersen sordu.

"Süper güçlerden birinin bu yeni silahı eline geçirmesini sağlamak özel timin görevi, demiştiniz. Anımsadığım kadarıyla Amerikalıların. Fakat şimdi biz bu silahın kullanılmasının nasıl engellenebileceğini öğrenseydik, Amerikalılara engel olmuş olurduk. Öyle değil mi? İşte böylece özel timin bütün çalışmaları da boşa giderdi."

"Bu özel timde neden bu kadar ısrar ediyorsunuz?" diye Westen sordu.

"Bonn'daki dostunuzun, bu tam profesyonel kişilerin bütün güçlerden ve sistemlerden nefret ettiğini söylediğini anlatmıştınız. Onlara göre hepsi insanlara karşıydı."

Westen, "Peki, sonra?" diye sordu.

"Onlar için önemli tek şey para, demiştiniz. Para için aklınıza gelen her şeyi yaparlar. Tabii Federal Hükümet onlara çok para veriyor. Belki bir başkası onlardan birine daha çok para teklif etti?"

"Bu adam çok para karşılığında karşı tarafa mı geçti, demek istiyorsunuz?" diye sordu Norma.

"Neden olmasın? Mümkün bence. Yeter ki, teklif edilen para çok olsun. Sizce korkunç bir şey mi?"

"Hayır," yanıtını verdi Norma. "Ben de aynı şeyi düşünmüştüm. Güç elde etmek ve güçlü kalmak pahalıdır."

"Çok ilginç düşünceleriniz var," dedi Sondersen. "Burada bir insan öldürüldü. Sıra içinizden birine de gelmiş olabilir. Sizlerin hayatından ben sorumluyum!"

Cambridge Parkı'nın sonundaki Beau Seiour Oteli'nde konaklamaya karar verdiler. Akşam yemeğini hep birlikte yediler. Hiçbirinin doğru dürüst iştahı yoktu. Yemek sırasında pek konuşan da olmadı. Sanki herkes tek başına, diye aklından geçirdi Norma. Diğerleri yokmuş gibi.

Sonra odasına gitti. Şimdi gerçekten tek başınaydı. Pencereleri açtı. Sıcak hava ve sayısız çiçeğin kokuları odayı doldurdu. Yatağa uzandı ve çiçeklerin gece böyle kokması ne kadar ilginç, diye düşündü.

Sonra yine kalktı. Huzursuzlanmıştı birden. Banyoya gidip uzun uzun duş yaptı. Yatağına döndü. Çırılçıplak uzandı. Yazları hep yaptığı gibi. Düşüncelere daldı. Ve huzursuzluğu arttı, Nedenini biliyordu. Jan'dı. Durumu hiç de iyi değildi. Çıkar yolun bulunmasını en çok isteyen mutlaka oydu. Henry Milland'ın yazdıklarından kim bilir neler beklemişti? Fakat artık felaket her an daha çok yaklaşıyor. Üzerimize geliyor. Her geçen gün, uçuruma doğru atılan yeni bir adım. Jan'a ne zaman şantaj yapacaklar? Karşı aşı başarılı olacak, buna inanıyorum. Tak doğru maddeyi buldu, bunu hissediyorum. Karşı aşı o kadar önemli değil diye yazmıştı Milland. Onlar için önce virüs gerekli. Ben şimdiye kadar olacak birçok şeyi önceden sezmişimdir. Virüs üzerine bilgileri vermeyecektir Jan. Gellhorn gibi dayatacaktır. Sonra ne olacak? Jan'ı öldürecekler. Gellhorn'u öldürdükleri gibi. Belki beni de öldüreceklerdir, Jan'la birlikte. Bu teselli mi? Hayır. Çünkü ben ölmüyorum. Pierre'le de olmamıştı. Ben ondan önce ölmemiştim. Onunla birlikte de. Ben yaşıyor ve Pierre'i unutmaya başlıyorum. Ben yaşamalıyım. Tabii bir gün gelecek ölüm beni de bulacak. Fakat benden önce Jan ölecek. Alvin de. Çünkü birbirini seven insanlara hep böyle olur. Ben Jan'ı seviyor muyum? Korkarım, seviyorum. Sevmemeye çaba göstermeme, bütün gücümle karşı çıkmama rağmen. Jan'ı sevince, onun korku içinde ve umutsuz yaşamasını isteyemem. Mutsuz olmasını da. O umudunu hiç yitirmemeli, o mutlu olmalı. Ben de. Ancak ikimiz de mutlu değiliz. Şimdi odasında o. Hapis. Uykusunda bir tutuklu gibi. Son felaket yaklaşıyor. Her an daha yakına geliyor. Daire kapanıyor. Zaman sona eriyor. Bunu kavra, dedi kendi kendine. Daire kapanıyor. Her geçen saatte. Ve dışarıdan kurbağaların sesini duydu. Parkta bir havuz olacak...

Hemen ayağa kalktı ve banyoya geçti. Kapının arkasında asılı duran bornozu üzerine geçirdi. Terlikleri ayağına giydi. Odadan çıktı. Kapıyı kilitleyip yürüdü. Koridorda iki koruma polisi oturmuş, iskambil oynamaktaydı. Makineli tüfeklerini duvara dayamışlardı. Biri başını kaldırıp selam verdi. Norma da onu selamladı. Şimdi adamlar arkamdan bakacak ve koridorun sonundaki Barski'nin odasına gireceğimi görecekler. Ne düşünürlerse düşünsünler, umurumda değil. Şu anda yaptığım çılgınca bir şey, fakat hiç kimseyi ilgilendirmez. Jan şimdi tek başına ve çaresiz. Benim gibi. Ve zaman geçiyor. Daha önce olup bitenlerin artık hiç önemi yok. Bütün yaptıklarımın, söylediklerimin de.

Kapının tokmağına dokundu. Kapı açıktı. İçeri girdi. Ve küçük gece lambasının ışığında onu gördü. Yatağa uzanmıştı. Çırılçıplak. Kurbağaların sesi burada da duyuluyordu. "Norma," dedi Barski alçak sesle. "Evet..." Yatağa sokuldu. Barski'nin hüzün dolu bakışlarına şaşkınlık geldi birden. Kendini korumak istermiş gibi yatağında doğruldu. Arkasına dayandı. Çarşafı çıplak vücuduna çekti ve hiç sesini çıkarmadan karşısındaki kadına baktı.

Norma bir an için ne söyleyeceğini bilemedi. Yataktaki erkekten başka bir davranış beklemişti. Odadaki iki insan bir an için öylece durdu. Ne yapacaklarını bilmiyormuş gibi. Bu sessizliği bozan kurbağaların konseri dayanılmaz, diye aklından geçirdi Norma.

Çekingen çekingen yatağın ayakucuna oturdu. Terliklerini çıkarıp ayaklarını kaldırdı.

"Uyuyamadım," diye mırıldandı ve bunu niçin söylüyorum, diye düşündü. Neden buraya oturuyorum? Neden kalkıp gitmiyorum? Gitmek istemediğim için. Burada kalmak istediğim için. Onun yanında kalmak istiyorum.

Barski başını eğdi ve sustu.

Norma, "Uyuyamadım," dedi yine ve kendi kendine öfkelendi. Fakat konuşmaya devam etmeliydi. "Korkuyorum. Çok korkuyorum. Sen de korkuyorsun." Acınacak bir durum. Çok acınacak. Fakat ne yapayım; bana ne! Umurumda mı? Hiç değil. "Sen de korkuyorsun," diye yineledi.

"Ben de," dedi Barski.

Bunları hiç söylemek istemiyorum, diye düşündü ve söyledi. "Eğer birlikte olursak, korkularımızı belki unutabiliriz sanmıştım. Bir an için hiç olmazsa..."

Karşısındaki adama baktı. Ona yalvarır gibi bakıyorum. Şimdiye kadar böyle bir şey yapmadım. Fakat umurumda değil. Hiç değil.

"Norma," dedi Barski. Sesi nedense değişik çıkmıştı. Güçsüz. "Çok zor bir gün bekliyor bizi. Güçlü olmalıyız. Uyumaya çalışmalıyız."

Bitti. Artık hiçbir şey söyleyemem. Bana da başka şey söylenmesine izin veremem. Başını eğdi ve ayağa kalktı. Terliklerini giydi. Kapıya doğru yürüdü. Ağır ağır. Kurbağaların konseri kulaklarını sağır edecekti. Barski hiç kıpırdamadan oturmaya devam ediyordu. Kadının arkasından baktı. İki adım daha. Bir adım. Kapıya vardı. Tokmağa dokundu. Aynı anda onun sesini duydu.

"Norma..."

"Ne var?" Arkasına dönmedi.

"Sen benim için çok önemlisin. Biliyorsun bunu," dedi Barski. "Biliyorsun, değil mi?"

Norma yanıt vermedi. Dışarı çıktı. Kapı arkasından kapandı. Odasına doğru yürüdü. Koruma polislerinin yanından geçti. Artık iskambil oynamıyorlardı. Birbirleriyle usul usul konuşuyorlardı. Nezaketle selam verdiler. Ah, boş verin beni, dedi Norma içinden.

Odasına girince kendini hemen yatağa attı ve bakışlarını tavana dikti. Lanet olası çılgın kadın, diye mırıldandı. Saçma duygularınla her şeyi berbat ettin. Benim gibi umutsuz, ne yapacağını bilmeden tek başına odasında diye düşünmüştün. Ona yardım etmeyi, onu yalnız bırakmamayı istemiştin. Fakat yalnız kalabilirmiş. Sense tek başına kalamazsın. Sen her zamanki gibi sevgi denen o uğursuz kötülüğü aradın. Çaresizliğin içinde. Sen kendi kendine yardım etmek istemiştin. Anladın mı şimdi? Şimdiye kadar böyle bir şey başıma gelmemişti. Yaşamımda başka erkekler de olmuştu. Kısa süreli. Gerekli olduğunda. Açlık ya da susama gibi. Yalnız yaşayan her insan gibi yaptım. Fakat şimdiki çok başka bir şey. Bambaşka. Vücut istemiyordu. Ruhumdu isteyen. Vermek isteyen. Ona gidip içindeki durumu unutması için destek olmak, onu avutmak isteyendin sen. Bu çok saçma, çok delice bir şeydi. Söylediklerin de. Ne olduğunu gördün. Sen buna layıksın! Aranızdaki güzel şeyi bozdun. En kolay yolu seçtin. Tabii felakete gidenini. Şimdi ne yapacaksın? Hiç, hiçbir şey... Banyoya geçti. Buz gibi suyla yüzünü yıkadı. Alnını, yanaklarını, gözlerini ve ağzının içini. Sonra odaya döndü. Dışarıda mehtap çıkmıştı. Işığı pencerelerden içeri vuruyordu. Bir aşağı, bir yukarı yürümeye başladı. Sonra kendini yatağa attı. Yüzükoyun. Düşünmemeye çalıştı. Başaramadı. Bu kadar kötü hissetmemiştin kendini hiç, diye mırıldandı, Arka üstü döndü. Olmadı. Yine çıktı yataktan. Yine odanın içinde gezindi. Küçük buzdolabını açıp konyak şişesini çıkardı. Bir kadeh içti. Olmadı. İkinci kadehin de etkisini görmedi. Pencereye doğru yürüdü. Dışarısını seyretti. Ve birden, otelin arkasındaki çimenliğin bittiği, ağaçların başladığı yerde iki insan gördü. Koruma polisleri olacak diye düşündü. Adamlar konuşuyordu. Norma bir daha oraya doğru baktı. Bu kez dikkatle. Ve onları tanıdı. Yere çömeldi. Bu mümkün değil, diye bir an düşündü. Hayır, olamaz. Çenesini pencere çerçevesine dayayıp iyice baktı. İki erkek ay ışığında durmaktaydı. Ve kurbağalar vıraklamayı sürdürüyordu. Ağaçların başladığı yerde Sondersen duruyordu. Karşısında da donuk yüzlü, gözlüğü yuvarlak camlı bir adam duruyordu. Kendine Horst Langfrost adını vermiş olan adam.

23

On dakika sonra Başkomiser Carl Sondersen kapısını vurup içeri girdiğinde Norma giyinmiş, makyaj yapmış ve saçlarını taramıştı.

"Sabaha karşı saat dörtte mi?" diye sordu Sondersen. "Sizi yataktan kaldıracağımı sanıyordum."

"Dışarı parka çıkmak istemiştim, fakat adamlarınız izin vermedi."

431

"Çok güzel. Ben yasaklamıştım. Otel dışında sizi korumamız biraz güç. Parkta ne yapacaktınız? Mehtap uykunuzu mu kaçırdı?"

Norma kendini toparlamıştı. Sakindi. Biraz önce az kalsın kriz geçireceğini Sondersen bilemezdi.

"Yanınıza gelmek istemiştim," dedi.

"Yanıma mı?"

"Pencereden gördüm. Uyuyamadığım için dışarı bakıyordum da. Parkta sizi ve şu Horst Langfrost'u gördüm."

"Ah, öyle mi?"

"Bu ne demek oluyor?"

"Acelemiz var. Bu Langfrost yarım saat önce otele telefon etti. Bana bir şey açıklayacağını söyledi. Telefonda olmaz, dedi. Bunun üzerine ben parkta buluşmamızı önerdim. Orada bizi hiç kimse dinleyemezdi. Onunla konuştuktan sonra hemen size geldim."

"Ne istiyorsunuz benden?"

"Bayan Desmond," dedi Sondersen. "Horst Langfrost adını taşıyan bu kişi özel timin en önemli adamıdır."

"Bu doğru mu?"

"Size yalan söylemiyorum," diye Sondersen devam etti. "Ben gerçeği konuşuyorum. Tabii Langfrost'un adı başka. Bayan Meisenberg'in yanında kalırken kendine bu adı vermişti. Size uçakta başka şeyleri de anlatırım."

"Ne uçağında? Nereye gidiyoruz?"

"Paris'e."

"Siz ve ben mi?"

"Benimle hemen yola çıkmanızı rica etmeye geldim odanıza."

"Fakat niçin?"

Kurbağalar vıraklıyordu.

"Bayan Desmond, hainin Doktor Barski olduğunu düşünebilir misiniz?"

"Hain Jan mı?" Başının döndüğünü hissetti. "Bunu da nereden çıkardınız?"

"Düşünebiliyor musunuz?"

"Hayır. Ya siz?"

"Söylediklerim gerçek gibi. O ve Doktor Kaplan."

"Ne dediniz?"

"O ve Doktor Kaplan"

Kurbağalar vıraklıyordu.

"Size..." Birden sustu. Sesi çok zor çıkıyordu. "Size bunu söyleyen Langfrost mu? Bunu o mu iddia ediyor?"

"O bir şey iddia etmiyor. Sadece olup biteni anlattı."

"Ne olmuş?"

"Bizim ve onun adamları enstitüde, öyle değil mi? Orada çalışanları korumak için."

Kurbağaların sesi çok çirkindi.

"Evet," dedi Norma. "Sonra? Ne oldu anlatın!"

"Ben Doktor Barski'yle Guernsey'e doğru yola çıktıktan on beş dakika sonra Doktor Kaplan yakındaki postaneye gitmiş. Orada beklemiş. Sonra bir telefon gelmiş. Paris'ten."

"Langfrost mu söyledi?"

"Evet."

"O bunu nereden biliyor?"

"Özel timin Paris'te de adamları var. De Gaulle Hastanesi'ndeki olaylardan sonra..."

"Evet, evet. Peki sonra?"

"Paris'teki bu adamlar, Hamburg'daki postaneye telefon etmiş olan kişinin peşinden gitmiş. Onu uzun süredir izlemektelermiş. Adam dinlenemesin diye görüşmeyi bir telefon kulübesinden yapmış. Fakat fotoğrafı çekilmiş. Telefaksla bu fotoğraf Langfrost'a yollanmış. İşte, bakın!" Norma'ya fotoğrafın bir kopyasını uzattı. "Tanıyor musunuz, bu adamı?"

"Evet," diye yanıtladı Norma. Sesi donuk çıkmıştı. "Eurogen'de çalışan Patrick Renaud!"

433

24

Kurbağalar vıraklıyordu.

"Bu olanlardan dolayı çok üzgünüm," dedi Sondersen.

"Neden?"

"Doktor Barski'yle ilgili olduğu için. Doktor Milland'ın öldürülmesinden hemen sonra Langfrost ve adamları, adadaki bütün otellere telefon konuşmalarını dinleme düzenleri kurdu. Bizim kaldığımız bu otelde de var. Barski bunu bilemezdi. Hangi otelde konaklayacağımız birkaç saat öncesine kadar belirli değildi. Kendini güvende hissediyordu."

"Ne demek, kendini güvende hissediyordu?"

"Telefon konuşmasının dinlenmeyeceğinden emindi. Buraya gelir gelmez Hamburg'u aradı. "Sondersen cebinden Japon malı küçücük bir teyp çıkardı. "Bakın dinleyin." Teybin düğmesine bastı.

Barski'nin sesi duyuldu. "Eli, sen misin?"

Kaptan konuştu. "Evet."

"Daha önce olmadı. Burada durum iyi. Çok bekledin mi?"

"İki saattir. Şimdi pek zamanım yok. Son uçağa yetişmeliyim. Bütün söylediklerini de yaptım. Beni Orly'de bekliyor."

"Başarılar!"

"Teşekkür ederim."

Sondersen teybi durdurdu.

"Hepsi bu. Hamburg'dan gelen son uçak saat 23.40'ta Orly'ye indi. Langfrost'un adamları beklemekteydi. Patrick Renaud onu karşıladı. Birlikte Sarcelles'e gittiler."

"Nereye?"

"Paris'in kuzeyindeki küçük bir semte. Orada bir eve girdiler. Biraz sonra evden çıktılar. Üç kişi. Yeni adamın adı Pico Garibaldi'ydi."

"Kim dediniz?"

"Pico Garibaldi. Monte Carlo'daki Genesis Two'dan. Doktor Kiyoshi Sasaki'nin enstitüsünde koruma görevlisi. Siz Doktor Barski'yle birlikte oraya gitmiştiniz, Bayan Desmond."

"Evet, evet. Biliyorum. Nis'in tepelerindeki o çok güzel klinik... Bir an bu Pico Garibaldi'nin kim olduğunu anımsayamadım da. Nis'teki diskleri çelik kasadan çalmış olan adam. Kaplan ve Renaud onun evine mi gitti? Şu şey... Neydi semtin adı?"

"Sarcelles. Langfrost, Eurogen'de çalışmış ve Amerikan hükümetinin Nevada çölündeki bir laboratuvarından gelmiş, gerçek adı Doktor Jack Cronyn olan Amerikalının Paris'teki evinde arama yaparken bulduğu bir iz onu Garibaldi'ye götürmüştü. Kaplan'la Renaud'nun aldığı adamın Garibaldi olduğuna inanabilirsiniz. Langfrost çok iyi çalışır." Sondersen saatine baktı. "Ondan size sonra söz ederim. Üç kişi Sarcelles'den Paris'e döndü. Richelieu Caddesi 65 numaradaki Renaud'nun evine gittiler. Otomobili aşağıdaki garaja park ettiler."

"Şimdi nerede bu üç kişi?"

"Renaud'nun evinde. Yarım saat önce Barski oraya telefon etti. Yine otel odasından. Bu konuşmayı da dinleyip banda aldık."

Norma, yarım saat önce, ben Jan'ın odasındaydım, diye düşündü. Bu telefon konuşmasını yapması gerektiği için mi benim odadan çıkmamı istedi?

Sondersen küçük teybin düğmesine bastı. Barski'nin sesi duyuldu: "Her şey yolunda mı?"

"Evet, yolunda," dedi karşısındaki adam.

"Bu Renaud mu?" diye Sondersen sordu. Norma başını evet anlamında salladı. Yüzü bembeyaz olmuştu.

Barski, "Peki sonra?" diye sordu.

Renaud, "Breisach Katedrali'nde güzeldi."

"Evet, haklısın. Hoş çakal Patrick."

"Güle güle."

Sondersen teybi durdurdu.

435

"Katedralli cümleyi önceden kararlaştırmışlardı tabii. Bir şeyi anlatmak için."

Her şey kararlaştırılmıştı, dedi Norma içinden. Telefon konuşması da. Buna sevinmem gerek. Telefon edecek olmasaydın, bana sevgini göstermek için rol yapmak zorunda kalacaktın Jan. Bana, deli kadına. Breisach Katedrali'nde güzeldi... O büyük huzur... Çok güzel geçmiş saatler... Güzeldi Breisach Katedrali'nde. Şimdiyse o sadece bir cümleydi. Başka şeyleri anlatmak için Renaud'la Jan'ın arasında kararlaştırılmış bir cümle. Neden başka bir cümle bulmamışlardı? Neden Breisach? Çok güzel kilise ve manastırlara olan hayranlığı gerçek miydi? Yoksa karşısındakileri yanıltmak için miydi? Jan buraya, Guernsey'e geldi. Beni merak ettiği, beni sevdiği için. O öyle söylüyor. Yoksa ortalığı daha çok karıştırmak, dikkatleri yanlış yere çekmek için mi? Hain Jan mı? Kaplan da mı hain? İkisi mi? Bu mümkün değil. Olamaz. Olamaz mı? Yirmi yıllık mesleğinde bunu çok düşünmüştün. Sonunda olmayacak şey olmuş, inanılmayacak şey gerçekleşmişti. Fakat bu Jan'da da olamaz. Hain Jan! Bu düşünce beni öldürebilir. Dayanamayacağım. Hayır, dayanmalısın! Sen nelere dayanmışsındır. Çok daha kötü şeylere!

"Söyleyin," diye Sondersen'in konuştuğunu duydu. "Birlikte uçuyor muyuz?"

"Ne olursa olsun sizinle geliyorum."

"Ben de bunu beklemiştim"

"Peki, fakat niçin Paris'e siz gidiyorsunuz? Langfrost gitmiyor?"

"Şimdiye kadar Fransa'da yaptıkları yasalara uygun değildi, Sadece orada mı? Resmen bu ülkeye giremez."

"Siz girebilirsiniz, öyle mi?"

"Evet. Ben girmek zorundayım. Fransa'da ülke polisiyle birlikte çalışacağım, Police Judiciaire'le. Bizim Federal Polis'in karşılığı."

"Size teşekkür ederim," dedi Norma.

"Ne de olsa ortak çalışmıyor muyuz? Siz de bana yardım ediyorsunuz. Biraz önce Hamburg'a telefon ettim. Enstitüdeki odanızdan birkaç eşyayı bavula koyup sabah uçağıyla Paris'e yollayacaklar."

"Bunu düşündüğünüz için de teşekkürler. Peki. Bay Westen ne olacak? Durumu pek iyi değil. Uyandırmak istemem. Fakat nerede olduğumu mutlaka bilmeli."

"Birkaç satır yazın. Paris'e varınca da telefonla ararsınız," dedi Sondersen.

25

Federal Polis'in özel uçağı yola çıktığında hava aydınlanıyordu. Manş Denizi'nin üzerinde uçarlarken ötelerde güneşin doğduğunu gördüler. Bulutlar mavi griydi. Deniz de aynı renklere bürünmüştü. Ve bu renkler sabahın ilk saatlerinde her an değişmekteydi. Norma doğanın bu oyununu başka bir yerde de görmüştü. Başka bir denizin, başka bir gökyüzünün. Jan'ı düşündü. Yanında oturan Sondersen konuşuyordu. Norma'nın aklındaysa yalnızca Jan vardı.

"...Langfrost iki yıldan fazla kaldı Meisenberg'in pansiyonunda... Bundan yedi yıl önce Hamburg'daki enstitüde göğüs kanserinin virüsünü aramaya başlamışlardı. Politikacılar ve askerler atom sarmalından kurtulmanın gerekli olduğunu ve *Soft War* için uygun bir silah aranması gerektiğini beş yıldır biliyor. Öyle değil mi? Hükümetimiz bazı kişilere özel görev vereli iki yıl oldu. Bunlardan biri de Langfrost..."

Biz aynı doğa oyununu birlikte yaşamıştık, diye Norma düşünmeye devam etti. Alınyazımızda da ortak olduğumuz şeyler var. Sen eşini yitirdin. Ben de Pierre'le oğlumu. Sen bana çok iyi davranmıştın. Nis'in tepelerinde, Cimiez'de kendimi nasıl kötü hissettiğimi anlayıvermiştin. Limon ağaçları ve rengârenk

437

çiçeklerle dolu o güzel parkta sözlerinle beni rahatlatmıştın. Neler anlatmıştın bana? Roma kalıntılarından, kaplıcalardan, Matisse Müzesi'nin bulunduğu Arenes Villası'ndan, Chagall'in resimlerinden söz etmiştin... Abraham, Sarah'nın arkasından ağlıyor... Ben de şimdi ağlayayım mı, Jan? Gözyaşlarım yok benim...

"...siz bu Meisenberg'in pansiyonuna gitmiştiniz. Langfrost'un sık sık ortadan kaybolduğundan şikâyet etmişti, değil mi? Kendisini başka kadınlarla aldattığını sanıyordu... Gellhorn'un enstitüsündeki çalışmalarının ilerlemesi nedeniyle Langfrost'un birçok yere gitmesi gerekiyordu... Sadece orada mı? Paris'teki Eurogen'de de çalışmalar ilerlemekteydi... Patrick Renaud'nun laboratuvarında..."

Sonra o kiliseye girmiştin... Ben seni beklemiştim. Bir sıraya oturup... Küçük bir kertenkele gelmişti. Çok eski çağlardan geliyormuş gibiydi. Beyaz gözleri vardı. O hayvanın bütün dertleri, bütün hüzünleri bildiğini sanmıştım. Seninkileri, benimkileri. Şişko bir papaz beni teselli etmek istemişti. Fakat ben adama çekip gitmesini söylemiştim. Kiliseden çıkıp yanıma geldiğinde benim içinde bulunduğum durumu anlamıştın. Bana çok iyi davranmıştın. Bu bir oyun muydu, yalan mıydı, aldatma mıydı? Sonra yanımıza fakir bir çocuk gelmiş, bizden on frank istemişti. Sen ona çıkarıp yirmi frank vermiştin. Çok güzel yerler buralar, demiştin, fakat dünya berbat... Havaalanı lokantasında bana şu sözleri söylemiştin: "Sabahın kızıllığının kanatlarını alıp denizin ötelerine uçsam da, senin elin beni orada bile tutacak..." Ve bana bakışın... Gözlerini gözlerimden ayırmamıştın... Hepsi oyun muydu, yalan mıydı? Beni ilk günden bu yana aldattın mı, işine geldiği gibi kullandın mı, bana yalanlar söyledin mi? Niçin, bilmiyorum...

"Langfrost hayatınızı kurtardı. Genesis Two'dan gelen şu Antonio Cavaletti pencereden size ateş ettiğinde. Öldürülmekten kıl payı kurtulmuştunuz, Langfrost'un büyük başarısı..."

Havaalanındaki o sabahı unutamıyorum... Hiç kimse yok... Tek gürültü yok... Bütün yaşamım boyunca öylesine huzur ve barış duymamıştım... Sanki bir başka dünyadaydık, masallar dünyasında. Gerçekten var olan bu dünyada mutluluğa erişmiş iki insandık biz. Ve bu mutluluğa sonsuza kadar sahip olacaktık. "...Langfrost iki yıl bu Meisenberg'den geçindi... Bazı ajanlar nasıl bir yaşam sürdürmek zorunda, haberiniz var mı? Mondo Sirki'ndeki olayda Langfrost oradaydı... Ona ve adamlarına bir ipucu verilmişti. Ancak yanlış bir ipucu... Langfrost cinayete engel olamamıştı. Telefon kulübesinin kapısını açtığında onunla ilk defa karşılaşmıştınız. Anımsıyorsunuz, değil mi?"

Senin evine ilk defa geldiğimde küçük kızına Oscar Wilde'ın bir masalını okumuştun... Jeli'yi alıp Alster'de gemi gezintisi yaptığımız pazar günü... Küçük kızın bana Bikini atolünde yaşayan deniz kaplumbağasını anlatmıştı... Sonra senin bana o kitabı gösterip DNA'lar üzerine açıklamalarda bulunduğun akşam... Birbirimize çok sokulduğumuz, az kalsın öpüşeceğimiz, sarılacağımız... Bir insan böylesine değişebilir mi? Alçaklaşabilir mi? Mümkün mü bu? Fakat bir deneyebilir...

Birden irkildi. "Ne dediniz?"

"Langfrost'un tabutu taşıyanlardan biri olduğunu söylemiştim."

"Televizyondan film çalındığında onun yüzünden çalınmıştır, diye düşünmüştüm. Fakat sonra Paris'teki Première Chaine ve Tele 1 istasyonlarından da filmler çalındı. O filmlerde Langfrost yoktu ki! Öyleyse hırsızlıkların nedeni başkaydı, değil mi?"

"Tabii," diye yanıtladı Sondersen. "Kim bilir neydi?"

Norma yanındaki adama baktı. Yüzünde hüzün vardı. Yorgundu da.

"Bakın," dedi. "İşte Fransa göründü."

Aşağılarda uzun kıyılar görünüyor, yükselmekte olan güneşin ışığı toprakları aydınlatıyordu. Her yer altın rengine bürünmüştü.

439

"Bu kıyılara genç adamlar çıkmıştı bundan kırk iki yıl önce,"
diye Sondersen devam etti. "Amerikalılar, İngilizler, Kanadalılar ve Fransızlar. Binlercesi ölmüştü. Yine de başarmışlardı. Sovyetler'le birlikle bizi yenmiş, savaşı kazanmışlardı. Müttefik ve
dosttular. Ya bugün?" Sondersen başını çevirdi. Utanırmış gibi.
"Ya bugün?" diye tekrarladı usulca.
"Evet," dedi Norma. "Her şey boşuna olmuştu."

26

Uçak alana indi. Pistte ilerledi ve alan binasından uzakta durdu. Saat 07.30'du. Siyah bir Peugeot son hızla yaklaştı. Norma
bir an için uçağın kapısında durdu. Güneş yükselmişti. Işığında
binalar, uçaklar, radarlar, akaryakıt kamyonları, kısacası bütün
Orly altın sarısı parıldıyordu. Güzel bir gün daha başlıyor, diye
düşündü Norma, Peugeot durdu. Sondersen, Norma'nın merdivenleri inmesine yardım etti. Otomobilden iki kişi çıktı. Yaşlı
olanı Sondersen'e yaklaştı.
"Judiciaire Polisi'nden Komiser Jacques Collin," diye Sondersen tanıştırdı.
Collin altmışını geçmişti. Kısa boylu, tıknazdı. Buruşuk yüzünde gözleri genç ve canlıydı.
"Madam, sizinle tanıştığım için çok mutluyum," dedi. "Çalışmalarınızın hayranı bir kişi var karşınızda."
"Çok teşekkür ederim, mösyö."
Otomobilden bir bavulu alan ikinci adam da yanlarına geldi.
"Federal Polis'ten Dedektif Breitner," dedi Sondersen.
"Eşyalarınız, Bayan Desmond." Breitner bavulu Norma'ya
uzattı. "Umarım yanlış şeyler koymamışlardır içine."
"Teşekkür ederim."
"Kule pilotlara burada beklemelerini söylemişti," diye Sondersen konuştu.

"Evet," dedi Collin de. "Size bir haberim var: Üç kişi gitti!"

"Gitti mi?" diye Sondersen şaşkınlıkla sordu. Aynı pistte AIR-FRANCE'ın bir Boeing uçağı kalkışa geçmişti. İleri atıldı. Gittikçe hızlandı. Jet motorlarının gürültüsü kulakları sağır edecek gibiydi. Biraz ötede önlerinden geçen uçağın hızı 200 km.yi aşmıştı. Durdukları yer titriyordu. Boeing pistin ucuna varmadan birden havaya dikildi. Yükseldi ve bulutsuz gökyüzünde büyük bir kavis çizdi. Gürültü azaldı. Uçak uzaklaştı.

"Gittiler!" dedi Collin. "Evet."

"Nereye? Ortadan yok mu oldular?"

"Hayır. Paris'ten Nis'e gittiler. Peşlerindeki adamlarımı atlatıp ilk uçakla Paris'ten ayrıldılar. Kimliklerini ve eşkâllerini bildirdiğimizde havadaydılar. Saat 06.30 uçağıyla Orly'den ayrıldılar. Her şey çok çabuk oldu."

"Eğer bir şeyin ters gitmesi için çok az bir olasılık bulunsa bile, o şey mutlaka ters gider," diye Norma mırıldandı.

"Pek ters gitmiş sayılmaz," dedi Collin. "Nis'i hemen telefonla aradım ve gelmekte olan üç kişiyi tarif ettim. Oradaki adamlarım çoktan alarma geçti. Nereye giderlerse gitsinler, peşlerinde olacaklar. Sanırım durum kontrol altında."

"Fakat nasıl kaçabildiler?" diye sordu Sondersen.

Collin omuzlarını kaldırdı. "Bazı budalalarla çalışmak zorunda kalırsanız sizin de..." Dudakları arasındaki Gauloise sönmüştü.

"Budalalar bizde de çalışıyor," diye Sondersen sözünü kesti. "Bir sürü. Peki, fakat bu üç kişi nasıl kaçabildi?"

"Renaud, Richelieu Sokağı'nda kalıyor, değil mi? Evin altında garaj var." Jacques Collin hareketli bir adamdı. Konuşurken ellerini kollarını sallıyordu. "Tabii garajda adamlarım duruyordu. Üç kişi garaja gelip otomobile binmiş ve yola çıkmış. Adamlarım da peşlerinden. De Gaulle Hastanesi'ne doğru. Hastane kapısında Renaud'nun otomobiline hemen geçiş izni verilmiş. Adamlarım ise kimliklerini göstermeleri ve nereye gittiklerini

441

açıklamaları için birkaç dakika kapıda tutulmuşlar. Bu hastane çok büyük. Bir sürü araç, cankurtaran girip çıkıyor. Ve bizim üç kişi cankurtaranlardan biriyle kaçıp buraya gelmiş... Araç havaalanının girişinde duruyor."

"Öyleyse yola devam," dedi Sondersen. "Nis'e gidiyoruz! Mösyö Collin, siz de bizimle geliyorsunuz, değil mi? Breitner, Hamburg'a dönebilir." Sonra aşağı bakan birinci pilota seslendi. "Kuleye haber verin. Nis'e devam ediyoruz."

"Tamam!"

27

Uçak havalandı.

Norma arka bölüme geçip üstünü değiştirdi, kendine biraz çekidüzen verdi. Şimdi üzerinde mavi bir elbise ve beyaz ayakkabılar vardı. Oturduğu yere döndü.

"Yorgun musunuz?" diye Sondersen sordu.

"Tam tersi! Çok uyanığım," dedi Norma.

Pilotlardan biri elinde bir tepsiyle içeri girdi. Kahve ve taze Fransız çörekleri getirmişti.

"Bunları nereden buldunuz?" diye Norma sordu. "Dedektif Collin getirmişti."

"Teşekkürler," dedi Norma, yandaki koltukta oturan Judiciaire'in adamına. "Bu ancak Fransa'da mümkündür."

Kahveyi içtiler, sıcak çörekleri yediler. Ve aşağılardaki pırıltılar içinde geçip giden tarlalara, dağlara, ovalara, nehirlere ve ormanlara baktılar.

Güzel topraklar... Küçük, güzel dünya... Jan'ın sözlerini anımsadı Norma. Ah, Jan...

Kırk beş dakika kadar sonra hoparlörlerden birinci pilotun sesi duyuldu. "Güney Fransa kıyılarına varmak üzereyiz. Ancak rotamızı biraz değiştirmek zorunda kalacağız. Côte d'Azur ormanlarında yangın var. Sıcaklık çok yükseğe çıkıyor. Biraz sallanabiliriz. Lütfen emniyet kemerlerinizi bağlayın! Teşekkürler."

"Her yıl aynı şey," diye Collin mırıldandı. "Ancak bu yaz yangınlar daha çok oldu. Bütün Esterel bölgesine yayıldı."

"Ne demek 'her yıl' aynı şey? Bilerek mi yakıyorlar? Yoksa çılgınlar mı yapıyor?"

"İkisi de. Ancak bazen neden çıktığı bulunamıyor da. Düşünebiliyor musunuz, yazın buraları turist dolu! Sayısız kamping alanı var. Yüzlerce belki. Bir felaket. Sadece bu yaz yirmi beş ölü, yüzlerce yaralı. Birçok ev, villa ve ahır kül oldu gitti. İtfaiye gece gündüz çalışıyor. Canadair uçakları da. Biliyorsunuz değil mi?"

Norma başını evet anlamında salladı. Uçakları sallanmaya, alçalıp yükselmeye başladı.

"Canadair'ler," diye Collin devam etti, "denizin üzerinde çok alçaktan uçup büyük gövdelerine su çekiyor, sonra yangın alanına gidip bütün suyu boşaltıyor. Ve bu uçuşu devamlı yapıyorlar."

Uçakları titriyordu. Güneş dumanların arkasında kayboldu. Norma aşağılarda sonsuz kara bulutlar gördü. Aralarında da alevler. İki Canadair uçağının suları boşaltıp denize doğru yöneldiğini de gördü. Uçakları hava boşluğuna düştü. Tekrar yükseldi. Aralıksız sallanıyorlardı.

"Merak edecek bir şey yok," diyen birinci pilotun sesi duyuldu. "Uçağımız küçük olduğu için sallanıyor. Şimdi denizin üzerine doğru uçacağız. Orada uçuş rahat olacak."

Gerçekten de biraz sonra denize vardılar. Aşağılarda Akdeniz pırıl pırıldı güneş ışığında. Gökyüzü masmaviydi. Norma birçok büyük yat gördü. Şimdi kıyıya paralel uçuyorlardı. Cannes kentini görmeye çalıştı. Eski limanı seçti. Ancak kentin büyük bir bölümü kara bulutlar altındaydı. Geniş kıyı caddesi Croisette'in palmiyelerini ve bazı otelleri de seçebildi. Uçak denize doğru uzaklaştı ve büyük bir kavis çizdi.

"Rüzgâr birden yön değiştirdi," diye birinci pilot hoparlörden konuştu. "Şimdi bütün bulutları Nis'e doğru sürüklüyor. Lütfen emniyet kemerlerinizi henüz çözmeyin. Yeniden sallanacağız. Merak edecek bir şey yok. Alana iniş iznimiz var." Uçak birkaç dakika daha mavi gökyüzünde uçtu. Sonra birden kara bulutların içine girdi. Şiddetle sallandı, titredi, alçalıp yükselmeye başladı. Müthiş bir fırtınaya tutulmuş gibiydi. Bazı şeyler yere yuvarlandı. Küçük uçak büyük güçlerin topuydu sanki! Işıklar söndü. Biraz sonra yine yandı, sonra yine söndü. Birden alçalmaya başladılar. Düşer gibi. Hızlı, diye Norma düşündü. Çok hızlı. Uçağı piste indirmek isteyen pilotun kendini nasıl zorladığını bir an aklından geçirdi. Ve çevresi karanlıktı. Güpegündüz geceydi!

28

Côte d'Azur Uluslararası Havaalanı'nın büyük salonu karmakarışıktı. Kadınlar bağırıp çağırıyor, çocuklar ağlıyor, erkekler haykırıyordu. İnsanlar yerlerde oturuyordu. Korku içinde ve bitkin. Birçoğunun giysileri kir içinde, elleri yüzleri kapkaraydı. Uçak şirketlerinin büroları önünde insanlar kavga ediyordu. İtişip kakışanlar vardı. Ter içindeki polisler düzen sağlamaya çabalıyordu. Boşuna. Hoparlörlerden hiçbir uçağın kalkmayacağı devamlı bildirilmekteydi. Norma gözleri ağlamaktan kızarmış kadınların kucaklarında küçük çocuklarla köşelerde oturduğunu gördü. Durmadan fotoğraf çekiyordu. Diğerleri önden yürümüştü. Hızlı adımlarla peşlerinden gitti. Çıkışa vardılar.

Karanlıktı dışarısı. Norma Vietnam'daki, Kamboçya'daki, Laos'taki ve Beyrut'taki hava hücumlarını anımsadı bir an. Aynı koku, aynı ışık. Burada da. Güneşin, mutluluğun ve çiçeklerin kentinde.

Havaalanının önünde trafik tam bir arapsaçıydı. Her şey karmakarışıktı. Otobüsler, otomobiller, karavanlar. Hiç aralıksız korna çalınıyordu. Burada da ağlayan insanlar vardı. Evet, diye düşündü, yanmış ıslak tahta kokuyor. Tıpkı bir hava hücumundan sonraymış gibi. Fakat karanlık bir başka. Tuhaf, korkutucu. Altın renginde bir siyahlık. Rüzgârın önünde sürüklediği kara bulutların arasından güneş ışınları süzülüyordu. Biraz ötede başlayan geniş kıyı caddesi Anglais'te trafik tıkanmıştı. Kendine yol açamayan bir cankurtaranın sesi duyuluyordu.

"Peşimden gelin!" diye Collin seslendi. "Adamlarım şurada otomobil parkında bekliyor." Norma ve Sondersen koşar adımlarla Collin'in peşinden gittiler. İnsanlara çarptılar. Onlara da çarpanlar oldu. Başka cankurtaran sesleri de duyuluyordu. Rüzgârın şiddetinden, palmiyeler yere değmek istiyorlarmış gibi sallanmaktaydı.

"İşte!" diye Collin seslendi. "Buradalar!" Farlarını yakmış olan iki Mercedes'i gösterdi, Collin birincisinin kapısını açtı. Norma kendini arka koltuğa attı. Collin yanına oturdu. Sondersen öne geçti.

"Bu Komiser Ricardo Torrini," diye tanıttı Collin. Direksiyonda oturan adam güreşçiyi andırıyordu. Siyah kıvırcık saçlı, kalın dudaklı ve koyu gözlüydü. "Nis'teki polis şefi! Üçü Paris'ten ayrılır ayrılmaz kendisine telefon ettim. Şimdi neredeler, Ricardo?"

"Cimiez'de," diye konuştu geniş omuzlu dev adam. "Buraya gelir gelmez doğru Kiyoshi Sasaki'nin Bellande Caddesi'ndeki kliniğine gittiler."

"Yukarda her şey sarıldı mı, Ricardo?"

"Evet," dedi Torrini. "Yüz polis binayı ve parkı sarmış durumda bekliyor. Bir fare bile çıkamaz oradan. Biraz önce yukarıdaki adamımla konuştum." Otomobilin tavanından bir mikrofon sallanıyordu. "Sasaki ziyaretçilerle evinde oturmakta. İçerde ışık yanıyor. Onları görmek mümkün. Hiçbiri kaçamaz. Bir tuzaktalar şimdi. Fakat bu tuzağa bilerek nasıl girdiler? Hiç kimse bu kadar çılgın olamaz. Alık mı bunlar?"

"Peki, niçin yaptılar dersiniz?" diye Norma sordu.

Adı İtalyan'ı andıran komiser güneylilerin tipik bir el hareketini yaptı. "Ne bileyim, madam!"

"Tamam mıyız?" diye Collin sordu.

"Evet." Dev adam mikrofonu eline aldı. "İki numara! Yola çıkıyoruz. Nereye gideceğimizi biliyorsunuz. Peşimizden gelin."

"Tamam, şef," diye bir ses duyuldu. İkinci Mercedes'te Torrini'nin adamları oturmaktaydı. Komiser yola koyuldu. Canavar düdüklerini açarak park yerinden çıktılar. Bir yeraltı geçidine girip geniş Anglais Bulvarı'na vardılar. Torrini hemen İtalya yönüne giden otoyola çıktı. Burada trafik biraz rahattı. Altın sarısı karanlıkta bütün otomobiller farlarını yakmıştı.

"Bir saattir," diye Torrini konuştu, "kent karanlığa büründü. Mistral rüzgârı güneydoğuya döndü. Nis'te böyle bir şey olduğunu hiç anımsamıyorum. Havaalanında gördüğünüz insanlar yangın bölgelerinden geldi. Hepsi bir an önce buradan çekip gitmek istiyor! Bir de şu lanet olası karanlık yok mu? İnsanları daha çok sinirli yapıyor. Anglais Bulvarı'nda durumu gördünüz. Oradan geçmemize olanak yoktu. Şimdi kentin çevresini dolaşacağız. Rüzgâr devamlı dönüyor. Bir saat önce burası güneş içindeydi. Bakarsınız her şey birazdan yine aydınlanır."

Norma otoyolun sağında solunda rüzgârda yerlere kadar eğilen palmiyeleri gördü. Yaşlı ağaçlar devrilmişti. Kökleri görünüyordu.

"Şu lanet olası mistral, yangını önüne katmış sürüklüyor," diye Torrini devam etti. Direksiyonu iki eliyle tutuyordu. Ağır otomobil sallanmasın diye. "Toulon kentinde başladı. Sonra mistral sayesinde Esterel dağlarına vardı. Ordu yardıma çağrıldı. Canadair'ler de gece gündüz uçuyor."

Biraz sonra Kuzey Nis çıkışına vardılar. Torrini otoyoldan ayrıldı ve bir sürü ara yoldan geçip geniş bir bulvara çıktı, Norma burada da yüksek palmiyeler gördü. Onlar da sallanıyordu. Kaldırımlar bomboştu. Hiç kimse yoktu yollarda. Dükkânların kepenkleri de kapalıydı. Havada kurum vardı. Tıpkı bir hava hücumundan sonra gibi. Kurum kokusu otomobili doldurdu. Camlarına yapıştı. "Rüzgâr getiriyor bir yerlerden," diye söylendi Nis'li komiser. Ayağını gazdan çekti. "Yanmış zeytin ağaçlarından. Yağlı kurum. Her tarafa yapışıyor. Kuruyunca hemen yanabilir. Şu ağaçlara, çiçeklere, evlere, sokaklara bakın. Berbat. Havaalanı yine iyiydi."

Citniez Bulvarı, diye Norma bir an düşündü. Şimdi yine tanıdım. Jan'la buradan geçmiştim. Aşağılarda, denizin üzerinde güneş batıyordu. Ufak tefek, canlı ve şık giyimli Japon'la, döllendirme, yumurtalıklar, istenen boy ve cinsiyetle üretilen insanlar üzerine sohbet etmekten dönüyorduk. Aradan bir ay bile geçmedi. Bana sanki üç dört yılmış gibi geliyor. Şimdi Bellanda Bulvarı'na sapıyoruz. İlerde bir sürü polis aracı duruyor. Ve havada kurum. Yağlı kurum. Rüzgâr burada daha şiddetli. Her taraf simsiyah. Ben buraya iki defa gelmiştim. Önce Pierre'le. Sonra da Jan'la. Şimdi üçüncü defa buradayım. Jan... Ne yaptın sen?

Torrini polis araçlarından birinin arkasında durdu. Sasaki'nin kliniğini çevreleyen parkın büyük giriş kapısı açıktı. Ellerinde makineli tüfek tutan iki polis burada duruyordu. Adamların üzerleri kurum içindeydi. Torrini hareket etti. Onu tanıyan iki polis selam verdi, Mercedes parka girdi. İkinci otomobil de peşinden geliyordu. İriyarı komiser mikrofonu eline aldı. "Ben Torrini. Bütün araçlara! Bir, iki, üç, dört! Beni duyuyor musunuz?"

Hoparlörden arka arkaya dört kişinin sesi duyuldu.

"Adamlarınız yerlerinden ayrılmayacak. Binadan biri kaçmaya kalkarsa önce uyarı. Durmazsa ateş edilecek. Bacaklarına. Biz şimdi Sasaki'nin villasına gidiyoruz. Yanımda Alman bir bayanla biri Alman ve biri Fransız iki meslektaşım var. Tamam." Otomobil yoluna devam etti.

447

Norma kurum yağmuru arasından çimenleri ve yüzme havuzunu gördü. Onun kenarında oturmuştu Jan ve Sasaki'yle. Bembeyaz mermer havuz şimdi yağlı karaydı. İçindeki su da yağ içindeydi. Çimenler, güzel ağaçlar, çiçekler, palmiyeler ve parkı çevreleyen çit. O güzel, o rengârenk çiçekler... Kapkara ve dökülmüş. Vatanını özleyen Sasaki'nin eliyle yapmış olduğu o Japon bahçesi kirli karaydı. Küçücük köprüleri ve daracık dereleri... Havuz başındaki bahçe koltukları ve masalar suya yuvarlanmıştı. Burada ışık, kükürt sarısıydı.

Torrini otomobili bir zamanlar beyaz olan villaya doğru sürdü. "Alın," dedi, "Şu örtüyü başınıza sarın!" Norma söyleneni yaptı. "Üzerinize de benim deri paltomu giyin." Otomobilden indiler. Collin. Norma'nın paltoyu giymesine yardımcı oldu. "Yoksa üstünüz başımız hemen berbat olur. Herkes hazır mı?" Mikrofona uzandı, "Ben Torrini. Şimdi içeri giriyoruz. Bizi görenler dikkat etsin!" Mikrofonu bıraktı. "Haydi!" dedi. Villanın kapısına doğru koştular. Norma biraz ötede enstitünün diğer binalarını gördü. Silahlı polisler de. Ne kadar çok diye bir an düşündü.

Kurumun başlarından aşağı yağdığını fark etti. Savaş, dedi kendi kendine, sanki yine savaşın ortasındayım. Tökezlenir gibi oldu. Yerde kocaman bir kuş yatıyordu. Kapkara. Ölü. Origines diye Norma düşündü. Havuz başındaki palmiyede oturan ve Frank Sinatra'nın şarkılarını ıslıkla çalan papağan. Origines şimdi ölü. Artık *Strangers in the Night* yok...

Torrini koluna yapıştı. "Gelin," dedi. Sasaki'nin villasını çevrelemiş polislerin yanından geçtiler. Üzerlerinde özel giysiler, ellerinde makineli tüfekler vardı. Kapıya vardılar. Orada duran adam selam verdi. Norma fotoğraf makinesini çıkardı ve deklanşöre bastı.

"İçerde ne oluyor?" diye Torrini heyecanla sordu.

"Oturmuş konuşuyorlar. Biz buraya geleli beri."

"Sizin burada olduğunuzu fark ettiler mi?"

"Etmiş olmaları gerek, Monsieur le Commissaire. Gürültü-
müzü duymuş olmalılar. Konuşurken arada sırada bağırıyorlar.
Ne söylediklerini anlamıyorum."
"Bu üç kişi benimle birlikte."
"D'accord"
Torrini giriş kapısını açtı. Çok güzel döşenmiş bir hole gir-
diler. Mermer zemini pahalı halılar kaplamıştı. Antika bir masa-
nın üzerinde iki Çin vazosu duruyordu. İçlerinde çiçek açan
dallar vardı. Geniş bir çanağa beyaz orkideler yerleştirilmişti.
Duvarlar tablo doluydu. Matisse'in ünlü La Danse tablosu Nor-
ma'nın dikkatini çekti. Dışarıdaki fırtına burada pek duyulmu-
yordu. Altın kabartmalarla süslenmiş büyük beyaz kapının
önünde iki polis durmaktaydı. Onlar da selam verdi.
"Salut, dostlarım," dedi Torrini. Sonra koltuk altından bü-
yük tabancasını çekti, altın kaplama tokmağı aşağı indirdi ve ka-
pının iki kanadını birden ardına kadar açtı.
Salonda dört erkek oturmaktaydı. Susmuşlar, içeri girmiş
insanlara bakıyorlardı. Hiç yerlerinden kıpırdamadan. Don-
muş dört erkek. Bir flaş patladı. Norma fotoğraf makinesini
indirdi.

29

"Çok şükür!" dedi Eli Kaplan. "Sonunda geldiniz. Fakat
uzun sürdü." Kurum yağmurundan etkilenmemişe benziyordu.
Diğerleri gibi onun da üstü başı temizdi.
Torrini yürüdü. Peşinden Norma, Sondersen ve Collin.
"Ne demek çok şükür?" diye Sondersen sordu.
"Bu heyecanı yaratmaktan başka olanağımız yoktu."
"Heyecan mı? Hiçbir şey anlamıyorum."
"Kışkırtmak gerekti."
"Allahınızı severseniz, siz neden söz ediyorsunuz?"

449

"Her yerde alarma geçilmesini sağlamalıydık. Guernsey'de, Paris'te. Komiser Collin de buradaki adamları harekete geçirmeliydi. Villanın çevresi sarılmalıydı. Kısacası, olay o kadar büyümeliydi ki, tüm dikkatleri çekmeli ve Fransa hükümeti artık harekete geçmeliydi."

"Siz ne söylemek istiyorsunuz?" dedi Collin.

Kaplan: "Bekleyin biraz daha. Anlayacaksınız," diye yanıtladı. "Çünkü olay biraz karışık..."

Torrini sözünü kesti. "Yeter artık! Herkes ayağa kalksın!" Kapıda duran iki polise dönerek seslendi. "Üzerlerini arayın!"

"Silahımız yok," dedi Renaud.

"Tabii yok," diye Torrini öfkeyle konuştu. "Burada çocuk bayramı kutlanıyor, değil mi?"

Polisler hepsinin üzerini aradı. Hamburg'daki kardeşi gibi ufak tefek Japon yine şık giyinmişti. Gümüş grisi şantug ipeğinden bir takım vardı üzerinde. Yılan derisi ayakkabıları da griydi. Mavi gömleğinin üzerine gümüş rengi bir kravat takmıştı. Ceketinin sol üst cebine de mavi bir mendil sokmuştu. Odada yanan lambaların ışığı kocaman ve modern gözlüğünün camlarında parıldıyordu. Salon çok modern döşenmişti. Beyaz halılar, beyaz duvar kâğıtları, krom, cam ve beyaz deriden mobilyalar. Duvarlarda Miro ve Dali'nin taşbaskıları asılıydı. Sasaki öfkeli konuştu. "Ortalığı berbat ediyorsunuz. Bakın şu halılara!"

"Siz donunuza yapmayın da," dedi Torrini.

"Adınız ne?"

Nis'li komiser adını verdi. Sonra Fransız ve Alman meslektaşlarını tanıttı.

"Sizi şikâyet edeceğim," dedi Sasaki öfkeyle. "Ben valinin iyi dostu olurum."

"Beni çok korkutuyorsunuz!"

"Utanmaz adam..." Sasaki birden sustu. İleri gitmemesi gerektiğini düşünmüştü. Norma'ya dönüp gülümsedi ve hafifçe eğilerek selam verdi. "Madam Desmond, sizi tekrar gördüğüm için çok sevindim." Sonra Sondersen'e baktı. Torrini orada yokmuş gibi konuştu. "Madamla bir süre önce tanışmıştım. Güzel bir gün geçirmiştik birlikte." Sonra üzerini arayan polise dönerek, "Çekin artık şu pis ellerinizi üzerimden," diye homurdandı. Adam yanıt vermedi.

Diğer polis iriyarı, güçlü, zeytin yeşili suratlı, ince dudaklı, küçük gözlü, kalın kaşlı ve dalgalı siyah saçlı dördüncü adamın üzerini aramaktaydı.

"Siz Pico Garibaldi misiniz?" dedi Sondersen adama.

"Evet, mösyö." Garibaldi biraz tuhaftı. Hem küstah hem utangaç birine benziyordu.

Sondersen, Kaplan'a döndü. "Ne oluyor burada, söyleyin?" dedi. "Niçin Paris'e uçtunuz? Niçin buraya geldiniz?"

"Söyledim ya. Kışkırtmak için!"

"Böyle konuşmayın, Doktor Kaplan. Sesinizin tonunu beğenmiyorum!"

"Yola çıkmadan önce size her şeyi anlatmak isterdim, Bay Sondersen." Kaplan omuzlarını silkti. "Fakat olmadı."

"Niçin olmadı?"

"Anlatacağım. Hepsini anlatacağım. Şimdi bu mümkün. Biliyorsunuz, Patrick Renaud Paris'teki Eurogen kuruluşunda çalışmakta. De Gaulle Hastanesi'nde. Kısa bir süre önce orada kansere yakalanmış uzmanlar peş peşe ölmüştü. Bu olaydan haberiniz var."

"Evet, var."

"Hiçbirinde silah yok, şef," diye polislerden biri söze karıştı.

"Teşekkür, Christian." Torrini elindeki büyük tabancayı pencerenin yanına koydu.

"Eurogen'deki bu olayı hükümet örtbas etmek istemişti," diye devam etti Kaplan. "Bana öyle öfkeyle bakmanıza hiç gerek yok, Komiser Collin. Benim gibi siz de söylediklerimin doğru olduğunu biliyorsunuz. Elinizden başka bir şey gelmiyor. Sizden isteneni yapmak zorundasınız."

451

"Şimdi bırakın bu palavraları! Burada ne işiniz var, söyleyin?" dedi Torrini.

"Dostum Patrick Renaud ve TELE 2'nin kameramanlarından Felix Roland, 14 Eylül akşamı, biyoşimist Jack Cronyn'in nerede olduğunu bulmaya çalışmıştı. Çünkü Cronyn basın toplantısından sonra enstitüye gelmemişti. Onun adına telefon eden biri de bağırsak bozukluğundan rahatsız olduğunu söylemişti. Bundan haberiniz var, Bay Sondersen. Bayan Desmond size anlatmıştı. Evet, Renaud ve Lorand, Cronyn'in kaldığı eve gitmişti. Onlara kapıyı açan donuk yüzlü ve yuvarlak gözlüklü adamı tanımıyorlardı. Lorand hemen fotoğrafını çekmişti. Sonra da polis çağırmışlardı. Ancak onlar geldiğinde donuk yüzlü adam ortadan kaybolmuştu. Bu adamın kim olduğunu siz biliyorsunuz tabii."

Sondersen susuyordu

"Söylemeseniz bile adamın kimliğinden haberiniz var! İşte bu adam iki gün önce Paris'in Sarcelles semtinde görüldü. Bundan da haberiniz var tabii. Mösyö Garibaldi orada oturmakta. Takma adla. Biliyorsunuz, değil mi? Bildiğiniz şeyleri anlatmama gerek yok, fakat..."

"Ben bilmiyorum," dedi Norma "Bana bilgi vermenizi sizden rica edeceğim."

"Ah, tabii Bayan Desmond. Sizin bilmeniz gerekli. Evet, donuk yüzlü bu adam iki gün önce Sarcelles'de görüldü. Mösyö Garibaldi'nin kapısını çaldı. Onu nasıl bulmuş olduğunu tabii söylemek istemedi. Tam anlamıyla bir uzman! Fransa'da gizli çalışan bir Alman. Sanırım Cronyn'in dairesinde Mösyö Garibaldi'yle ilgili bilgiler bulmuştu."

"Donuk yüzlü adam size gelmiş miydi?" diye Norma, Garibaldi'ye dönerek sordu.

"Evet, madam."

"Ne istemişti sizden?"

Garibaldi, Kaplan'la Renaud'ya baktı. "Haydi, söylesenize!" dedi Renaud.

"Evet... Bu... Bu adam bana, Nis'te Doktor Sasaki'nin yanında koruma görevlisi olarak çalıştığımı ve beni oraya Genesis Two kuruluşunun yolladığını bildiğini söyledi. 'Enstitüden gizli diskleri çaldığınızdan da haberim var,' dedi. 'Onları hemen Ruslara verdiniz.'"

"Size söyledi mi bunları?" diye Norma sordu. Şimdi çok sakin olmalı ve iyi düşünmeliyim, dedi kendi kendine. Her şey 180 derece dönmekte. Hiç kimseye güvenme! Hiç kimseye inanma! Yalnız kendine!

"Evet, madam."

"Peki, bunu nereden biliyormuş?"

"Ben de sordum. Eğer diskleri Amerikalılara vermiş olsaydım bunu bileceğini söyledi. Disklerin Amerikalıların elinde olmadığını biliyor. Öyleyse Sovyetler'de olmalı, diye düşünüyor. Ve bana üç saat süre tanıdı. Hamburg'da Bay Sondersen'i arayıp olup biteni anlatmam için. Eğer bunu yapmazsam, Fransız polisine beni ihbar edeceğini de söyledi. Ne de olsa buradaki hırsızlıktan sonra aranıyorum, değil mi? Bu adamın beni Almanya'ya çekmek istediğini fark etmiştim. Çünkü şu sirk cinayeti Almanya'da işlenmişti."

"Başka ne biliyorsunuz?"

"Eurogen'in benzeri enstitünün şefi o sirkte öldürülmüştü. Suçsuz bir sürü insan da. Gazete okurum. Şaşırdınız, değil mi? Fakat ne Fransız ne de Alman polisiyle bir işim olsun isterim. Hemen Hamburg'daki enstitünün telefonunu buldum. Doktor Barski'nin ölen şefinin yerine geçtiğini de okumuştum. Telefonunun dinleneceğini bildiğim için bir dost aracılığıyla haber yolladım ve sık sık gittiğim bara telefon etmesini istedim. Doktor Barski beni aradı. Hainin kim olduğunu bildiğimi kendisine söyledim."

"Bu gerçek mi?" Norma şaşkın şaşkın adama baktı.

"Evet, madam."

"Nasıl?"

"Bir saniye madam."

"Siz buraya oturup her şeyi berbat edemezsiniz!" diye Sasaki bağırır gibi konuştu. Torrini beyaz deri koltuklardan birine kurulmuştu.

"Kapa çeneni!" dedi iriyarı komiser.

"Peki, fakat niçin beni aramadınız?" diye Sondersen, Garibaldi'ye sordu.

"Siz polissiniz! Hiçbir polisle ilgim olsun istemiyordum. Doktor Sasaki'nin burada ne araştırmaları yaptığını biliyorum. Paris'te Eurogen'in ne yaptığından da haberim var. Tabii Hamburg'dakilerin çalışmalarından da."

"Niçin?" diye Collin sordu.

"Bu konu beni çok ilgilendirdiği için. Ben kimya öğrenimini yarıda bırakmış bir insanım. Üniversiteyi bitirseydim belki Nobel ödülüne aday gösterilirdim! Hamburg'da Doktor Barski'yle meslektaşlarının buldukları şeyin ne olursa olsun yabancı ellere geçmemesine çaba gösterdiklerinden de haberdarım. Şefi de buna engel olmak istiyordu. Fakat öldürüldü. Onlar çok güçlü. Kim olduklarını hepiniz biliyorsunuz. Ben de. Konuşmaya devam edeyim mi?"

"Hayır," dedi Sondersen. "Eğer hainin adını verirseniz, Doktor Barski'yle meslektaşlarına yardım edeceğinizi sanıyorsunuz, öyle mi?"

"Evet, mösyö. Ve kendimi de kurtaracağımı. Çünkü donuk yüzlü herifin beni bulmasından sonra yaşamım tehlikeye girmişti. Eğer Doktor Barski her şeyi Sovyetler'e vermiş olan hainin kimliğini öğrenirse, Amerikalıların beni koruyacağını umuyordum. Yeni bir kimlik, yeni bir yaşam! Dünyanın bir köşesinde, huzur içinde... diye düşünmüştüm. Ben budala! Şimdi boğazına kadar batağa saplandım. Her neyse, Fransa'dan dışarı çıkmadım. Bunun üzerine Doktor Barski, Doktor Renaud'yla Doktor Kaplan'ın bana geleceklerini söyledi. Olayı büyük bir gürültüyle ortaya çıkarmak için!"

454

"Evet, hepsi doğru," dedi Kaplan. "Büyük bir gürültüyle! Biraz önce de söylemiştim. Bazı kişiler artık harekete geçsin diye böyle yapmak zorundaydık."

"Haydi!" diye Sondersen öfkeyle konuştu. "Söylesenize! Hain kim?"

Garibaldi eliyle gösterdi. "Doktor Kiyoshi Sasaki," dedi. Çok şık giyinmiş ufak tefek Japon, beyaz deri koltuğunda oturuyordu.

30

Dışarısı birden aydınlandı.

Kara bulutlar güneşi artık örtmüyordu. Şimdi güneş bütün gücüyle parıldıyordu masmavi gökyüzünde.

"Fırtına geçti," diyen Jacques Collin odadaki ışıkları söndürdü. "Hain siz misiniz, Doktor Sasaki?"

"Evet," diye mırıldandı ufak tefek Japon. Çok sakindi.

"Araştırma sonuçlarını karşı tarafa veren siz miydiniz?"

"Evet. Hepsi disklere kayıtlıydı. Yıllardır veriyordum. Tabii kodlarıyla birlikte."

"Peki, Hamburg'daki bilgileri?" diye Collin sormaya devam etti. Japon gibi o da çok sakindi.

"Ancak kardeşim Takahito'nun söylediklerini bildirebiliyordum. Bizde Japonya'da aile arası ilişkiler çok kutsaldır. Hiçbir şey bunu yok edemez. Biz birbirimize yüzde yüz inanır ve güveniriz."

"Ne güzel," diye Collin konuştu. "Doğu insanının iyi bir karakter özelliği. Burada yitirilmiş ne yazık ki! Kardeşiniz Takahito, Hamburg'da ne üzerine çalıştıklarını anlattı, öyle mi?"

"Evet, Monsieur le Commissaire."

"Fakat ayrıntıya inmedi. Örneğin, bulunan DNA'lar hakkında bilgi vermedi, öyle mi?"

"Hayır, vermedi."

Ufak tefek ve şık giyimli bu adam öylesine rahat ve gururlu ki. Asya insanını tanımayan kişi onun şu anda rol yaptığını sanır, diye düşündü Norma.

"Hayır, onlardan söz etmedi," dedi Sasaki. "Sormanın da anlamı yoktu. Sorularımı yanıtlamazdı. Kardeşim benden iki yaş büyüktür. Mükemmel bir bilim adamıdır. Çok da iyi bir insan. Bana ayrıntılı bilgi vermedi ve olayların arkasında ne yattığını da söylemedi."

"Siz biliyorsunuz," dedi Sondersen.

"Evet, mösyö."

"Tak da biliyor," diye söze karıştı İsrailli genç doktor. "Gellhorn'un ölümünden sonra iki gücün de bu virüsün peşinde olduğunu. Biz Tak'la konuştuk, Bay Sondersen. Doktor Barski ve ben."

"Ne zaman?" diye Norma sordu. Hayır, diye düşündü. Tanrım! Bu gerçek mi? Evet, evet. Gerçek olsun!

"Hemen. Jan'ın, Mösyö Garibaldi'den bu adamın hain olduğunu öğrenmesinden hemen sonra. Evet, Tak'la konuştuk. Uzun uzun. Şimdi bulunduğu bulaşıcı hastalıklar bölümünde. Tak bize, yaptığı çalışmalar üzerine kardeşiyle hep konuştuğunu anlattı. Şu anda kendi üzerinde karşı aşıyı denediğini de. Ancak hiçbir zaman ayrıntılardan söz etmediğini de söyledi. Biraz önce Bay Sasaki'den de duydunuz. Tak bunu yapmaz. Eminiz. O bir idealist. Mesleğe atılmasının nedeni de, insanlığa yardım etmekti. Kan kanserine karşı bir ilaç bulmak istiyordu. Radyoaktivite sonucu oluşan bütün hastalıklara karşı. Hiroşima olayının sonuçları onda bu arzuyu doğurmuştu. O kente düşen ilk atom bombası 260.000 insanın ölümüne, 165.000 kişinin de yaralanmasına yol açmıştı. Bugün bile özel hastanelerde binlerce kişi yatmakta. Olaydan on yıl sonra, 1955'te doğmasına rağmen, Tak'ın bütün arzusu insanlara yardım etmekti! Yeni bir felaket olmasın diye! Şimdi rastlantı sonucu ortaya çıkardığımız, insan-

456

ların kişiliğini değiştirebilecek şu virüsü bulduğumuzda da aynı arzu içinde. Hepimiz gibi o da bu virüsle karşı aşısı üzerine bilgileri hiçbir gücün elde etmemesi için her şeyi göze almıştır. Buradaki kardeşinin karşıtı bir insandır Tak." Kiyoshi Sasaki ayağa fırladı. Norma onu tanıyalı beri ilk defa böyle heyecanlandığını görüyordu. Sakin ve usulca konuşmayı bırakmış, bağırmaya başlamıştı. "Benim karşıtımmış! Evet! Ne yapalım? Sevgili kardeşim Takahito'nun hiçbir şeyden haberi yok! Amerikalıların neler yapabileceğinden de! Bilseydi iyi olurdu! Hiroşima'da neler olduğunu benim gibi o da biliyor! Fakat yaptıkları için Amerikalılardan nefret etmiyor! 6 Ağustos 1945 günü yaptıkları o büyük cinayet için onlardan nefret etmiyor Tak! İlk atom bombası bir 'bebek bomba'ydı. Bu küçücük bomba bütün bir kenti yerle bir etti! Kadınları, çocukları, yaşlıları, gençleri, sağlıklı ve suçsuz insanları öldürdü! Hayatta kalanlar sağlıklarını yitirdi. Yaşamları hastane köşelerinde, acılar içinde geçti. Ölenleri kıskandılar. Onlar kurtulmuştu! Hayatta kalanların çoğu acılar içinde yıllarca yaşayıp öldü. Birçoğunun derisi soyuldu, gözleri kör oldu, saçları döküldü! Gebe kadınlar acayip yaratıklar dünyaya getirdi. Acı çekenler 'ölelim' diye yalvardı! O küçücük bomba patladığında güneşin bir katı bir güç çevreye yayıldı. İnsanların gölgesi duvara dağlandı!" Kiyoshi Sasaki zorla soluk aldı. Çok güzel ayaklı lambaya tutundu ve yüksek sesle devam etti: "Amerikalılar bu cinayetle yeni bir insanlık çağı açtı! O güne dek bilinmeyen 'öldürücü silahlar' çağını getirdiler. Ve işte günümüzde dünya bu silahların korkutucu gölgesinde yaşamakta. Bu korkunç silahı ilk kullanan olmak cüretini Amerikalılar göstermişti. Hiç kimse onları affetmeyecektir. Tanrı da! Hiçbir zaman! Lanet olsun Amerikalılara sonsuza kadar!"

Sasaki derin bir soluk aldı. Olduğu yerde sallandı ve yanındaki kanepeye düştü. Orada kaldı.

Büyük salonda hiç kimse konuşmuyordu. Büyük pencerelerden sonbahar güneşi giriyordu içeri.

457

31

Sessizlik dakikalarca sürdü.

Sonra ilk konuşan Kaplan oldu. İşte bizim ortaya çıkardığımız hain bu. Barski ve ben, Mösyö Garibaldi ve Patrick Renaud'yla Paris'ten Nis'e uçmaya karar vermiştik. Tabii mümkün olduğu kadar dikkat çekici bir şekilde. Belki o zaman Fransız hükümeti, soruşturmaları yapan polislere -sizlere Komiser Collin- baskı yapamayacaktır, diye düşünmüştük."

"Peki, fakat Patrick Renaud'yu bu işe niçin karıştırdınız? Eurogen'le burada Nis'teki Doktor Sasaki arasında bir ilişki olabileceğini nereden çıkardınız?" diye sordu Sondersen.

"Ben söyledim onlara," diye Garibaldi söze karıştı. "Burada görevliyken, Doktor Sasaki'nin arada sırada ortadan kaybolduğu dikkatimi çekmişti. Nereye gittiğini bulmaya çalıştım. İtalya'ya geçiyordu. Fakat Ventimiglia'da izi kayboluyordu. Yine de bir defasında şansım yaver gitmişti. Kendisini Diano Marino'da küçük bir pansiyona kadar izleyebilmiştim. İtalya'nın Ligurya kıyılarında olan bu kasabada, adı Jack Cronyn olan, Eurogen'de çalışan ve Paris'teki o basın toplantısından sonra ortadan kaybolan adamla buluşmuştu. Bu iki adamı sonra üç defa daha birlikte gördüm. Doktor Barski'ye hepsini anlattım."

"Peki, Doktor Barski bu Jack Cronyn'in kim olduğunu nereden biliyordu?" diye Collin sordu.

"Doktor Renaud kendisine dosyasının bir kopyasını göstermişti."

"Evet, doğru. Breisach'taki katedralde," dedi Renaud.

"Bay Sondersen'e vermem için de fotoğraflarla birlikte bana emanet etmiştiniz," dedi Norma da.

"Evet, bu da doğru." Renaud başını salladı.

"Peki, fakat Barski sonra niçin gizli çalıştı?" diye sordu Norma.

"Sizi daha çok tehlikeye sokmamak için," dedi Kaplan. "Bay Sondersen'in de fotoğraftaki kişi hakkında gerçeği söyleméyeceğini -daha doğrusu söylemesine izin olmadığını- sanıyordu." "Peki, fakat bana niçin hiç söz etmedi bu konudan?" diye Norma sesini yükseltti. "Aynı nedenden," dedi Kaplan. "Size olan duygularını biliyorsunuz, Bayan Desmond." Oh hayır, hayır, diye düşündü Norma. "Size bir şey olacağından hep korkuyor," dedi Kaplan. "Her şey önceden iyice hazırlanmıştı. Benim Paris'e uçmam, orada Patrick ve Mösyö Garibaldi'yle buluşmam... Sizler Bay Westen'le Guernsey adasına gidip de, orada Doktor Milland'ın öldürüldüğünü görünce Jan'ın korkusu daha da artmıştı, Bayan Desmond. Hemen peşinizden geldi. Daha çok kötülük olmadan harekete geçmeye karar verdik. Breisach'lı cümle aramızda bir parola..."

Norma başını elleri arasına aldı. Hiç kimse yüzümü görsün istemiyorum, dedi kendi kendine. Hiç kimse görmesin ağladığımı. Jan. Ben seni hain sanmıştım. Bundan geri dönebilir miyim? Hayır. Bu düşünceler kafamdan geçmişti. Şimdi utanıyorum.

Birden omzuna bir el dokundu. Başını kaldırmadan, Sondersen'in eli olduğunu sezdi. Çok uzaklardan Kaplan'ın sesini duydu.

"...Doktor Sasaki, Eurogen'de çalışmış olan Doktor Cronyn'den öğrendiklerini karşı tarafa ilettiğini itiraf ediyor. Patrick ve biz aynı proje üzerine çalışıyoruz. DNA'ları değişime uğrayan virüsleri bulmak istiyoruz. Onlar aracılığıyla kanseri yenebileceğiz. Ancak bu araştırmaları yaparken çok kötü bir rastlantı sonucu bir virüs Tom Steinbach'ın ölümüne neden oldu. İşin kötüsü de, yepyeni bir savaşı planlayan güçlerin isteğine en uygun virüs bu. Ne demek istediğimi buradaki herkes biliyor. Doktor Sasaki araştırmaların ayrıntılarını bilmiyordu. Yalnız kardeşinden, insanların kişiliğini değiştiren bir virüsün bulunduğunu öğrenmişti. Ve bunu hemen Sovyetler'e bildirdi. Bunun sonucu olarak da şantajlar başladı. Gellhorn istenenleri yapmayınca terörizmi denediler. Mondo Sirki'nde insanları öldürdüler."

"Evet, hiç suçu olmayan insanları öldürdüler," dedi Renaud. "Fakat bu Bay Sasaki'nin umurunda değil. Bize açıkladığına göre, yaptığı hainlik ve sonuçlarından pişman değilmiş. Amerikalılara olan kini bu kadar çok. Böyle söylemiştiniz, değil mi Bay Sasaki?"

"Evet," diye konuştu ufak tefek, şık adam. Şimdi sakinleşmiş, kendini biraz toparlamıştı. "Böyle söylemiştim. Her şeyi Sovyetler'e açıkladım. Ve elimde olsa her zaman aynı şeyi yaparım. Amerikalılar bu dünyanın felaketi! Sonu da olacaklar!"

"Oysa," diye Torrini söze karıştı. "Bildiğim kadarıyla, Sovyetler'in de birkaç atom bombası var."

"Fakat hiçbir ülkeye atmadılar!" diye Sasaki fısıldar gibi konuştu. "Tabii onlar da kötülükler yapmıştır..."

Pico Garibaldi yine söze karıştı. "Doktor Sasaki beni Genesis Two'dan kendi enstitüsüne almıştı. Korkuyordu. O sıralar Amerikalılar şüphelenmeye başlamıştı. Bildiklerini Sovyetler'e sattığından kuşkulanıyorlardı. O anda suçlu biri gerekliydi. Tabii bu ben olacaktım. Sözde, çelik kasadan kodlu diskleri çalıp ortadan kaybolursam bana yarım milyon dolar ve yeni kimlik vermeyi vaat etti. Ben ortadan kayboldum, fakat diskler yanımda değildi. Sadece yarım milyon dolar."

"Öyleyse diskleri ve kodlarını Sovyetler'e siz verdiniz... Doğru mu?" diye Sondersen Sasaki'ye sordu.

"Tabii." Ufak tefek Japon sanki artık odada değilmiş gibiydi. "Onlara diskleri verdim. Kardeşimden öğrendiklerimi de."

"Kendisi size şunu açıklamamı istedi: 'Artık kardeşim yok!' Yapmış olduklarınızdan da çok tiksiniyor," dedi Kaplan.

"Sevgili budala," diye Sasaki konuştu ve gülümsedi. "Çok da zararsız. Zararsız ya da temiz yürekli, çekingen, masum, basit, ağzını açmayan, körü körüne inanan..."

"Siz bilerek Genesis Two'dan birini almıştınız. Bize anlattığınıza göre bu kuruluşun arkasında Sovyetler var," diye Kaplan sözünü kesti.

"Genesis Two," diye Sasaki tekrarladı. Bir an için için güldü. "Genesis Two bensiz var olamazdı..."

"Doktor Sasaki!" diye Norma seslendi birden. Konuşmalar sırasında hiç kimse Norma'ya dikkat etmemişti. Şimdi hepsi ona baktı. Ayaktaydı. Elinde büyük bir tabanca tutuyordu. Torrini'nin pencere kenarına bıraktığı tabanca. Norma tabancanın namlusunu Japon'a çevirmişti.

"Bayan Desmond sakın yapmayın!" diye Sondersen bağırdı.

"Madam! Lütfen tabancamı derhal verin!" diye Torrini seslendi.

"Başınıza dert açacaksınız, madam!" diye Collin bağırdı.

"Hiç kimse yerinden kıpırdamasın," dedi Norma. "Bana doğru adım atmaya kalkan, kurşunu karnına yer!"

"Fakat Bayan Desmond, rica ederim..." diye Sondersen bir şey söylemek istedi, ancak Norma onun sözünü kesti.

"Susun! Ben şimdi Doktor Sasaki'yle konuşacağım. Kalkın ayağa, Doktor Sasaki!" Adam yerinden doğruldu. "Bay Barski'yle sizi ziyaret ettiğimde, bu dünyayı yöneten güçlerin insani olmayan planlarından söz etmiştiniz. Onlar bir örnek insan istiyor, demiştiniz. Hep aynı tipte, aynı kişilikte. Sonra kendi çabalarınızdan söz etmiştiniz. Yepyeni güzel bir dünya yaratmak istemenizden. Yüce bir amaç. Mutlu kıldığınız çiftlerden ve kadınlardan da söz etmiştiniz bize. Hepsi palavra mıydı?"

"Palavra filan değildi," dedi Sasaki. "Kazanç sağlayan bir yan çalışma. Size bütün gerçeği söyleyeceğimi mi sanmıştınız? Bunu yapamazdım, madam! Rica ederim!"

"Doktor Sasaki," diye Norma devam etti. "Hiroşima kurbanlarına o kadar çok acıyan siz, yaptığınız hainlikle suçsuz birçok insanın -en son da Guernsey adasındaki Milland'ın-ölümünden sorumlusunuz! Benim oğlumun da ölümünden! Farkında mısınız ne yapmış olduğunuzun?"

Sasaki hafifçe eğildi. "Yapmak zorundaydım, madam."

"Siz bir katilsiniz," dedi Norma. Sesi birden sakin çıkmıştı. "Ateş edenlerden biri değilsiniz, fakat siz yine de öldürdünüz. Siz benim oğlumu öldürdünüz, Doktor Sasaki. O öldüğünde ben de ölmek istemiştim. Hayatta kalmamın tek nedeni, oğlumun katilini bulmak istememdi! Sirkte insanları vuran palyaçolar ya da Henry Milland'ı öldürenler Amerikalıların ya da Sovyetler'in uşağı mıydı, bilmiyorum. Bunu sanırım hiç kimse, hiçbir zaman bilmeyecek. Hamburg'da istedikleri gibi ve ne olursa olsun elde etmeleri gereken bir virüs bulunduğunu Sovyetler'e bildiren sizsiniz, Doktor Sasaki. Tabii Amerikalıların da bundan derhal haberi oldu. Gizli servisler her zaman iyi çalışmıştır. Ben boşuna yaşamadım. Ben oğlumun katilini buldum. Ve şimdi sizi öldüreceğim, tıpkı oğlumun öldürüldüğü gibi. O yedi yaşındaydı, Doktor Sasaki!"

"Bayan Desmond!" diye bağırdı Sondersen.

"Geri durun!" dedi Norma. "Hepiniz! Yaklaşmayın! Sesinizi de duymak istemiyorum. Hiçbirinizin. Bu adamla işim bitince beni tutuklayabilirsiniz. Çekilin!" Şimdi bağırıyordu.

Adamlar birkaç adım geri çekildi. Sadece ufak tefek Japon, Norma'ya doğru bir adım attı. Bir adım daha.

"Ateş ediyorum," dedi Norma.

"Biraz önce de söylemiştiniz, madam," dedi Sasaki. Ve bir adım daha yaklaştı. "Bekliyorum." Bir adım daha. "Hemen karşınızda duracağım ki, ateş edince kurşun yerini bulsun. Benim hayatım ne de olsa sona erdi. Ölüm, hayatımın akışında belirlenmişti. Büyük bir şey için hayat ve ölüm önemli sayılmaz." Bir adım daha. "Fakat yine de korkuyorum, madam. Size yalvarırım, ateş edin! Öldürün beni! Ben oğlunuzu öldürdüm!"

Norma'nın kurumdan kirlenmiş alnından terler boşanıyordu. Parmağı tabancanın tetiğindeydi.

"Lütfen, madam," dedi Sasaki. Norma bir an için gözlerini kapattı. Ve beyaz deri kaplı koltuğa düştü. Tabanca parmakları arasından kaydı, beyaz halıya yuvarlandı. Kaplan ileri atıldı. Tabancayı alıp Torrini'ye uzattı. Sonra Norma'ya eğildi, saçlarını okşadı. Salonda hiç kimse konuşmuyordu.

Birkaç saniye sonra Jacques Collin, hâlâ hareketsiz durmakta olan Japon'un yanına yaklaştı. "Doktor Kiyoshi Sasaki, sizi tutukluyorum," dedi. "Benimle Paris'e geleceksiniz!"

"Hangi nedenle?"

"Siz bu ülkede çalışma ve oturma izniyle yaşayan bir yabancısınız. Üzerinde çalıştığınız projeleri size veren ve onu destekleyen Fransız hükümetiydi. Sizin suçunuz yabancı bir ülkeye sırlar satmak. Mondo Sirki cinayetleri, Berlin Anı Kilisesi olayı ve Henry Milland'ın öldürülmesinden sorumlusunuz."

"Çok uzun süre tutuklu kalacağımı sanmıyorum," dedi Sasaki. "Sovyetler karşı çıkacaktır."

Collin, "Böyle olacağını sanmıyorum," diye yanıtladı. "Karşı çıksalar bile Fransa'da bundan hiç kimse korkmaz. Siz yanlış bir ülkede yaptınız hainliğinizi, Doktor Sasaki. Hatta Sovyetler sizden gizli bilgiler aldıklarını inkâr edecektir. Evet, dostlarınız kıllarını bile kıpırdatmayacak. Benzeri başka olaylarda da olduğu gibi. Mösyö Garibaldi hırsızlıkla suçlandığında sorgunuzda yemin etmiştiniz. Bunun yalan olduğu ortaya çıktığı için de tutukluyorum. Mösyö Garibaldi mahkemede tanık olarak bulunacaktır."

Sasaki omuzlarını silkti.

"Bavulunuzu hazırlayın! İki polis sizinle gelecektir," dedi Collin.

Sasaki, Norma'nın yanına doğru yürüdü. "Madam!"

Pencerenin yanında durmuş, parkı seyreden Norma dönmedi. "Madam!" diye Japon tekrarladı.

Norma yerinden hiç kıpırdamadı.

"Madam, beni vurmadığınız için çok üzgünüm."

Norma susuyordu.

"Ölüm benim için kurtuluş olacaktı." Kiyoshi Sasaki arkasını döndü ve salondan çıktı. İki polis peşinden gitti.

Sondersen, Norma'nın yanına geldi. Durdu. Birlikte dışarı baktılar. Ağaçlara, çiçek yataklarına, yüzme havuzuna, Japon bahçesine. Burada bir zamanların o güzelliği yoktu şimdi. Her şey kaybolup gitmişti. Fırtına ve kurum yağmurunda. Kapkaraydı, kirliydi çiçek yatakları, palmiyeler, yüzme havuzu, özel giysili polisler hiç hareket etmeden duruyordu. Kapkara ve kirli. Güneşin sıcak ve yumuşak ışığı her şeyi aydınlatıyordu. Ağaçları, çiçekleri, yüzme havuzunu, Japon bahçesini. Fırtınanın berbat ettiği her şeyi. Ötelerde, çok uzaklarda deniz pırıltılar içindeydi. O yıkılmayan, o yüce deniz. Canı sıkkın bir imparator gibiydi.

Doğudan bir kelebek sürüsü gibi yaklaşıyordu bembeyaz yelkenliler.

"Bir yarış," dedi Sondersen.

"Evet," dedi Norma. "Yelkenli yarışı." Jan, diye düşündü. Senin yüzüne nasıl bakarım bir daha?

"Fırtınadan hemen sonra ne güzel görünüyor her şey," dedi Sondersen

"Evet," dedi Norma da. "Çok güzel."

Uzun boylu başkomiser bir elini yanındaki kadının omzuna koydu. "Nedenlerini çok iyi anlamama rağmen, ateş etmediğiniz için çok mutluyum. Kendinizi iyi hissetmiyorsunuz değil mi?"

"Evet."

"Geçecektir."

"Evet," diye Norma mırıldandı. "Fırtına gibi."

32

"Lütfen dikkat," diyen bir kadın sesi hoparlörlerden duyuldu. "Swiss Air, 547 sefer sayılı Zürih üzerinden Hamburg'a aktarmalı uçuşun bir saat gecikeceğini bildirir, özür dileriz." Aynı ses cümleyi İngilizce ve Almanca tekrarladı. Côte d'Azur Havaalanı'nın büyük bekleme salonu çok kalabalıktı. Norma ve Eli Kaplan, Sondersen'le birlikte alana gelmişlerdi. Sasaki'nin tutuklanmasından sonra başkomiserin bir süre daha Nis'te kalması gerekiyordu. Patrick Renaud bir akşam önce Air Inter uçağıyla Paris'e dönmüştü. "Yukarı bara çıkalım," dedi Sondersen. Büyük bekleme salonunu geçip yürüyen merdivenle birinci kata çıktılar.

Bir gün önceki kurum yağmurundan sonra temizlik işçileri kenti temizlemeye başlamıştı. Çevrede orman yangınları devam etmekteydi. Turistler kenti terk ediyordu.

"Bir kat yukarı daha çıkabiliriz," dedi Kaplan. "Orası sessiz ve güzeldir. 'Le Ciel d'Azur' lokantanın adı."

"Hayır," diye Norma karşı çıktı. "Burada oturalım. Şu arkadaki barda." Kendini berbat hissediyordu. 'Le Ciel d'Azur' diye düşündü. Orada oturacak durumda değilim şu anda.

Norma'nın istediği bara doğru yürüdüler. İki barmen *Nice-Matin* gazetesini açmış, gelecek pazar günü Cagnes-sur-Mer'de yapılacak at yarışlarında kimin favori olduğunu bulmaya çalışıyordu.

"Okapi d'Or hiçbir zaman ilk üçe giremez," dedi biri. "Çok yavaş bir beygirdir."

"Fakat burada Okapi d'Or'un favorilerden biri olduğu yazıyor," diye öteki konuştu ve gazetenin, spor sayfasına eliyle vurdu.

"Saçma, hem de çok saçma," dedi ilk barmen. "Sen ne dersen de, Sine Die kazanacak. Norcisse Viking ikinci, Reve de Mai da üçüncü... *Bon jour, Madame, Messieurs*. Ne içmek isterdiniz?"

Sondersen'le Kaplan Ricard, Norma da Campari-Soda söyledi.

Barmenler içkileri hazırlayıp getirdi. Sonra yine gazeteye eğilip sohbetlerine devam ettiler.

Sondersen küçük sürahideki suyu, bardakta gelen sarımtırak Ricard'a karıştırdı. İçki hemen süt rengini aldı. "Bayan Desmond, dinleyin beni," dedi. "Size her şeyi anlatacaktım. Aramızda bir anlaşma var, değil mi?" Sondersen biraz çekingen bakıyordu.

"Evet," dedi Norma ve içkisini yudumladı.

"Şu lanet olası Okapi d'Or'la beni çıldırtacaksın!" diye barmenlerden biri yüksek sesle konuştu. "Affedersiniz." Barda oturan müşterilerine doğru döndü, hafifçe eğildi, "Öfkelenmemek elimde değil."

"Kimin elinde ki!" dedi Kaplan. Dışarıdan havalanan uçakların sesi geliyordu. "Siz, Jan'la benden şüphelendiğinizi söylemiştiniz. Öyle değil mi?"

"Evet," dedi Sondersen.

"Böyle olması da gerekiyordu!" Kaplan, Norma'ya baktı. "Biz böyle istemiştik." Başını salladı. "Siz Jan'ı iyi tanıyorsunuz. Bayan Desmond! Onun için başka çıkar yol yoktu. Sizin şüphelenmenizi göze almıştı."

Ben, ben Jan'a daha çok inanmalıydım, diye Norma bir an için düşündü. Devamlı kötümserliğimle kendi hayatımı berbat ediyorum. Şu ana kadar kötümser olmakta haklı çıkmama rağmen.

"Şimdi haini bulduk. Oğlunuzun ölümünden suçlu insanlardan birinin kim olduğunu artık biliyorsunuz," dedi Kaplan.

"Bu ne demek?" diye sordu Norma. "Avuntu mu?"

"Biraz," diye yanıtladı Kaplan.

"Bence hiç değil," dedi Sondersen ve önündeki Ricard bardağına biraz daha soğuk su koydu.

"Ne demek istiyorsunuz?" diye sordu Kaplan.

"Hain olduğunu Sasaki'nin kendi de söyledi. Ancak bana kalırsa, ikinci bir hain daha var. Mutlaka var."

"Niçin?"

"Devamlı telefon eden o madeni sesli adamı düşünsenize. Ne yaptığımızı hep biliyordu," dedi Sondersen. "Hamburg'da telefon etti. Berlin ve Guernsey'de de. Kaç kişi olduğumuzu, nerede kaldığımızı, hatta ne üzerine konuştuğumuzu biliyordu. Ancak şimdi, Cimiez'de Sasaki'nin yanındayken telefon etmedi. Niçin? İlk defa bizi burada aramadı!"

"Çok doğru," dedi Norma şaşkınlıkla. "Çok haklısınız, Bay Sondersen. Kiyoshi Sasaki'nin yanındayken bizi neden aramadı?"

"Çünkü bu defa nerede olduğumuzu bilmiyordu da, onun için mi?" diye Kaplan sordu.

"Ya da biliyordu da, telefon etmemesi için bir nedeni vardı," dedi Norma.

"Belki birkaç neden daha bulunabilir." Sondersen elini alnında gezdirdi. "Ne olursa olsun ikinci bir hain olmalı. Bizi daha neler bekliyor, bunu kimse söyleyemez. Bana kalırsa, Sasaki'nin tutuklanmasıyla olay şimdi çok kritik bir aşamada. İlk defa ben..." Sustu ve içkisini yudumladı.

"Ben de," dedi Norma, "çok korkuyorum."

33

Norma'yla Kaplan'ı getiren uçak saat 14.50'de Hamburg Fuhlsbüttel Havaalanı'na indi. Hava burada hâlâ çok sıcak ve bunaltıcıydı. Norma sanki üç gün değil de, üç yıl önce bu kentten ayrılmıştı.

Genç İsrailli doktorla beraber pasaport ve gümrük kontrollerinden geçtiler. Dışarıda bir sürü insan dostlarını ve akrabalarını beklemekteydi. Bir an için Norma da Barski'nin orada olmasını ümit etti. Kaplan'ın yanında çıkışa doğru yürüdü. Hüzünlü.

"Norma!" diye ince bir çocuk sesi duydu.

Çevresine bakındı. Çıkış kapısının loşluğunda Jeli'yi gördü. Beyaz giysisiyle ne kadar küçük, diye bir an düşündü. Sevimli kız el sallıyor ve gülümsüyordu. Norma birden içinde büyük bir mutluluk hissetti. Küçük kız koşarak yanına geldi. Norma eğildi. Jeli ona sarıldı. Sonra elinde tuttuğu bir demet kırmızı gülü uzattı.

"Bak senin için, Norma!" Jeli mutlu mutlu gülüyordu.

"Çok teşekkür ederim," dedi Norma. "Ne kadar güzel çiçekler getirmişsin!" Kaplan birkaç adım geride durmuş, onları seyrediyordu.

"Çiçekler benden ve Jan'dan," dedi Jeli.

"Nerede Jan?"

Jeli eliyle otomobil parkını gösterdi. "Orada."

"Peki, niçin buraya gelmedi?"

"Seni tek başıma karşılamamı istedi. Tam bir sürpriz olsun diye."

"Anlıyorum," Ah, Jan, diye düşündü. "Eğer sen de istersen, Alster kıyısındaki o lokantaya gidip dondurma yiyeceğiz. Ben çilek ve çikolata isterim. Sen orasını seviyorsun, değil mi?"

"Evet. Hem de çok!" dedi Norma.

"Seninle beraber orada oturduğumuz günü anımsıyor musun?"

"Tabii anımsıyorum?"

"Aradan çok geçti, değil mi?"

"Evet, çok geçti, Jeli. Üç hafta olacak neredeyse."

Barski'nin gümüş rengindeki Volvo'su ağır ağır yaklaştı ve önlerinde durdu. Otomobilden indi. Gülümseyerek Norma'ya doğru geldi.

"Merhaba," dedi.

"Merhaba." Norma karşısında duran adamın boynuna atıldı.

"Şimdi her şey..."

"Fakat ben ne olduğunu pek anlayamadım..."

"Senin yerinde ben de olsam, aynı şeyleri düşünürdüm."

"Gerçek mi?" diye Norma alçak sesle sordu.

"Şimdi bırak bunları," dedi Barski. Sonra Kaplan'a dönüp selamladı. Birlikte bavulları otomobilin bagajına yerleştirdiler.

"Ben de dondurma yemeye geliyorum," dedi genç İsrailli.

"Kaymaklı dondurma istiyor canım."

"Ne güzel," dedi Norma. "Birlikte gidiyoruz."

Otomobil hareket etti. Bütün pencereleri açmışlardı. Sıcak rüzgâr giriyordu içeri. Norma kendini çok eski dostlarıyla birlikteymiş gibi hissetti. Çok önemli bir göreve gidiyorlardı! Arkada oturuyordu. Jeli'nin yanında.

"Gördün mü?" diye Jeli sordu.

"Neyi gördüm mü?"

"En çok sevdiğim ayakkabıları giydiğimi. Mavi beyaz ayakkabılarımı. Birinin adı Norma, diğerinin Jan. Biliyorsun, değil mi?"

"Evet," dedi Norma. "Dondurma yemeye giderken onları mı seçtin?"

"Seni karşılamaya," dedi küçük kız. "Ben seçmedim. Jan söyledi onları giymemi."

Yaşam ne güzel olabiliyor, diye Norma düşündü. Fakat her zaman değil ve çok kısa süre için.

Biraz sonra Alster kıyısındaki lokantada oturuyorlardı. Denizden serin bir rüzgâr geliyor, beyaz gemiler önlerinden geçiyordu. Jeli ve Kaplan dondurma yemekteydi. Norma buzlu çay içiyordu. Barski de tonik yudumluyordu. Norma bakışlarını uzaklara dikmiş düşünüyordu. Nis'te olup bitenleri ve havaalanında Sondersen'in söylediklerini. Korkuyordu. Jeli'nin getirmiş olduğu kırmızı güller vazoda durmaktaydı. Uzaklardan yine eski günlerin şarkıları duyuluyordu.

"*C'est si bon*," diyordu Yves Montand.

"Patrick telefon etti," dedi Barski Kaplan'a. "Tom'un çalışmaları gerçekten işlerine çok yaramış. İlerleme gösteriyorlarmış."

"Ben söylememiş miydim?" dedi Kaplan.

Barski, Norma'ya dönüp açıkladı. "Zavallı Tom'un ölümünden önceki çalışmalarını Patrick'e verdim. Yöntemin bütün taslağını. Biliyorsun Tak da bundan yola çıkarak, karşı aşıyı geliştirmişti. O serumu. Durumu şu anda çok normal. Hiçbir değişme yok. Birkaç gün sonra başarıya ulaşıp ulaşmadığını göreceğiz. Gördüğüm kadarıyla başarılı olacak."

"Peki, bu nasıl oluyor?" diye Norma sordu. "Demek istiyorum ki, Patrick ve arkadaşları radyoaktif maddelerle, sizse virüslerle çalışmaktasınız."

"İşte Tom'un taslağının başarısı da bu ya!" dedi. Barski. "Hem virüslere hem de radyoaktif maddelere uygulanabiliyor."

"... *bras dessus, bras dessus, en chantant des chansons*," diye Yves Montand devam etti.

"Görüyor musun?" diye Barski sözlerini sürdürdü, "Tom'un buluşu kusursuzdu. Hastalığından sonraki çalışmaları daha öncekilerden kat kat daha iyiydi. Onun buluşundan yola çıkarak en değişik aşıları geliştirebilirsin. Tak'tan verileri alıp incelediğimizde, Eli ve ben bu sonuca vardık. Olağanüstü! "

"Tom'du olağanüstü olan!" dedi Kaplan da. "Çok berrak bir zekâsı, hayal gücü ve -nasıl desem- bilimsel atılganlığı vardı... Güzel mi dondurman?" Küçük kızın saçlarını okşadı.

"Evet..." diye mırıldandı Jeli ve memnun memnun yanındaki adama baktı. "Çok güzel. Söyledim ya, en güzel dondurma çilek ve çikolatalıdır."

"Benim için de kaymak," dedi Kaplan. "Evet, Bayan Desmond. Tom bütün bu yeteneklere sahipti. Birçok bilim adamı çok iyi araştırmalar yapar ve kusursuz sonuçlar elde eder. Fakat çok azı elde ettiği sonuçlarla doğru dürüst bir şey geliştirebilir. Soyaçekim üzerine ne çok araştırma yapılmıştır. Bazı başarılı sonuçlar da elde edilmiştir. Yine de gelişme, ilerleme olmamıştır. Yüz yıldır hep aynı kalmıştır. Günün birinde Cambridge'de, bütün gün tenisten ve Fransız Au-pair-kızlarından başka pek bir şey düşünmeyen kafadar iki bilim adamı -Watson'la Crick- 'Çift Helix' adını verdikleri buluşu yapana kadar. Tom da ölümünden önce -çok hasta olduğu bir dönemde- bulduğu bu yöntem taslağıyla müthiş bir şey başardı."

"Birçoğumuz," diye Barski konuştu. "Bütün ömrü boyunca doğru dürüst bir şey ortaya çıkaramaz. Çalışır, çabalar. Oysa çalışıp çabalamak yeterli değildir... Ne diyordum? Evet, Tom'un çalışma sonuçlarını Patrick'e yolladım, o korkunç kanser virüsüne karşı bir aşı ararlarken yararlanacaklarını umuyordum. Ve şimdi Patrick, 'İşimize yaradı, ilerleme kaydediyoruz,' dedi."

"... *ca vaut mieux qu'un millon. Tellement, tellement c'est bon*," diye Yves Montand sesini yükseltti. Sonra bir saksafon solosu duyuldu. Ve şarkı sona erdi. Bir vals başladı.

"Ve sen bir defasında Tom'a bağırıp çağırmıştın. Patrick'i telefonla aradığı ve çalışmalarınızdan söz etmek istediği için. Şimdi Patrick'e malzeme veren sensin," dedi Norma.

"Evet," diye yanıtladı Barski. "Tuhaf, değil mi?"

"Daireler," dedi Kaplan.

"Ne dediniz?"

"Yeni daireler kapanıyor," dedi İsrailli.

İlginç, diye düşündü Norma. Alvin de böyle konuşmuştu.

"Ne kadar çok çalışırsanız, ne kadar çok yaşarsanız, o kadar çok daire kapanır. Eğer bir insan yaşlanır ve birçok dairenin kapandığını görürse, iyi bir hayatı geride bırakmıştır, bana göre."

Norma tiz bir sesle irkildi. Bu ses kısa aralıklarla tekrarlanıyordu. Barski kibrit kutusunu andıran madeni bir aleti cebinden çıkardı. Tiz ses arttı.

"İzninizle," dedi. "Telefona gitmem gerek." Masadan kalktı.

"Jan bunu hep yanında taşır," diye Jeli, Norma'ya dönerek açıkladı. "Önemli bir şey olduğu zaman klinikten ararlarsa, telefon santraline bildirirler. Onlar da telsiz aracılığıyla Jan'ı çağırır. Şimdi kliniğe telefon etmeye gitti."

Havaalanından buraya peşlerinden gelmiş olan koruma polislerinden biri masaya yaklaştı. "Doktor Barski telefona gitti mi?" diye sordu. "Otomobil telsizinden aradılar. Hemen kliniğe telefon etmesini söylediler."

"Gördün mü?" dedi Jeli, Norma'ya.

Biraz sonra Barski geri geldi. Kaplan, "Ne istiyorlarmış?" diye sordu.

"Arayan Alexandra'ydı. Bize hemen bir şey göstermek istiyor. Affedersin, fakat Jeli seni hemen eve bırakmamız gerekecek. Üzülme olur mu?"

"Üzülmek mi? Buraya geldiğimiz için çok sevindim. Dondurmamı da yedim. Daha ne isteyebilirim!"

Barski garsona işaret etti.

"Alexandra ne istiyormuş?" diye sordu Kaplan.

"Bize mutlaka hemen göstermesi gereken bir şey varmış. Sondersen'in gelmesini de istedi. Fakat onun henüz Nis'te olduğunu söyledim."

"Öyleyse enstitüye gidiyoruz!" dedi Kaplan.

"Enstitüye gitmiyoruz. Bensaestorf'a gideceğiz."

"Nereye?"

"Televizyona," diye açıkladı Barski.

34

Fundalıklar göz alabildiğine uzanıyordu, öğleden sonra güneşi her şeye kırmızı mor bir renk vermişti. Barski otomobilini büyük binanın girişinde park etti. İndiler. Ne güzel kokular geliyordu çevreden. Fundalıklardan ve güzün altın renklerine bürünmüş ormandan.

Giriş salonu serindi. Alexandra Gordon, sakallı genç bir adamın yanında oturmuş onları bekliyordu. Barski, Norma ve Kaplan içeri girdiğinde hemen ayağa kalktılar.

Genç adam kendini tanıttı. "Karl Fried. Ben Jens Kander'in yerine bakıyorum," dedi.

"Jens nerede?" diye Norma sordu. Elinde gülleri tutuyordu. Otomobilin içi çok sıcak olduğundan onları yanına almıştı.

"Seyahatte," dedi Fried.

"Hayrola!" Norma şaşırmıştı. "Bana bir şey söylememişti. Uzağa mı gitti?"

"Evet, uzağa gitti," yanıtını verdi sakallı genç adam. "Lütfen benimle gelir misiniz? Her şeyi hazırladı." Önden yürüdü. Asansöre bindiler. Biraz sonra Kander'in bürosundaydılar. Fried hemen perdeleri çekti, televizyonu açtı ve küçük lambayı yaktı. Sonra yazı masasının arkasına geçip telefonu eline aldı. Kısa bir numara çevirdi.

"Ben Fried," dedi. "Tamam Charley. Biz hazırız, Başlayabilirsin!"

"Ne oluyor, söyler misiniz?" diye Barski sordu.

"Bekle, birazdan göreceksin," dedi Alexandra.

Ekranda önce büyük rakamlar göründü. 5, 4, 3, 2 ve 1. Norma bir süre önce de aynı odada Kander'le birlikte, İkinci Kanal'ın Starnberg'den yolladığı Gellhorn ailesinin cenaze töreni filmini seyretmiş olduğunu anımsadı. Ekranda şimdi güneş ışığında bir bahçe görünüyordu.

"Paris'te çekildi. De Gaulle Hastanesi'nin arka bahçesinde," diye Alexandra konuştu.

Kamera çiçek yataklarının üzerinden geçti. Birden Patrick Renaud göründü. Beyaz bir doktor önlüğü giymişti. Odada bulunanlar dikkat kesildi.

Patrick'in elleri, yüzü ve kulakları portakal renginde parlıyordu.

"Bu nedir, Alexandra?" diye Barski sordu.

"Biraz sabret," dedi kadın, Ekranda başka bir resim göründü. Hastanenin iç avlusu. Yine güneş ışığında. Boş avluda beyaz önlüklü bir adam yürüyordu.

473

"Bu..." diye Alexandra bir şey söylemek istedi.

Ama Norma onun sözünü kesti. "Profesör Cajolle! Paris'teki Eurogen'in yönetim kurulu başkanı. Yabancı ülkelerden gelen başka meslektaşlarıyla birlikte Gellhorn ve ailesinin Ohlsdorfer Mezarlığı'ndaki cenaze törenine katılmıştı. O günlerde fotoğrafını bir sürü gazetede görmüştüm."

"Evet," dedi Alexandra. "Bu Profesör Robert Cajolle. Gördüğünüz film gizli bir kamerayla çekilmiştir. Cajolle filme alındığının farkında değil." Orta boylu, tıknaz adam yaklaştı. Onun da yüzü, biraz önce Patrick Renaud'nunki gibi portakal renginde parlıyordu. Kulakları ve elleri de. Cajolle yürüdü ve görüntüden kayboldu.

"Fakat Alexandra, bu ne demek oluyor?" diye Kaplan sordu.

"Teknisyenler görüntüleri art arda monte etti," diye İngiliz doktor konuştu. "Aynı şeyleri birkaç defa daha göreceksiniz. Buyurun..." Ekranda Patrick yine göründü. Elleri ve yüzü portakal renginde. Arkasından Profesör Cajolle. Elleri ve yüzü aynı renkte.

"Yeter," dedi Alexandra sakallı gence dönüp. Adı Fried olan adam telefonu aldı, kısa bir numara çevirdi ve "Teşekkürler Charley. Tamam," dedi. Ayağa kalktı. Televizyonu kapattı ve perdeleri açtı.

"Birinci programın cenaze töreninde çektiği filmin videokasetlerinin çalındığını Bayan Desmond'dan duyduğumda meraklanmıştım. İkinci programın haber filmiyse duruyordu. Biraz sonra da her iki Fransız televizyon istasyonunda, Eurogen'deki esrarengiz kanser ölümleri ardından yapılan basın toplantısının filmleri çalındı. Sanırım Bayan Desmond uzun süre, buradaki filmin çalınmasının belirli bir kişiyle ilgili olduğuna inanmıştı."

Norma başını salladı. "Evet. Fakat yanılmışım," dedi. "Çünkü o kişi Paris'teki basın toplantısında bulunmamıştı. Ancak filmler yine de ortadan kayboldu. Televizyon haberlerinde gösterilmeden."

"Evet," dedi Alexandra. "İşte bu olup bitenler benim rahatımı kaçırmıştı. Cenaze töreninden sonra gazetelerde çıkan fotoğrafları incelemiştim. Katılan bütün davetliler görünüyordu. Televizyonda görünmemesi gereken birisi varsa, o kişi fotoğraflarda da görünmemeliydi. Öyle değil mi? Bundan sonra aklıma bir şey geldi: Acaba elektronik televizyon kameraları, normal fotoğraf makinelerinin tespit edemeyeceği bir şey mi buldu?"

"Örneğin, derideki çok değişik rengi," dedi Kaplan. "Biraz önce gördüğümüz gibi."

"Evet," dedi Alexandra. "Bizim ve Paris'teki meslektaşlarımızın aynı konuda araştırma yaptığımızı düşündüm. Belirli bir kanser türüne karşı ilaç bulmak istiyorduk. Biz virüslerle, onlarsa radyoaktif maddelerle, daha doğrusu ışınlarla çalışmakta. Birinci programdaki filmin bir yerinde görüntü çok kısa süre kayboluvermişti. Bu benim dikkatimi çekmişti. Belki sizler de anımsıyorsunuzdur. Spikerin sesiyse devam etmişti."

"İkinci programın filmindeyse bu olmamıştı," dedi Norma.

"Ben de seyrettim o filmi," diye Alexandra devam etti. "Gellhorn'un bütün meslektaşları görünmekte. Ancak biri yok. Belki o anda yakınlarına başsağlığı dilemekteydi. Her neyse, ikinci programın filminde de görünmüyordu."

"Profesör Cajolle muydu, buradaki filmin çalınmasının nedeni?" diye Kaplan sordu.

"Evet. Yayın sırasında görüntünün bir an kaybolmasının nedeni de oydu," diye Alexandra konuştu. "Dinleyin! Hemen Paris'e Patrick'e telefon ettim ve 'TELE 2'de Felix Lorand adında bir dostun var,' dedim. 'Basın toplantısında çektiği film çalınmıştı. Kendisine lütfen rica et, elektronik bir kamerayla senin ve Cajolle'un filmlerini çeksin. Profesörün bundan haberi olmamalı.' İşte şimdi gördüğünüz filmi Lorand gizlice çekti. Elektronik kamerayla. Her ikisinin de derileri portakal renginde parlıyor. Eurogen'de kullanılan maddelerin etkisi altında derilerinde değişmeler olmuş!"

35

"Bu mümkün mü?" diye Barski, adı Fried olan genç adama dönerek sordu.

"Gözünüzle gördünüz, doktor."

"Peki, fakat böyle bir şeyin televizyonda yayına girmeden önce fark edilmemesi de mümkün mü?"

"Duruma bağlı," diye yanıtladı Fried. "Olay yerinde çekilen bir film doğru buraya verilir. Sorumlu kişi de yayınlanacak filmin montajını yapıp seslendirir. Tabii hangi sahnelerin yayına verileceğine ve yayınlanma süresine o karar verir. Bundan sonra yayına hazır olan film, başka bir kontrolden geçmeden haberlerde verilir. Ohlsdorf'ta görevlendirdiğimiz kişi en iyi adamlarımızdan biriydi. Walter Grüter'di adı."

"Şimdi nerede?" diye Norma sordu.

"Bilmiyorum," dedi Fried.

"Bu ne demek oluyor?" diye Barski konuştu.

"Hazırladığı haber filmi yayınlandıktan sonra Grüter Atina'da bir başka göreve yollanmıştı."

"Sonra?"

"Hamburg'dan uçakla ayrılmış, fakat Atina'ya hiç varmamış," diye sakallı Fried yanıtladı.

"Ortadan kayboldu, öyle mi?" dedi Norma.

"Evet. Bir süre arayıp durdular onu. Fakat bulamadılar. Ve bugün Walter'den posta geldi. Kapıcıya bırakılmış." Fried masanın üzerinde duran bir kaseti küçük teybe yerleştirdi. Sonra düğmesine bastı ve "Dinleyin!" dedi.

Rahat konuşan kalın bir erkek sesi duyuldu: "İyi günler. Benim adım Walter Grüter. Daha doğrusu, televizyonda çalışırken adım böyleydi. Sizler için gerçek adımın ne olduğu ve şu anda nerede yaşadığım önemli değil. Ben özel tim görevlilerinden biriyim, isterseniz Bay Sondersen'e sorabilirsiniz. Aradan geçen haftalarda bu konuda kendisine gerekli bilgi verilmiştir. Bayan

Gordon'un Paris'te bir film çektirdiğini haber aldığım için şimdi size bu bandı yolluyorum. Bildiğiniz gibi o gün Ohlsdorf Mezarlığı'nda cenaze töreni filmini hazırlamakla görevlendirilmiştim. Sonra televizyona gitmiş ve filmin montajını yapmıştım. İşte bu sırada Profesör Cajolle'un yüzünün ve ellerinin portakal renginde parıldadığını fark etmiştim. Hemen şefimi aramış ve durumu anlatmıştım. Bana verilen emre göre, Profesör Cajolle'un Amerikan, İngiliz ve Sovyet meslektaşlarıyla birlikte göründüğü sahnelerdeki görüntü kaybedilecekti. Yayından sonra da filmi ortadan kaldırmam istenmişti." Teypteki ses bir an için sustu. Kısa bir aradan sonra devam etti. "Bütün bunlara ne gerek vardı, diye soruyorsunuz mutlaka. Düşünmenizi rica ederim! O günlerde Paris'te Eurogen'de doktorların kanserden öldüğünü gazeteciler ortaya çıkarmıştı. Hükümetse ne olursa olsun bu konunun kamuoyuna açıklanmasını engellemek istiyordu. Eğer hazırladığım filmde o görüntü bozukluğu olmasaydı, Fransız gazetecileri mükemmel bir sansasyonla karşılaşacak ve Fransız hükümeti çok zor duruma düşecekti. Kim bilir kamuoyunda da nasıl bir panik yaratılacaktı. Belki AIDS'in yarattığı paniğin bir eşi. Profesör Cajolle'un cildinin niçin portakal renginde olduğu nasıl açıklanacaktı? Paris'te daha önce olup bitenlerden sonra hiç kimse hiçbir açıklamaya inanmayacaktı. Mondo Sirki'nde işlenen cinayetleri de unutmayın. İlgililere verilen emir, ne olursa olsun paniği engellemekti. Elimizdeki filmi ortadan yok ettikten sonra Fransız özel timindeki meslektaşlarımıza haber verdik. Basın toplantısında kullanılan elektronik kameralardan Profesör Cajolle'la elemanlarının yüzleri ve elleri de portakal renginde görünecekti. Bu nedenle basın toplantısından hemen sonra, film daha yayına girmeden, Fransız özel timinin adamları onu yok etti. İyi günler, sayın bayanlar ve sayın baylar."

Fried teybi kapattı.

"Açıklama bu," dedi Fried. "Doktor Bayan Gordon'un düşünceleri gerçeklere tamamı tamamına uymakta."

Biraz sonra üç bilim adamı ve iki gazeteci asansörle aşağı inip çıkış kapısına doğru yürürlerken, sakallı genç adam Norma'yı kenara çekti. "Size bir şey daha söylemem gerek, Bayan Desmond," dedi. "Biraz önce, Jens Kander'in yerine ben bakıyorum, kendisi seyahatte, derken yalan söylemiştim."

"Anlamıyorum. Seyahate çıkmadı mı?"

"Hayır. İsterseniz, evet, diyebiliriz. Çok uzun bir seyahate çıktı. Dönüşü olmayan bir seyahate."

Norma heyecanla sordu: "Bir şey mi oldu ona?"

"Evet. Kendini astı," diye Fried mırıldandı. "Bürosunda. Pencereye. Yaşamına son vermek için berbat bir yöntem. Fakat garantili."

"Ne zamandı?"

"Dört gün önce. Gece nöbetindeydi. Binada hemen hemen hiç kimse yoktu. Ertesi sabah bulduk onu. Önce kaybolan filmlerle ilgili sanmıştım. Fakat sonra eşine bıraktığı mektup bulundu. Affetmesini istiyor, yaşama artık dayanamayacağını belirtiyordu."

"Yaşama dayanamadı..." diye mırıldandı Norma.

"Evet. Kimse bunu anlamadı. Sağlığı yerindeydi. İyi bir mesleği vardı. Güzel bir eşi, mutlu bir evliliği de. Herkes onu severdi. Dün yapılan cenaze törenine bütün sevdikleri katılmıştı. Basına hiçbir açıklamada bulunmadık. Siz kendisini uzun süredir tanıyordunuz, değil mi Bayan Desmond?"

"Çok uzun süredir," dedi Norma. Jens Kander öldü, diye düşündü. Zavallı Jens. Yaşamında hiç anlam bulamadığı için ıstırap çekiyordu. Biz niçin varız, diye son aylarda hep sorup durmuştu.Yaptığımız hiçbir şeyi değiştiremiyoruz! Daha akıllı, daha iyi yürekli ya da biraz daha az kötü olamıyoruz! Niçin? En son görüşmemizde bana böyle şeylerden söz etmişti. Sonunda boynuna ilmiği dolamış, kendini asmış. Zavallı Jens Kander.

Karl Fried'in sesi sanki çok uzaklardan geliyordu. "... kendisini uzun süredir tanıyordunuz, demiştim, Bayan Desmond. Yaşamına son vermesine bir neden var mı sizce?"

"Hayır," dedi Norma. Biliyorum, diye düşündü. Fakat söylemeyeceğim. Ben Jens'e yardım edememiştim. Onun için nedenini söylememin de anlamı yok. "Hayır, hiçbir şey bilmiyorum. Ne kadar üzüldüğümü bilemezsiniz. Alın şu gülleri." Norma elindeki gül buketini genç adama uzattı. "Lütfen mezarına bırakın! Çok iyi bir dost, çok iyi bir insandı o!"

Sonra ötekilerin peşinden yürüdüler. Kaplan biraz önce Alster kıyısındaki lokantada neden söz etmişti? Dairelerden. Şimdi bir daire daha kapanmıştı.

"Norma!"

İrkildi. "Ne var?" diye seslendi.

Barski koşarak yanıma geldi. "Gazeten..." Soluk soluğaydı. "Gazete sahibine biraz önce telefon gelmiş... Bomba ihbarı... Yarım saat sonra bütün bina havaya uçacak!"

36

Üç otomobil fundalıklar arasında uzayıp giden asfaltta hızla gidiyordu. Norma ve Barski iki koruma polisiyle en öndeki otomobildeydi. Polis telsizinden yeni bir haber duymayı ümit ediyorlardı. İkinci otomobildeyse Alexandra Gordon ve Sondersen'in adamları vardı. Kaplan da Barski'nin Volvo'sunu kullanmaktaydı. En öndeki aracın şoförü canavar düdüğünü açmıştı. Polis telsizinden devamlı sesler duyuluyordu. Birden onları aradılar.

"Peter Ulrich! Peter Ulrich!"

Şoför öne doğru eğildi ve direksiyonun arkasındaki mikrofona konuştu.

"Ben Peter Ulrich."

"Viktor Sezar arıyor. Memurlar ve patlayıcı madde uzmanları biraz önce gazete binasına geldi. Çalışanlar binayı terk ediyor. Çevredeki bütün evler de boşaltıldı. Yirmi dört dakika kaldı. Tamam."

"Teşekkürler, Viktor Sezar," dedi şoför. Sonra hafifçe arkasına dönüp, Norma'ya, "Böyle tehditler bereket versin çoğunlukla zararsızdır," dedi, "etrafı ayağa kaldırmak isteyen bazı çılgınların başının altından çıkar. Çok az tehditte gerçek bomba bulunur."

"Ah, her zaman öyle değildir," diye yanında oturan memur söze karıştı. "Her bomba ihbarı ciddiye alınır. Onların yerinde olmayı istemem. Ne olacağı belli mi?"

Otomobil asfalttaki bir çukura girip çıktı. Sallandı. Fakat şoför direksiyona hâkim oldu. Aynı hızla yoluna devam etti.

"Affedersiniz," dedi şoför.

Telsizden devamlı sesler duyuluyordu.

"Peki, fakat nasıl çalışıyorlar?" diye Barski sordu.

"Size bir bomba ihbarı yapılsa nasıl davranırsınız, doktor bey?"

"Hemen emniyet müdürlüğündeki gerekli bölüme telefon ederim."

"Doğru. Onlar da hemen uzmanları ve polis köpeklerini olay yerine gönderir. Bu arada bomba ihbarı yapılan binadaki insanlara, binayı boşaltmadan önce masa çekmecelerine, çantalarına bakmaları söylenir. Sonra herkesin bir an önce binadan çıkması sağlanır."

"Telefon edenin söylediği saat ciddiye alınır, öyle mi?" diye sordu Barski.

"İnanılmamasına rağmen ciddiye alınır. Belki gerçektir, diye," dedi şoför. "Bazı binalara daha önce bomba ihbarı yapılmışsa, orada çalışanlar bu durumda ne yapacaklarını çok iyi bilir. Bayan Desmond, anımsadığım kadarıyla gazetenize daha önce de bir bomba ihbarı olmuştu."

"Evet, olmuştu," dedi Norma ve pencereden dışarı baktı.

Hannover yönüne giden otoyola çıktılar. Otomobillerin hızlı akışına uydular. En öndeki Mercedes'in canavar düdüğü hiç aralıksız çalıyordu. Bütün araçları sollayarak son hızla ilerlediler. Pencere aralıklarından giren rüzgâr ıslık çalıyordu.

"Peter Ulrich!" diye telsizden duyuldu. "Peter Ulrich! Viktor Sezar arıyor!"

"Henüz iz bulamadık, Peter Ulrich. Sona on yedi dakika kaldı. Şu anda neredesiniz?"

"Otoyolda. Elbe köprülerinden yirmi kilometre kadar ötede."

"Teşekkürler, Peter Ulrich. Doğru Bay Sondersen'e gideceksiniz. Anlaşıldı mı?"

"Anlaşıldı, Viktor Sezar. Tamam."

"Peki ya bomba bulunursa ne yapılır?" diye Barski sordu.

"O anda önemli olan ne kadar zaman kaldığıdır," diye şoför devam etti. "Bulunan nasıl bir bombadır? Ve daha bir sürü şey. Bombayı kalın çelikten bir kaba koyarlar. Patladığı zaman çevresine pek zarar vermesin diye. Eğer mümkünse bulunduğu yerden dışarı çıkarırlar. Tabii ne kadar zaman kaldığı böyle bir anda çok önemlidir. Yoksa bomba uzmanı patlatmayı binada yapar. Haydi çekil artık sağa!" Uzun farları iki defa yakıp söndürdü ve büyük bir Cadillac'ı ürküterek sağa kaçırdı. "Neler var!" dedi. Sonra otomobilde hiç konuşan olmadı. Telsizin hoparlöründen devamlı sesler duyuluyordu.

Dışarıda doğa güneş içindeydi. Çayırlar, tarlalar ve korular yanlarından kayıp geçiyordu. Biraz sonra Viktor Sezar yine aradı. Bombanın henüz bulunmadığını bildirdi, sona dokuz dakika kaldığını söyledi.

"Lanet olsun," diye homurdandı şoför.

"Niçin Bay Sondersen'e gidiyoruz?" diye Norma birden sordu. "Ben onun Nis'te işi var sanıyordum."

"Bilmiyorum. Siz de duydunuz, oraya gitmemiz istendi. Hamburg'da demek."

"Sizin için şu anda en güvenilir yer orası, Bayan Desmond," dedi diğer koruma polisi de.

Norma, Barski'ye baktı. "Ne düşünüyorsun?"

481

"Güvenliğin en büyük düşlerden biri olduğunu," yanıtını verdi yanında oturan adam. Sonra Norma'nın elini tuttu. Dakikalar geçti, sonra birden hoparlörden heyecanlı sesler duyuldu. "Peter Ulrich! Peter Ulrich! Viktor Sezar arıyor!"

"Evet, Peter Ulrich. Ne var Viktor Sezar?"

"Bombayı buldular."

"Vay canına!" dedi şoför, "Demek gerçekten bomba bırakmışlar!"

"Peter Ulrich, bir haber var. Bayan Desmond ve Doktor Barski nerede?"

"Burada. Otomobilde."

"Peki, Doktor Gordon?"

"Peşimizden gelen ikinci otomobilde. Doktor Kaplan da Doktor Barski'nin Volvo'sunda."

"Peki. Diğer adamlar Bayan Gordon'u hemen enstitüye götürsün ve yanında kalsın. Sizse Bayan Desmond'la Doktor Barski'yi hemen Uhlenhorster Caddesi'ndeki cenaze levazımatçısı Bay Eugen Hess'e götüreceksiniz. Sizin peşinizden gelmesi için Doktor Kaplan'a işaret edin!"

"Cenaze levazımatçısı Hess'e mi? Şaka bunun neresinde?"

"Bu şaka filan değil. Bay Sondersen'in emri. Derhal oraya gideceksiniz!"

"Peki, fakat niçin?"

"Ben nereden bileyim? Bay Hess buraya telefon etti ve Bay Sondersen'le görüştü. Sonra da sizlere yolunuzu değiştirmeniz emri çıktı. Diğerleri beni duyuyor mu? Ludwig Theo! Beni duyuyor musunuz?"

"Çok iyi duyuyoruz, Viktor Sezar. Biz Doktor Gordon'u hemen enstitüye götürüyoruz."

"Tamam. Berta Walter! Bir saniye... Ben yine arayacağım..." Ses sustu. Cızırtılar geldi. Sonra yine duyuldu. "Viktor Sezar. Herkese bildiri. Bomba bulunmuştur. Uzman patlatmaya hazırlanmakta."

"Lanet olası bir oyun bu," diye şoför mırıldandı düşünceli düşünceli. "Bir daha tekrarlıyorum: Ludwig Theo enstitüye, Peter Ulrich de Uhlenhorster Caddesi'ndeki cenaze levazımatçısına. Tamam."

37

Uhlenhorster Caddesi'ne vardılar. Kara camlarda büyük altın harflerle şu sözler yazıyordu:

Cenaze Levazımatçısı
Eugen Hess
Dünyanın Her Yerine Hizmet Verilir
Günün 24 Saati Açık

Binanın önünde üç otomobil duruyordu. Bir sürü de polis vardı. Mercedes ve Volvo arka arkaya park etti.

Norma, Barski ve Kaplan hemen içeri girdiler. Yüksekçe bir yerde duran çok süslü kara tabutun kilitleri gümüştendi. İki yanında kocaman gümüş şamdanlarda kalın, büyük mumlar yanıyordu. Tepeden tırnağa siyahlar giyinmiş iki kişi sanki birisini bekliyormuş gibi durmaktaydı. İçersi çok serindi. Gizli hoparlörlerden her zamanki gibi Şopen'in müziği duyuluyordu. En son ne zaman gelmiştim buraya, diye Norma düşündü. Yine kapanan bir daire...

"Benim adım..." diye Barski konuşmak istedi, fakat adamlardan biri onun sözünü kesti. "Bay Doktor Barski, Bay Doktor Kaplan ve Bayan Desmond. Haberim var. Bekleniyorsunuz. Lütfen benimle gelin!"

Kapkara giysili genç adam önden yürüdü. Eugen Hess'in bürosunun kapısını açtı. Yaşlı adam ayağa kalktı. Gelenler içeri girdi. Baştan aşağı siyah döşeli odada Eugen Hess'ten başka gazete sahibi yaşlı Hubertus Stein, Başkomiser Sondersen ve Alvin Westen oturmaktaydı. Norma, Barski'yi zayıf, uzun boylu Stein'la tanıştırdı. Adamın ürkek bir görünüşü vardı. Norma sonra Westen'e sarıldı. En sonunda da Sondersen'in elini sıktı. "Şansımız varmış," dedi başkomiser. "Köpekler iyi çalışmış! Bombayı bulan onlardan biri. Malzeme deposunda. Bir masanın altında duran çantanın içinde. Bomba bütün binayı havaya uçuracak güçteymiş. Çevredeki evlere de zarar verebilirmiş. O kadar güçlüymüş!"

"Nis'ten ne zaman geri döndünüz, Bay Sondersen?" diye Norma sordu.

"İki saat önce. Yapacak işlerim vardı, fakat içim nedense rahat değildi. Komiser Collin'den özür diledim ve Federal Polis uçağıyla Hamburg'a geldim. Yanılmamıştım. Bomba ihbarından az sonra Bay Hess'in bizleri derhal buraya çağırması da benim için pek büyük sürpriz olmadı."

Sondersen'in gözlerinin altı kızarmıştı. Norma bu adamın yetmiş iki saattir uykusuz olduğunu düşündü. "Lütfen Bay Hess, siz bir şey anlatmak istiyordunuz. Buyurun, dinliyoruz."

Yaşlı adam bakışlarını odada gezdirdi. Duvardaki siyah bir çerçeveye baktı. Norma orada şu sözleri okudu:

ÖLÜMDEN KORKMAYA NE GEREK?
O KAÇINILMAZ ALINYAZISI!
Friedrich Schiller

Ben buraya en son, Tom Steinbach'ın cesedini aradığımızda gelmiştim, diye düşündü Norma. Sanki yıllar geçmişti aradan. Gerçekteyse birkaç hafta. Zaman. Nedir zaman?

Hess kâğıtlar ve dosyalarla dolu masasında oturuyordu. Önünde siyah seramik bir vazo içinde beyaz ipek krizantemler vardı. Geçen gelişimde hüzünlü müzik bu odada da duyuluyordu, diye Norma düşündü.

484

"Ben kendimi çok suçlu hissediyorum," diye Eugen Hess konuşmaya başladı. "Suçumun büyüklüğünü itiraf edemem. Ancak... Bu kadar öteye gideceğini de ummuyordum... Onun müthiş bir kin içinde olduğunu bilmiyordum... Her şeyi yapmaya hazır olduğunu da..."

"Kimden söz ediyorsunuz siz?" diye Kaplan sordu.

"Erkek kardeşimden," dedi Sondersen. "Aynı anneden, fakat başka babadan,"

Hess beyaz ellerini kavuşturdu.

"Biz onu tanıyor muyuz?" diye Norma sordu.

"Evet," dedi Stein. "Çok iyi tanıyoruz, Bayan Desmond."

"Kim o?"

"Genel yayın müdürümüz," dedi Stein. Başını önüne eğmişti. "Doktor Günter Hanske."

38

"Hanske sizin kardeşiniz mi oluyor?" Norma şaşkın şaşkın Hess'e bakıyordu.

"Evet, sayın bayan," dedi yaşlı adam usulca. "Duyduğunuz gibi annelerimiz aynı, babalarımız başka. Bay Sondersen, bunu bir süredir biliyor. Soruşturmaları sırasında ortaya çıkarmış olacak."

Sondersen başını salladı.

"O çok şey biliyor, fakat erkek kardeşim üzerine bilmediği daha bir sürü şey var," diye Hess devam etti. "Gazetenize bomba ihbarı yapıldığını radyoda duyunca hemen emniyet müdürlüğünü aradım. Orada beni Bay Sondersen'e bağladılar. Artık konuşmamın sırası geldiğini biliyordum. Günter'i daha uzun süre koruyamazdım. Kini yüzünden aklını yitirmişti. Hiçbir şeyden korkmayacak duruma gelmişti. Biz aynı anneden iki kardeşiz, öyle değil mi? Ancak..."

"Şu ana kadar bizden sakladığınız şeyleri anlatmanızı rica ediyorum, Bay Hess," diye Sondersen yaşlı adamın sözünü kesti. "Kardeşiniz her yerde aranmakta şu anda. Umarım yakında bulurlar kendisini. Gazete binasına bıraktığı ve bereket versin son anda bulunan bombadan sonra ortadan kayboldu. Konuşun artık!" "Çok üzücü şeyler," diye Hess devam etti. "Politikanın, bir ideolojiye inanmanın, yürekliliğin ve kurban vermenin, insanların vahşetinin ve bir çocuğun düşlerinin insanoğlunu nereye sürükleyebileceğini göstermekte, anlatacağım o üzücü şeyler..." diye kendi kendine mırıldanır gibi konuştu. Eliyle ipek krizantemleri okşadı. Sonra içini çekti ve devam etti. "Babam Wilhelm Hess bu kuruluşun başındaydı. Ondan önce babası ve büyükbabasının yaptığı gibi. Burası kentin en eski cenaze levazımatçılarından biridir, öyle değil mi? Babam 1924 yılında Viktoric Klarawick'le evlenmiş. Bu Klarawick'ler Hamburg'un tanınmış ailelerinden biriymiş. Bir yıl sonra ben dünyaya gelmişim. Babamın evliliği ilk yıllarda çok mutluymuş. Ancak sonraları annemle araları bozulmaya başlamış." Hess önündeki kâğıtlarla oynuyordu. "Annem anımsadığım kadarıyla çok güzel kadındı. Kendisinden yaşlı babamla evlendiğinde on sekiz yaşındaymış. Daha o yıllarda politikaya büyük ilgi duyarmış. Komünizm büyük ilgisini çekermiş. Ailesi ve babamın ailesi bu duruma çok üzülürmüş. Düşünsenize Hamburg kentinin tanınmış iki ailesi ve annem komünizm hayranı! Canı gönülden bir komünist!" Hess'in beyaz elleri titriyordu. "Tabii ben bütün bunları yıllar sonra öğrendim. Babamla annem boşandıklarında ben küçük bir çocukmuşum... Daha doğrusu babam annemden ayrılmak zorunda kalmış. Çünkü annemin durumu çevresini çok rahatsız ediyormuş... Annemi çok sevdiğini biliyorum. Ölüm döşeğinde anlatmıştı bana... Bütün ömrü boyunca onu sevmiş, bir daha da evlenmemişti." Hess elini gözlerine götürdü. "1930 yılında boşanmışlar. Annem Hamburg'dan ayrılmış."

"Nereye gitmiş?" diye sordu Norma.

"Önce Münih'e," dedi Hess. "Orada kendi gibi düşünen koyu bir komünistle tanışmış. Bu adamın adı Peter Hanske'ymiş. Birlikte Nazilerle mücadeleye başlamışlar." Hess iç geçirdi. "Sosyal demokratlarla da mücadele etmişler. Eğer o yıllarda komünistlerle sosyal demokratlar birleşip güçlenmeye başlayan Nazilerle savaşsaydı, Hitler ve Üçüncü Reich'ı başımıza çöreklenmezdi." Odada hiç kimse konuşmadı. Dışarıdan hüzünlü müzik duyuluyordu. Ne kadar da uyuyor, diye düşündü Norma. Günter Hanske, seninle kaç yıl birlikte çalıştım? Ne kadar başarılı bir gazeteciydin. Senden neler öğrenmiştim! Bana neler anlatmıştın! Seni tanıyorum sanmıştım. Günter Hanske, başındaki peruğu devamlı kayan Günter Hanske. Dostum...

"Evet, öyleydi," dedi Hess. "Birlikte savaşacaklarına birbirlerine karşı savaştılar. Komünistlerle sosyal demokratlar. Ve Naziler de böylece başa geçti! Benim güzel annem Viktoria 1931 yılında bu Peter Hanske'yle evlenir. Bu evlilikten kardeşim Günter dünyaya gelir. 1934 yılında Hanske ailesi Nazilerin elinden zor kurtulur ve kapağı Moskova'ya atar." Hess sanki başka bir dünyadaymış gibi konuşuyordu. "Moskova'da yaşamaya başlamışlar. Stalin'in büyük dönemi o yıllar, değil mi? Ancak günün birinde -1936 yılında- Günter'in babası tutuklanmış. Saçma bir şüpheyle. Annem, Günter'in annesi, onu bir daha görmemiş. Birkaç ay sonra, tutukevinde öldüğü haberini getirmişler. Veremden. O yıllarda Günter henüz beş yaşındaymış, İkinci Dünya Savaşı'nın bitiminden yıllar sonra bana anlattığı gibi şimdi size anlatıyorum. Annem, Stalin'in 'temizlik hareketleri' sırasında babamın da öldürülmüş olduğunu biliyordu mutlaka. Ancak kendisinin bundan kin duyduğunu sanmıyorum. Korkarım, belki de kocasının öldürülmüş olmasını doğru buluyordu. Mutlaka partiye bir zarar vermişti, diye düşünmüş olmalı. Parti hep haklıdır, öyle değil mi? Partiye ne kadar bağlı olduğunu yazılı bir açıklamayla belirtmiş ve yeraltında çalışmak için Almanya'ya yollanmasını rica etmiş."

"Evet," diye Westen söze karıştı. "Olmuştu böyle şeyler..."
"Evet, olmuştu, sayın bakan," dedi Hess. "Siz böyle insanları tanıdınız mutlaka, öyle değil mi?"
"Evet, evet," diye yanıtladı Westen. "Birçoğunu. Genellikle iyi insanlardı. İyi bir Katolik nasıl Tanrısına inanırsa, onlar da komünizme inanırdı. Onlar için komünizm din gibiydi. Onun uğruna hayatlarını vermeye hazırlardı. Tıpkı ilk Hıristiyanlar gibi."
İdeolojiler ve ideologlar, diye düşündü Norma. Hep aynı şey. En güzel ideolojiyi verin insan eline, her şey berbat, dehşet verici ve öldürücü olur!
"Annem," diye Hess devam etti. "Günter'in annesi, bu görev için biçilmiş kaftandı. Yeni bir ad verip Finlandiya üzerinden Almanya'ya soktular. Saygı duyulacak bu şansız kadın aradan geçen yıllarda parti için çok tehlikeli görevler yerine getirdi. Küçük oğlu hep yanındaydı, Moskova hangi politikayı güderse gütsün, annem için o en doğru politikaydı. 1939 yılında Molotov'la Rippentrop karşılıklı saldırı yapmama antlaşmasını imzalayana ve Polonya'yı paylaşana kadar. Naziler ve Sovyetler anlaşmışlardı! Annem bunu kabul edemedi. O günlerde Hollanda'da yine tehlikeli bir göreve yollanmıştı. Bu antlaşmanın yapıldığını duyunca dünyası çöküverdi. Kendini görev yapacak güçte hissetmedi. O anda ölmek istedi. Evet, annem intihar etmeye karar verdi. Yanına vermiş oldukları zehir hapını eline aldı ve ağzına atıp ısırdı. Çünkü bu duruma dayanamaz, Sovyetler'le Nazilerin anlaşmasını kabul edemezdi!"
"Hollanda'da mı öldü?" diye Barski sordu.
"Hayır," dedi Hess. "Zehir çok güçlü değildi. Komşuları onu buldu. Doktorlar hayatını kurtarmak için günlerce savaş verdi. Ve kurtardılar da. Yoldaşlar gelip onu teselli etti. Yataktan çıktığında yine eski savaşçıydı. Böyle bir anlaşmayı yapmanın niçin gerekli olduğunu parti tabii biliyordu. Çünkü Sovyetler Birliği'ni korumak istiyordu. Hitler'in saldırılarına hazırlıklı değildi. Evet, parti bu anlaşmayı yapmakla çok akıllı davranmış-

tı. Öyle değil mi?" Hess sustu. Bir süre odada hiç kimse konuşmadı. "Ve savaşına devam etti. Çok daha tehlikeli görevleri yerine getirdi. İntihar etmeye kalkışmasının hata olduğunu kabullendi ve bunu düzeltmek için de her biri ötekinden zor görevlere gitmeyi kendi istedi. Onu böylesine yüreklendiren, korkusuz ve başarılı yapan, komünizmin her şeyi yeneceğine olan sonsuz inancıydı. Annem için komünizmin ötesinde başka bir öğreti yoktu. Savaşın sonunu Günter'le birlikte Berlin'de yaşadı. Kardeşim on dört yaşına gelmişti. Kente Rus askerleri girdiğinde bombalanmış bir binanın bodrumunda saklanıyorlardı..." Hess derin bir soluk aldı. Konuşmaya zorladı kendini. "Bir akşamüstü... sonra Günter anlatmıştı bana... bir akşamüstü annemin haykırışlarını duymuş... Bir duvar deliğinden kendini dışarı atmış... ve... ve annemin kanlar içinde yerde yattığını görmüş... Çırılçıplak... ve bir düzine sarhoş Rus askerini... anneme tecavüz etmişler. Ona vuruyorlarmış da... Annem yaralar içindeymiş... Günter her şeyi bir duvar arkasından seyretmiş... Değil yardım etmesi, yerinden kıpırdaması bile mümkün değilmiş... Ve Rus askerleri yaralar içindeki anneme tecavüz etmişler, vurmuşlar, üzerinde yuvarlanmışlar..." Hess daha fazla konuşamadı. Oda birden çok sessizleşti. Dışarıdan hüzünlü müzik duyuluyordu.

39

Sonunda ilk konuşan yine Hess oldu.
"Annem bu defa iyileşemedi. Bir daha kendine gelemedi. Sinirleri mahvolmuştu. Yaraları iyileştikten sonra onu bir sinir hastanesine yolladılar. Günter'i de bir yurda soktular. Ancak 1948 yılında annesini ziyaret edebildi. Kadın onu tanımadı. Hastabakıcıları çağırdı ve delikanlının odadan çıkarılması için bağırıp çağırdı. Birkaç hafta sonra da kalp yetmezliğinden öldü.

Mezarının başında Günter ve velisinden başka kimse yoktu. Bir papaz bile... Günter'in kafasında artık tek bir düşünce vardı, onu rahat bırakmayan. 'Sen annenin intikamını alacaksın! Onun intikamını almalısın! Lanet olsun Ruslara! Sonsuza kadar lanet olsun onlara."

İki erkek, diye düşündü Norma. Sasaki Amerikalılardan nefret ediyordu. Ülkesine ilk atom bombasını attıkları için, Hanske de Ruslardan, annesine yaptıkları için. Hele bu kadının onlar için yaptıklarından sonra. İki erkek! İki hain! Tek bir neden. Kin! Bu insanları anlamak mümkün mü? Evet, diye geçirdi içinden Norma. Evet. Nedir bu dünya? Cehennemin düşü!

"Teşekkür ederim size," diye Sondersen ağır ağır konuştu. "Böyle bir şeyi tahmin etmiştim. Sık sık telefon eden ve her şeyi bilen madeni sesli adama bilgileri kim vermiş olabilirdi? Hanske'den başkası olamazdı. Çünkü Hanske'ye devamlı bilgi veren, nerede olduğumuzu söyleyen Bayan Desmond'du. Yalnızca bir defa bunu yapmamıştınız. Anımsıyor musunuz, Bayan Desmond? Benimle Guernsey adasından Paris'e, oradan da Nis'e uçtuğunuzda. Adamın biz Doktor Sasaki'nin yanındayken niçin telefon etmediğini sormuştum size. Değil mi? Telefon edemezdi, çünkü siz ona nerede olduğumuzu yola çıkmadan söylememiştiniz. Nis'te kavradım durumu. Ve hemen Hamburg'a geri döndüm. Hanske annesinin intikamını alabileceğini sandığı bir ortamdaydı. Eline bir fırsat geçirmişti. Onun Sovyetler'den almak istediği intikam sayesinde Amerikalılar size ve bize inanılmaz bir dehşetle ruhsal terör uygulayabilmekteydi. Siz Hanske'ye Guernsey'den telefon etmediğinizde, bizlerin nerede olduğunu ve ne yaptığımızı bilemedi. Amerikalılara da haber veremedi. Ondan şüphelendiler belki. Hanske artık kendisine güvenmeyeceklerini sandı. Korktu. Ortadan kaybolmaya karar verdi. Herkesi oyalamak ve dikkati başka yere çekmek için de bomba olayını yarattı."

"Ne de olsa o benim kardeşim," diye Hess konuştu. "Hakkımda ne düşünürseniz düşünün. Fakat ben Günter'in başına bir şey gelmeden ortadan kaybolacağını ümit ediyorum."

Odada hiç kimse konuşmadı.

Ben de mi ümit edeyim, dedi Norma kendi kendine. Acaba Alvin de mi ümit ediyor? Belki Jan da! Ya Sondersen? Böyle bir şey ümit edilir mi?

Siyah masanın üzerindeki telefon çaldı. Hess kulaklığı eline aldı. Dinledi. "Bir saniye," dedi ve telefonu Sondersen'e uzattı. "Sizi arıyorlar."

"Ne var?" Başkomiser karşı taraftakini bir an dinledi. "Teşekkürler," dedi ve telefonu kapattı. Hess'e baktı. "Ümit ettiğiniz şey yerine gelmemiş."

"Günter'di..." Hess konuşamadı.

"Evet," dedi Sondersen. "Günter Hanske'yi tutuklamışlar. Danimarka polisi. Bu sabahtan beri aranıyordu. Tonder sınır kapısındaki polisler tanımışlar. Başındaki peruğu çıkarmış olmasına ve çok iyi taklit edilmiş sahte bir pasaport taşımasına rağmen."

"Peruksuz mu?" diye Norma sordu. "Peruksuz tanımışlar mı onu?"

"Evet," diye Sondersen konuştu. "Fotoğrafından başka bir de polisin çizdiği resmi dağıtılmıştı. Onda peruksuzdu Hanske."

40

Bu olaydan dört gün sonra, 7 Ekim 1986 günü, Virchow Hastanesi'nin bütün bölümlerinin Takahito Sasaki için verdiği raporlar hazırdı. Ve bu raporlara göre Sasaki sağlıklıydı. Çünkü virüsü almasından ve aşıyı olmasından sonra vücudunda hiçbir değişiklik görülmemişti. Sasaki virüse karşı aşıyı bulmuştu!

Bulaşıcı hastalıklar bölümündeki odayı terk etti. Barski'nin bürosunda meslektaşları ve Norma kendisini kutladı. Şampanya

açıldı. Sonra hepsi aşı oldu. Fakat hiçbiri doğru dürüst sevine-
miyordu. Hele Sasaki hiç. Kardeşinin yapmış olduğu hainlik
onu çok üzmüştü.

O gün saat 12.45'te Jeli okuldan çıktı. Öğretmeni her gün
olduğu gibi Jeli'yi okul girişinde bekleyen koruma polisine gö-
türdü. Sabahları da bir koruma polisi Jeli'yi okula getirip öğret-
menine teslim ediyordu. Küçük kız çıkana kadar da okulun
önünde duran otomobilde iki polis bekliyordu.

7 Ekim günü de Jeli öğretmeniyle merdivenlerden aşağı
inerken, gülümseyen genç bir polis memuru okul girişinde dur-
maktaydı. Nazikçe selam verdi.

"İyi günler. Benim adım Paul Krasner." Öğretmene kimliği-
ni gösterdi. Federal Polis'in verdiği kimlikte fotoğraf da vardı.
"Ben Karl Teller'in yerine geldim."

Öğretmen uzatılan kimliğe ve fotoğrafa baktıktan sonra ge-
ri verdi.

"Bay Teller'in annesi acele olarak hastaneye kaldırıldı da,
kendisi şu anda kadının yanında."

"Anlıyorum," dedi öğretmen. "Selam söyleyin. Güle güle
Jeli!"

"Hoşça kalın," dedi Krasner. Genç öğretmen geri döndü.
"Haydi küçük! Doğru otomobile gidiyoruz."

Çocuğu elinden tuttu ve dışarı çıktılar. Birkaç adım sonra Je-
li birden durdu.

"Ne oldu?" diye Krasner sordu. Avlu bomboştu. Bütün ço-
cuklar çoktan evlerine gitmişti.

"Ben sizi daha önce hiç görmemiştim. Niçin?" dedi Jeli.

"Ben müdüriyette çalışıyorum, Karl Teller iyi arkadaşım
olur. Bugün onun yerine gelmemi rica ettiği için seni ben eve
götüreceğim."

"Bilmiyorum," dedi Jeli. "Siz iyi bir insana benziyorsunuz,
fakat yine de önce babama telefon etmek istiyorum."

"Tabii, nasıl istersen," diye gülümseyen genç adam konuştu. "Bir saniye, alnın kirlenmiş." Cebinden bir mendil çıkardı. Ve mendili hızla çocuğun ağzıyla burnuna dayadı. Mendil ıslak ve soğuktu. Jeli keskin bir koku hissetti. Soluk almaya uğraştı. Sonra kendini kaybetti. Bayılmıştı.

Saat 12.51.

Barski'nin bürosundaki telefon çaldı. "Evet?" dedi Barski telefona. Karşısında Bayan Vanis vardı. "Bay Sondersen arıyor." Hemen arkasından Sondersen'in sesi duyuldu. "Çok kötü bir haberim var. Kızınız kaçırıldı."

Barski sesini çıkarmadı. Sanki donmuş gibiydi. Konuşmak istedi. Fakat başaramadı. Diğerleri hemen kötü bir şey olduğunu fark etti. Oda sessizliğe büründü.

"İnanılmaz," dedi Sondersen'in telefondaki sesi. "Fakat yine de oldu. Ve biz hiçbir şey bilmiyoruz, tek iz bile yok."

Barski konuşmaya başlamadan önce üç defa yutkundu. "Nasıl oldu?" dedi. "Mümkün müydü?"

"Jeli'yi almak isteyen iki polis okulun önünde otomobillerinde bekliyormuş. Hava çok sıcak olduğu için otomobilin pencereleri açıkmış. Zil çalmadan az önce yanlarından geçen iki kişi eterli mendilleri yüzlerine bastırıvermiş. Çok profesyonel çalışıyorlar. Hiç kimse fark etmemiş ne olduğunu. Gören de olmamış."

"Tanrım," dedi Barski.

"Ne oluyor?" diye Norma sordu.

Barski yanıt vermedi.

"Polisler beş dakika kadar baygın kalmış. Kendilerine gelip okula koştuklarında, Jeli'yi bulamamışlar. Öğretmeni Federal Polis'ten gelen bir memurun kızınızı aldığını söylemiş. Adamın kimlik gösterdiğini anımsıyor. Adı Paul Krasner'miş. Tabii böyle biri yok. Kimlik de sahte. Çok üzgünüm doktor..."

"Evet, evet," dedi Barski. "Peki, şimdi ne olacak?"

"Bütün kentte aramaya geçtik. Elimizdeki bütün adamlar görevde. Böyle büyük bir aramanın başarılı olacağını ümit ediyorum."

"Tabii başarılı olamaması daha mümkün, değil mi?"

"Lütfen içinde bulunduğumuz durumu düşünün! Derslerde de çocuğunuzun yanına bir memur oturtamazdık, değil mi?"

"Ben de size, çocuğumun yanına birini oturtun, dememiştim. Hem şimdi bunun tartışmasını yapmanın sırası değil!"

"Aman Tanrım!" dedi Kaplan. "Yoksa Jeli'yi mi kaçırdılar?" Barski başını salladı. Ve odada her kafadan bir ses çıkmaya başladı.

"Susun!" diye Barski bağırdı.

Alexandra Gordon ağlamaya başladı, Norma ayağa kalkıp Barski'nin yanına gitmek istedi. Fakat yerinden kıpırdayamadığını fark etti.

"Diğerleri yanınızda mı?" diye Sondersen sordu.

"Evet."

"Bir saniye," dedi Sondersen. "Beni arıyorlar öteki telefondan..." Barski onun bir başkasıyla konuştuğunu duydu. Fakat bir şey anlamadı.

"Madeni sesli adam yine," dedi Sondersen biraz sonra. "Kızınızı kaçıranların aranmasına hemen son vermemizi istiyor. Bütün memurları görevden çekmemi de. Yoksa Jeli'yi öldüreceklerini söyledi. Ne yapayım, siz söyleyin?"

"Bunu bana mı soruyorsunuz?"

"Tabii size soruyorum."

"Aramaya son verin! Derhal!" Barski daha fazla konuşacak durumda değildi. Derhal dedim, diye bağırmak istedi. Fakat sesi kısılmıştı.

"Bir saniye," dedi Sondersen. Barski bir şeyler konuştuğunu duydu. Sonra Sondersen, "Söylediğinizi hemen yerine getirdim, doktor," diye devam etti. "Telsizle verdiğim bu emri herif

494

de duydu. Çılgınlık, fakat ne yapalım. Şu anda önemli olan çocuğunuzun hayatı." Sondersen sesini biraz yükseltti. "Yanınızdakilere haber verin şimdi. Jeli'yi kaçıranlar her an istekte bulunabilir. Bunun ne olduğunu hepimiz biliyoruz. Bütün telefonlar dinlenecek. İçinizden biri adamlarla konuşursa, konuşmayı mümkün olduğu kadar uzatsın. Teknisyenlerimiz nereden telefon edildiğini ancak birkaç dakika sonra bulabilir. Ben de derhal enstitüye geliyorum."

"Şimdi ben nc yapayım?" diye sordu Barski.

"Bekleyin," dedi Sondersen. "Ve telefonunuzu kullanmayın. Biraz sonra görüşmek üzere!" Telefonu kapattı.

Barski oturduğu yerde ölmüş gibiydi. Alexandra hıçkırıyordu. Fuhlsbüttel'den henüz kalkmış bir uçak üzerlerinden geçti. Jet motorlarının gürültüsü odanın camlarını titretti.

"Bırak şu ağlamayı!" dedi Kaplan.

"Elimde değil," diye Alexandra hıçkırdı.

"Öyleyse dışarı çık!"

"Herkes dışarı çıksın!" dedi Barski. "Lütfen, hepiniz çıkın! Norma, sen burada kal!"

Kaplan, Alexandra ve Sasaki odadan çıktı. Norma, Barski'yle yalnız kaldı. Adam bakışlarını boşluğa dikmişti.

Norma yine yanına gitmek istedi. Fakat yine yerinden kıpırdayamadı. Barski'nin yüzü donuktu. Dua ettiğini ancak biraz sonra fark edebildi.

Saat 18.21.

Jeli'yi kaçıranlardan ilk telefon geldi.

Barski'nin yüzü hâlâ donuktu. Telefonda konuşurken bile bir vitrin mankeni, bir robot gibi hareket ediyordu. Aradan geçen saatlerde Norma çay hazırlamış, Sondersen gelmiş, sonra gitmiş, yine gelmişti, Barski sekreterlerini eve yollamış, onu teselli etmek isteyen dostları ve meslektaşları yanına gelmiş, yeni bir haber beklemişlerdi. Yeni bir şey yoktu. Hiç kimse de onu teselli edemezdi. Sanki kırılmamak için bütün vücudunu çelikten bir giysiye sokmuştu. Sondersen'le anlaştığı gibi telefon geldiğinde beş defa çaldıktan sonra açmıştı. Karşısında madeni sesli o adam vardı. "Bir daha bu kadar beklerseniz, bu son konuşmamız olacak."

"Ben..."

"Siz susun! Şimdi ben konuşacağım. Ve eskisi kadar uzun konuşmayacağım. Dinleniyoruz, değil mi?" Telefona bağlanmış teybin kasetleri dönmekteydi. Sondersen ve Norma odadaydı. Dinlemek için kendilerini zorluyorlardı. "Kızınızın durumu iyi," diye devam etti madeni sesli adam. "Virüs ve karşı aşının disklere kaydı yapılmış verileri üzerine bütün bilgileri istiyoruz. Tabii kodlanmalarını da. Hepsini zamanında verirseniz, kızınızı derhal serbest bırakacağız. İstediğimizi yerine getirmezseniz, onu öldüreceğiz. Blöf yapmıyoruz. Sirki ve Gellhorn ailesini düşünün!"

"Kızımla konuşmak istiyorum."

"Hayat belirtisi alacaksınız. Ben sizi yine arayacağım. Şimdi eve gidebilirsiniz. Biz sizi her yerde buluruz. Bay Sondersen'e de söyleyin, bir şey yapmaya kalkarsa, kızınızı ölmüş bilin! Anlaşıldı mı?" Telefon kapandı. Teyp durdu.

Barski sesini çıkarmadan Sondersen'e baktı.

"Ben hiçbir şey yapmadım..." diye bir şey söylemek istedi başkomiser.

Barski öfkeyle karşısındaki adamın sözünü kesti. "Evet, hiçbir şey yapmayacaksınız! Ben istiyorum bunu sizden! Sizin çocuğunuz değil, kaçırılan! Benim çocuğum! Anlaşıldı mı?"

Sondersen susuyordu.

Barski bağırdı. "Tamam mı?"

Telefon çaldı.

"Bay Sondersen lütfen!" dedi bir erkek sesi.

"Ne var?"

"Olmadı. Telefon görüşmesi çok kısaydı."

"Tamam, Hellmers." Sondersen telefonu kapattı. Sonra yine açıp emniyet müdürlüğündeki özel komisyonun numarasını çevirdi. "Ben Sondersen," dedi. "Yeni bir emir gelene kadar arama yapılmayacak! Çocuğun hayatı tehlikede!" Karşısındaki karşı çıkmış olacaktı ki, Sondersen öfkeyle konuştu. "Hiçbir şey yapmayacaksınız dedim! Bu bir emir, anlaşıldı mı?"

Barski, Eli Kaplan'a, Alexandra Gordon'a ve Takahito Sasaki'ye telefon etti. Sonra Atlantic Oteli'nde kalan Westen'i de aradı, gelmesini rica etti. Yaşlı adam saat on dokuza doğru enstitüye geldi. Sasaki dışında herkes, Barski'nin diski ve kodu vermesi taraftarıydı.

Dört buçuk saat sonra, gece yarısına yarım saat kala hâlâ büyük bir inatla karşı çıkan Sasaki'yi inandırmaya çalışmaktaydılar. Telefon bir daha çalmamıştı.

Saat gece yarısını 37 dakika gece Alexandra Gordon kendini kaybetti. Barski hemen nöbetçi doktoru yukarı çağırdı. Gelen adam bir iğne yaptı. "Hepinizin dinlenmesi, biraz olsun uyuması gerek," dedi doktor. "İsterseniz birer sinir ilacı alın."

"Ben hiçbir şey almam," diye Barski karşı çıktı. "Rahat düşünebilmeliyim."

"Sen çoktandır rahat düşünemiyorsun," dedi doktor arkadaşı. "Hap alsan da, almasan da. Eğer şansınız yoksa bu olay günler sürebilir. Bunu hiç düşündün mü? O zamana kadar da hiçbirinizin ayakta duracak hali kalmayacak. Lütfen beni bir meslektaşınız olarak dinleyin. Mümkün olduğu kadar uyumaya çalışın. Evinizde, kendi yatağınızda. Hele sen, Jan. O domuz herif telefon ederse, evine de telefon eder."

"Doktor bey haklı," diye Sondersen söze karıştı. "Böyle bir durum benim başıma ilk defa gelmiyor. Hepiniz eve gitseniz çok daha iyi. Bayan Desmond, siz Doktor Barski'nin yanında kalırsanız belki iyi olur."

"Evet," dedi Norma. "Haydi Jan, gel! Lütfen. Ben yanında kalacağım. Al şu ilacı da! Bizler de alacağız! Lütfen!"

Barski doktor arkadaşının uzattığı tüpten bir ilaç çıkardı ve yarım bardak suyla aldı.

"Sabah sekizde de almalısın," dedi doktor. Sonra odada bulunanlara başıyla selam verip çıktı.

"Şu anda bizlerin yapabileceği hiçbir şey yok," dedi Sasaki.

"Hiçbir şey," dedi biraz kendine gelmiş olan Alexandra da. "Jeli'nin kazasız belasız bu olayı atlatmasına dua etmekten başka."

Kaplan ayağa kalktı. Odanın içinde gezinmeye başladı. "Lanet olsun," dedi, "fakat bir çıkar yol olmalı."

"Oysa yok, Eli," dedi Sasaki.

"Her zaman bir çıkar yol vardır," diye diretti İsrailli doktor. "Yeter ki bulunsun!"

Alvin Westen de ayağa kalktı. Biraz zor yürüdü.

"Sayın bakanla Kaplan ona doğru koştu. "Kendinizi iyi hissetmiyor musunuz?"

"Temiz hava!" dedi yaşlı adam. "Beni lütfen temiz havaya çıkarın!"

Petra Steinbach yatağında doğruldu. Ayak sesleri duymuştu. Bulaşıcı hastalıklar bölümündeki odasında ışık yandı. "Eli!" dedi Petra şaşkınlıkla, "ne işin var burada?"

İsrailli doktor üzerine koruyucu giysiyi geçirmişti. "Seni bu saatte rahatsız ettiğim için özür dilerim. Fakat bunu yapmak zorundaydım, Petra."

Ve hemen pencerenin önünde duran büyük masanın üzerine yayılmış kâğıtları, moda dergilerini ve resimleri bir kenara itmeye başladı.

Petra yataktan fırladı. Üzerinde gecelikle adamın yanına koştu. "Ne yapıyorsun? Yarın bana lazım onlar. Bütün çalışmalarımı karmakarışık ettin! Eli, ne oluyor?"

"Bu bir zamanlar Tom'un çalışma masası değil miydi?"

"Evet, ne olmuş? Bir zamanlardı!"

Kaplan iskemleyi çekti. Oturdu. Bilgisayarın düğmesine bastı. Bir diski koydu ve çabuk tuşlara dokundu. Düzen sessizce çalışmaya başladı.

"Ne güzel," dedi Petra. "Günlerdir arayıp soranınız yok, sonra birden gece yarısı buraya gelip beni uykumdan ediyorsun! Beni ziyaret ettiğinizde hep seviniyorum, fakat böylesi de olmaz ki! Kendini pek iyi hissetmiyorsun sanırım?" Kaplan'ın kenara ittiği kâğıtları aldı. "Yeni yaz koleksiyonum. Daha yeni bitirmiştim. Hangisini istersin? Denizci mi olsun, yoksa sporcu mu? Bak bunlar da çok güneşli günlerde giyilebilir. Ve de şunlar, alışveriş için kente indiğinde... Sırtı açık bluz... Yandan düğmeli dar etek..."

"Petra lütfen!"

"Evet, Eli. Hoşuna gidiyor mu bunlar?"

"Çok," dedi adam, yanında duran kadına bakmadan. "Çok güzel hepsi de. Fakat senden rica edeceğim, lütfen yatağına gir ve çeneni kapa!"

Bilgisayar sessizce çalışmaya devam etti.

"Artık gözyaşlarım gelmiyor," diye Mila saat bire doğru konuştu. "Artık ağlayamıyorum. Dua da edemiyorum. Böyle bir şeye nasıl izin verdi ulu Tanrı? Bunu yapanlar insan değil. Hayvan onlar. Nasıl bir dünyadayız? Yaşamak istemiyorum. Hepimize kahve yapayım..."

"Yatsak iyi olur, Mila," dedi Norma. "Fakat önce bir kahve içelim."

"İlaçlardan sonra olmaz," diye Barski karşı çıktı.

"Öyleyse çay yapayım," dedi Mila.

Biraz sonra çaylarını içtiler. Norma ve Barski çalışma odasında oturmaktaydı. Telefon çaldı. Barski hızla açtı. Masanın üzerindeki teybin bandı dönmeye başladı.

Madeni sesli adam konuştu. "Hemen açtınız. Bu çok güzel. Kızınızın sesini duymak istiyordunuz. Dinleyin..." Kısa bir aradan sonra Barski, Jeli'nin kısık ve titrek sesini duydu. "Jan! Jan adamlar bana bir masal kitabı hediye etti. Eğer senden istediklerini yerine getirirsen, bana dondurma da alacaklar. Çilekli ve çikolatalı. İstediğim kadar." Sustu. Sonra madeni sesli adam konuştu. "İstediğiniz oldu mu? Duydunuz, söylediğimizi yerine getirirseniz, istediği kadar dondurma alacağız kızınıza! Fakat söylediğimizi yapmazsanız, kızınızın başına ne geleceğini çok iyi biliyorsunuz, değil mi?" Telefon kapandı.

"Tatlım!" diye Mila bağırdı. "Şükürler olsun sana ulu Tanrım!"

"Evet, evet."

"Yaşıyor! Tatlım yaşıyor! Ulu Tanrım, biraz önce söylediklerim için affet beni! Ne olur..."

"Lanet olsun, susun artık!" diye Barski öfkeyle bağırdı. Mila şaşkın şaşkın karşısındaki adama baktı. Bütün vücudu titriyordu. Onu hiç böyle görmemişti. Birden telefon çalmaya başladı. Mila sağ elini göğsüne götürüp haç çıkardı.

Barski telefona atıldı. "Alo?" dedi. "Evet... Buldunuz mu? Evet, bekliyorum..."

"Telefonun nereden geldiğini buldular mı?" diye Norma şaşkın şaşkın sordu.

"Evet."

"Ulu Tanrı yardım ediyor!" diye Mila heyecanla konuştu. "Nereden konuşmuşlar?"

"Lübecker Caddesi'nde metro istasyonundaki bir telefon kulübesinden. Bütün polis otomobilleri oraya doğru yola çıkmış. Beklememi söyledi." Telefonu kapattı.

Beklediler. Beş dakika. Sonra telefon yine çaldı. Barski açtı. Biraz önce telefon etmiş olan memur konuştu. "Olmadı. Bulamadılar."

"Metro istasyonundan demiştiniz!"

"Evet. Fakat polisler geldiğinde telefon kulübesi bomboşmuş. Kulaklık telefonun yanında duruyormuş. Bir de küçük verici. Kızınızı kaçıranlar onun aracılığıyla konuşmuş. Telefon kulübesi bir rele istasyon uymuş. Çok akıllıca, öyle değil mi?"

"Evet," diye Barski konuştu. "Çok akıllıca, lanet olası!" Telefonu kapattı.

Birkaç dakika sonra telefon yine çaldı. Madeni sesli adamdı arayan. "Sondersen bütün aramalara son verdiğini söylemişti. Fakat altı polis otomobili telefon kulübesine geldi," dedi.

"Ben ne yapabilirim ki?

"Sondersen'e söyleyin, eğer kızınızı öldürmek zorunda kalırsak, sorumlusu o olacak! Anladınız mı?"

"Evet."

"Ve şimdi beni iyi dinleyin! İstediklerimizin bir an önce bize verilmesi gerekli. Mümkün olduğu kadar çabuk olmalı. Sondersen'le konuştuktan hemen sonra doğru enstitüye gidin. Kapıdaki adama, sabah yedide birisinin geleceğini söyleyin. Adı Hans Heger. Tekrarlayın!"

"Hans Heger."

"Büyük bir Mercedes'le gelecek. 500 modeli. Kapıcıya, adama bir giriş kartı verdiğinizi söyleyin."

"Fakat ben kimseye böyle bir şey vermedim."

"Rica ederim! Heger'in elinde bir giriş kartı var tabii! Kapıcı size telefon edecek. Siz kendisine, Heger'in yanınıza gelebileceğini söyleyin. Biz kendisini sürekli izleyeceğiz. Eğer kapıcı şöyle bir şüphelenmeye kalkarsa, kızınız ölmüş demektir. Anladınız mı?"

"Evet."

"Enstitü bu saatte kapalıdır. Kapıcı size telefon ettiğinde, Hans Heger'in girmesi için kapıyı açacağınızı söyleyin. Kendisine bir disk verilecek. Bu diskin üzerinde virüs ve karşı aşı üzerine bütün veriler olacak. Tamam mı, anladınız mı?"

"Evet."

501

"Sonra saat dokuzda Dresdner Bankası'nın şubesine gidecek ve orada kasada sakladığınız kopyasını da alacaksınız! Heger sizi bekleyecek. Diski ona vereceksiniz. Eğer Sondersen bir an bile işe karışmaya kalkarsa, kızınız üç dakika içinde ölecektir. Anladınız mı?"

"Evet."

"Bütün bu söylediklerim yolunda gitmelidir! Kızınızı düşünün!"

"Tanrım, elimden geleni yapacağım!"

"Bağırmayın! Bankadaki kopyalarını da aldığımızda, çocuğunuz hemen serbest bırakılacaktır! Sondersen bütün adamlarını geri çekti. Haberimiz var. Otomobiliniz kapının önünde. Hemen yola çıkın!"

Telefon kapandı.

Barski, emniyet müdürlüğünden Sondersen'i aradı. "Konuşulanları duydunuz, değil mi?"

"Evet."

"Eğer işe karışmaya kalkarsanız, çocuğumun katili olursunuz!"

"Hiçbir şeye karışmayacağım."

Barski ayağa kalktı. Telefonu kapattı.

"Ben enstitüye gidiyorum," dedi Norma'ya

"Ben de geliyorum."

"Mümkün değil. Sen burada kalmalısın. Anlıyorsun, sanırım?"

"Evet," diye mırıldandı Norma.

Üç dakika sonra pencereden baktığında Barski'nin Volvo'sunun hareket ettiğini gördü. Cadde karanlık ve bomboştu.

Petra'nın odasında Eli Kaplan bilgisayarın karşısında oturuyordu. Arada sırada tuşlardan birine basıyordu. Kol saatine baktı. Diski değiştirdi. İki tuşa daha bastı.

"Bütün bu yaptıklarının nedenini artık söyler misin bana?" diye Petra yatağından seslendi. "Söylesene, Eli!"

Adam yanıt vermedi. Bilgisayar çalışmaya devam etti.

"Seninle konuşmak istiyorum. Eğer yanıt vermezsen, bağırırım."

"Lütfen biraz daha sabret, sevgili Petra!"

Kadın yataktan fırladı. "Nasıl istersen!" Masada ve yerlerde duran moda dergilerini toplamaya başladı. Bir yandan da yüksek sesle konuşuyordu: "Valentino! Kendinden emin kadının modası! Kişiliklerini ön plana çıkarmak isteyen kadının modası!"

Telefon çaldı. Norma açtı.

"Ne var?"

"İyi günler, Bayan Desmond," dedi madeni sesli adam, "Enstitüye tek başına gidip gitmediğini bilmek istemiştim de!"

"Tek başına gitti." Norma yüreğinin çılgın gibi attığını hissetti. "Dinleyin beni... Bakın... Değiş tokuş yapalım!"

"Ne dediniz?"

"Jeli'yi benimle değişin! Söyleyin, ne isterseniz yapayım! Sondersen bu konuşmayı dinliyor! Peşimden de kimse gelmeyecek. Nereye isterseniz gelirim. Beni teslim alın ve çocuğu serbest bırakın. Yalvarırım size!"

"Kendinizi neden tehlikeye atmak istiyorsunuz?"

"Jan'ı sevdiğim için. Ve Jeli'nin başına bir şey gelmesi çok müthiş, çok dehşet verici olacağı için. Tabii böyle bir şeyin suçlusu siz olmayabilirsiniz. Fakat ne de olsa araya beklenmedik bir şey girebilir... Çocuğu öldürmek zorunda kalabilirsiniz." Norma çok hızlı konuşuyordu. Mila yanında durmuş, şaşkın şaşkın bakıyordu. Slavca bir şeyler mırıldandı.

"Barski beni de seviyor. Sizin için daha iyi bir rehine değil miyim? Çocuk ne olup bittiğini anlamıyor ki... Ben..."

"Evet?"

"Sirkteki cinayette oğlumu yitirdim. Bir çocuğun daha ölebileceği düşüncesi beni deli ediyor. Eğer bir insan ölecekse, ben öleyim... Fakat bir çocuk ölmesin! Hayır!"

"Bir saniye."

Norma masanın yanındaki koltuğa bıraktı kendini. Mila Slavca mırıldanmaya devam ediyordu. Norma kulaklığı sıkıca tuttu. Bekledi.

Biraz sonra adam tekrar konuştu. "Kabul. Değiş tokuş yapacağız. Hemen yola koyulun. Peşinizden kimse gelmeyecek. Hiç kimse, anladınız mı?"

"Gelmeyecek..."

"Hamburg'u iyi tanıyorsunuz. Sieveking Bulvarı'ndan geçip Horner kavşağına gidin. Lübeck-Berlin yönünde uzanan otoyola çıkışta sağ şeritte durun. Anladınız mı?"

"Çıkışta sağda."

"Tamam."

"İkimizi birden öldürmeyeceğinizi kim garanti ediyor?"

"Hiç kimse? Haydi çıkın artık yola!"

"Peki!"

Norma telefonu kapattı ve yerinden fırladı. Kapıya koştu:

"Bayan Desmond!" diye Mila yalvarır gibi peşinden seslendi.

"Bayan Desmond! Sayın bayan!" Kapı Norma'nın arkasından kapandı.

41

Barmbecker Caddesi'nde sürdü otomobili, güney yönünde. Çocuk, diye düşündü. Bir çocuk daha ölmemeli! Her şey olsun, fakat bu olmasın! Jeli ölmesin! Ben Jan'ı seviyorum. Ben ona yardım etmek istiyorum. Ona ve çocuğuna. Peşimden gelen var mı? Hayır, hiç kimse gelmiyor. Kavşaklarda trafik ışıkları söndürülmüştü. Hızla ilerledi.

Tabii başka şeyler de var, diye bir an düşündü. Çok ünlü bir doktor bana bir zamanlar, insanoğlu çok yönlüdür, demişti. Ben bir gazeteciyim. Bir muhabirim. Bu olay üzerine çok şey biliyorum. En sonunu da bilmeliyim. Belki bunu öğrenmek isterken yaşamımı yitiririm. Bu meslekte böyle bir şeyi göze almak gerekir! Olayın sonunu bilmelisin, demişti Pierre. Tam sonuna geldiğinde vazgeçen kötü bir gazetecidir. Gazeteci korkmaz, tehlike nedir bilmez, demişti Pierre. Yaşam hep tehlikelidir. Kaestner'i severdi... Bir kavşak daha. Karanlığın içinde yanıp sönen sarı trafik ışıkları. Hohenfelde'yi geçti. Evet, insanoğlu çok yönlüdür. Kendini olduğundan daha iyi yapmaya kalkışma! Sen sonu görmek, yaşamak, bilmek istiyorsun. Sen onu yazacaksın. Onun için de öğrenmelisin. Landwehr metro istasyonunda Sieveking Bulvarı'na vardı. Hemen sola saptı, doğu yönüne. Bir şey daha. Jan'ı sevdiğim için de korkuyorum. Bir süre korkum yoktu. Fakat şimdi korkuyorum artık. Aşk beni korkutan. Birbirini sevenlere ne olacağını bildiğim için. Ömrümde bir daha sevmemeye karar verdiğim için. Hiç kimseyi sevmemeye. Oysa şunu sen de biliyorsun ki, her şey yolunda gider, sen ve Jeli olayı kazasız belasız atlatırsanız, sevgin güzel olacak. Sen yaptığının tehlikesini biliyorsun, Evet, diye mırıldandı. Evet, yapıyorum. Çok yönlü insanoğlu! Tek bir konu, fakat bir sürü neden! Ve her şey berbat olursa... Ne yapayım, ben böyle istedim! Bu aşkta ilk önce ben ölürüm... Yaşamım sona erer! Ölümden sonra ne gelir? Hiçbir şey. Ne mutluluk, ne de hüzün! Ne güzel!

Lübeck-Berlin yönünde uzanan otoyolun işaretlerini gördü. Çıkış yönüne saptı. Burada durmalısın, dedi kendi kendine. Otomobili sağa çekti. Durdu. Çevre mezar sessizliğindeydi. Arkasına dayandı ve derin derin soluk aldı. Artık dönüş yok, diye mırıldandı. Ne kadar çok yıldız var gökyüzünde. Güzel bir günün müjdecisi...

Otomobilin penceresi vuruldu. Başına maske geçirmiş bir adam dışarıda duruyordu. Gözleri ve ağzı seçilmekteydi. Elindeki tabancayı salladı. Dışarı çık, demek istiyordu.

Norma otomobilden indi. Birkaç adım ötede ikinci bir adam daha gördü. O da başına bir maske geçirmişti. Kenarda büyük bir kamyon durmaktaydı. İkinci adam yanına gelmesini işaret etti. Norma yürüdü. Ve tabancanın namlusunu sırtında hissetti. Kamyona doğru ilerlediler. Adam arka kapıyı açtı. Binmesini işaret etti. Norma söyleneni yaptı. Birkaç adım attı. Görmediği üçüncü bir adam ellerini yakaladı, sırtını çevirdi ve bileklerine kelepçe geçirdi. Hiç kimse konuşmuyordu. Norma yere oturdu. Arkasına dayandı. Yüzünü seçemediği adam bir bezle gözlerini bağladı. Kapı kapandı. Kilitlendi. Dışarıdaki adam üç defa kapıya vurdu. Kamyonun motoru çalıştı. Yola çıktılar.

Enstitüde telefon çaldı.
Barski açtı. "Ne var?"
"Beyefendi, çok şükür! Üç defa aradım sizi! Ben Mila!"
"Gece nöbetçisi kapıcıyla konuşmam gerekmişti, Mila. Biraz önce girdim büroma. Niçin telefon ediyorsunuz?"
"Bayan Desmond gitti."
"Ne demek, gitti?"
"Siz evden çıktıktan biraz sonra yine telefon çaldı. Aynı adam aradı. Bayan Desmond'un evde olup olmadığını bilmek istiyordu."
"Sonra?"
"Sonra Bayan Desmond değiştirmeleri için yalvardı."
"Neyi değiştirmeleri için?"
"Kızınızla kendisini değiştirmelerini söyledi."
"Ulu Tanrım!"
"Adam biraz düşündü, sonra kabul etti."
"Nereden biliyorsunuz kabul ettiğini?"
"Bayan Desmond adama çok teşekkür etti. Telefonu kapatır kapatmaz da çıkıp gitti. Ben engel olamadım kendisine. Otomobiline bindi. Acaba şimdi küçük kızımız eve gelecek mi dersiniz?"

"Bilmiyorum, Mila."

"Gelmeyecek mi diyorsunuz?"

"Gelecek, tabii. Evet, Mila."

"İnanalım buna, beyefendi. Bir daha da sizi rahatsız etmeyeceğim. Bana haber verene kadar bekleyeceğim. Tanrı sizi korusun. Küçük kızımızı da. Ve Bayan Desmond'u da. Ulu Tanrım, sen hepimizi koru!"

Barski telefonu kapattı. Norma, diye düşündü. Böyle yapmakla beni hiç rahatlatmadın...

Otoyol, diye Norma düşündü. Otoyolda ilerliyoruz. Bunu hissediyorum. Bir saattir otoyoldayız. Hangisi bilmiyorum. Gözlerimi bağlamış, bileklerime kelepçe geçirmiş insan da bu kamyonun içinde. Bunu da hissediyorum. O kişi hiç yerinden kıpırdamıyor. Soluğunu bile duymuyorum. Fakat o yakınımda. Gözlerim ilk defa bağlanmıyor. Röportaj yaparken bağlamışlardı. İki defa. Beyrut'taki bir Şii reisi ve Haiti adasında diktatör Baby Doc'a karşı savaşanlardan biriyle yaptığım görüşmelerde. Kamyon yavaşladı. Otoyoldan ayrılıyoruz. Evet, çok iyi hissediyorum. Keskin bir viraj. Uzun bir viraj.

Başka bir yola çıkıyoruz. Yolun asfaltı başka. Daha kaba. Geniş bir yol olabilir. Çünkü yine hızlandık. Yola koyulalı ne kadar oldu? Saat kaç? Zaman kavramını yitiriyor muyum?

Telefon.

Barski saatine baktı. Tam yediydi.

"Ne var?"

"Doktor Barski mi?"

"Evet."

"Ben Willems. Kapıdaki gece nöbetçisi. Saat yedide Bay Heger'i beklediğinizi söylemiştiniz."

"Doğru."

"Beklediğiniz bay şimdi burada. Giriş kartını gösterdi."

"Bırakın girsin lütfen. Kendisine söyleyin, ben aşağı inip binanın giriş kapısını açacağım."

"Başüstüne, doktor bey."

Yoldan ayrıldık. Bir orman yoluna girdik sanırım. Toprak bir yola benziyor. Yukarı doğru çıkıyoruz. Oldukça dik bir yol. Şoför vites düşürdü. Yavaşladı. Ağır ağır çıkıyor. Bana mı öyle geliyor, yoksa gerçekten mi ağaçların kokusunu hissediyorum? Evet, evet. Çevre orman kokuyor ve mazot. Mazot kokusunu bütün yol boyunca duymuştum. Şimdi bu koku arttı. Orman kokusu da yeni.

Mercedes enstitüden geri geldi ve kapıcının kulübesi önünde durdu. Gece nöbetçisi Willems dışarı çıktı. Giriş kartında Hans Heger yazan adam direksiyonda oturuyordu. Gülümsedi. Willems engeli kaldırdı. Mercedes dışarı çıktı.

Hans Heger kırk yaşlarında, zayıfça bir adamdı. Üzerinde çok pahalı bir takım vardı. Otomobili çok dikkatli kullanıyordu. Bir kaza filan yapmak istemiyordu. Ne de olsa bagajda disk vardı. Heger çok titiz ve dikkatli bir adamdı.

Şimdi yine bir caddeye çıktık, diye düşündü Norma. Fakat orman içinde bir asfalt cadde olmalı. Evet, burası ormanlık. Ağaç kokuyor ve kuşlar cıvıldıyor. Öyleyse hava da aydınlanmış. Kamyon hızlandı... Aradan çok geçmeden yine yavaşladı. Şoför vites düşürdü. Yokuş yukarı çıkmaya başladı. Kamyon şimdi sallanıyordu. Yol biraz sonra bozuldu. Norma yere düşmüş ağaç dalları üzerinden geçtiklerini fark etti. Ve birden durdular. Ayak sesleri duydu. Kapının kilidine anahtar girdi. Kapı açıldı. Yakınımda oturan kişi beni ayağa kaldırdı. Kolları güçlü. Yere indirdi. Tabii ormanlık burası. Ne güzel kokuyor ağaçlar!

Beni iki kişi taşımaya başladı. Adamlar soluk soluğa. Yokuş çıkıyorlar. Terlediklerini hissediyorum. Bir yere giriyoruz. Beton kokusu geliyor burnuma. Beton ve ter kokusu. Birkaç basamak indik. Beş. Sonra düz yürüdüler. Koridor olacak. Bir kapı açıldı. Beni içeri soktular. Adımlarının sesi duyuluyor burada. Boş bir oda olacak. Bir kapı daha açıldı. Neredeyiz? Eski bir sığınakta mı? Bir oda daha. Soğuk, sigara dumanı kokuyor. Beni yere oturttular. Beton zemine. Burası küf kokuyor. Adamlar uzaklaştı. Tek başıma kaldım. Tek başıma. Bir süre. Fakat ne kadar? On dakika mı? Yoksa iki saat mi? Bilemiyorum. Sonra adımlar. Gelen var. İyice yaklaştı. Yanımda durdu. Bir erkek öksürdü. Eğilip kelepçeleri şöyle bir gevşetti. Sonra yine kapattı. Adam kolonya kokuyor. Giyimine dikkat eden birisi olacak. "Günaydın, Bayan Desmond," dedi adam. "Birbirimizi tanıyoruz. Daha doğrusu seslerimiz tanışıyor."

Norma yanıt vermedi.

"Burası rahat değil. Özür dilerim. Fakat başka türlü olamazdı. Gözlerinizin bağını da çıkaramam tabii. Size hemen kahve ve yiyecek bir şeyler getirecekler. Biz de sizin gibi her şeyin bu duruma gelmesini istemezdik. Şurada portatif bir yatak duruyor. İsterseniz oraya uzanabilirsiniz. Kova da devamlı boşaltılıp temizlenecek tabii. Doktor Barski'ye gelelim. Çok kolaylık gösterdi. Enstitüdeki diskler şu anda elimizde. Kodu da verdi. Banka kasasındaki kopya da her an elimize geçecek. Tabii uzmanlarımız onları gözden geçirecek. Bayan Desmond, eğer sigara içmek isterseniz söyleyin. Birisi sigaranızı tutar."

Norma sordu: "Çocuğa ne oldu?"

August ve Dietlinde Ammersen'in süt, ekmek ve peynir satan küçük dükkânı Harburg semtinde Luneburger Caddesi'ndeydi. Elbe'nin sol kıyısındaki bu semt Lüneburg ovasına yakındı. Tepeler de pek uzak sayılmazdı.

Her gün olduğu gibi o gün de, August Ammersen dükkânını sabah yedide açmıştı. Saat yedi buçuğa doğru da ilk müşteriler dükkânı doldurmaya başlamıştı. Ammersen'lerin yanında iki de genç kız çalışıyordu. Sallana sallana, zor yürüyen küçük bir çocuğun dükkâna girdiğini ilk anda kimse fark etmedi. Dışarı çıkmak isteyen bir kadın hızla arkasına döndü ve çocuğa çarptı. Çocuk acıyla bağırdı. Kadın hemen eğildi. "Çok affedersin, acıdı mı?" dedi. "Fakat sen nereden geliyorsun? Bir şey mi oldu?" Çocuğun yüzü sapsarıydı. Saçları karmakarışık, üstü başı kir içindeydi. Bakışlarında korku vardı. Paniğe kapılmış gibiydi. "Konuşsana!" diye yanına diz çökmüş kadın sesini yükseltti. "Bir şey söylesene! Korkma! Sana kimse bir şey yapacak değil!" Dükkândaki diğer müşteriler de çocuğun yanına geldi. "Bu çocuk semtimizden değil,", "Adın ne?", "Nereden geliyorsun?" "Söylesene adını!"

"Bayan Ammersen, hemen polise haber verin! Bir de doktor yollasınlar! Küçük kızın sağlığı iyi değil gibi", "Zavallı kızcağız!", "Yabancı işçilerden birinin çocuğu olacak. Sabah sabah sokağa salıvermişler."

"Ah, Tanrım! Şimdi de ağlıyor!", "Bakın, bilekleri kanlı!", "Dedim ya bir şey olmuş kızcağıza! Haydi, Bayan Ammersen!" "Telefondayım!"

Küçük kız sonunda konuştu. "Benim adım Jeli Barski! Lütfen babama telefon edin."

"Telefon numarasını biliyor musun?"

"Evet."

"Söyle bakayım!"

Jeli sustu. Ve birden ağlamaya başladı.

"Telefon numarası! Haydi söyle! Telefon numarasını!"

42

"Bayan Desmond!" Adam yatağın kenarına geldi.

"Evet?" Kadının gözleri bağlıydı. Elleri de kelepçeliydi.

"Sizi buradan çıkarıyoruz."

"Serbest mi bırakılıyorum?"

"Evet." Norma yine kolonya kokusu duydu. Bakımlı bir erkekti yanına girip çıkan.

"Fakat niçin?" diye sordu. "Uzmanlarınızın diskleri gözden geçireceğini söylemiştiniz."

"Gözden geçirdiler."

"Bugün günlerden ne?"

"Çarşamba"

"Hangi Çarşamba?"

"8 Ekim."

"8 Ekim mi? Ben 3 Ekim sabaha karşı buraya getirildim. Şimdi öğle mi, akşam mı?"

"Akşam. Yola çıkmadan önce bir şey yapılacak. Gel buraya!" dedi yanındaki adam. Bir başkası yatağa sokuldu. Norma irkildi. "Acımayacak," dedi adam. "Fazla zamanımız yok... Haydi, yapın!"

Norma'nın vücuduna eller dokundu. Etekliğinin fermuarı aşağı çekildi. Eteklik indirildi. Külodu da.

"Yüzükoyun. Lütfen yüzükoyun yatın!" Norma isteneni yaptı. Öteki adam ıslak bir pamuğu sürdü. Ve hemen peşinden vücuduna bir iğnenin girdiğini hissetti. "Hemen geçecek. Aferin..." Her tarafı yanar gibi oldu.

"Sıcak değil mi?" Norma başını salladı.

"Çok güzel. Etkisini hemen göstermeye başladı demek," dedi adam. Sonra iğneyi yapana, "Ötekiler çekip gitsin!" dedi. "Söyle onlara. Sen ve ben burada kalacağız. Beş dakika sonra uykuya dalar."

Uyuyor muyum, diye düşündü Norma. Ve her tarafının tutulur gibi olduğunu hissetti. Kurşun gibi ağırlaşıyorum. Sonsuz bir yorgunluk kaplıyor bütün vücudumu.

"Güle güle, madam. Böyle yapmak zorunda kaldığımız için de affedin bizi! Başka türlü davranamazdık."

Evet, dedi Norma kendi kendine. Böyle yapmak zorundaydılar. Şimdi bana ne yapacaklar? Nereye...

43

Barski'yle otoyolda gittiğini görüyordu düşünde. Geceydi. Gökyüzünde sayısız yıldız ışıldıyordu ve hava çok sıcaktı. Pencereden içeri giren rüzgâr yüzünü okşuyordu. Üzerindeki gökyüzü sonsuz bir kubbeydi. Fakat ben niçin yatıyorum, diye düşündü. Ben bir otomobildeyim. Niçin yanında oturmuyorum? Gözlerini açtı ve Volvo'nun arka koltuğunda yatmakta olduğunu fark etti. Önünde Barski'yi gördü. Otomobilin direksiyonunda. Yerinden şöyle bir doğruldu. Gerçekten otoyolda gitmekteydiler. Karşıdan gelen bir otomobilin ışıklarını seçti. Gözleri acıdı. Ağaçların yanından geçiyorlardı.

"Jan," diye mırıldandı. Sesi zor çıkmıştı. Geğirdi.

"Evet," dedi öndeki adam. "Evet, sevgilim. İyi uyudun mu?"

"Evet..." Norma yerinde doğruldu. Oturdu. Ve utandı. Bütün vücudum kokuyor. Barski bir kolunu arkaya uzattı. Norma adamın elini tuttu. Sıktı. "Jan... Jan..." diye mırıldandı yine.

"Benim tatlı sevgilim. İyi yürekli insan," dedi Barski, "seviyorum seni."

"Jan..." Norma konuşamadı. Başını kaldırıp ileri baktı. Karanlığa. Çok hızlı gidiyorlardı. Kilometre saati 220'yi gösteriyordu. "Çıldırdın mı? Niçin bu kadar hızlı gidiyorsun?"

"Sondersen de çok hızlı gidiyor."

"Sondersen mi? Nerede?"

"Önümüzde. Bak kırmızı ışıkları gözüküyor."

"Kırmızı ışıkları..." Gözlerini kıstı. "Evet, evet. Görüyorum."

"Peşimizden de bir başka otomobil geliyor."

Zorla arkasına döndü. Bir cankurtaran gelmekteydi.

"En önde de senin Golf'un. Eli kullanıyor."

"Eli de mi geldi?"

"Evet, sevgilim."

"Neredeyiz?"

"Bremen'le Hamburg arasında. Hamburg'a yakınız."

"Niçin Jan?"

"Adam telefon etti."

"Hangi adam? Ah, evet. Fakat niçin o? Çok acele gitmesi gerekiyordu onun."

"Gitti de. Çok uzaklara. Başka bir ülkeye."

"Başka bir ülkeye mi?"

"Sondersen söyledi. Gittiği ülkeden telefon etti bize."

"Ne zaman?"

"İki saat önce. Enstitüye. Hepimiz bürodaydık."

"Herkes senin büronda mıydı? Jan... Biz özgür müyüz?" Önündeki adam bir an sustu. Sonra, "Evet, sevgilim. Özgürüz," dedi. "Her şey geçti artık... Adam telefon etti ve Golf'unun Bremen yakınlarında Ceeven çıkışından sonraki ilk otoyol parkında durduğunu söyledi. Seni almamı istedi. Tehlike geçti, dedi. Korkmanıza gerek yok. Sondersen ve adamlarının gelmesine de gerek yok, dedi. Fakat onlar yine de birlikte geldi. Eli de. Söylenen yerde Golf'unu ve seni bulduk. Şimdi Hamburg'a dönüyoruz."

"Hamburg'a... Eve mi gidiyoruz?" diye Norma mırıldandı ve düşündü. Ne güzel bir sözdü... Eve... "Saat kaç?" diye sordu.

"Gece yarısı oldu."

"Hangi gündeyiz?"

8 Ekim Çarşamba. Biraz sonra perşembe başlayacak."

"Biraz sonra perşembe..." diye yineledi. "Sen çok iyi bir insansın, Jan. Beni gelip aldığın için. Adam kolonya kokuyordu." Norma henüz kendine gelmiş sayılmazdı.

"Kim?"

"Telefondaki madeni sesli adam. Onu hiç görmedim. Gözlerim bağlıydı. Bileklerimde de kelepçeler vardı..." Başını eğip bileklerine baktı.

Kelepçeler yoktu. "O mahzende hep kelepçeliydim... Sanırım bir mahzendi orası... Eski bir sığınak da olabilirdi... Savaştan kalma... Ormanın içinde bir yerde... Buradan çok uzakta olacak... Ah Jan, çok iğrençti her şey..."

"Düşünme artık. Her şey geçti. Her şey yolunda..."

Niçin? Niçin her şey yolunda? Norma karşıdan gelen otomobillerin farlarını gördü. Hızla geçip gidiyorlardı. Kilometre saati şimdi 225'i gösteriyordu. Norma önde giden otomobilin üzerinde mavi ışığın dönüp durduğunu fark etti. "Niçin her şey yolunda, Jan? Bu olamaz ki!"

"Olur, olur Norma." Güldü. Gırtlaktan.

"Fakat nasıl?" Birden anımsadı, "Jeli nerede?"

"Virchow Hastanesi'nde. Çocuk kliniğinde." Işıklar. Hep ışıklar. Karşı yoldan geçen birçok otomobil. Açık pencereden giren sıcak rüzgârın yüzüne vurduğunu şimdi hissetti.

"Ne oldu Jeli'ye?" Henüz doğru dürüst düşünemiyordu.

"Yok bir şey, Norma. İyi yürekli Norma. Cesur Norma. Hiçbir şey olmadı. İkinizi değiş tokuş etmelerini istemiştin. Yaptılar. Bu sabah da Jeli'yi Harburg semtinde salıverdiler. Ne yaptığını bilmeden sokaklarda dolaşmış durmuş. Tabii şok altında. Onun için hastanede alıkoydular. Şimdi almaya gidiyoruz. Bu sabah tam yedide Heger denen adam geldi ve diskleri benden aldı. Saat dokuzda da Dresdner Bankası'ndaki kasadan kopyaları verildi. Heger Mercedes'inde bekledi. Ben bankadan alıp verdim."

"Niçin?"

"İstedikleri için, sevgilim! Eğer vermeseydim, Jeli'yi veya seni öldüreceklerini söylemişti adam."

"Ah, evet... Sondersen ve adamlarının hiçbir şey yapmamasının nedeni de buydu. Şimdi her şeyi biliyorum. Fakat sen anlatmaya devam et. Sonra ne oldu?" diye sordu Norma. Ve açık pencerelerden içeri giren rüzgâr şarkılar söylemeye başladı... Niçin rüzgâr şarkı söylüyor, diye düşündü. Ne güzel... "Sonra ne oldu?" diye tekrarladı.

"Alvin Westen ve Eli Kaplan bir çıkar yol buldu!"

"Bir çıkar yol mu?"

"Evet. Telefon eden adam, banka kasasında bir kopya sakladığımızı biliyordu. Enstitüde bir şey olursa diye. Örneğin yangın gibi..."

"Sonra..."

"Onun için ikisini birden istedi. O zaman bütün malzeme eline geçecekti, değil mi?" "Evet, doğru. Fakat ne demek, geçecekti?"

"Söylediğim gibi Westen'le Kaplan bir çıkar yol buldu. Hem de nasıl bir çıkar yol! Zavallı Tom ölümünden önce hiç aralıksız çalışmıştı. Bu nedenle odasına bir bilgisayar yerleştirilmişti."

"Evet, evet. Sonra?"

"İşte Westen'le Kaplan, bu bilgisayarın hâlâ orada durduğunu anımsadılar. Şimdi Petra'nın kaldığı odada."

"Harika!"

"Evet. Harika! Anlamaya başladın sanırım? Eli kodu biliyordu. Dün gece Petra'nın odasına girdi, bilgisayarın başına geçti ve bütün malzemenin bir kopyasını çekti. Disklere."

"Jan... Jan..."

"Virüs ve karşı aşı üzerine bütün verileri disklere kaydetti. Ben Hans Heger denen adama diski vermeden az önce de bunu başardı!"

"Peki sonra?"

"Sonra da Westen, Bonn'daki Sovyet Büyükelçiliğine telefon etti ve Amerikalıların bütün her şeyi ele geçirdiğini söyledi. Ancak virüs ve karşı aşı üzerine verilerin bir kopyasının daha elimizde bulunduğunu açıkladı. Bu diskleri isterlerse Sovyetler'e verebileceğimizi söyledi onlara. Tabii bundan sonra da Sovyetler, Amerikalılarla ilişki kurdu ve virüsle karşı aşısı üzerine bütün verilerin kendi ellerinde de bulunduğunu bildirdi. Amerikalılar önce Ruslar blöf yapıyor sandı. Fakat bunun gerçek olduğunu anladılar. İşte o andan itibaren senin hayatın tehlikeye girmişti. Acaba öfkelenip seni öldürecekler miydi?"

515

"Bir saniye," diye Norma heyecanla konuştu. "Bir saniye! Her şeyi iki güce birden teslim etmek Alvin'le Kaplan'ın mı aklına geldi?"

"Evet, sevgilim. Bu düşünce Alvin'le Kaplan'ındı. Artık kimsenin inanmadığı bir çıkar yolu onlar buldu!"

"Yeni bir savaş için, Soft War için gerekli o kusursuz silah şimdi Amerikalılarla Sovyetler'in elinde. Öyle mi?"

"Evet," dedi Barski. "Senin anlayacağın o kusursuz silah artık kör, hiçbir işe yaramaz! Virüs ikisinin de elinde. Fakat karşı aşı da! Her iki güç de, karşı gücün virüsü yayacağından korktuğu için insanlarına aşıyı yapacak. Ve böylece virüsün etkisi ortadan kalkacak, sıfıra inecek!"

Norma arkasına yaslandı.

"İkisi de ellerinde. Fakat bir işlerine yaramayacak. Ve bu çıkar yolu Alvin'le Kaplan buldu. Ne kadar harika değil mi? Ne kadar eşsiz bir düşünce! Söylesene, harika değil mi bu insanlar?"

"Harika," diye Barski mırıldandı. "Harika ve eşsiz!" Şimdi 230'la gidiyordu.

44

"Tabii," diye biraz sonra konuştu Barski. "Böyle kalacak değil. Sonsuza kadar sürmeyecek barış. Bu mümkün değil! Bir süre Soft War olmayacak! Fakat nükleer savaş tehlikesi kalacak! Norma, Berlin'de Bellmann'ın söylediklerini anımsa, 'Aramaya devam edecekler!' Bizler Soft War için en uygun virüsü ilk bulanlar olma şanssızlığını yaşadık. Gellhorn'a şantaj yapıldı. O ve başkaları yaşamlarını yitirdi. Terör oldu. Hainler ortaya çıktı. Milland öldürüldü. Jeli kaçırıldı. Ne olursa olsun virüsü elde etmek istiyorlardı. Sovyetler'le Amerikalılar. Şimdi istedikleri oldu. Virüs ellerinde. İkisinin de. Şimdi virüsü kaldırıp çöpe atabilirler." Yutkundu. "Bellmann'ın bir süre önce Berlin'de söy-

516

lediği gibi günün birinde bir başkası mutlaka işe yarar bir virüs daha bulacaktır. Tek bulan biz olmayacağız. Şu anda bir ara verildi. Bu ara ne kadar sürer bilemeyiz. Belki uzun, belki de çok kısa! Ancak gelecek defa güçler, Alvin Westen gibi bir adamın silahlarını körletmesini mutlaka engelleyecek. Gelecek defa son kez olacak! Yine de o gün gelene kadar zamanımız var, sevgilim. Umarım!"

Rüzgâr şarkılar söylüyordu. Norma, Barski'ye iyice sokuldu. "Haydi, eve gidelim, Jan!" diye mırıldandı. "Hemen eve gidelim!"

"Gidiyoruz."

"Hayır," dedi Norma onun kulağına. "Bana. Benim evime. Ben bunu çok istiyorum."

45

Kapıdan içeri el ele girdiler.

Benim evim, diye düşündü Norma. Bir hayvan için ini neyse, benim için de burası aynı şeydir. Ben de dönmüşümdür evime, yorgun ya da yaralı, hüzünlü, aç ve bitkin. Bazen de neşeli ve mutlu. Başarılı bir av sonunda. Başka hayvanlarla yarışmış, onları yenmişimdir. Burası benim vatanım. Başka bir yer değil. Bunu da elimden almaya kalkışmışlardı. Fakat başaramadılar, şimdi yine buradayım. Yalnız başıma değilim ve kalmayacağım da!

Evin içinde dolaştı. Bir odadan ötekine gitti. Barski peşinden geldi. Duvarları kitaplarla dolu salonda durdu. Çevresine bakındı. Resimlerle dolu duvarın karşısına geçti. Seviyorum onları, diye düşündü. Bacakları kesik, üniformaları yırtık iki asker Zille'nindi. "Paris Üzerinde Âşıklar" ve "Yeşil Yahudi" Chagall'ın orijinal taşbaskılarıydı. Sonra Milinkov'un resimleri... Horst Janssen'in ölü resmi. Kırmızı beyaz giysili davul çalan çocuk... 'At Krüger' adını taktıkları Berlinli ressam Franz Krüger'indi.

517

Balkona açılan büyük kapılara doğru yürüdü. Onları ardına kadar açtı. Barski'yle yan yana dışarı çıktılar. Elbe kıyılarındaki ışıklara baktılar. Her şey ne kadar yakındı. Elini uzatsa tutacağını sandı Norma. Gökyüzü de yıldız doluydu. Başının üzerindeki sonsuzluğa dokunmak istedi.

"Ben banyoya gidiyorum," dedi birden ve koşarak içeri girdi. "Hemen yıkanmalıyım. Üzerimdeki bu giysileri çıkarıp atmalıyım. Hepsini!"

Sonra sıcak suya uzandı. Her şey gerçek değilmiş gibiydi. Gerçekler düş gibiydi. Şimdi o yanındaydı ve hep yanında kalacaktı. Mümkün olduğu kadar. Belki çok uzun, belki de çok kısa. Boş ver, dedi kendi kendine. Şimdi o yanında ya, önemli olan da bu!

Sudan çıktı. Büyük havluyu alıp kurulandı. Sonra beyaz bornozunu giydi ve yalınayak yatak odasına yürüdü. Gece lambaları yanıyordu. Barski yatağa uzanmıştı. Çırılçıplak. Gülümsedi. Birden Guernsey adasındaki otel odasını anımsadı. Üzerinde yine beyaz bir bornozla Barski'nin odasına gittiği o geceyi. Birden olduğu yerde durdu. Fakat aynı anda adamın göğsünde dört yapraklı yoncayı gördü. Şans getirsin diye ona verdiği. Toparlandı. Yatağa yaklaştı. Belindeki kemeri gevşetti. Bornoz yere kaydı. Gözleri heyecan, coşku doldu Barski'nin. Norma'da aynı duygularla yatağa sokuldu. Barski elini uzattı. Tuttu. Norma kendini yatağa bıraktı. Birbirlerini okşadılar, sevdiler. Bütün kan beynine çıktı. Şakakları zonkluyordu. Hiçbir şey düşünemeyecek duruma gelmeden az önce, hayat denen o kısa oyun bazen nasıl da iyi yürekli olabiliyor, diye düşündü Norma.

SON SÖZ

※

"Uyan Martin!" dedi kadın. "Martin, uyan artık!" Hamburg'dayız. Saat dokuzu on bir geçiyor. Günlerden pazartesi, 25 Ağustos 1986. "Martin," dedi kadın tekrar. "Kalkmalısın!" Martin Gellhorn gözlerini açtı. "Günaydın, Angelika." dedi. 46 yaşındaydı Martin Gellhorn. Yüzü kırışık içindeydi. Saçları da gümüş grisiydi.

Kadın ona doğru eğildi ve öptü. "Günaydın, Martin," dedi. "Bu kadar çok uyuduğunu hiç anımsamıyorum."

"Haklısın, çok uyumuşum."

"Uyanmadan biraz önce gülümsüyordun. Güzel bir düş mü gördün?"

519

"Bilmiyorum."

"Bilmiyor musun?"

"Hayır. Çok uzun bir düştü. Birçok şey olup bitti. Beni bilirsin, düşlerimi pek anımsayamam. Uyanır uyanmaz her şeyi unuturum."

"Yazık," dedi eşi. "Belki güzel bir düştü?"

"Belki de kötüydü," diye Gellhorn konuştu. "O zaman anımsayamamam iyi."

"Lisa ve Olivia seni kahvaltı masasında bekliyor, Martin. Sen gelmeden başlamıyorlar."

Gellhorn yorganı atıp yataktan fırladı. "Hemen geliyorum," dedi.

Tıraş oldu, duş yaptı ve giyindi. Kahvaltı masasına geldiğinde küçük kızları gülümseyerek baktı. Onlara sarıldı. Öptü. Küçük kızı Lisa siyah saçlı ve açık mavi gözlüydü. Yedi yaşındaki Olivia annesi gibi sarışın, kahverengi gözlüydü. Hep birlikte kahvaltı yaptılar. Küçük sandviç ekmekleri tazeydi. Kahve de ne güzel kokuyordu. Hava bugün sıcak, diye düşündü Gellhorn bir an. Güzel olacağa benziyor. Konuştular, güldüler, hep birlikte mutlu oldular. Tatildi. Okul yoktu!

Gellhorn'un çalışması gerekliydi. Kahvaltıdan sonra küçük kızlarını ve karısını öptü. Onlara veda etti.

"Unutmadın, değil mi?" dedi karısı. "Hayır, unutmadım," dedi Martin Gellhorn da. "Biliyorum, söz vermiştim."

"Söz verilen şey yerine getirilir, değil mi?" diye küçük kızı Lisa seslendi.

"Merak etmeyin, ben de verdiğim sözü yerine getireceğim," dedi Gellhorn. "Tam zamanında orada olacağım."

"Ne kadar sevinçliyim!" diye bağırdı Lisa ve ellerini çırptı.

Sonra Gellhorn enstitüye gitti. Virchow Hastanesi'nin girişindeki kapıcı gülümseyerek selam verdi. Adam terliyor, diye düşündü Gellhorn. Çok sıcak!

"Günaydın, sayın profesör!"

"Günaydın, Lutz!"

Engel kalktı. Gellhorn otomobilini park yerine doğru sürdü. Kliniğin üç büyük binası arasında birkaç otomobil parkı vardı. Gellhorn birinci binaya girdi ve asansörle 14. kata çıktı. Uzun koridorda yürüdü. Sıcaktan jaluzileri indirmişler, diye düşündü bir an. Her şey beyazdı burada. Duvarlar, sıralar, kapılar, lambalar. Gellhorn bürosuna vardı. Kapıda PROFESÖR MARTİN GELLHORN yazıyordu. İçeri girdi. İki sekreterini gülümseyerek selamladı. Beyaz önlüğünü giydi. Gelen mektuplara göz attı. Telefonda konuştu. Birkaç mektup dikte etti. Saat 11'de bürosundan çıktı. Koridorda yürüdü. Bir sürü kapının önünden geçti. Dr. Takahito Sasaki... Danışma Sekretere... Dr. Alexandra Gordon... Danışma Sekretere... Dr. Harald Holsten... Danışma Sekretere... Dr. Thomas Steinbach... Danışma Sekretere... Dr. Jan Barski... Danışma Sekretere...

Profesör Gellhorn kapıyı açıp girdi. Çalışmakta olan Bayan Vanis'le Bayan Woronesch'i selamladı. Sonra Barski'nin büyük ve beyazlar içindeki odasına geçti. Hepsi onu beklemekteydi. Japon, İsrailli, İngiliz, Alman meslektaşları. Her gün yaptıkları gibi o gün de aynı saatte toplanmışlardı. Herkes çalışmaları üzerine bilgi verdi. Tam yedi yıldır, DNA'ları değişime uğrayan bir virüs aracılığıyla göğüs kanserini yenmeye çalışıyorlardı. İçlerinden Thomas Steinbach bir yıldır başarıyla ilerlemekteydi. Ancak başarı gelene kadar aradan bir yedi yıl daha geçebilirdi. Başarıyı yakında elde etmeleri de mümkündü. Tabii hiçbir zaman elde edememeleri de. Belki Gellhorn ve grubu değil de, bir başka ülkede, bir başka doktorlar grubu bu başarıya ulaşacaktı...

Uzun uzun konuştular. Yeni deneylerden söz ettiler. Gellhorn genç meslektaşlarıyla her gün yaptığı bu saat 11 toplantılarına çok önem veriyordu. Sonra herkes işinin başına döndü. Gellhorn de. Mesleğini seviyordu. Bu enstitüyü, dostlarını, dış ülkelerdeki meslektaşlarını, çevresini saran o huzuru da.

Saat 15.30'da tekrar Barski'nin yanına gitti. "Cambridge'de-ki şu dostunuzdan bir kutu çay geldiğini biliyorum," dedi. "Fa-kat bu akşamüstü çayınızı bensiz içeceksiniz. Ben eve gidiyo-rum. Çocuklarıma verdiğim bir sözü yerine getirmem gerek." "Nasıl isterseniz, profesör," dedi Barski. Gellhorn odadan çıktı.

Eve gitti. Ailesini aldı. Güzel eşi ve tatlı iki kızıyla yola çıktı. Nasıl da mutluydu!

Üçüncü sıradaydı yerleri. Gellhorn'un solunda eşi, sağınday-sa kızları Lisa'yla Olivia oturuyordu. Ailesi mutlu olduğu için sevinçliydi.

Ah, ne güzel bir sirk gösterisiydi!

Çocuklar anne ve babalarıyla kocaman sirk çadırının altında oturuyordu. Sevinçli, mutlu. Her gösteride seviniyorlardı. Bağı-rıp çağırıyorlar, el çırpıyorlardı. Siyah taylar dans ediyor, aslan-lar kükrüyor, giysileri parıldayan kadınlar heyecan verici trapez numaraları yapıyordu.

Sonra... Sonra büyük sevinç çığlıkları attı çocuklar. Bütün çadır sanki ayağa kalktı. O ne büyük bir mutluluktu!

Ve palyaçolar geldi...